Forschung zur Bibel 10

herausgegeben von
Rudolf Schnackenburg
Josef Schreiner

in den Verlagen

Katholisches Bibelwerk,
Stuttgart und
Echter, Würzburg

forschung zur bibel

Armin Schmitt
Entrückung —
Aufnahme — Himmelfahrt
Untersuchungen
zu einem Vorstellungsbereich
im Alten Testament

Verlag Katholisches Bibelwerk

ISBN 3-460-21021-4
© 1973 Verlag Katholisches Bibelwerk GmbH, Stuttgart
Silberburgstraße 121 A
Umschlag: Christoph Albrecht
Gesamtherstellung: Helmut Gruber, Minden

Meinen Eltern und Geschwistern

VORWORT

Vorliegende Untersuchung wurde im Wintersemester 1971/72 von
der Theologischen Fakultät der Universität Würzburg als Habilitationsschrift angenommen. Literatur, die nach dem Jahr 1971 erschien, konnte nicht mehr berücksichtigt werden.

An erster Stelle bin ich meinem Lehrer, Herrn Prof. DDr. Joseph
Ziegler, zu Dank verpflichtet. Er war es, der bereits während mei-
ner theologischen Studien durch seine profunden sprachwissenschaft-
lichen Kenntnisse in mir die Liebe zum Wort der Schrift geweckt hat.
Auch diese Arbeit geht auf seine Anregung zurück. Während meiner
Würzburger Assistentenzeit hat er diese Habilitationsschrift mit sei-
nem Fachwissen und Wohlwollen begleitet. Weiterhin schulde ich Dank
Herrn Prof. Dr. Josef Schreiner, dem jetzigen Inhaber des alttesta-
mentlichen Lehrstuhls an der Universität Würzburg, für mannigfache
Hinweise und Förderungen und Herrn Prof. Dr. Wilhelm Eilers, dem
hiesigen Ordinarius für orientalische Philologie, der mir die Welt des
Alten Orients erschlossen hat. Des weiteren habe ich meinem Bischof,
Dr. h. c. Josef Stangl, für die Freistellung nach zwei Jahren Seelsor-
ge zu danken, den Herausgebern der Reihe "Forschung zur Bibel",
Fräulein stud. theol. Anneliese Elchinger für die Anfertigung des Stel-
lenregisters, und nicht zuletzt der Deutschen Forschungsgemeinschaft
für das Habilitandenstipendium und einen erheblichen Zuschuß zur
Deckung der Publikationskosten.

Die Widmung dieses Buches an meine Eltern und Geschwister soll ein
Zeichen des Dankes sein, den ich ihnen gegenüber empfinde.

Karlstadt, im Mai 1973   Armin Schmitt

IX

INHALT

ENTRÜCKUNG - AUFNAHME - HIMMELFAHRT

Untersuchungen zu einem Vorstellungsbereich im

Alten Testament

EINLEITUNG

"Entrückung ist", nach der Definition von F.R. Walton[1], "im Unterschied zur Auferstehung der leibliche Übergang eines menschlichen
Wesens aus diesem Leben in die andere Welt, ohne daß der Tod da-
zwischen tritt." Entrückung umfaßt also den definitiven Abschluß irdi-
scher Wirksamkeit. Entrückungen solcher Art sind sowohl für den
Bereich des Alten Orient als auch für das AT bezeugt und werden in
dieser Arbeit im Detail behandelt.

Doch eine differenzierte Schau auf den Komplex "Entrückung" zeigt,
daß die oben angeführte Definition einer notwendigen Ergänzung bedarf. In der Literatur des Alten Orient begegnet man nämlich mehrfach einer weiteren Form der Entrückung. Bestimmte Menschen werden hierbei vorübergehend in den Himmel, in die Versammlung der
Götter oder in die Unterwelt entrückt und kehren danach wieder zur
Erde zurück. Diese letztgenannten Entrückungsarten stellen kein irreversibles, sondern nur ein zeitlich befristetes Ereignis dar. Man
könnte diese zeitlich begrenzten Entrückungen auch als Himmels-
bzw. Unterweltsreisen bezeichnen, doch ist hierfür auch die Bezeichnung"Entrückung"gerechtfertigt. Zeitlich begrenzte Entrückungen müssen nicht notwendig ihren Zielpunkt außerhalb dieser Welt haben, sondern können sich auch innerhalb dieser Erde ereignen. Derartige Ent-
rückungsformen finden sich im AT.

Dem Begriff "Entrückung" wurden im Thema der vorliegenden Untersuchung als weitere Begriffe "Aufnahme" und "Himmelfahrt" beigeordnet. Dies war deshalb notwendig, weil sich unter"Entrückung"nicht
alle Erscheinungsformen subsumieren lassen, die inhaltlich mit diesem Begriff eng verwandt sind. So herrscht zweifellos eine starke
Affinität zwischen "Entrückung" und "Aufnahme", wenn man"Entrückung"mit Walton unter dem Aspekt der Endgültigkeit betrachtet.

---

1   Entrückung, in : RGG II [3]1958, 499 f.

Während jedoch "Entrückung" nach der Definition Waltons den Tod ausschließt, läßt sich mit dem Begriff "Aufnahme" eines Menschen zu Gott der vorher erfolgte Tod des betreffenden Menschen vereinbaren. Der so bestimmte Begriff "Aufnahme" erhält Bedeutung für Ps 49,16 und 73,24.

Während "Entrückung" und "Aufnahme" nur für Menschen gelten und jeweils göttliches Zutun und Wohlwollen voraussetzen, ist "Himmelfahrt" ein Akt, den Gott und seine Boten bei ihrem Aufstieg von der Erde in die Himmelsregion ausführen. Auch der Aufstieg des Pharao, des Sohnes des Sonnengottes, zum Himmel nach seinem Tod fällt unter "Himmelfahrt", da hierin die Rückkehr eines Gottes zu seinem Ursprung zu sehen ist.

ERSTER TEIL

Entrückung und Himmelfahrt im Alten Orient

Um ein möglichst umfassendes und abgerundetes Bild über dieses
Thema im Alten Testament zu gewinnen, müssen wir in diese Untersuchung auch einzelne Kulturkreise des Alten Orient miteinbezie-
hen. Der Quellenlage entsprechend sind wir am besten über Entrückung bei den Sumerern und deren semitischen Erben, den Babyloniern und Assyrern, einerseits und über Entrückung und Himmelfahrt bei den Ägyptern andererseits unterrichtet. Leiter besitzen wir
kein Vergleichsmaterial zu diesem Thema aus dem syrisch-kanaanä-
ischen Raum, und gerade hier wäre eine Gegenüberstellung mit dem
AT interessant und informativ.

ERSTES KAPITEL

Entrückung bei den Sumerern, Babyloniern und
Assyrern

I.   Entrückung als endgültiges Ereignis und Befreiung vom Tod

Man ist hier in der glücklichen Lage, eine Entrückungserzählung in
ihren verschiedenen Traditionsphasen über den Zeitraum von fast
zwei Jahrtausenden verfolgen zu können. Zum ersten Mal begegnet
man ihr in sumerischer Sprache. Sodann wandert sie von den Sumerern zu deren semitischen Erben, den Babyloniern und Assyrern,
wo sie in der elften Tafel des Gilgameschepos ihren Niederschlag
gefunden hat. Schließlich wird dieser literarische Stoff von Berossos in der hellenistischen Zeit nochmals aufgegriffen, im Sinn und
Stil dieser Epoche neubearbeitet und der Nachwelt tradiert.

1. Entrückung bei den Sumerern

Wir besitzen einen sumerischen Text aus Nippur, der zum ersten
Mal von A. Poebel[1] herausgegeben wurde und dessen Inhalt sich ge-
rafft folgendermaßen skizzieren läßt : Schöpfung - Gründung von
fünf vorsintflutlichen Städten - König Ziusudra, ein Erwählter und
Vertrauter der Götter - die große Flut - Errettung des Ziusudra aus
der Flut und seine Entrückung. Dieser Text wurde seitdem wiederholt übersetzt und kommentiert, so von E. Ebeling[2], A. Heidel[3], S. N.
Kramer[4], M. Civil.[5] Jedoch neben der Edition von Poebel können als
eigentliche Weiterführungen nur die Arbeiten von Kramer und Civil bezeichnet werden. Für diese unsere Untersuchung spielt Ziusudra
eine dominierende Rolle, dessen Entrückung am Schluß der Erzählung erfolgt. Deshalb soll hier nun eine Übersetzung des sumerischen Textes nach Civil 143-145 von der Stelle an erfolgen, bei der
Ziusudra in die Erzählung eingeführt wird :

(III)

145 Zu dieser Zeit, der König Ziusudra, der Gesalbte [...],
146 er machte .... [.....]
147 mit Unterwürfigkeit (und) wohlgewählten Worten, in Ver-
     ehrung [...]
148 täglich stand er ununterbrochen am [...] .
149 Es gab keinen Traum, herauskommend und spre [chend.....]
150 geschworen bei Himmel und Unterwelt [...]

---

1 A New Creation and Deluge Text (Historical Texts UMPBS
   IV/1) Philadelphia 1914, 9-70.
2 Die Sintflut. Ein sumerischer Bericht von der Sintflut, in :
   AOT, Berlin-Leipzig ²1926, 198 f.
3 The Gilgamesh Epic and Old Testament Parallels, Chicago-
   London ²1949, 102-105.
4 The Deluge, in : ANET, Princeton ²1955, 42-44.
5 The Sumerian Flood Story, in : W. G. Lambert - A. R. Millard,
   Atra-ḫasīs. The Babylonian Story of the Flood, Oxford 1969,
   138-145.

(IV)

151   ... , die Götter, eine Wand ⌈...。⌋

152   Ziusudra hör⌈te⌋ , stehend an ihrer Seite,

153   er stand links an der Seitenwand ⌊...⌋

154   Seitenwand, ich will zu dir sprechen, ⌊halte fest⌋ mein Wort,

155   ⌈merk auf⌋ meine Anweisungen :

156   An allen Wohnungen (?), über die Hauptstädte wird der Sturm
(hinwegfegen)。

157   Die Vernichtung des Menschengeschlechtes ⌊...⌋ ,

158   der endgültige Beschluß, das Wort der Versammlung ⌈...⌋

159   das Wort gesprochen von An und En⌈lil und Ninḫursag⌋

160   die Vernichtung des Königtums ⌊...⌋ .

(V)

201   Alle zerstörerischen Winde (und) Stürme wüteten,

202   der Sturm fegte über die Hauptstädte hinweg.

203   Nachdem der Sturm sieben Tage und sieben Nächte über das
Land hingestürmt war

205   und der zerstörerische Wind das riesige Boot auf dem hohen
Wasser gerüttelt hatte,

206   kam die Sonne heraus und erleuchtete die Erde und den Him-
mel。

207   Ziusudra machte eine Öffnung in dem riesigen Boot,

208   und die Sonne mit ihren Strahlen drang in das riesige Boot.

209   Der König Ziusudra

210   warf sich vor dem Sonnengott nieder,

211   der König schlachtete viele Stiere und Schafe.

(VI)

251   Seid beschworen beim Himmel und der Unterwelt, ...

252   An (und) Enlil, seid beschworen beim Himmel und der Unterwelt ...

253   Er/sie ließ(en) die Tiere heraufkommen, die aus der Erde her-
vorgehen.

254 Der König Ziusudra

255 warf sich vor An (und) Enlil nieder,

256 sie gaben ihm Leben, gleich einem Gott,

257 erhoben ihn zu einem ewigen Leben, gleich einem Gott.

258 Damals ließen sie König Ziusudra,

259 der den Samen der Menschheit zur Zeit der Vernichtung rettete,

260 in einem Land jenseits des Meeres, im Osten, in Dilmun wohnen.

Folgende Punkte aus der sumerischen Entrückungserzählung erfordern eine detaillierte Herausstellung :

a. Datierung : Poebel[6] setzt das Datum der Beschriftung der Tafel in der Spätzeit der Dynastie von Babylon an, während der Bericht
selbst nach seiner Meinung auf altem sumerischen Traditionsgut über
Schöpfung und Flut basiert. Auch Heidel[7] verweist die Tafel in die
Zeit Hammurapis (etwa 1792-1750 v.Chr.), während er den Inhalt
selbst für älter hält. Ebenso postuliert Civil[8] als Zeit für die Beschriftung der Tafel eine späte altbabylonische Epoche. Man kann
also nach dem heutigen Stand der Forschung sagen, daß zwar die
Tafel aus Nippur relativ jung ist, während der Inhalt selbst in altsu-
merische Zeit verweist.

b. Der Name des Entrückten : Der sumerische Name Ziusudra
ist für uns übersetzbar und kann etwa mit "Leben auf ferne Tage hin"
wiedergegeben werden.[9] Daraus geht hervor, daß dieser Name im
Zusammenhang mit dem glücklichen Los gesehen werden muß, das
auf Ziusudra gefallen ist. Durch die Entrückung nach Dilmun nämlich

---

6   Deluge Text 69 f.
7   The Gilgamesh Epic 102.
8   Flood Story 138.
9   Vgl. Poebel, Deluge Text 48 ; Heidel, The Gilgamesh Epic 227;
     A. Deimel, Die altbabylonische Königsliste und ihre Bedeutung
     für die Chronologie (Sacra Scriptura Antiquitatibus Orientalibus
     Illustrata 6) Rom 1935, 36.

wird ihm Unsterblichkeit zuteil und damit ein "Leben auf ferne Tage
hin" geschenkt.

c. An fünf Stellen wird Ziusudra als lugal ("König") bezeichnet[10];
an einer Stelle wird Ziusudra sogar lugal und gudu$_4$ genannt.[11] gu-
du$_4$ ist ein priesterlicher Titel, dem im Akkadischen pašīšu (m)
("Gesalbter") entspricht.[12] Schon immer wußte man durch die Chronik des Eusebius, daß es nach altbabylonischer Tradition zehn vorsintflutliche Könige gegeben hat.[13] In dieser Aufzählung zehn vorsintflutlicher Könige wird als zehnter König Xisuthros genannt, unter dessen Regierung die große Flut stattgefunden hat. Dieser König Xisuthros wird durch Eingreifen der Götter aus der Flut gerettet und entrückt.[14] Zweifellos geht die gräzisierte Namensform Xisuthros auf
das sumerische Ziusudra zurück, denn X als erster Konsonant an
Stelle von Z ist eine innergriechische Verderbnis und läßt sich sowohl bei griechischer Majuskel - als auch Minuskelschrift leicht erklären. Die Überlieferung des Eusebius erfährt somit durch den sumerischen Text aus Nippur eine glänzende Bestätigung. Die Angaben
des Eusebius gehen, wenn auch durch Vermittlung des Alexander
Polyhistor, auf Berossos zurück, der in hellenistischer Zeit um
340-270 v.Chr. Priester des Gottes Bel in Babylon war.[15] Dieser
Priester Berossos gab, wie die neuesten Funde zeigen, uraltes ba-
bylonisches Traditionsgut weiter. Seit Veröffentlichung der Weld-
Bundell-Tafel 62 (W-B 62), kennen wir ferner eine sumerische Königsliste, die als zehnten vorsintflutlichen Herrscher einen König

---

10 Civil, Flood Story 142 Z. 145 ; 144 Z. 209.211.254.258.
11 Civil, Flood Story 142 Z. 145.
12 Vgl. Poebel, Deluge Text 18 Col. 3 Z. 20 ; Kramer, The De-
    luge 144 Z. 145.
13 J.Karst, Eusebius Werke 5 - Die Chronik (CB 20) Leipzig 1911,
    4,17-6,4.
14 Karst, Chronik 10,19-12,5.
15 Vgl. P. Schnabel, Berossos und die babylonisch-hellenistische
    Literatur, Leipzig-Berlin 1923, 3-15.

Ziusudra erwähnt, der in Šuruppak residierte[16]; vgl. S. 15 . Somit werden auch durch W-B 62 die Angaben des Eusebius erhärtet.
Daraus ergibt sich, daß der aus der sumerischen Flut- und Entrückungserzählung bekannte König Ziusudra sowohl bei Eusebius
als auch bei W-B 62 als zehnter vorsintflutlicher König zitiert wird.

d.   Schon bei der Einführung des Ziusudra im sumerischen Bericht
erfolgt eine Anspielung auf seine Frömmigkeit und Gottesfurcht.[17]
Auch während der Flut wird seine Pietät den Göttern gegenüber durch
den Hinweis herausgestellt, daß er sich vor dem Sonnengott nieder-
wirft und Stiere und Schafe opfert.[18]

e.   Ziusudra erhält durch göttliche Vermittlung Nachricht über die
bevorstehende Flutkatastrophe.[19] Aufgrund dieser Tatsache und der
nachfolgenden Rettung aus der Flut wird erkennbar, daß der sumerische Bericht in Ziusudra einen Bevorzugten der Götter sieht.

f.   In zwei parallelen Wendungen wird das gottgleiche, ewige Leben beschrieben, das dem Ziusudra geschenkt wird[20]; Ziusudra muß
also nicht sterben, ihm bleibt das Todesgeschick erspart.

g.   Nachdem Ziusudra ewiges Leben verliehen worden ist, erfolgt
seine Entrückung nach Dilmun.[21] Von Dilmun bzw. Tilmun hört man
wiederholt in sumerischen und akkadischen Texten. Allerdings sind
hierbei die Zusammenhänge recht verschieden. So spielt Dilmun in
dem sumerischen Mythos "Enki und Ninhursag" eine nicht unbedeu-
tende Rolle.[22] Dieser Mythos beginnt mit einem Lobpreis auf Dil-

---

16   S.Langdon, Historical Inscriptions, containing principally the
     chronological Prism, W-B 444 (Oxford Edition of cuneiform
     Texts II) Oxford 1923, 2 ; ders., The chaldean Kings before
     the Flood : JRAS, 1923, 251-259 ; Deimel, Königsliste 31.
17   Civil, Flood Story 142 Z. 145-150.
18   Civil, Flood Story 144 Z. 210 f.
19   Civil, Flood Story 142 Z. 151-160.
20   Civil, Flood Story 144 Z. 256 f.
21   Civil, Flood Story 144 Z. 260.
22   ANET 37-41.

mun, das sowohl als Land als auch als Stadt bezeichnet wird. Die
Beschreibung Dilmuns ähnelt der des Paradieses, wie sie uns aus
Gen 2 und 3 bekannt ist. Dilmun ist ein glückliches Land[23], in dem
es aller Wahrscheinlichkeit nach weder Krankheit noch Schmerz
und Tod gibt.[24] Auf Befehl Enkis, des Wassergottes, strömt reichlich Wasser in die Stadt, so daß die Felder große Erträge bringen.[25]
S.N.Kramer[26] wollte Dilmun mit "dem Land des Lebens" identifizieren, das aus der sumerischen epischen Erzählung "Gilgamesch
und das Land des Lebens" bekannt ist.[27] Doch diese Identifikation
bleibt unsicher, denn Kramer selbst rechnet an anderer Stelle mit
der Möglichkeit, daß das Hochland Hurrum mit "dem Land des Lebens" gleichzusetzen sei.[28]

Ein weiterer Aspekt von Dilmun zeigt sich in einem akkadischen
Text, der von E. Ebeling[29] herausgegeben wurde. Obgleich dieser
Text jedem Ausleger größte Schwierigkeiten und Rätsel aufgibt,
dürfte doch so viel feststehen, daß es hierbei um das Schicksal des
Menschen nach dem Tode vor dem Unterweltsgericht geht.[30] Bei
diesem Ausblick auf das Jenseits wird zweimal Dilmun erwähnt.[31]
Vielleicht hat das durch die Mythologie bekannte Dilmun in der Jen-
seitsspekulation der Babylonier und Assyrer eine gewisse Rolle ge-
spielt. Eine sichere Aussage ist jedoch wegen des fragmentarischen
Textcharakters nicht möglich.

Daneben ist ferner zu beachten, daß Dilmun nicht nur eine mytholo-

---

23   ANET 38 Z. 1-12.
24   ANET 38 Z. 13-30.
25   ANET 38 Z. 31-63.
26   Dilmun, the Land of the Living : BASOR 96, 1944, 18-28.
27   ANET 48-50.
28   ANET 47 Anm. 3.
29   Tod und Leben nach den Vorstellungen der Babylonier, I.Teil
       Texte, Berlin-Leipzig 1931, 9-19.
30   Vgl. Ebeling, Tod und Leben 9-12.
31   Ebeling, Tod und Leben 14 Obv. III Z. 5.8.

gische Größe darstellt, sondern auch in historischen Texten anzutreffen ist. So berichtet die Geburtslegende Sargons, daß dieser
Herrscher Dilmun eroberte.[32] Ein weiterer Text über Sargon von
Akkad erwähnt Schiffe aus Tilmun[33], die Inschriften Assarhaddons
sprechen von Qanaia, einem König von Tilmun.[34] Die Inschriften
Assurbanipals markieren als geographische Punkte Tyrus und Tilmun : "Von Tyrus, einer Insel im oberen Meer, bis Tilmun, einer
Insel im unteren Meer."[35] Ein akkadischer Ritualtext, der die täg-
lichen Opfer der Stadt Uruk an die Götter beinhaltet, erwähnt an zwei
Stellen als Opfergaben "Datteln des Landes Tilmun".[36] Aus all den
angeführten Beispielen geht hervor, daß Dilmun bzw. Tilmun in den
Keilschrifttexten sowohl als mythologische wie auch als genau fixier-
bare geographische Bezeichnung belegt ist.

Reichlichen Diskussionsstoff hat die Lokalisierungsfrage von Dilmun
geliefert. Dabei stehen sich vor allem zwei Gruppen von Wissenschaftlern gegenüber. Einerseits sucht man Dilmun an der Ostküste
des Persischen Golfes[37], während man andererseits Dilmun mit
den Bahrein-Inseln und dem gegenüberliegenden Gebiet Nordostara-
biens identifiziert.[38]

h.   Das Verbum, das die Entrückung Ziusudras bezeichnet, lautet :
mu-un-tìl-eš.[39] Man kann diese Form des Verbums til ("leben, wohnen") kausativ übersetzen, wie es beispielsweise Kramer[40] tut :
"They caused to dwell." Eine andere Möglichkeit der Wiedergabe

---

32   ANET 119 Anm. 19.
33   ANET 268.
34   ANET 290.
35   ANET 297.
36   ANET 343 f.
37   So Kramer, Dilmun 18-28.
38   Vgl. W.F.Albright, The Mouth of the Rivers : AJSL 35,1919,
     161-195 ; P.B.Cornwall, On the Location of Dilmun : BASOR
     103,1946,3-11 ; E.Weidner, Baḥrein : AfO 15,1945-1951,169 f ;
     A.L.Oppenheim, The seafaring Merchants of Ur : JAOS 74,1954,
     6-17.
39   Civil, Flood Story 144 Z. 260.
40   The Deluge 44 Z. 262.

zeigt Civil[41], der hier einfach "they settled" übersetzt. Die Subjektsgruppe bilden hierbei die Götter Anu und Enlil[42], während König Ziusudra das Objekt dieses Satzes darstellt.

2. Entrückung bei den Babyloniern und Assyrern

Der babylonisch-assyrische Entrückungsbericht ist auf der 11. Tafel
des Gilgameschepos erhalten. Wir wissen heute, daß das Gilgameschepos eine literarische Kompilation aus ursprünglich verschiedenen
Quellen darstellt. Durch die Kenntnis der sumerischen Literatur kann
man sagen, daß in dieser Komposition verschiedene sumerische My-
then und Epen zu einer kunstvollen Einheit gestaltet wurden. So besitzen wir zu folgenden Teilen des Gilgameschepos ältere sumerische
Vorlagen : Das Abenteuer des Gilgamesch und Enkidu mit Huwawa
(Tafel III-V), Ischtars Werben um Gilgamesch und der Kampf mit dem
Himmelstier (Tafel VI), Enkidus Eingehen in die Unterwelt, sein Heraufkommen aus dem Reich der Toten, und seine Schilderung, die er
dem Gilgamesch über den dortigen desperaten Zustand gibt (Tafel
XII). Eingehend mit der Frage der Abhängigkeit des Gilgamesch-
epos von sumerischen Vorlagen hat sich S.N.Kramer[43] beschäftigt.
Ebenso wie für die vorausgehenden Beispiele hat auch der Flut- und
Entrückungsbericht auf der 11. Tafel des Gilgameschepos eine sume-
rische Entsprechung, die bereits unter 1. behandelt wurde. Der für
unsere Untersuchung wichtige Textabschnitt auf der 11. Tafel des
Gilgameschepos über die Entrückung des Utnapischtim lautet in der
Übersetzung von Schott - v. Soden 94 :

---

41   Flood Story 145 Z. 260.
42   ANET 44 Anm. 61.
43   The Epic of Gilgameš and its Sumerian Sources : JAOS 64,
       1944, 7-23 ; vgl. ferner auch Heidel, The Gilgamesh Epic
       13 f und A. Schott - W.v. Soden, Das Gilgamesch-Epos,
       Stuttgart 1966, 109-116.

189 "Da hat Enlil das Schiff bestiegen,

190 Meine Hand gefaßt, mich einsteigen lassen,

191 Lassen einsteigen, knien mein Weib neben mir,

192 Hat berührt unsere Stirn, zwischen uns stehend, uns segnend :

'Ein Menschenkind war zuvor Utnapischtim ;

Uns Göttern gleiche fortan

Utnapischtim und sein Weib !

Wohnen soll Utnapischtim

Fern an der Ströme Mündung!'

Da nahmen sie mich und ließen mich fern an der Ströme

Mündung wohnen."

Bei einem Vergleich zwischen der sumerischen und babylonisch-assyrischen Entrückungserzählung ergibt sich folgender Tatbestand :

a.   Die enge Verflechtung zwischen der sumerischen und assyrischen Entrückungserzählung zeigt sich bis in wörtliche Übereinstimmungen hinein.[44] KA ki-su-ub ba-gub "er warf sich nieder" (Civil 144 Z. 255) im Sumerischen entspricht im Akkadischen kamāsu(m) = "sich niederbeugen, niederknien" (XI 191). Der sumerischen Wendung ti dingir-gin$_x$ mu-un-na-sum-mu zi-da-rí dingir-gin$_x$ mu-un-ab-e$_{11}$-dè = "Leben wie einem Gott gaben sie ihm, zu einem Leben der Dauer erhoben sie ihn" (Civil 144 Z. 256 f) entspricht der akkadische Ausdruck e-nen-na-ma ᴵUt-napišti (ZI) u sinništa (MI)-šú lu-u e-mu-ú ki-i/ki-ma ilānī (DINGIR.MEŠ) na-ši-ma = "Jetzt sollen Utnapischtim und seine Frau sein wie wir Götter" (XI 194). Mu-un-til-eš = "sie ließen wohnen" (Civil 144 Z. 260) im Sumerischen entspricht uš-te-ši-bu-in-ni = "Sie ließen mich wohnen" (XI 196) im Akkadischen.

---

44 Die Umschrift des sumerischen Textes erfolgt nach Civil, Flood Story 144 ; die des akkadischen Textes erfolgt nach R. Borger, Babylonisch-Assyrische Lesestücke, Heft II, Rom 1963, 100.

b.　Während wir sahen, daß der Name des sumerischen Fluthelden
Ziusudra im Zusammenhang mit der Unsterblichkeit steht, die ihm
bei seiner Entrückung die Götter schenkten, vgl. S. 7 , ist die Deutung des Namens Utnapischtim ungleich schwieriger. Zwar hat es
nie an Forschern gefehlt, die auch im Namen Utnapischtim, ebenso
wie bei Ziusudra, einen Hinweis auf dessen Unsterblichkeit sahen, die
dieser bei seiner Entrückung erlangte. Daher wurden folgende Übersetzungen für den Namen Utnapischtim gegeben : "who has been
lengthened in life, i.e., who has gained long life (for himself)"[45];
"er fand Leben"[46]; "he saw life, i.e. he found or obtained everla-
sting life"[47]; "ich habe mein Leben gefunden".[48]　Zu Recht hat aber
v. Soden[49] darauf hingewiesen, daß der erste Teil des Namens Utnapischtim nach dem heutigen Stand der Forschung nicht deutbar ist.
Daher gehen die oben zitierten Übersetzungen des Namens Utnapischtim nicht über Vermutung und Spekulation hinaus.

c.　Die Frömmigkeit Utnapischtims wird zwar nicht eigens wie in
der sumerischen Flut- und Entrückungserzählung hervorgehoben,
vgl. S. 9 , aber verschiedene Angaben weisen in diese Richtung.
Er wird nämlich Knecht des Wassergottes Ea genannt (XI 37). Das
gleiche Epitheton wird auch Atra-ḫasīs, dem Freund und Vertrauten
der Götter, beigelegt.[50] Er hört auf Ea und führt dessen Auftrag aus
(XI 55-69). Nach seiner Rettung aus der Flut bringt er den Göttern,
ebenso wie Ziusudra, ein Opfer dar (XI 155-162); vgl. S. 9 .

45　　Poebel, Deluge Text 48 f.
46　　AOT 168 Anm. a.
47　　Heidel, The Gilgamesh Epic 227.
48　　M.A.Beek, Bildatlas der assyrisch-babylonischen Kultur, Gü-
　　　tersloh 1961, 114.
49　　Status Rectus-Formen vor dem Genitiv im Akkadischen und die
　　　sogenannte uneigentliche Annexion im Arabischen : JNES 19,
　　　1960, 163-171.
50　　W.G.Lambert - A.R.Millard, Atra-ḫasīs. The Babylonian Sto-
　　　ry of the Flood, Oxford 1969, 68 Z. 373 ; 88 Z. 16.

d.   Utnapischtim wird ebenso wie Ziusudra die drohende Flutkatastrophe durch einen Gott mitgeteilt (XI 21-31) ; vgl. S. 9.

e.   Im Gegensatz zu Ziusudra ist Utnapischtim weder König noch
übt er priesterliche Funktionen aus. Er wird nur als "Mann aus
Schurippak" bezeichnet (XI 23).

f.   Bemerkenswert ist die Tatsache, daß die Vorgänge, die der
Entrückung unmittelbar vorausgehen, im Gilgameschepos (XI 189-
192) gegenüber der sumerischen Flut- und Entrückungserzählung
(Civil 144 Z. 254-257) eine Erweiterung und Ausschmückung im Detail erfahren haben. So führt das Gilgameschepos als Plus gegenüber
dem sumerischen Bericht an, daß Enlil in das Schiff einstieg, die
Hand Utnapischtims ergriff, die Frau Utnapischtims neben ihn knien
ließ, beider Stirn berührte und sie segnete.

g.   Sowohl im sumerischen Entrückungsbericht als auch im Gilgameschepos erfolgt die Vergöttlichung und Entrückung durch Götter.

h.   Die Entrückung wird durch die Kombination der Verba leqû(m)
("nehmen") und wašābu(m) ("sitzen, wohnen") ausgedrückt (XI 196) ;
näheres zu leqû(m) s.S. 312 f. Zu beachten ist, daß an anderer Stelle die Entrückung Utnapischtims mit der Wendung "in die Versammlung der Götter eintreten" umschrieben wird (IX Col. III Z. 4 und
XI 7 = Schott - v.Soden, Gilgamesch-Epos 72.86).

i.   Die Entrückung Utnapischtims erfolgt ina pi-i nārāti (Id.MEŠ)
= "an den Mund der Ströme" (XI 195 f). Poebel[51] bezieht diese Angabe auf die Flüsse Euphrat und Tigris, ohne allerdings klarzustel-
len, ob er darunter das Quellgebiet oder die Mündung der beiden
Flüsse versteht. Er glaubt, daß ina pi-i nārāti nicht in Einklang zu
bringen ist mit Ziusudras Wohnort Dilmun. Albright[52] plädiert dafür,

---

51   Deluge Text 62.
52   The Mouth of the Rivers 161-188.

daß unter "Mund der Ströme" nicht der Mündungsbereich von Euphrat und Tigris zu verstehen ist, sondern das nördliche Quellgebiet. Dilmun liegt nach seinem Dafürhalten genau entgegengesetzt, nämlich im Süden des Zweistromlandes.[53] Kramer[54] möchte "Mund der Ströme" und "Dilmun" identifizieren, so daß in diesem Fall der Wohnort Utnapischtims der gleiche wäre wie der Ziusudras. Nach Kramer[55] verweist der Ausdruck "Mund der Ströme" auf das Mündungsgebiet von Euphrat und Tigris. Auch Heidel[56] neigt dieser Lösung zu, obgleich er annimmt, daß man später den Entrückungsort im Westen, jenseits des Mittelmeeres, vermutete. Aus all dem ersieht man, daß eine letzte Sicherheit in der Lokalisierungsfrage des Entrückungsortes des Utnapischtim beim heutigen Stand der Forschung noch nicht gegeben ist.

k.   Der Wendung "am Mund der Ströme" ist ina ru-ú-qí bzw. ru-qí = "fern" vorangestellt (XI 195 f). Poebel[57] sieht zwischen ina ru-qí und ina pi-i nārāti zwei ursprünglich getrennte Angaben über den Wohnort Utnapischtims, die später harmonisiert wurden. Auch Albright[58] vermutet bei ina ru-qí eine spätere Hinzufügung. Kramer[59] hingegen lehnt eine solch literarkritische Aufspaltung ab und diese Ansicht ist gravierend. Es ist nämlich festzustellen, daß im Gilgameschepos wiederholt vom "fernen Utnapischtim" die Rede ist.[60] Von hier aus gesehen besteht durchaus die Möglichkeit, daß "fern" als charakterisierende Beifügung für den Wohnort des entrückten Utnapischtim zum ursprünglichen Bestandteil von XI 195 f zu rechnen ist. Der durchgeführte Vergleich zwischen dem sumerischen

---

53   The Mouth of the Rivers 191.
54   Dilmun 26-28.
55   Dilmun 28 Anm. 41.
56   The Gilgamesh Epic 257 f.
57   Deluge Text 63.
58   The Mouth of the Rivers 192.
59   Dilmun 28 Anm. 42.
60   Schott - v. Soden, Gilgamesch-Epos 79 IV 6.13 ; 86 XI 1 ;
       95 XI 219.

und dem babylonisch-assyrischen Flut- und Entrückungsbericht zeigt
unverkennbar, daß die sumerische Erzählung die ältere ist, an die
sich die 11. Tafel des Gilgameschepos anlehnt. Darüberhinaus dokumentiert die 11. Tafel des Gilgamenschepos eine fortgeschrittene
Traditionsstufe gegenüber dem sumerischen Bericht. Während beispielsweise Ziusudra ein König ist, der priesterliche Funktionen ausübt, wird Utnapischtim nur als "Mann aus Schurippak" bezeichnet.
Dem König kommt nach archaischer Vorstellung eine herausragende
Stellung unter den Menschen zu. Deshalb ist er weit eher für ein solches Ausnahmeereignis prädestiniert als ein Mann ohne königlichen
Status. Ferner sind die Vorgänge, die der Entrückung vorausgehen,
im Gilgameschepos viel breiter ausgeführt als im sumerischen Bericht ; vgl. S. 15. Schließlich wird im Gilgameschepos die Entrük-
kung auch der Frau des Utnapischtim geschildert, während Ziusudra
allein entrückt wird; vgl. S. 9 .

3. Der Entrückungsbericht des Berossos

Der Flut- und Entrückungsbericht, der in sumerischer und akkadischer Sprache vorliegt, wird auch von Berossos, einem babylonischen Priester, der zur hellenistischen Zeit in griechischer Sprache
schrieb, überliefert, vgl. S. 4 . Leider liegt das Werk des Berossos, das den Titel Babyloniaca trug, nicht mehr als Ganzes vor, sondern es muß aus Exzerpten und Zitaten rekonstruiert werden.
Hauptquelle für das Werk des Berossos ist Eusebius. Allerdings hat
Eusebius Teile aus den Babyloniaca nicht direkt von Berossos übernommen, sondern durch die Vermittlung des Alexander Polyhistor.[61]
In der Chronik des Eusebius findet sich der Flut- und Entrückungsbericht des Berossos an folgender Stelle, wobei sich Eusebius aus-

---

61   Vgl. P. Schnabel, Berossos 134-136.

drücklich auf Alexander Polyhistor beruft.[62] Der für unsere Unter-
suchung wichtige Textabschnitt, der mit den Vorgängen nach der
Flut einsetzt, lautet[63]: "Da erkenne Xisuthros, daß die Erde zum
Vorschein gekommen und offen liege ; er erbreche eine Seite des
Schiffsdeckes und sehe das Schiff aufgefahren, an einen Berg ange-
lehnt. Er steige heraus, begleitet von Frau und einer Tochter, mit-
samt dem Schiffsmeister und bete an auf der Erde, errichte einen
Altar und bringe den Göttern Opfer dar. Und seither sei er aus den
Augen entschwunden gewesen samt jenen, die mit ihm aus dem
Schiff herausgestiegen waren. Und die dort im Schiffe geblieben waren, und mit den Xisuthriden nicht herausgegangen waren, als sie
nachher hinausgetreten, suchten sie ihn und umherirrend riefen sie
ihn laut an, mit Namen nennend. Xiusuthros ist ihnen fürderhin
nicht mehr erschienen ; der Schall einer Stimme jedoch, die aus
den Lüften kam, gab Vorschrift : daß es ihnen Pflicht sei, Götter-
verehrer zu werden; und daß er selbst wegen seiner Götterverehr-
rung hingefahren, in der Wohnung der Götter wohne ; und daß seine
Gattin und Tochter und der Schiffsmeister ebendiese Ehre genös-
sen." Die soeben zitierte Passage aus der Chronik des Eusebius
ist ursprünglich griechisch abgefaßt, liegt aber heute nur in einer
armenischen Übersetzung vor. Glücklicherweise besitzen wir den
gleichen Flut- und Entrückungsbericht des Berossos wie er bei Eusebius vorliegt durch den Chronographen Georgios Synkellos aus
der Zeit um 800 n.Chr. in griechischer Sprache.[64] Synkellos hat
nach Schnabel[65] seine sämtlichen Berossoszitate der Chronik des
Eusebius entnommen. Der griechische Entrückungsterminus bei

---

62   Karst, Chronik 10, 19-12,5.
63   Karst, Chronik 11, 13-28.
64   W.Dindorf, Georgius Syncellus et Nicephorus CP I (Corpus
     Scriptorum Historiae Byzantinae) Bonn 1829, 53, 19-56,3.
65   Berossos 163.

Synkellos lautet : γίγνεσθαι ... ἀφανής . Dieser Ausdruck gehört zu den spezifischen Entrückungstermini antiker Entrückungsberichte.[66] Auch die Wendung ζητεῖν ... οὐκ ἔτι ὀφθῆναι verweist auf die Gattung hellenistischer Entrückungsberichte, denn bereits E. Bickermann[67] macht darauf aufmerksam, daß die Unauffindbarkeit "ein ständiges Motiv der Entrückungsgeschichten" darstellt. Neuerdings hat Lohfink[68] darauf hingewiesen, daß die Beglau-
bigung einer Entrückung durch erfolglose Suche "nach dem ἀφανισ-
θείς " zustandekommen konnte.

Durch die Stimme aus den Lüften, die eine himmlische Bestätigung
der Entrückung des Xisuthros darstellt, ist ein weiteres wichtiges
Motiv der Entrückungserzählungen gegeben.[69] Schließlich verdient
die Wendung ...ομετὰ τῶν θεῶν οἰκήσοντα Beachtung. Sie entspricht dem "terminus ad quem" εἰς θεούς bzw.εἰς οὐρανόν , der
zum spezifischen "Gattungsstil" der Entrückungserzählungen gehört.[70]

An zwei weiteren Stellen kommt Eusebius in kurzer und gedrängter
Form auf den Entrückungsbericht des Berossos zu sprechen, und
zwar beruft er sich hierbei auf einen gewissen Abydenos, dessen
Bericht ebenfalls auf das Berossosexzerpt des Alexander Polyhistor
zurückgeht.[71] Die erste Stelle liegt in der Chronik vor.[72] Auch für

---

66   S. hierzu G. Lohfink, Die Himmelfahrt Jesu (Studien zum Al-
      ten und Neuen Testament XXVI) München 1971, 41.
67   Das leere Grab : ZNW 23, 1924, 289.
68   Himmelfahrt 45. In meinem Beitrag zur Ziegler-Festschrift,
      Die Angaben über Henoch Gen 5,21-24 in der LXX, in : Wort,
      Lied und Gottesspruch (fzb 1) Würzburg 1972,164-166,konnte
      ich die gleiche Tendenz nachweisen,die im negierten Verbum
      οὐχ εὑρίσκειν in der LXX von Gen 5,24 ihren Niederschlag ge-
      funden hat.
69   Vgl. Lohfink, Himmelfahrt 45 f.
70   Vgl. Lohfink, Himmelfahrt 37.
71   Vgl. Schnabel, Berossos 136.164.
72   Karst, Chronik 16, 11-17,8.

- 20 -

diesen Fall besitzen wir nur eine armenische Version, jedoch kann
man auch hier die griechische Übersetzung des Synkellos als Rekon-
struktionsbasis heranziehen.[73] Die zweite Stelle findet sich in der
Praeparatio Evangelica.[74] Sowohl in der Chronik nach Überlieferung
des Synkellos als auch in der Praeparatio Evangelica wird die Entrückung des Seisithros, wie hier der Name statt Xisuthros lautet,
mit der Wendung θεοί μιν ἐξ ἀνθρώπων ἀφανίζουσι umschrieben.
Aufgrund von ἐξ ἀνθρώπων ist der "terminus a quo" gegeben, der unter den spezifischen "Gattungsstil" der Entrückungserzählungen
fällt.[75] Auch das Verbum ἀφανίζειν gehört der Entrückungstermi-
nologie·an.[76]
Aus all den angeführten griechischen Berossoszitaten geht hervor,
daß Berossos, soweit man der indirekten Überlieferung vertrauen
kann, spezifische Ausdrücke und Wendungen gebraucht, die in den
hellenistischen Entrückungsberichten fest verankert sind. Somit ist
der Entrückungsbericht des Berossos ein glänzendes Beispiel dafür,
wie ein uralter literarischer Stoff aus dem sumerischen und babylonisch-assyrischen Kulturkreis aufgrund der verwendeten Terminologie den veränderten Vorstellungen einer neuen Epoche adaptiert
wurde.
Den Flut- und Entrückungsbericht der elften Tafel des Gilgameschepos und den des Berossos hat man bereits gründlich verglichen und
dabei Parallelen und Differenzen aufgezeigt.[77] Da zu dieser Zeit
aber der sumerische Flut- und Entrückungsbericht noch nicht bekannt war, soll hier ein kurzer Vergleich aller drei Berichte versucht werden :

73   Dindorf, Georgius Syncellus 70, 1-15.
74   K. Mras, Eusebius Werke VIII. Die Praeparatio Evangelica
     (CB 43,1) Berlin 1954, 498, 4-16.
75   Vgl. Lohfink, Himmelfahrt 37.
76   Vgl. Lohfink, Himmelfahrt 41.
77   Vgl. A. Ungnad - H. Greßmann, Das Gilgamesch-Epos
     (FRLANT 14) Göttingen 1911, 213-216.

a.   Der gräzisierte Name Xisuthros bzw. Seisithros geht auf den sumerischen Namen Ziusudra zurück ; vgl. S. 8 . Bezüglich des Namens Utnapischtim ist keine gesicherte Entscheidung möglich ; vgl. S. 14 .

b.   Sowohl im sumerischen Bericht als auch bei Berossos wird die Frömmigkeit des Fluthelden eigens herausgestellt ; vgl. S. 9 und S. 18 . Bei Berossos wird sogar die Entrückung des Xisuthros mit "seiner Götterverehrung" motiviert : "und daß er selbst, wegen seiner Götterverehrung hingefahren, in der Wohnung der Götter wohne." [78] Bei Utnapischtim wird zwar die Frömmigkeit nicht eigens hervorgehoben, aber indirekt ist dieser Gedanke auch ausgesprochen ; vgl. S. 14 .

c.   Ziusudra gilt nach dem sumerischen Bericht als König ; vgl. S. 8 . Auch Xisuthros ist nach Berossos der zehnte vorsintflutliche König ; vgl. S. 8 . Im Gegensatz dazu wird Utnapischtim nicht als König bezeichnet ; vgl. S. 15 .

d.   Nach dem sumerischen Bericht trifft nur Ziusudra das Los der Entrückung, nach der elften Tafel des Gilgameschepos wird auch die Frau des Utnapischtim der Entrückung teilhaftig und schließlich werden nach Berossos zusammen mit Xisuthros und seiner Frau noch seine Tochter und der Schiffsmeister entrückt. Der Personenkreis der Entrückten wird also von Bericht zu Bericht erweitert.

e.   Während Ziusudra nach Dilmun und Utnapischtim zum "Mund der Ströme" entrückt werden, erfolgt die Entrückung des Xisuthros zu den Göttern. [79] Bezüglich Dilmun wird im sumerischen Bericht nichts über die Entfernung dieses Ortes von den menschlichen Wohngebieten ausgesagt. Der Entrückungsort Utnapischtims hingegen ist

---

78   Karst, Chronik 11,26 f.
79   Karst, Chronik 11,24-27.

von den Menschen so weit entfernt, daß er von Gilgamesch, der
doch zu zwei Drittel Gott und zu einem Drittel Mensch ist, nur nach
größter Anstrengung und unter Mithilfe Dritter erreicht werden
kann ; vgl. die Tafeln IX und X. Beide Entrückungsorte, ob nun ihre
Entfernung betont wird oder nicht, bleiben jedoch ein Teil dieser
Welt. Bei Berossos werden im Gegensatz zum sumerischen und babylonisch-assyrischen Entrückungsbericht bezüglich des Entrückungsortes "die Vorstellungen der primitiven, mythischen Topographie"
durch höhere ersetzt.[80] Dort heißt es nämlich, daß Xisuthros "in
der Wohnung der Götter wohne". In dieser Wendung spiegelt sich
der Einfluß aus griechischen Entrückungsberichten wider ; vgl. S. 19.
Nicht unerwähnt bleiben darf allerdings, daß sich an einigen Stellen
des Gilgameschepos bereits Ansätze für eine vergeistigte Konzeption betreffs des Entrückungsortes Utnapischtims finden, wenn beispielsweise sein glückliches Los mit der Wendung "in die Versammlung der Götter treten" umschrieben wird ; vgl. S. 15.

f.   Ein Punkt wurde jedoch von Ungnad-Greßmann[81] beim Vergleich zwischen dem babylonisch-assyrischen Entrückungsbericht
und dem des Berossos nicht berücksichtigt, und zwar handelt es
sich hierbei um das spurlose Verschwinden des Xisuthros und der
vergeblichen Suche nach ihm.[82] Es konnte bereits nachgewiesen werden, daß es in diesem Fall um spezifische Vorstellungen griechischer
Entrückungsberichte geht ; vgl. S. 19. Bei der Transposition des ur-
alten literarischen Stoffes bezüglich der Entrückung des Fluthelden
in die griechisch-hellenistische Welt wurde eine Erweiterung durch
die Motive des Verschwindens und des Nichtmehrauffindens vorgenommen.

---

80   Ungnad-Greßmann, Das Gilgamesch-Epos 215.
81   Das Gilgamesch-Epos 213-216.
82   Karst, Chronik 11, 18-24 ; 16, 26 f.

g.   In den Punkten a.b.c. zeigt jeweils der Bericht des Berossos einen hohen Grad an Übereinstimmung mit dem sumerischen Bericht, während der babylonisch-assyrische Bericht eine gewisse Sondertradition aufweist. Daher kann man Ungnad-Greßmann[83] zustimmen, daß Berossos in seinem Flut- und Entrückungsbericht "in einzelnen Fällen älteres oder gar uraltes Gut" gegenüber dem Flut- und Entrückungsbericht im Gilgameschepos bewahrt habe.

4.   Zusammenfassung

Wir konnten in diesem ersten Kapitel unter I. einen Flut- und Entrückungsbericht von der sumerischen bis in die hellenistische Zeit verfolgen. Wenn dieser literarische Stoff im Verlauf von etwa zweitausend Jahren auch manche Veränderung, Erweiterung und Verfeinerung erfahren hat, so blieb er doch in seinem Kern unangetastet. Die gleichbleibenden Punkte stellen sich folgendermaßen dar :

a.   Allen drei Berichten ist gemeinsam, daß dem Fluthelden die drohende Katastrophe durch einen Gott mitgeteilt wird. Der Flutheld ist also ein Bevorzugter der Götter.

b.   Direkt oder indirekt wird auf die Frömmigkeit des Fluthelden verwiesen.

c.   In jedem der Berichte wird erwähnt, daß der aus der Flut Gerettete den Göttern ein Opfer darbringt.

d.   Am Schluß des Flutberichtes erfolgt jeweils die Entrückung des Geretteten.

e.   Das Todeslos bleibt dem Entrückten erspart. Gerade durch Entrückung und Befreiung vom Tod wird die besondere Gunst der Götter offenkundig.

---

83   Das Gilgamesch-Epos 216.

II. Entrückung als vorübergehendes Ereignis

Entrückung begegnet uns im babylonisch-assyrischen Kulturkreis
nicht nur als Befreiung vom Tod und somit als ein endgültiges Ereignis, sondern auch in befristeter Form als ein vorübergehendes
Ereignis. Der Entrückte kehrt also nach einer gewissen Zeitspanne
wieder zur Erde zurück und untersteht weiterhin der Macht des Todes.

1. Die Entrückung des Adapa

Der Adapa-Mythos ist in vier Fragmenten erhalten.[84] Das älteste
und größte Fragment befindet sich unter den El-Amarna-Tafeln
(14. Jahrhundert v. Chr.), während die übrigen drei Fragmente
aus der Bibliothek des Assurbanipal stammen (8. Jahrhundert v.
Chr.). Die nachfolgende Untersuchung basiert auf der Übersetzung
von E.A. Speiser[85], für den Urtext wurde die Umschrift von J.A.
Knudtzon[86] benutzt. Weitere Versionen dieses Mythos liegen von
E. Ebeling[87] und A. Heidel[88] vor.

Folgende Punkte sind für unsere Analyse relevant :

a.   Adapa wird als kluger (ANET 101 (A) Z.3 f.8) und tadelloser
Mann vorgestellt, der Priester ist und priesterliche Funktionen
ausübt (ANET 101 (A) Z. 9.18). Er ist der Sohn und Vertraute des
Gottes Ea (ANET 101 (B) Z. 11.14 und 102 Z. 34).

b.   Die Entrückung Adapas wird als Aufstieg zum Himmel beschrieben :

"Als er zum Himmel hinaufstieg (a-na ša-me-e i-na e-li-šu), als er
zum Tore Anus herankam" (Knudtzon 966 Z. 38).

c.   Bei seinem Hinaufstieg zum Himmel wird Adapa von dem Bo-

---

84   ANET 101.
85   ANET 101-103.
86   Die El-Amarna-Tafeln I (VAB 2) Leipzig 1915, 964-969.
87   AOT 143-146.
88   The Babylonian Genesis, Chicago [2]1951, 147-153.

ten Anus geleitet (ANET 102 (B) Z. 34-38).

d.　　Der Entrückungsort Adapas ist der Himmel Anus (ANET 102
(B) Z. 37-39).

e.　　Die Entrückung Adapas zum Himmel steht zunächst unter einem negativen Vorzeichen. Adapa soll sich nämlich vor Anu verantworten, weil er die Flügel des Südsturmes zerbrochen hat (ANET
101 (B) Z. 7-13). Nachdem aber die Götter Tammuz und Gizzida
ein gutes Wort für ihn bei Anu eingelegt haben, läßt Anu von seinem
Zorn gegen Adapa ab (ANET 102 (B) Z. 54-56). "Brot des Lebens"
und "Wasser des Lebens" werden Adapa gereicht, er aber ißt und
trinkt nicht davon (ANET 102 (B) Z. 60-63). Dadurch verscherzt er
die Möglichkeit, Unsterblichkeit zu erlangen. Hätte er das Angebot
nicht ausgeschlagen, so wäre ihm Unsterblichkeit zuteil geworden
und er hätte nicht mehr zur Erde zurückkehren müssen. Sein Wohnsitz wäre dann fortan bei den Göttern gewesen.

f.　　Der fragmentarische Mythos schließt mit dem Befehl Anus,
Adapa zur Erde zurückzubringen (ANET 102 (B) Z. 70). Die Entrückung Adapas war somit kein endgültiges, sondern nur ein vorübergehendes Ereignis.

2. Die Entrückung des Etana

Alter, Verbreitung und Beliebtheit dieses Mythos spiegeln sich in
der Tatsache wider, daß Rezensionen aus verschiedenen Epochen
der babylonisch-assyrischen Geschichte auf uns gekommen sind.
Zunächst war eine altbabylonische und eine neuassyrische Rezension bekannt.[89] Später kam noch eine mittelassyrische Rezension
hinzu, die E. Ebeling als erster ediert hat.[90] Daneben besitzen

---

89　S. Langdon, The Legend of Etana and the Eagle or the epical
　　Poem "The City they hated" : Babyloniaca 12, 1931, 1-53, Plates
　　I-XIV.
90　Ein mittelassyrisches Bruchstück des Etana-Mythus : AfO 14,
　　1941-1944, 298-303.

wir Siegelzylinder aus altakkadischer Zeit, die einen Hirten zeigen,
der auf den Flügeln eines Adlers zum Himmel fliegt.[91] Man hat in
der Forschung im allgemeinen darüber Einigung erzielt, daß es sich
hierbei um Etana handelt. Auch diese Siegelzylinder beweisen also
das hohe Alter des Etana-Mythos. Die nachfolgende Untersuchung
basiert auf der Übersetzung von E.A. Speiser[92], für den Urtext
wurde die Umschrift von S.Langdon[93] benutzt. Eine weitere Übersetzung hat E. Ebeling[94] angefertigt. Folgende Punkte kristallisieren sich bei einer Analyse heraus :

a.   Etana erhält den Auftrag, Hirte der Menschen zu sein und
wird "zum 'Baumeister' für die von den Göttern geplanten Bauten"
bestellt.[95] Er ist ein besonderer Verehrer des Schamasch (ANET
117 Z. 67 f) und auch den übrigen Göttern erweist er Reverenz und
bringt ihnen Opfer dar (ANET 117 Z. 69-71). Er bittet Schamasch
um "das Kraut des Gebärens", damit er einen Sohn erhält (ANET
117 Z. 72 f). Schamasch verweist ihn an den Adler, der ihm "das
Kraut des Gebärens" beschaffen soll (ANET 117 Z. 74-76). "Das
Kraut des Gebärens" befindet sich, wenn dies auch wegen des fragmentarischen Textbestandes nicht ausdrücklich gesagt wird, im
Himmel und daher wird für die Beschaffung dieses Krautes ein Aufstieg zum Himmel nötig.

b.   Die Entrückung Etanas wird als Aufstieg zum Himmel beschrieben :

---

91   Vgl. H.Frankfort, Cylinder Seals, London 1939, 138 f ; Plate
       XXIV h ; E.D. van Buren, Akkadian Sidelights on a fragmen-
       tary Epic : Or 19, 1950, 161 f.
92   ANET 114-118.
93   The Legend of Etana 1-53.
94   AOT 235-240.
95   W.v.Soden, Der Anfang des Etana-Mythus : WZKM 55, 1959,
       59-61.

"Nachdem sie zum Himmel des Anu hinaufgestiegen waren (iš-tu e-lu-ú a-na šame-e šá^d A-[nim]) und zum Tor des Anu, Enlil und Ea gekommen waren" (Langdon 47 Z. 34 f).

c. Bei seinem Hinaufstieg zum Himmel wird Etana vom Adler emporgetragen.

d. Dem Etana-Mythos liegt die Vorstellung von mehreren Himmeln zugrunde. Zunächst wird Etana durch den Adler zum Himmel des Anu emporgetragen (ANET 118 (C-5) Z. 34). Sodann wird der Aufstieg fortgesetzt (ANET 118 (C-6) Z. 1-26) bis Etana nichts mehr von der Erde erspähen kann und ihn deswegen der Mut verläßt (ANET 118 (C-6) Z. 27-29). Wahrscheinlich sollte als nächste Etappe der Himmel Ischtars erreicht werden (vgl. ANET 118 (C-6) Z. 11 f).[96]

e. Langdon[97] setzt die Entrückung des Etana mit der des Henoch (Gen 5,24) in Beziehung, weil im Etana-Mythos der Himmel bereits als ein Ort bekannt ist, zu dem ein auserwählter Mensch kommen kann. Etana wird zum Himmel entrückt, um "mystic plants" zu finden, Adapa, um "food of immortality" zu genießen.

f. Leider ist der Schluß des Etana-Mythos nicht erhalten. Kurz vor Abbruch des Textes erfährt man noch, daß der Abstieg vom Himmel zur Erde eingeleitet wird (ANET 118 (C-6) Z. 31 bis Schluß). Man nimmt an, daß diese Rückkehr zur Erde nicht mit einer Katastrophe endete, weil in der berühmten sumerischen Königsliste W-B 444 Etanas Sohn und Erbe genannt wird[98] und weil auch die Siegelzylinder nichts von einem tragischen Endpunkt der Himmelsreise wissen.[99]

---

96 Zur babylonisch-assyrischen Vorstellung mehrerer Himmel vgl. B. Meissner, Babylonien und Assyrien II (Kulturgeschichtliche Bibliothek 4) Heidelberg 1925, 108.

97 The Legend of Etana 2.

98 ANET 265. Näheres zu dieser Königsliste s. S. 28 .

99 Vgl. ANET 114 (Prolegomena).

g. In der soeben erwähnten Königsliste W-B 444 wird unter den
Königen, die nach der Flut regierten, auch Etana genannt. Bei der
Erwähnung seines Namens wird auf seine Entrückung verwiesen :
"Etana, ein Hirt, der zum Himmel emporstieg und alle Länder
festigte, war König und regierte 1500 Jahre."[100] Ebenso spricht
ein assyrischer Text, der dem Orakelwesen entstammt, von "Etana, dem König, der zum Himmel emporstieg".[101]

3. Die Entrückung des Enmeduranki

Im Jahre 1923 veröffentlichte S. Langdon[102] eine umfangreiche
sumerische Königsliste, die nach ihrem Käufer Weld-Bundell-Ta-
fel (W-B 444) benannt ist.[103] Langdon[104] publizierte noch im gleichen Jahr 1923 eine weitere sumerische Königsliste geringeren
Umfangs, die ebenfalls den Namen von Weld-Blundell (W-B 62)
trägt. Sowohl W-B 444 als auch W-B 62 zählen sumerische Könige
auf, die vor der großen Flut regiert haben. W-B 444 führt an siebter Stelle einen vorsintflutlichen König namens En-men-dur-an-na
an, der in Sippar residierte (Jacobsen 75 Z. 25-30 und ANET 265).
W-B 62 zitiert als achten vorsintflutlichen König En-me-dur-an-na,
ebenfalls mit Sippar als Residenzstadt (Langdon, The chaldean Kings
258 Z. 13 f). Bei Eusebius, dessen Angaben durch Vermittlung des
Alexander Polyhistor und des Abydenos auf Berossos zurückgehen,

---

100 ANET 265.
101 Langdon, The Legend of Etana 4 f ; vgl. auch AfO 16,1952/
53, 74 f.
102 Historical Inscriptions, containing principally the chronological Prism, W-B 444 (Oxford Edition of cuneiform Texts II)
Oxford 1923, 8 f.
103 Die beste Edition von W-B 444 seit der Erstveröffentlichung
durch Langdon hat Th.Jacobsen, The Sumerian King List
(AS 11) Chicago 1939, geliefert.
104 The chaldean Kings before the Flood : JRAS, 1923, 251-259.

heißt dieser vorsintflutliche sumerische Urkönig E⟨v⟩edo⟨r⟩an-
chos[105] bzw. Êdóreschos[106] Der Name dieses sumerischen Königs findet sich auch in einem assyrischen Ritualtext und zwar lautet
er dort Enmeduranki. Dieser assyrische Ritualtext wurde von H.
Zimmern[107], E.Dhorme[108] und C. Frank[109] in Umschrift ediert.
Der folgenden Untersuchung liegt die Edition von Zimmern zugrunde. Der Inhalt dieses assyrischen Ritualtextes läßt sich folgendermaßen skizzieren : Enmeduranki ist König von Sippar (Zimmern 119
Z. 23). Er ist der Liebling der Götter Anu, Bel und Ea (Zimmern
117 Z. 2), besonders aber von Schamasch und Adad (Zimmern 117
Z. 3-6). Ihm wird "das Mysterium der großen Götter" (Zimmern
119 Z. 19), "das Geheimnis von Himmel und Erde" anvertraut (Zimmern 119 Z. 14.16). Er gilt als der Begründer des bārûm-Priestertums[110], und von ihm geht das bārûm-Priestertum auf alle kommenden bārûm-Priester über (Zimmern 119 Z. 10-24). Nach des Wortes
eigentlicher Bedeutung ist der bārûm ein "Seher", im weiteren Sinn
ein "Wahrsager" und "Opferschauer".[111] Die Haupttätigkeit des
bārûm bestand neben Rauch- und Becherwahrsagung in der Einge-
weideschau.[112] Um das Amt eines bārûm übernehmen zu können,
waren körperliche Unversehrtheit und priesterliche Abstammung
des Bewerbers gefordert. Ebenso galten umfangreiche Kenntnisse
für einen bārûm als Voraussetzung.[113] Die bārû stellen eine Art
Zunft dar, die mārū bārî, denen ein wakil oder ein šapir bārî vor-

---

105   Karst, Chronik 5,30.
106   Karst, Chronik 16,6 f.
107   Beiträge zur Kenntnis der babylonischen Religion (Assyrio-
      logische Bibliothek XII) Leipzig 1901,116-121, Nr. 24.
108   Choix de Textes Religieux Assyro-Babyloniens,Paris 1907,
      140-147.
109   Studien zur Babylonischen Religion I, Straßburg 1911,128-139.
110   Vgl. Heidel, The Gilgamesh Epic 141.
111   Vgl. J. Renger,Untersuchungen zum Priestertum der altba-
      bylonischen Zeit, 2.Teil : ZA 59,1969,203 f.
112   Renger,Priestertum 208.
113   Renger,Priestertum 213.

stand.[114] Der barum war nach den uns zur Verfügung stehenden
Quellen ein Funktionär des Staates. Sein Rang innerhalb der Gesell-
schaft hing von seinen beruflichen Erfolgen ab.[115] Von dem bārûm
Enmeduranki des bereits seinem Inhalt nach skizzierten assyrischen
Ritualtextes wird folgendes berichtet : ^{d}Samaš u ^{d}Adad ana puḫri-šu-
nu "Schamasch und Adad zu ihrer Versammlung" (Zimmern 116 Nr.
24 Z. 4). Leider ist zu diesem Ausdruck das Verbum nicht erhalten. Doch geht man sicher mit der Annahme nicht fehl, daß das zu
ergänzende Verbum etwa die Bedeutung von "sie beriefen ihn" hatte.[116] Im Anschluß an diese Stelle muß nun die für unsere Untersuchung entscheidende Frage gestellt werden : Wird hier von einer
Entrückung Enmedurankis gesprochen ?
Zimmern[117] führt aus, daß Enmeduranki "der Sache nach mit Henoch, dem siebenten Urvater in der zehngliedrigen Reihe der Genesis", identisch sei. Leider äußert er sich nicht darüber, ob er aufgrund dieser Identifikation auch für Enmeduranki, ebenso wie für
Henoch, eine endgültige Entrückung unter Umgehung des Todes annimmt. Meissner[118] vertritt die Anschauung, daß Enmeduranki
in der gleichen Weise wie Utnapischtim für immer entrückt wurde.
Doch gegen die Auffassung einer endgültigen Entrückung Enmedurankis spricht der Zusammenhang der Ritualtafel. Die Götter beriefen
ihn deshalb in ihre Versammlung, um ihn in die Geheimnisse eines
bārûm einzuführen. Dieses Geheimwissen soll Enmeduranki den
kommenden bārû übermitteln und deshalb wird seine Rückkehr zu
den Menschen notwendig.

---

114   Renger, Priestertum 214.
115   Renger, Priesterum 215 f.
116   Vgl. Zimmern, Kenntnis der babylonischen Religion 117
       Anm. c ; B.Bonkamp, Die Bibel im Lichte der Keilschrift-
       forschung, Recklinghausen 1939, 116 Anm. 2 .
117   Kenntnis der babylonischen Religion 116 Anm. a.
118   Babylonien und Assyrien II 149.

Im Gegensatz zu Meissner vertreten andere Forscher die Meinung,
daß es sich bei Enmeduranki um eine vorübergehende Entrückung
handelt.[119] Dieser Ansicht kann man durchaus zustimmen, wenn
eine Ergänzung der betreffenden Stelle in der oben dargelegten Form
vorgenommen wird. Man hört nämlich wiederholt in der babylonisch-
assyrischen Mythologie von "Götterversammlungen".[120] In diese
"Götterversammlungen" kann kein sterblicher Mensch kommen, es
sei denn durch einen besonderen Gnadenakt der Götter. Einer solchen Gunst wurde Enmeduranki gewürdigt, als er in zeitlich befristeter Form in die "Götterversammlung" entrückt wurde, um dort
in die Geheimnisse eines bārûm eingeführt zu werden. Nicht übersehen werden darf in diesem Zusammenhang die Tatsache, daß die
Entrückung Utnapischtims im Gilgameschepos außer durch die Wort-
kombination leqû (m) - wašābu (m) auch mit der Wendung "in die Versammlung der Götter treten" umschrieben wird ; vgl. S. 15 . Bei
Utnapischtim handelt es sich um eine endgültige Entrückung, die
eine unwiderrufliche Tatsache darstellt. Im Falle des Enmeduranki
wurde die gleiche Wendung herangezogen, um ebenfalls eine Entrückung zu bezeichnen, die allerdings nicht als irreversibles Faktum, sondern nur als ein vorübergehendes Ereignis zu werten ist.

4. Die Entrückung eines assyrischen Kronprinzen

Dieser Text wurde zum ersten Mal von E. Ebeling[121] in Umschrift
und Übersetzung herausgegeben. Eine weitere Edition des gleichen

---

119   Heidel, The Gilgamesh Epic 141 f ; G.v.Rad, Das erste
       Buch Mose (ATD 2/4) Göttingen [7]1964, 56.
120   Vgl. Gilgameschepos XI 119 f ; Lambert-Millard, Atra-
       ḫasīs 54 (S) Z. 10 ; 58 Z. 218.224 ; 120 Z. 45.
121   Tod und Leben nach den Vorstellungen der Babylonier,
       I. Texte, Berlin-Leipzig 1931, 1-9.

Textes erfolgte durch W.v.Soden[122], der die Erstausgabe durch
Ebeling als unzureichend erklärte. Bedingt durch diese Kontroverse
gab Ebeling[123] nochmals eine Umschrift dieses Textes heraus. Die
Verschiedenheit zu seiner Erstedition besteht in einigen textlichen
Verbesserungen, die für das Verständnis des Textes bedeutungslos
sind. Inzwischen stehen weitere Übersetzungen von A.Heidel[124]
und E.A. Speiser[125] zur Verfügung. Bezüglich der Abfassungszeit
des Textes setzt v.Soden[126] als terminus post quem 700 v.Chr.
und als terminus ante quem 635 v.Chr. an. Näherhin scheint ihm
als Abfassungstermin das Jahr 670 v.Chr. wahrscheinlich.[127]
Die Vorderseite der Tafel ist so stark zerstört, daß das Verständnis des Textzusammenhanges sehr erschwert ist. Aus dem wenigen,
das man der Vorderseite entnehmen kann geht hervor, daß der Prinz
den Wunsch hegt, in die Unterwelt hinabzusteigen.[128] Zu diesem
Zweck bringt er für Ereschkigal Opfer dar und betet zu ihr und zu
Nergal.[129] Sein Wunsch erfüllt sich und er wird im Traum in die
Unterwelt entrückt : " [Kum]ma lay down and beheld a night vision
in his dream."[130] Von seinen Erlebnissen dort, während dieser
Entrückung, berichtet die Rückseite der Tafel, die relativ gut erhalten ist. Der Entrückungsbericht wird in direkter Rede dargeboten. Zunächst schildert der Erzähler sein Zusammentreffen mit
Namtar, dem Wesir der Unterwelt, und dessen Gemahlin Namtar-
tu. Daraufhin begegnet er in ununterbrochener Folge noch weiteren

---

122   Die Unterweltsvision eines assyrischen Kronprinzen : ZA
      43, 1936, 1-31.
123   Kritische Beiträge zu neueren assyriologischen Veröffentli-
      chungen (MAOG X 2) Leipzig 1937, 1-20.
124   The Gilgamesh Epic 132-136.
125   ANET 109 f.
126   Unterweltsvision 3.
127   Unterweltsvision 9.
128   v.Soden, Unterweltsvision 21 Z. 28.35.
129   v.Soden, Unterweltsvision 21 Z. 35.38.
130   ANET 109 Z. 1.

Gottheiten und Schreckgestalten des Totenreiches, bis er schließlich vor Nergal, den majestätischen und furchterregenden Gebieter
der Unterwelt, gebracht wird. Bei dessen Anblick überfällt ihn ein
tödlicher Schrecken. Nur der Fürsprache von Ischum, dem Ratge-
ber des Nergal, verdankt er, daß er am Leben bleibt. Nergal gibt
ihm nun verschiedene Mitteilungen und Ermahnungen. Abschließend
schärft er ihm ein : "May this word be laid on your hearts like unto
a thorn."[131] Daraufhin erteilt er ihm den Befehl, zur Erde zurück-
zukehren : "Go (back) to the upper regions, until I bethink me of
thee!"[132] Der Entrückungsbericht schließt mit dem Erwachen aus
dem Traum : "As he spoke to me, I awoke."[133] Mit dieser Aussage
endet auch die direkte Rede. Die Keilschrifttafel klingt damit aus.
daß sie die Reaktionen beschreibt, die das Entrückungserlebnis bei
dem zur Erde Zurückgekehrten auslöst.

5. Zusammenfassung

Die vier behandelten Keilschrifttexte, die jeweils eine zeitlich begrenzte Entrückung beinhalten, lassen in der Zusammenfassung folgende spezifische Charakteristika erkennen :
a.   Die Entrückten werden als fromme Menschen geschildert
(Adapa, Etana). Sie sind Bevorzugte und Lieblinge der Götter (Adapa, Etana, Enmeduranki) und ragen somit aus den übrigen Menschen
heraus. Der assyrische Kronprinz nimmt aufgrund seiner königlichen
Abstammung und als künftiger assyrischer König einen hervorragen-
den Platz unter den Menschen ein. Adapa und Enmeduranki üben priesterliche Funktionen aus.

---

131   ANET 110 Z. 28.
132   ANET 110 Z. 28.
133   ANET 110 Z. 28 f.

b.　　Die Entrückung erfolgt durch den Willen der Götter (Adapa, Enmeduranki, assyrischer Kronprinz). Dies gilt auch indirekt für Etana, denn er wird von Schamasch an den Adler verwiesen, der ihn dann zum Himmel trägt. Aus eigenem Vermögen des Menschen erfolgt keine Entrückung.

c.　　Das Motiv der Entrückung ist in den einzelnen Berichten verschieden. Adapas Entrückung steht zunächst unter negativen Vorzeichen, da er sich vor Anu verantworten muß. Später schieben sich positive Aspekte für seine Entrückung in den Vordergrund, denn man bietet ihm "Brot des Lebens" und "Wasser des Lebens" an. Etana will sich vom Himmel "das Kraut des Gebärens" holen. Enmeduranki wird bei seiner Entrückung in die Geheimwissenschaft des bārûm-Priestertums eingeführt. Bei dem assyrischen Kronprinzen ist der Grund für die Entrückung durch die Zerstörung der Vorderseite der Tafel unbekannt. Das Entrückungserlebnis selbst wird in breiter und detaillierter Entfaltung geschildert.

d.　　Bei Adapa, Etana und Enmeduranki wird die Entrückung als ein reales Geschehen dargestellt, während die Entrückung des assyrischen Kronprinzen im Traum stattfindet.

e.　　Der Entrückungsort ist im Adapa-und Etana-Mythos der Himmel. In diesen beiden Fällen wird die Bewegungsrichtung durch das Verbum elû (m) "hinaufsteigen" ausgedrückt. Enmeduranki wird in die Götterversammlung entrückt. Der Ort der Götterversammlung ist nicht genau angebbar. Es kann sich hierbei um den Himmel oder um einen exponierten Ort innerhalb dieser Welt handeln. Der Entrückungsort im Traumbericht des assyrischen Kronprinzen ist die Unterwelt. Im letztgenannten Fall handelt es sich nicht um einen ascensus , sondern um einen descensus. Der descensus ist über den babylonisch-assyrischen Kulturkreis hinaus religionsgeschichtlich häufig bezeugt.[134]

134　　Vgl. J. Kroll, Gott und Hölle, Darmstadt [2]1963.

f.   Die Entrückungsberichte schließen jeweils mit der Rückkehr zur Erde (Adapa, Etana, assyrischer Kronprinz). Auch bei Enmeduranki klingt dieser Gedanke an, wenn man der Übersetzung von Frank[135] folgt : "Er wiederum in ihrer Mitte."

---

135   Studien zur Babylonischen Religion I 130 Z. 10.

ZWEITES KAPITEL

Entrückung und Himmelfahrt bei den Ägyptern

I. Himmelfahrt als endgültiges Ereignis nach dem Tod

Die sogenannten Pyramidentexte sind die ältesten religiösen Texte Ägyptens.[1] Sie befinden sich in den Sargkammern und Gängen der Pyramiden aus der fünften und sechsten Dynastie des alten Reiches. Die Abfassungszeit liegt also etwa in der Zeit von 2350 bis 2175 v. Chr. Inhaltlich gesehen sind es Spruchsammlungen für den König, mit deren Hilfe er glücklich ins Jenseits gelangen soll. Dabei stößt man immer wieder auf den Hinweis, daß der verstorbene König zum Himmel auffährt. Dieses Phänomen der Himmenfahrt des ägyptischen Königs läßt sich nicht unter "Entrückung" subsumieren, da die von uns S. 2 gemachte Voraussetzung einer Entrückung nicht gegeben ist, denn die Himmelfahrt erfolgt erst nach dem Tod.[2] Eine eingehende Analyse ergibt folgendes Resultat :

1. Der große Unterschied zwischen den gewöhnlichen Menschen und dem König wird klar herausgestellt. Er allein darf zum Himmel auffahren, während die übrigen Menschen auf der Erde bleiben müs-

---

1   Vgl. A. Erman, Die Literatur der Ägypter, Leipzig 1923, 25 f ; S. Morenz, Ägyptische Religion (Die Religionen der Menschheit 8) Stuttgart 1960, 40 ; M. Krause, Ägypten, in : BHH I, Göttingen 1962, Sp. 38 f.

2   Man wird hierbei unwillkürlich an die Hinwegnahme vom Scheiterhaufen aus im griechisch-hellenistischen Kulturkreis erinnert. Lohfink, Himmelfahrt 43, subsumiert dieses Phänomen, das "offensichtlich den Tod des Betreffenden voraussetzt", auch unter "Entrückung". Wir schließen uns dem Vorgehen von Lohfink nicht an, zumal es sich bei der Himmelfahrt des Pharao um die Rückkehr eines Gottes zu seinem Ursprung handelt.

sen. Der König gehört nicht zur Erde, sondern sein Platz ist im Himmel.[3]

2. Verschiedene Götter helfen dem König bei seiner Himmelfahrt, damit er den Himmel erreichen kann.[4]

3. Die Himmelfahrt des Königs wird oft als Vogelflug beschrieben.[5]

4. In den Pyramidentexten findet sich auch die Vorstellung, daß der verstorbene König auf einer Himmelsleiter zum Himmel emporsteigt.[6] Wahrscheinlich hat die Vorstellung von der Himmelsleiter ihren Ursprung in dem Strahlenschein der Sonne.[7]

5. Auch mit seinem Leib steigt der König nach seinem Tod zum Himmel auf. In sehr anschaulicher Weise ist mehrfach von den Knochen die Rede, die in den Himmelfahrtstexten eigens angesprochen werden.[8] S. Morenz[9] hat darauf hingewiesen, daß körperliche Unversehrtheit und Himmelfahrt sich für den Ägypter nicht ausschliepen, sondern daß körperliche Unversehrtheit die Voraussetzung für die Himmelfahrt bildet.

---

3 K. Sethe, Übersetzung und Kommentar zu den altägyptischen Pyramidentexten II, Glückstadt o.J., 252 § 459 a. § 463 d ; IV 152 § 890 a-b.

4 Sethe, Pyramidentexte II 102 § 380 a-b; 288 § 478 b ; III 120 § 604 e ; V 421 § 1474 a.

5 Sethe, Pyramidentexte II 252 § 461 a-d ; IV 152 § 891 b-d ; 187 § 913 a-b ; V 427 § 1484 a-c. Vgl. auch H. Kees, Totenglauben und Jenseitsvorstellungen der alten Ägypter, Leipzig 1926, 102 f.

6 Sethe, Pyramidentexte II 121 § 390 a-b ; vgl. S.A.B.Mercer, The Pyramid Texts IV, New York-London-Toronto 1952, 4 f.

7 Vgl. H.Bonnet, Reallexikon der ägyptischen Religionsgeschichte, Berlin 1952, 305 ; Sethe, Pyramidentexte V 6 § 1107 a - § 1108 c.

8 Sethe, Pyramidentexte I 4 § 137 a-c ; 373 § 308 b-d.

9 Ägyptische Religion 214.

6. Bestimmte Dinge aus dem Naturbereich und Kultus werden aufgezählt, deren sich der verstorbene König bei seiner Himmelfahrt bedient : Staubsturm [10], Wind[11], Hagelsturm[12], Wolke[13], Weihrauchwolke[14].

7. Wiederholt liest man in den Himmelfahrtstexten, daß die Himmelstore für den Einzug des Königs geöffnet werden.[15] Eigens wird auch die Tatsache erwähnt, daß sich die Himmelstore nur für den König öffnen, während sie für die gewöhnlichen Menschen verschlossen bleiben.[16] Später, beim Übergang zum Mittleren Reich und im Mittleren Reich selbst, wurde, bedingt durch einen Demokratisierungsprozeß, die Himmelfahrt des Königs auch auf die gewöhnlichen Menschen übertragen.[17]

8. Morenz[18] hat aus den Pyramidentexten eine Stelle notiert, von der er meint, daß es sich dabei um eine Entrückung handle. Sie lautet nach seiner Übersetzung: "Faß dir (den König) an seinem Arm, nimm (ihn) dir zum Himmel, damit er nicht zur Erde hin sterbe unter den Menschen."[19] Bei der Einordnung dieses Satzes in den Kontext ergibt sich folgender Zusammenhang : Nun, der Gott des Urgewässers unter der Erde, und Pg[3], der Gott des darüber schwim-

---

10 Sethe, Pyramidentexte I 373 § 308 a.
11 Sethe, Pyramidentexte I 373 § 309 b.
12 Sethe, Pyramidentexte II 9 §336 b.
13 Mercer, The Pyramid Texts I 268 § 1774 a.
14 Sethe, Pyramidentexte II 81 f § 365 a-b.
15 Sethe, Pyramidentexte III 120 § 604 c ; IV 136 § 873 c ; V 270 § 1343 ; 421 § 1474 b. Vgl. auch H. Frankfort, Kingship and the Gods, Chicago 1948, 113.116.
16 Sethe, Pyramidentexte III 201 § 655 b ; G. Roeder, Kulte und Orakel im alten Ägypten (Die ägyptische Religion in Texten und Bildern III) Zürich-Stuttgart 1960, 292.
17 Vgl. Bonnet, Reallexikon 347 ; Morenz, Ägyptische Religion 214.
18 Ägyptische Religion 40.
19 Diese Stelle findet sich bei Sethe, Pyramidentexte III 120 § 604 e-f und Mercer, The Pyramid Texts I 122 § 604 e-f.

menden Erdbodens, empfehlen den König dem Sonnengott Atum im
Himmel und dem Gott des Luftraumes zwischen Himmel und Erde
Schu.[20] Die Frage, wer in den beiden Imperativen "faß dir ...
nimm dir" angesprochen wird, läßt sich nicht eindeutig beantworten. Sethe[21] gibt den Hinweis, daß sich möglicherweise der erste
Imperativ an Atum und der zweite an Schu richtet. L. Speleers[22]
nimmt an, daß in beiden Imperativen nur der Gott Schu angesprochen wird. Schu, der Gott des Luftraumes zwischen Himmel und
Erde, soll ja auch nach Ausweis anderer Stellen, die Aufnahme zum Himmel bewerkstelligen.[23] Mercer[24] glaubt, daß in beiden Imperativen die zwei Götter Atum und Schu gleichzeitig angesprochen werden.

Aufgrund der soeben besprochenen Stelle aus den Pyramidentexten
könnte nun die Schlußfolgerung gezogen werden, daß es sich hierbei
um eine Entrückung handelt laut der in der Einleitung S. 2 angeführten Definition, denn der Wunsch wird ausgedrückt, der König
möge ohne vorausgehenden Tod zum Himmel genommen werden.
Man weiß nun aber gerade aus den Pyramidentexten, daß der bereits eingetretene Tod des Königs nachdrücklich verneint wird ;
vgl. C.E. Sander-Hansen[25], Mercer[26], Morenz[27]. Das Fassen
des Armes bei der Himmelfahrt des verstorbenen Königs durch
Götter ist mehrfach bezeugt.[28] Auch die Aufeinanderfolge der Wendungen "beim Arm packen" und "zum Himmel nehmen" gehört zum

---

20 Sethe, Pyramidentexte III 120 § 604 a-b.
21 Pyramidentexte III 122.
22 Traduction, Index et Vocabulaire des Textes des Pyramides
    Égyptiennes, Brüssel o.J., 18 Anm. 3.
23 Vgl. Sethe, Pyramidentexte I 290 § 275 f ; II 408 § 531 b ;
    V 146 § 1247 d.
24 The Pyramid Texts II 295.
25 Der Begriff des Todes bei den Ägyptern, Kopenhagen 1942, 18 f.
26 The Pyramid Texts I 58 § 134 a.
27 Ägyptische Religion 215.
28 Mercer, The Pyramid Texts I 91 § 380 a ; 176 § 997 a ; 208 § 1261.

Sprachgebrauch der Himmelfahrtsberichte innerhalb der Pyramidentexte, wobei besagte Wendungen sich auf die Himmelfahrt des verstorbenen Königs beziehen.[29] Deshalb muß auch für die von Morenz zitierte Stelle der Tod des Königs vorausgesetzt werden. In
diesem Sinne haben sich auch Sethe[30] und Mercer[31] ausgesprochen.
Somit handelt es sich auch hierbei um die Himmelfahrt eines bereits
verstorbenen Königs und nicht um eine Entrückung, bei der dem
König der Tod erspart blieb.

9.   In ähnlicher Weise wie in den Pyramidentexten wird auch
zu Beginn der Geschichte des Sinuhe auf die Himmelfahrt des verstorbenen Königs bezug genommen :"Der Gott stieg empor zu seinem Horizont; der König von Unter- und Oberägypten : Sehetep-ib-
Re wurde in den Himmel aufgenommen und wurde vereint mit der
Sonnenscheibe.Der Leib des Gottes verschmolz mit dem, der ihn geschaffen hat. "[32] Auch ein Text, der den Regierungsantritt Amen-
hoteps II. schildert, verweist auf die Himmelfahrt von König Thut-
môse III. : "König Thut-môse ging hinauf zum Himmel ; er vereinig-
te sich mit der Sonnenscheibe. Der Leib des Gottes verband sich
mit dem, der ihn geschaffen hat. "[33] Besonderer Nachdruck wird darauf gelegt, daß der Pharao als Sohn des Re, des Sonnengottes, zu
seinem Erzeuger und Vater zurückkehrt, denn nach ägyptischer
Lehre galt der regierende König als Sohn des Re. Von Gott Re war
er in der Gestalt des regierenden Königs mit der Königin gezeugt
worden. Der Tod des Königs mußte daher zwangsläufig als Himmelfahrt des Königs, als Rückkehr eines Gottes zu seinem Ursprung,
interpretiert werden. Daher steht hinter den Wendungen vom Hinaufstieg des Königs zum Himmel und seiner Vereinigung mit der
Sonnenscheibe eine euphemistische Kundgabe des Todes.

29   Mercer, The Pyramid Texts I 92 § 390 b.
30   Pyramidentexte III 120.122.
31   The Pyramid Texts II 295.
32   ANET 18.
33   Frankfort, Kingship 102.

II. Entrückung als vorübergehendes Ereignis

Auf der südlichen Außenwand des Amontempels von Karnak findet
sich eine Inschrift von Thut-môse III., die etwa aus dem Jahre 1450
v. Chr. stammt.[34] Weitere Übersetzungen dieser Inschrift liegen
bei K. Sethe[35] und bei J.H. Breasted[36] vor. In diesem Text wird
zunächst die Berufung von Thut-môse III. zum König durch den
Gott Amon geschildert. Thut-môse war für die priesterliche Lauf-
bahn bestimmt. Als junger Mann versieht er priesterlichen Dienst
im Tempel des Amon. Während einer Prozession wird er vom Gott
Amon durch ein Wunder zum Nachfolger des regierenden Herrschers
bestimmt. Sodann spricht die Inschrift von der Einsetzung des Thut-
môse zum König, die im Himmel stattfindet. Thut-môse tritt vor
den Sonnengott hin. Er wird mit den Kronen und dem Uräus ge-
schmückt und als Pharao mit göttlichen Eigenschaften ausgestattet.
Schließlich werden ihm verschiedene Titel zuerkannt. Im Anschluß
daran und ohne jeden Übergang erzählt sodann der König Thut-
môse III. von seinen Leistungen und Erfolgen während seiner Regierungszeit.
Für unsere Untersuchung besitzt der Textabschnitt besonderes Gewicht, der auf die Himmelfahrt des Königskandidaten bezug nimmt.
Dieser Vorgang wird folgendermaßen geschildert : " He opened for
me the doors of heaven ; he spread open for me the portals of its
horizon. I flew up to the sky as a divine falcon, that I might see his
mysterious form which is in heaven, that I might adore his majesty.
I saw the forms of being of the Horizon God on his mysterious ways
in heaven."[37]

---

34   ANET 446 f.
35   Urkunden der 18. Dynastie bearbeitet und übersetzt, Leipzig
     1914, 75-83.
36   Ancient Records of Egypt II, New York [2]1962, 59-68.
37   ANET 446.

"Die Tore des Himmels" werden also für den zum Himmel auffah-
renden Thut-môse geöffnet. Ferner wird erwähnt, daß Thut-môse
als Falke zum Himmel emporfliegt. Hier werden Motive gebraucht,
die uns bereits bei der Himmelfahrt des verstorbenen Königs in den
Pyramidentexten begegnet sind, denn dort wird wiederholt vom Öffnen der Himmelstore gesprochen, und die Himmelfahrt selbst wird
als Vogelflug beschrieben, vgl. S. 37f.

Sethe[38] bezieht die Begriffe "Himmel" und "Horizont" auf "die Wohnung Gottes im Tempel, das Allerheiligste, das nur der König be-
treten darf". Zum Ausdruck "ich flog empor zum Himmel als ein
göttlicher Falke" kommentiert er[39], daß der König als Inkarnation
des falkengestaltigen Horus gilt. Auch J. A. Wilson[40] spricht bezüglich der Wendung "he opened for me the doors of heaven ; he spread
open for me the portals of its horizon" von "poetical terms", die
beim Eintritt des ernannten Königs in das Allerheiligste des Tempels gebraucht werden. H. Ranke[41] gibt zu bedenken, daß es sich
bei dem Ausdruck "da flog ich zum Himmel als göttlicher Falke"
um eine Vision des Königs handeln könne, "die ihm beim Anblick
des geöffneten Götterschreins zuteil wurde". Allerdings versieht
er seine Anmerkung mit einem Fragezeichen. Die Information, die
Breasted[42] betreffs "I flew to heaven" gibt, führt nicht weiter, da
er lediglich darauf hinweist, daß dieser Ausdruck auf den König angewandt wurde, um dessen Tod auszudrücken. Er fährt fort, daß
diese Deutung selbstverständlich nicht vertretbar sei, weil der König selbst diese Aussage gegenüber seinen Höflingen mache. G.
Roeder[43] kommentiert in enger Anlehnung an den Text, daß die Inschrift eine solche Darstellung gebe, als ob die Ernennung und

---

38   Urkunden 76 Anm. 8.
39   Urkunden 77 Anm. 1.
40   ANET 446 Anm. 10.
41   AOT 100 Anm. b.
42   Ancient Records 61 Anm. c.
43   Kulte und Orakel im alten Ägypten. Die ägyptische Religion in
      Texten und Bildern III, Zürich-Stuttgart 1960, 200.

Krönung zum König im Himmel erfolgt sei.

Die Auskunft der Kommentatoren, ob man bezüglich des Himmels-
fluges des Pharao an eine vorübergehende Entrückung denken kann,
ist verschieden. Sethe und Wilson beziehen die Entrückungsaussagen auf den Bereich innerhalb des Tempels. Ranke deutet die Möglichkeit einer Vision an und Breasted legt sich bei seiner Kommen-
tierung überhaupt nicht fest. Nur bei Roeder bleibt die Möglichkeit
offen, daß er an eine zeitlich begrenzte Entrückung gedacht hat,
ohne allerdings dieses religionsgeschichtliche Phänomen beim Namen zu nennen.

Trotz dieser divergierenden Meinungen der Kommentatoren kann
man mit gutem Grund behaupten, daß die Einsetzung und Krönung
von Thut-môse III. zum König unter dem Bild und mit den Stilmit-
teln einer zeitlich begrenzten Entrückung dargestellt werden.

DRITTES KAPITEL

Zusammenfassung

Wir konnten sowohl in der sumerischen als auch in der babylonisch-
assyrischen Literatur bis hin zu einer Neugestaltung und zeitbeding-
ten Neuinterpretation des gleichen literarischen Stoffes in der hellenistischen Epoche die Vorstellung einer endgültigen Entrückung
ohne vorausgehenden Tod nachweisen ; s. S. 4 - 23 . Der Entrückte
wohnt nach seiner Entrückung an einem fernen Ort bzw. im Himmel und ihm ist ewiges Leben wie den Göttern geschenkt. Die Entrückungsvorstellung bringt in diesem Fall zum Ausdruck, daß einem Menschen ein besonderes Wohlwollen und eine einmalige Aus-
erwählung und Sonderstellung durch die Götter zuteil wird. Der
Fall einer endgültigen Entrückung ohne vorausgehenden Tod ist
durch die ägyptische Literatur nicht bezeugt. Dafür begegnet man
im ägyptischen Kulturkreis einer Reihe von Himmelfahrtstexten,
die die Himmelfahrt des Königs nach seinem Tod schildern ; vgl.
S. 36 . Hierauf läßt sich allerdings aufgrund der in der Einleitung
S. 2 gemachten Definition der Begriff Entrückung nicht anwenden,
da es sich um die Himmelfahrt eines bereits Verstorbenen handelt.
Die Himmelfahrt in den ägyptischen Texten ist nicht so sehr ein
gnadenhafter Akt der Götter dem König gegenüber, sondern vielmehr ein folgerichtiger Vorgang, denn der König kehrt als Sohn
des Gottes Re zu seinem Ursprungsort zurück. Hinter der Aussage vom Hinaufstieg des ägyptischen Königs zum Himmel steht
eine euphemistische Vermeldung des Todes des Königs, die man
als theologische Interpretation der Königsideologie werten kann.
Die Vorstellung einer zeitlich begrenzten Entrückung wurde in dieser Untersuchung sowohl für den babylonisch-assyrischen als auch
für den ägyptischen Kulturkreis festgestellt. In den untersuchten

Fällen beschränkt sich diese Art von Entrückung nicht auf eine lokale Versetzung innerhalb dieser Welt, sondern sie erstreckt sich auf eine Versetzung zu den Göttern in den Himmel, S. 24 - 28, bzw. in deren Versammlung, S. 28 , oder in die Unterwelt, S. 31 . Auch die zeitlich begrenzte Entrückung ist ein Zeichen der besonderen Gunst der Götter. Diese Art der Entrückung unterstreicht die Bedeutung und Wichtigkeit einer bestimmten Situation.

ZWEITER TEIL

Entrückung und Himmelfahrt im Alten Testament

Nachdem wir Entrückung und Himmelfahrt im alten Orient behandelt und somit eine Vergleichsgrundlage zum AT geschaffen haben, können wir uns dem gleichen Thema innerhalb des AT zuwenden.

Zunächst steht Entrückung im Vordergrund. Ausschlaggebend für die Reihenfolge der nächsten vier Kapitel ist das Alter der zu behandelnden Texte. So muß zunächst über die Entrückung des Elija gesprochen werden, da es sich hierbei um einen aus prophetischen Kreisen stammenden Text handelt, dem ein hohes Alter zuerkannt werden muß.

Dann folgt in einem weiteren Kapital die Entrückung des Henoch, die in ihrer literarischen Fixierung durch P jünger ist als der Entrückungsbericht über Elija, wenn auch der Stoff selbst uralt ist.

Schließlich muß in zwei weiteren Kapiteln auf Entrückung innerhalb der Psalmen eingegangen werden. Im letztgenannten Fall handelt es sich um das Aufgreifen des Entrückungsgedankens in der Spätphase des AT, der im Bereich der individuellen Frömmigkeit eine Konkretisierung und Applizierung erfährt.

Weiterhin muß Entrückung in zeitlich befristeter Form eigens besprochen werden und in einem Schlußkapitel erfolgt eine Analyse der Himmelfahrtstexte im AT, wobei auch das Gegenstück zu Himmelfahrt, nämlich Herabstieg vom Himmel zur Erde, gesondert behandelt wird.

A. ENTRÜCKUNG ALS ENDGÜLTIGES EREIGNIS IM AT

VIERTES KAPITEL

Die Entrückung des Elija

§ 1   Die Entrückung des Elija nach 2 Kön 2, 1-18

I. Textkritik

2 Kön 2, 1-18 bietet keine außergewöhnlichen textkritischen Probleme. Nur an einigen Stellen begegnet man textlichen Schwierigkeiten, auf die eingegangen werden muß.

1.   V. 4a אלישע ריאמר לו אליהו erweckt den Eindruck, daß hier der Textbestand nicht in Ordnung ist. Entweder, so möchte man schlußfolgern, ist die Wendung ויאמר אליהו אל אלישע analog zu V. 2a ursprünglich, so daß dann לו störend wirkt, oder man läßt V. 6a entsprechend ויאמר לו אליהו als ursprünglich gelten, so daß dann אלישע zu eliminieren ist. Textkritisch ließe sich zwar der Wegfall der Präposition אל vor אלישע als Haplographie erklären, aber dann bereitet immer noch die Einordnung der Präposition ל + Suffix Schwierigkeiten. Die LXX übersetzt zwar καὶ εἶπεν Ηλιου πρὸς Ελισαιε , doch darf aus dieser Version nicht auf eine hebräische Textvorlage אל אלישע unter Wegfall von לו geschlossen werden, wie dies BHK tut. Auch die Vermutung von J.W.Wevers[1] zu אלישע V. 4a ist korrekturbedürftig : "obviously the first two consonants were read twice." Vielmehr muß betont werden, daß die hebräische Textvorlage der LXX in V. 4a durchaus mit MT identisch sein kann. In diesem Fall der Textidentität war auch für den LXX-Übersetzer der hebräische Text nicht ganz einsichtig, so daß er in seiner Version eine Glättung des Textes

---

1   Principles of Interpretation guiding the fourth Translator of the Book of the Kingdoms (3 K.22 : 1-4 K.25 : 30) : CBQ 14, 1952, 44.

vornahm. A.van den Born[2] nimmt an, daß אליׁשע in V. 4a platz-
mäßig vertauscht ist und zu ויׁאמר 2° gehört. Dies entspricht genau V. 2a. Allerdings steht dagegen V. 6a, woויׁאמר 2° ebenfalls
ohne אליׁשע bezeugt ist. Die einzige Möglichkeit, den MT in seiner
überlieferten Form zu retten, besteht darin, daß man אליׁשע
grammatikalisch als Vokativ einstuft.[3] Diese Lösung wirkt zwar
etwas konstruiert, hat aber gegenüber der Lösung von van den Born
den Vorteil, daß man bei ihr keine Textumstellung vorzunehmen
braucht. Eine letzte Sicherheit läßt sich nicht gewinnen. Jedenfalls
verdienen die Lösungsversuche der beiden letztgenannten Forscher
den Vorzug gegenüber den Vorschlägen, bei denen irgendein Glied
von V. 4a ausgeschieden werden muß.

2.   BHK schlägt unter Berufung auf LXX und Vulgata vor, für
ופרׁשיו V.12aγ den Singular zu lesen. Ein Rückschluß auf einen
Singular in der LXX-Vorlage ist nicht statthaft, da die LXX trotz
Plural in der hebräischen Vorlage den Singular aufgrund des Kontextes gesetzt haben kann. Sie übersetzt nämlich das vorausgehende
רכב singularisch mit ἄρμα , obwohl רכב ein Singulare tantum
mit kollektiver Bedeutung ist : "Wagenzug, Wagenheer, Wagen
(Plural)."[4] Das letztgenannte Argument liefert gleichzeitig ein
dem hebräischen Text immanentes Kriterium für die Ursprünglichkeit von ופרׁשיו   .

3.   Den größten Raum in der Textkritik nimmt V. 14 ein.

---

2   Koningen (BOuT IV) Roermond 1958, 135.
3   Vgl. J.A. Montgomery - H.S. Gehman, A critical and exege-
     tical Commentary on the Books of Kings (ICC) Edinburgh
     1951, 356.
4   Vgl. O. Grether, Hebräische Grammatik für den akademi-
     schen Unterricht, München 1951, 191 (§ 69 b).

3.1. Auffallend ist אף הוא in V. 14 bα, das in seiner jetzigen
Stellung und Form keinen rechten Sinn ergibt. F. Delitzsch[5] vertritt die Ansicht, daß dieser Ausdruck "bei der Aufnahme in den
Text unglücklich entzweigerissen" worden sei. Nach seinem Dafürhalten gehört אף הוא zu ויכה את המים 1[0]. Dies ergäbe einen
brauchbaren Sinn, indem dann nämlich zu übersetzen wäre, "auch
er" (gemeint ist Elischa in Parallele zu Elija V. 8) "schlug auf
das Wasser". Die gleiche Textumstellung wie Delitzsch nimmt
auch van den Born[6] vor。 Lukian bringt in seiner Rezension im
Zusammenhang mit אף הוא einen eigenartigen Zusatz : καὶ οὗτος
ἐπέταξε τὰ ὕδατα καὶ διῃρέθη.[7] Dieser Zusatz kann im Kontext
nur auf Elija bezogen werden : "Auch dieser [nämlich Elia] schlug
doch das Wasser, und es teilte sich."[8] Zur Erklärung dieses Zu-
satzes räumt Rahlfs[9] zwei Möglichkeiten ein : Man kann einerseits
diesen Zusatz als "rein mechanische Dublette" erklären aufgrund
des hebräischen אף הוא ויכה את המים ויחצו.Dieser Zusatz kann
aber auch lediglich auf אף הוא zurückgehen, wobei dann der folgende Text nur eine weitere Interpretation des schwierigen אף הוא

"im Anschluß an den Wortlaut unseres Verses und des 8. Verses" darstellen würde. Für welche der Lösungen man sich auch
entscheiden mag, als gesichert kann gelten, daß Lukian אף הוא
auf Elija bezieht. Nicht weiter von Bedeutung ist die Tatsache,
daß Lukian in seiner Rezension die Transkription der LXX αφφω
belassen hat und mit καὶ οὗτος fortfährt, denn Dubletten zählen

---

5   Die Lese- und Schreibfehler im Alten Testament, Berlin-
    Leipzig 1920, 138 [155]。
6   Koningen 136.
7   Vgl. A. Rahlfs, Septuaginta-Studien I-III, Göttingen[2] 1965,
    269 [629].
8   Rahlfs, Septuaginta-Studien 270 [630].
9   Septuaginta-Studien 270 [630].

zu seinen besonderen Kennzeichen, worauf J. Ziegler[10] wiederholt aufmerksam gemacht hat. Offensichtlich wollte Lukian die al
te Transkription αφφω nicht tilgen,deshalb beließ er sie und stell-
te daneben seine Version καὶ οὖτος.

Sowohl die Umstellung des אף הוא durch Delitzsch und van den
Born als auch die Übersetzung dieses Ausdrucks in der Rezension des Lukian zeigen, welche Schwierigkeiten diese beiden Wörter jedem Übersetzer und Exegeten aufgrund ihrer Stellung innerhalb von V. 14 bereiten. Zum Vorschlag statt הוא אף ("auch er")
איפה הוא ("wo ist er?") zu lesen, bemerken Montgomery-Gehman[11] mit Recht, "but this only repeats the first query", denn die
Frage des Elischa in V. 14 aß wird mit dem Fragewort איה eingeleitet. Auch J. Gray[12] schreibt bezüglich der Konjektur ʾepō̄ʾ
("wo?") : "It would be strange to find such a sudden change from
one interrogative ʾayyē to another in the scope of one verse." Er
beläßt הוא אף an seinem jetzigen Platz und übersetzt es wörtlich
durch "even he". Diese Übersetzung an diesem Platz löst aber
das Problem nicht. Vielleicht bringt uns die Konjektur אפו
bzw. אפוא ("denn, also") für הוא אף etwas weiter, wobei
אפוא gegenüber אפו graphisch vorzuziehen ist. אפו(א) kommt
nämlich im Zusammenhang mit dem Fragewort איה wiederholt
vor. So steht אפו(א) wiederholt direkt beim Fragewort איה.[13]
Auch getrennt vom Fragewort ist אפוא bezeugt, wobei allerdings
das Fragewort מה und nicht איה lautet.[14] Unserer Stelle 2 Kön 2,
14 aßbα kommt Hos 13,10 am nächsten, da dort אפוא getrennt

---

10   Ezechiel (Septuaginta XVI/1) Göttingen 1951,52 ; Susanna,
     Daniel, Bel et Draco (Septuaginta XVI/2) Göttingen 1954,55 ;
     Jeremias (Septuaginta XV) Göttingen 1957,88.
11   Commentary on the Books of Kings 357.
12   I & II Kings (The Old Testament Library) London²1970,473
     Anm. 7.
13   Ri 9,38 ; Ijob 17,15 ; Jes 19,12.
14   Ex 33,16 ; Jes 22,1.

von איה bezeugt ist.[15] Der Konjekturvorschlag אפוא für אף הוא
wird auch durch die LXX gestützt, da sie αφφω transkribiert.
Diese Transkription legt den Schluß nahe, daß die hebräische
Textvorlage der LXX אפו(א) anstelle von אף הוא lautete. Dies
wird noch dadurch unterstrichen, daß man der nämlichen Transkription in 2 Kön 10, 10 begegnet, wo auch der MT אפוא überliefert. Durch die Untersuchung von Wevers[16] sind wir nämlich
darüber informiert, daß beide Transkriptionen vom gleichen
Übersetzer stammen, da sich 2 Kön 22, 1 - 4 Kön 25, 30 als ein-
heitliche Version ausweist, die auf eine Übersetzerpersönlich-
keit zurückgeht. Zu den Besonderheiten dieses Übersetzers zählt
auch die Tatsache, wiederholt keine Übersetzung, sondern nur
eine Transkription zu geben, und hierzu ist auch αφφω zu rechnen.[17] Für אף הוא ist uns auch die Übersetzung der beiden jüngeren griechischen Übersetzer α' und σ' erhalten geblieben,
und zwar für α' καίπερ αὐτός und für σ' καὶ νῦν . Die hebräische Textvorlage des α' hat wahrscheinlich bereits אף הוא
gelautet, denn er übersetzt konstant אף mit καίπερ.[18] Möglicherweise ließe sich auch noch an die Textvorlage אפוא הוא denken,
denn 2 Kön 10, 10 übersetzt α' אפוא durch καίπερ und Jes 22, 1
אפוא durch καίπερτοι . Die Übersetzung von σ' hingegen
scheint אפו(א) vorauszusetzen, denn für ihn sind folgende Ver-
sionsarten bezeugt : אפוא οὖν νῦν 2 Kön 10, 10 ; אפו καὶ νῦν
Ijob 9, 24 ; ואם לא אפו ἀλλὰ νῦν Ijob 24, 25.

---

15 Für Hos 13, 10 ist sicher איה als ursprünglich anzusehen
    gegenüber dem אהי des MT ; vgl. BHS z. St.
16 Principles of Interpretation 40-56.
17 Vgl. Wevers, Principles of Interpretation 42 f.
18 So Lev 26, 39 (ואף) ; Ps 44(43), 10 ; 68 (67), 19 (ואף) ;
    89 (88), 28. 44 ; Spr 21, 27.

Man kann also sagen, daß die Konjektur (א)אסף für אך הרא

durch syntaktische Argumente und durch die Übersetzung der LXX

und des σ' eine fundierte Grundlage erhält und gegenüber dem

unverständlichen אך הוא des MT den Vorzug verdient. Bei An-

nahme dieser Konjektur bietet unsere Stelle ein Beispiel für feh-

lerhafte Worttrennung, die mehrfach im AT bezeugt ist.[19]

Die Frage des Elischa in V. 14 aßbα ist also folgendermaßen zu

übersetzen : "Wo ist denn nun der Gott des Elija ?"

3.2.   Die LXX hat in V. 14 einen bemerkenswerten Zusatz

gegenüber MT, der zwar bei B und A fehlt, aber doch ursprüng-

lich ist. Dort heißt es im Anschluß an die Bemerkung, daß Eli-

scha zum ersten Mal auf das Wasser schlug, καὶ οὐ διέστη .

Die Frage ist daher berechtigt, ob diese griechische Wendung auf

(המים)נחצרו ולא in der hebräischen Vorlage basiert, wie es BHK

vermutet. Hierbei muß an das Ergebnis erinnert werden, zu dem

Wevers[20] bezüglich der Übersetzungseinheit von 1 Kön 22,1 bis

2 Kön 25,30 in der LXX kommt : "In contrast to the preceding

section, III Kings 2 : 12 - 21 : 43, this is a wooden translation,

and almost slavish word-for-word rendering of the Hebrew."

Und in der Tat, die LXX von 2 Kön 2,1-18 läßt bei verschiedenen

Wendungen eine sehr starke Anlehnung an das hebräische Origi-

nal erkennen, ohne daß dabei Rücksicht auf griechisches Sprach-

empfinden genommen wird :

V. 1 :   καὶ ἐγένετο...καὶ ἐπορεύθη.[21]

V. 10 :   ἐσκλήρυνας τοῦ αἰτήσασθαι.[22]

V. 11 :   καὶ εγένετο αὐτῶν πορευομένων ἐπορεύοντο καὶ

ἐλάλουν.   Interessant ist im Gegensatz zu dieser hebraisie-

---

19   M.Noth, Die Welt des Alten Testaments, Berlin[4]1962,314.
20   Principles of Interpretation 55.
21   Zu dieser Konstruktionsart in der LXX vgl. H.St.J.Thacke-
       ray,A Grammar of the Old Testament in Greek I, Cambridge
       1909,50-52.
22   S. hierzu Thackeray, Grammar 53 f.

renden Übersetzung der LXX die Version des Lukian, der sich
bekanntlich um ein elegantes Griechisch bemühte und der auch in
diesem Fall griechischer Idiomatik gerecht wird : αὐτῶν πορευομένων καὶ λαλούντων.

V. 13 : ἐπὶ τοῦ χείλους τοῦ ᾿Ιορδάνου.

V. 16 : υἱοὶ δυνάμεως.

V. 17 : ἕως ὅτου ᾐσχύνετο.

Aufgrund dieser Beispiele, die eine sehr enge Anlehnung des
LXX-Übersetzers an MT bezeugen, ist die Frage berechtigt, ob
dann der gleiche Übersetzer eine Hinzufügung wie καὶ οὐ διέστη
gegen die hebräische Vorlage vornahm. Besteht nicht vielmehr
Grund zur Annahme, daß die LXX in ihrer Vorlage eine solche
Wendung las? Hierfür ist zu beachten, daß die LXX trotz mannig-
facher, starker Anlehnungen an den hebräischen Text in der kurzen Passage von 2 Kön 2, 1-18 auch wiederholt ein Absetzen vom
Text erkennen läßt.

So liegt in V. 1 und 11 mit der Hinzufügung von ὡς zu εἰς τὸν
οὐρανόν "a clearly intentional change" vor.[23] Zur ausführlichen
Behandlung dieses ὡς s. S. 145-151.

V. 7 bleibt das leicht entbehrliche הלכו in der LXX unübersetzt.
Die Auslassung von הלכו durch die LXX dürfte dadurch bedingt
sein, daß sie die in V. 7 auftretenden Personengruppen bezüglich
des Verbums parallelisiert hat. Während nämlich bei der ersten
Personengruppe, den Prophetensöhnen, die beiden Verba הלך
עמד stehen, findet sich bei der zweiten Personengruppe, Elija
und Elischa, das Verbum עמד allein. Die LXX hat für beide Fälle
nur ἔστησαν übersetzt.

V. 11 wird das Kal Imperfekt ויעל nicht wie gewöhnlich in der

---

23   Vgl. Wevers, Principles of Interpretation 46.

LXX durch ἀνέβη übersetzt, sondern durch καὶ ἀνελήμφθη.

Die Übersetzung עלה - ἀναλαμβάνειν ist innerhalb der LXX nur

für 2 Kön 2,11 belegt.עלה (hi.) wird in der LXX durch ἀνάγειν

(vgl. 2 Kön 2,1) ἀναφέρειν und ἀναβιβάζειν wiedergegeben. Zur

Erklärung der Passivform ἀνελήμφθη möchte Gray[24]ויעל als ho.

punktieren. Doch dies ist bedenklich, da ein Imperfekt ho. von

עלה nirgends im AT bezeugt ist ; auch das Perfekt ho. dieser Ba-

sis kommt nur an vier Stellen vor (Ri 6,28 ; 2 Chr 20,34 ; Nah 2,8;

Hab 1,15). Zur Erklärung der Passivform ἀνελήμφθη könnte man zu-

nächst an eine Interpretation aus griechisch-hellenistischem Geist

denken, denn in profangriechischen Entrückungsberichten spielt

stets ein Gott eine entscheidende Rolle, der die Entrückung durch-

führt. "Teils wird dieser Gott unmittelbar beim Namen genannt ...,

teils wird das Eingreifen der Götter durch Passivformen ... zum

Ausdruck gebracht." [25] Viel näherliegend für die Erklärung des

Passiv ἀνελήμφθη ist jedoch der Kontext.

In den V. 1.3.5. wird Jahwe eigens als derjenige genannt, der die

Hinwegnahme des Elija ausführen wird. Auch das ἀναλαμβάνεσθαι

ἀπό von V. 9 f hat auf die Übersetzung ἀνελήμφθη in V. 11

eingewirkt, wenn auch in V. 9 und 10 Jahwe als handelndes Subjekt

nicht eigens erwähnt wird, denn bei dem Passiv steht die göttliche

actio unausgesprochen im Hintergrund. Daher ist der Schluß be-

rechtigt, daß durch ἀνελήμφθη in V.11 das Handeln Gottes aufgrund

des Kontextes ausgesprochen wird.

V. 16 findet sich in der LXX als überschießendes Plus gegenüber

MT ἐν τῷ Ἰορδάνῃ . Die LXX empfand die beiden Glieder in MT

"auf einen Berg oder in ein Tal", die andeuten, wohin "der Geist

Jahwes" den Elija entrafft haben könnte, als unvollständig und er-

---

24   I & II Kings 473 Anm. d.
25   Lohfink, Himmelfahrt 40.

gänzte sie durch "in den Jordan". Diese Ergänzung durch ein drit-
tes Glied "in den Jordan" legte sich dadurch nahe, weil der Jordan in V. 7 und 13 eigens im MT erwähnt wird. Wevers[26] bezeichnet diese Hinzufügung als "evidence of rationalization".
Nach diesem Exkurs auf die LXX von 2 Kön 2, 1-18 können wir
zu der oben gestellten Frage betreffs καὶ οὐ διέστη zurückkehren. Diese Wendung stellt eine Hinzufügung der LXX gegenüber
MT dar, die leicht durch den Kontext erklärbar ist. Zweimal
wird das Schlagen des Wassers durch Elischa erwähnt und dazwi-
schen findet sich die Frage des Elischa nach dem Gott des Elija.
Diese Textfolge konnte sehr leicht die Vermutung wecken, daß
der erste Schlag des Elischa auf das Wasser nicht die gewünschte
Wirkung hervorgerufen hatte. Es wäre deshalb ein Trugschluß,
für καὶ οὐ διέστη ein entsprechendes Äquivalent in der Vorlage
der LXX zu postulieren.
Zusammenfassend kann also folgende Feststellung getroffen werden : Obgleich die LXX in 2 Kön 2, 1-18 eine sehr enge Anlehnung
an MT erkennen läßt, begegnet man doch gelegentlich einem
Plus, Minus oder einer sonstigen Änderung. Diese Abweichungen
von MT setzen keine andere Textvorlage der LXX voraus, sondern sind durch die Persönlichkeit und Intentionen des Übersetzers bedingt. Wevers[27] führt eine Reihe derartiger Änderungen
der LXX in 1 Kön 22, 1-2 Kön 25, 30 an, ohne daß er auch für diese
Fälle eine andere Textvorlage als MT voraussetzt, wodurch unser Ergebnis erhärtet wird.

---

26   Principles of Interpretation 46.
27   Principles of Interpretation 45-47.

II. Literarkritik

1. Die literarkritische Abgrenzung

1.1. Doppelungen und Wiederholungen

"Das sicherste Kriterium zur Feststellung von Zwei- oder Mehr-
strängigkeit einer Einheit, die Doppelung von kleineren oder größeren syntaktischen Elementen (Satz oder Satzfolge)" läßt sich für
2 Kön 2, 1-18 nicht nachweisen.[28] Damit ist jedoch die Frage nach
der Einheitlichkeit noch nicht im positiven Sinn beantwortet. Vielmehr gilt es, nach weiteren Kriterien zu fragen. Zunächst fallen
zwei Satzteile auf, die wörtlich wiederholt werden.

V. 13 aß // 14 aß

Der Relativsatz in V. 14 aß wird von verschiedenen Exegeten als
Additamentum aus V. 13 aß betrachtet.[29] Dies ist jedoch nicht
haltbar, da der Kontext in beiden Fällen verschieden ist. In V. 13
aß wird im Zusammenhang mit der Inbesitznahme des Propheten-
mantels durch Elischa die Herkunft des Mantels von Elija unterstrichen. V. 14 aα stellt demgegenüber eine Weiterführung dar.
Hier schickt sich Elischa an, den Prophetenmantel als Instrumen-
tarium für das folgende Wunder zu gebrauchen. Wenn hierbei nun
nochmals in V. 14 aß die Herkunft dieses Mantels erwähnt wird, so
ergibt sich daraus kein Kriterium zur Aufteilung oder Ausscheidung, sondern der gleiche Sachverhalt wird in einem neuen und fort-
führenden Zusammenhang nochmals hervorgekehrt. Es liegt in der
Absicht des Verfassers, die Tatsache zu unterstreichen, daß Elischa der legitime Nachfolger des Elija ist. Dies erreicht er durch

---

28   W. Richter, Die sogenannten vorprophetischen Berufungsbe-
        richte, Göttingen 1970, 13.
29   Vgl. A. Šanda, Die Bücher der Könige (EH IX/2) Münster
        1912 ; F.Delitzsch, Lese- und Schreibfehler 83 [86b] ; J.
        Gray, I & II Kings 473 Anm. f.

die zweimalige Aussage, daß Elischa den Prophetenmantel von
Elija übernommen hat. Mit diesen Darlegungen erweist sich
gleichzeitig die Behauptung als unhaltbar V. 14 aα als sekundär
auszuscheiden, wie dies versucht wurde.[30] Gerade bezüglich V.
14 aα ist die intendierte wörtliche Wiederaufnahme von V. 8 a α
zu beachten. Durch diese Relation zu V. 8 aα soll mit literarischen Mitteln zum Ausdruck kommen, daß der Geist des Elija auf
Elischa übergegangen ist und somit Elischa zu gleichem Tun wie
Elija befähigt ist. Elischa wird in Parallele zu Elija gesetzt.

14 aγ // 14 bα
Verschiedene Forscher wollten bei dem zweimaligen "und er
schlug das Wasser" die erste dieser Wendungen als kleinlichen
und überflüssigen Zusatz streichen.[31] Doch das bedeutet eine
Verkennung der Funktion dieser Wendung, denn sie schließt ein
Moment der Steigerung in sich. Zunächst wird sie nämlich im
Zusammenhang mit der sich anschließenden Frage nach dem Gott
des Elija gebraucht. Der Leser/Hörer bleibt in Spannung, ob sich
das wunderbare Geschehen, das von Elija in V. 8 berichtet wird,
wiederholt. Gelingt es Elischa, diesen Akt auszuführen, so ist
der Erweis erbracht, daß der Geist des Elija auf Elischa übergegangen ist. Nachdrücklich wird deshalb im Anschluß an die Frage
des Elischa nochmals das Schlagen des Wassers erwähnt, worauf
die gleiche Wirkung wie in V. 8 bei Elija eintritt. Es liegt also
Steigerung und Fortführung, nicht aber Doppelung vor.
Eine beachtenswerte Parallele zu dieser Wiederholung im Sinne
einer Steigerung in V. 14 findet sich an einer weiteren Stelle des
Elischazyklus, und zwar 2 Kön 4, 34 f. Im Zusammenhang mit der

---

30 Vgl. H. Gunkel, Geschichten von Elisa. Meisterwerke hebräi-
    scher Erzählungskunst I, Berlin o.J., 95 Anm. 5 ; BHK z.St.
31 Vgl. Šanda, Die Bücher der Könige 12 ; Gunkel, Geschichten
    von Elisa 95 Anm. 5

Totenerweckung des Sohnes der Frau aus Schunem stößt man sowohl in V. 34 als auch in V. 35 auf die Wendung "und er streckte
sich über ihm aus". Dieses Sichausstrecken über dem Leichnam
zählt zu den plastischen Handlungen, die der Erzähler der Totenerweckung vorangehen läßt. Die Wiederholungen in 2 Kön 2, 14
und 2 Kön 4, 34. 35 besitzen nicht nur eine Verwandtschaft in literarischer Hinsicht, sondern auch aufgrund inhaltlicher Gesichtspunkte. In beiden Fällen wird nämlich eine Handlung des Propheten Elischa, die einem wunderbaren Geschehen vorausgeht, zweimal angeführt.

An dieser Stelle muß auch daran erinnert werden, daß ein z. T.
wörtliches Wiederaufnehmen bestimmter Textpassagen zu den
vorherrschenden stilistischen Eigentümlichkeiten von 2 Kön 2, 1-18
zu zählen ist ; vgl. V. 2.4.6 ; 3.5 ; 7b.13b ; 8.14. Daher fügt
sich 14 a γ//14 bα homogen dem Gesamttrend von 2 Kön 2, 1-18
ein.

Bei dieser Suche nach Doppelungen und Wiederholungen verdienen
auch die Textabschnitte Beachtung, die - von wenigen Ausnahmen
abgesehen - wörtlich wiederholt werden. Hierzu zählen beispielsweise die V. 1a und 11b. V. 1 a lautet : "Als Jahwe den Elija im
Sturm zum Himmel hinaufsteigen ließ." V. 1 a unterscheidet sich
von V. 11b dadurch, daß in V. 1a inf. hi. von עלה steht, dem als
Subjekt Jahwe beigefügt ist, während in V. 11b ויעל ohne Jahwe
als Subjekt steht. Der Formbildung nach könnte ויעל sowohl 3.
Pers. Sing. Imperf. Kal als auch Hifil sein. Im Falle des Hifil
müßte analog zu V. 1a das Subjekt Jahwe angegeben sein, zumal
in V. 11a in den vorangestellten Nominalsätzen andere Subjekte
vorausgehen. Im Falle des Hifil müßte weiterhin das Objekt
mit der Akkusativpartikel את versehen sein. Daher ist ויעל
als Kal Imperf. zu bestimmen, das dazugehörige Subjekt stellt

אֵלִיָּהוּ dar.

Die Beurteilung beider Satzelemente V. 1a und V. 11b vom Kontext her berechtigt nicht zu dem Schluß, daß es sich hierbei um eine Wiederholung handelt. Vielmehr wird V. 1a überschriftartig verwendet, während V. 11b seine Funktion innerhalb des Erzählungsablaufs findet.

K. Galling[32] hat darauf hingewiesen, daß durch V. 1a der folgenden "Exposition alle Spannung genommen" wird. Daraus folgert er, daß V. 1a nicht zum ursprünglichen Bestandteil der Erzählung zu rechnen ist. Allerdings büßt dieses Argument etwas von seiner Stringenz ein, wenn man bedenkt, daß in 2 Kön 2, 1-18 nicht Elija, sondern Elischa im Mittelpunkt steht.[33] Wenn also in V. 11b nicht der eigentliche Zielpunkt der Erzählung erreicht wird, so ließe sich V. 1a auch als Originalüberschrift verstehen. Trotzdem bleibt zu berücksichtigen, daß aufgrund von V. 3 und 5, wo sich der unbestimmte und im AT singuläre Ausdruck "über dein Haupt hinwegnehmen", vgl. S. 91 , und der Imperativ "schweiget", vgl. S.91 f , finden, die in V. 11b ausgesagte Hinwegnahme des Elija in ein Spannungsfeld gerät und somit die detaillierte Vorwegnahme in V. 1a überrascht. Auch V. 9f weisen ein Gefälle auf V. 11b hin auf ; der Leser bzw. Hörer bleibt in Spannung, auf welche Weise sich die Hinwegnahme des Elija ereignen wird. Deshalb kann gesagt werden, daß es im Interesse des Autors liegt, die Hinwegnahme des Elija zunächst in einer gewissen Unbestimmtheit zu belassen. Diese Überlegungen berechtigen zu dem Schluß, daß V. 1a nicht vom Verfasser der V. 1b - 18 stammt und somit als späte-

---

32 Der Ehrenname Elisas und die Entrückung Elias : ZThK 53, 1956, 139.

33 Vgl. Gunkel, Geschichten von Elisa 15 ; Galling, Der Ehrenname Elisas 138 ; G. Fohrer, Elia (Abhandlungen zur Theologie des Alten und Neuen Testaments 53) Zürich ²1968,61.

rer Zusatz zu werten ist. Nicht verwertbar als Argument für
eine Klassifizierung von V. 1a als Zusatz ist die Tatsache, daß
in V. 1a das Hifil und in V. 11b das Kal von עלה verwendet werden. Denn auch in der Erzählung über die Totenbeschwörerin
von Endor (1 Sam 28, 3-25) wird für das Heraufsteigen des toten
Samuel aus der Scheol עלה gebraucht, und zwar viermal im Hifil
(V. 8.11 (2x) 15) und zweimal im Kal (V. 13.14). Dieser Fall stellt
eine Warnung dar, das Hifil 2 Kön 2, 1a und das Kal 2 Kön 2, 11b
von עלה bei der Entrückung des Elija für literarkritische Operationen heranzuziehen.

In den V. 2.4.6 ergeht jeweils eine Aufforderung des Elija an Elischa zum Verbleiben an dem betreffenden Ort. Darauf erfolgt die
Antwort Elischas, die aus einer feierlichen Beteuerung zum ste-
ten Verbleiben bei Elija besteht. Die V.2.4.6 stimmen fast wörtlich überein. Folgende Unterschiede lassen sich feststellen :

Die Einleitungswendung wird variiert : V. 2 : אל אליהו ויאמר
עלישא;V.4 : ויאמר לו אליהו אלישע;V. 6 : ויאמר לו אליהו

V. 2 nennt Elija als Ort, zu dem er durch Jahwe gesandt ist, Bet-
El ; V. 4 : Jericho ; V. 6 : Jordan.

Die Verba, die das Kommen zu einem bestimmten Ort bezeichnen,
wechseln. V. 2 : וירדו ; V. 4 : ויבאו ; V. 6 : וילכו .

V. 2 schließt mit der Ortsangabe Bet-El ; V 4 : Jericho ; V. 6 endet nicht mit einer Ortsangabe, vielmehr findet sich hier die unbestimmte Angabe : וילכו שניהם. Die hier analog zu V. 2 und 4
erwartete topographische Angabe findet sich erst am Schluß von
V. 7 "und beide standen am Jordan".

Bei den V. 2.4.6 zeigt sich in der z.T. wörtlichen Wiederholung
ein Stilmittel des Autors. Als Beispiel für eine zweifache z.T.
wörtliche Wiederaufnahme des gleichen Textes bietet sich 1 Sam

19,19-21 an. Dreimal wird in V. 20 f das Aussenden der Boten
durch Saul berichtet. Dreimal hebt der Text in V. 20 f hervor,
daß auch die ausgesandten Boten in Verzückung gerieten. Ein
weiteres Beispiel für ein dreifaches Anführen des z.T. gleichen
Textes findet sich im Elijazyklus (2 Kön 1,9-13). Dreimal wird
ein Oberst mit fünfzig Mann vom König ausgesandt, um den Elija
herbeizuholen. In den beiden ersten Fällen ergeht durch den Oberst
ein barscher Befehl an den Propheten. Dieser läßt daraufhin ver-
nichtendes Feuer auf den Oberst und seine Mannschaft herabfah-
ren. Der dritte Oberst bittet Elija um Schonung für sich und seine Mannschaft. Deshalb bleibt er mit seinen Leuten vor der Vernichtung bewahrt. Auch im Elischazyklus findet sich eine zweifache Wiederholung, die sehr geschickt in den Ablauf einer Erzählung eingebaut ist. 2 Kön 9,1-13 berichtet von der Salbung
Jehus zum König von Israel durch einen Prophetensohn. Zunächst
erteilt Elischa einem Prophetensohn den Auftrag, nach Ramot in
Gilead zu gehen und dort Jehu zum König über Israel zu salben
(2 Kön 9,1-3). Bei dieser Beauftragung sagt Elischa dem Prophetensohn, was dieser bei der Königssalbung sprechen soll : "So
spricht Jahwe" bzw. "so hat Jahwe gesprochen : Ich salbe dich
zum König über Israel" (V. 3). Die gleiche Wendung mit zwei
kleinen Erweiterungen wird nun vom Prophetensohn bei der Salbung Jehus gebraucht : "So spricht Jahwe, der Gott Israels : Ich
salbe dich zum König über das Volk Jahwes, über Israel" (V.6).
Die gleiche Wendung taucht schließlich zum dritten Mal auf, als
Jehu seinen Mitsoldaten den Grund für das Kommen des Prophe-
tensohnes mitteilt : "So spricht Jahwe : Ich salbe dich zum König
über Israel" (V.12). Die Funktion derartiger beabsichtigter Wiederholungen besteht primär darin, innerhalb der Textfolge bestimmte gezielte Schwerpunkte zu setzen. Ferner soll mit diesem

sprachlichen Kunstgriff eine erhöhte Aufmerksamkeit beim Leser/
Hörer hervorgerufen werden. Es bleibt noch zu erwähnen, daß
außerhalb des biblischen Sprachgebrauches derartige Wiederholungen beispielsweise in der Literatur von Ugarit in der nämlichen
Funktion anzutreffen sind.[34]

Auch die V. 3. 5 stimmen fast wörtlich überein. Sie bestehen aus
einem kurzen Dialog, der zwischen Elischa und den Prophetensöhnen stattfindet. Folgende Unterschiede kristallisieren sich heraus :

Das einleitende Verbum lautet in V. 3 ויצאו, in V. 5 dagegen
ויגשו .

In V. 3 handelt es sich um die Prophetensöhne von Bet-El, während in V. 5 die Prophetensöhne von Jericho auftreten.

Genauso wie bei den V. 2. 4. 6 liegt auch bei den V. 3. 5 ein Stilmittel des Autors vor. Einfachen Wiederholungen begegnet man wiederholt im Elischazyklus, sie sind meist bedingt durch den Erzählungsablauf. So lautet die Aufforderung des Elischa an die Witwe
in 2 Kön 4, 4 : "Schließe die Türe hinter dir und deinen Söhnen".
2 Kön 4, 5 wird die Ausführung dieser Aufforderung berichtet :
"Sie schloß die Türe hinter sich und ihren Söhnen".
Ben-Hadad, der König von Aram, läßt durch Hasael bei Elischa
anfragen, ob er von einer Krankheit, die ihn befallen hat, genesen
werde. Zunächst trägt Ben-Hadad dem Hasael diese Frage auf
(2 Kön 8, 8). Sodann überbringt Hasael diese Anfrage Ben-Hadads
dem Elischa (2 Kön 8, 9). Elischa gibt als Antwort : "Du wirst genesen" (2 Kön 8, 10). 2 Kön 8, 14 übermittelt Hasael diese Antwort
Elischas an Ben-Hadad : "Er hat mir gesagt, daß du genesen wirst."

---

34   Vgl. J. Aistleitner, Die mythologischen und kultischen Texte
     aus Ras Schamra, Budapest [2]1964, 9 f.

Weiterhin begegnet man einer einfachen Wiederholung im Elischazyklus, ohne daß diese durch den Erzählungsablauf gefordert
wird. Im Zusammenhang mit einer Hungersnot in Samaria, die in-
folge einer Belagerung ausbricht (2 Kön 6, 24-7, 20), verkündet
Elischa ein Gotteswort : "Hört das Wort Jahwes : So spricht Jahwe :
Morgen um diese Zeit kostet am Tor von Samaria ein Sea Fein-
mehl einen Seqel und zwei Sea Gerste einen Seqel" (2 Kön 7, 1).
Der Hauptmann des Königs bezweifelt dieses Gotteswort (2 Kön
7, 2). Daraufhin entgegnet ihm Elischa : "Du wirst es mit deinen
Augen sehen, aber nichts davon essen" (2 Kön 7, 2). 2 Kön 7, 17
wird der Tod des Hauptmanns berichtet, wobei eigens vermerkt
wird, "wie der Gottesmann es vorausgesagt hatte". Hiermit ist
ein abgerundeter Schluß erreicht und man erwartet keine Fortführung. Dennoch wird in 2 Kön 7, 18 f das Gotteswort des Elischa,
die zweifelnde Entgegnung des Hauptmanns und die darauf erfol-
gende Antwort des Elischa von 2 Kön 7, 1 f nochmals zitiert.
Auch der Tod des Hauptmanns wird sowohl 2 Kön 7, 17 als auch
2 Kön 7, 20 mit den gleichen Worten berichtet. Diese Beispiele
zeigen deutlich, daß im Elischazyklus gerne mit dem Stilmittel
der Wiederholung gearbeitet wird. Auf die Funktion derartiger
Wiederholungen wurde bereits weiter oben verwiesen.
Schließlich bleiben unter dem Gesichtspunkt der Wiederholung
noch die V. 7b. 8 und 13b.14 zu besprechen.
Folgende Unterschiede sind nachweisbar :
V. 13 b bringt den volleren Ausdruck הירדן שפת על gegenüber
על הירדן in V. 7b.
Das hapax legomenon גלל ("zusammenwickeln") findet sich nur
in V. 8, während es in V. 14 fehlt.
Die Erweiterung von V. 14 gegenüber V. 8 durch die Frage des
Elischa bringt ein steigerndes Moment in den Erzählungsablauf
hinein ; vgl. S. 74 .

In V. 14 steht zweimal der Ausdruck " und er schlug das Wasser", während er in V. 8 nur einmal steht. Die Doppelung dieses
Ausdruckes in V. 14 hat eine steigernde Funktion ; s. S. 57.
Am Schluß von V. 8 findet sich im Zusammenhang mit der Jor-
dandurchschreitung die Angabe בחרבה ("auf dem Trockenen"),
die in V. 14 fehlt.
Zunächst wird in V. 7b.8 die wunderbare Überquerung des Jordan durch Elija und Elischa berichtet. Elija ist dabei der Handelnde, der das Wunder bewirkt. Nach der Hinwegnahme des Elija
vollbringt Elischa das gleiche Wunder, V. 13 b.14. Die Funktion
der Wiederholung ist hier eine andere als in den vorausgegange-
nen Fällen. Hier wird bewußt Elischa mit Elija parallelisiert.
Indem V. 7b.8 und V. 13b.14 starke wörtliche Übereinstimmungen aufweisen, kommt mit sprachlichen Mitteln zum Ausdruck,
daß der Geist des Elija auf Elischa übergegangen ist, da er das
gleiche vermag wie sein großer Meister Elija. Elischa ist ein
zweiter Elija.
Im Rückblick auf den Wiederholungstrend in 2 Kön 2,1-18 erfahren die oben gemachten Ausführungen bezüglich V. 13 aß // 14 aß
und 14 a γ // 14 bα eine Bestätigung. Gerade diese Satzteile wurden vielfach als spätere Zusätze angesehen. Die Unhaltbarkeit
solcher Behauptungen wurde bereits aufgrund anderer Indizien
erwiesen. Das Wiederaufnehmen bestimmter Textpassagen zählt
zu den stilistischen Eigentümlichkeiten von 2 Kön 2,1-18 und damit fügen sich V. 13 aß/14 aß und 14 a γ // 14bα homogen der Ge-
samtkomposition ein.
Ergebnis : Lediglich V. 1a muß ausgeschieden werden, denn es
handelt sich hierbei um einen Zusatz. Die sonstigen Wiederholungen sind als Stilmittel des Autors zu werten. Sie scheiden für
literarkritische Operationen aus.

1.2. Spannungen

V. 1 a wird der "Sturmwind", mit dem Elija zum Himmel entrafft wird, sofort mit Artikel eingeführt, als sei er bereits bekannt. Gewöhnlich wird nämlich der Artikel erst dann gebraucht, wenn ein Nomen im Text bereits eingeführt ist.[35]

V. 1-7 wird die Wegstrecke beschrieben, die Elija und Elischa zurücklegen : Gilgal V. 1 - Bet-El V.2 - Jericho V. 4 - Jordan V. 7. Wenn man den Ausganspunkt Gilgal mit dem Ort gleichen Namens zwischen Bet-El und Samaria im Gebirge von Ephraim identifiziert[36], so bleibt zu bedenken, daß beide eine beträchtliche Wegstrecke von etwa 50 Kilometer bis zum Jordan an einem Tag zu bewältigen hatten. Das Geschehen von 2 Kön 2,1-15 ist nämlich einem einzigen Tag zugeordnet ; vgl. V. 3 und 5. Setzt man dagegen Gilgal mit dem Ort östlich von Jericho in der Jordansenke gleich[37], wo die einwandernden Israeliten 12 Steine errichteten (Jos 4,19-24), wo sich die Operationsbasis des Josua befand(Jos 10, 6-9)und wo schließlich der Gerichtsort des Samuel und ein religiöses Zentrum lag(1 Sam 11,14 f), dann nimmt der Weg einen auffälligen Richtungsverlauf. Man könnte hierbei von einem "Zick-Zack-Weg" sprechen.[38] Für den letztgenannten Fall würde die zu bewältigende Wegstrecke etwa 65 Kilometer betragen. Man fragt zu Recht, ob eine so weite Wegstrecke an einem Tag zu bewältigen war, wobei noch solch gravierende Ereignisse wie das Zusammentreffen mit verschiedenen Prophetengruppen, die Hinwegnahme des Elija und die Anerkennung des Elischa als Nachfolger des Elija stattfanden. Das Ganze erweckt den Anschein einer dramatischen

---

35   Vgl. R.Meyer, Hebr. Grammatik III, Berlin-New York[3]1972, 27.
36   So Gray, I & II Kings 423 f.
37   So K.Elliger, Gilgal, in : Bibl.-Hist.Handwörterbuch I, Göttingen 1962, 572 f.
38   So Galling, Der Ehrenname Elisas 139.

Zusammenballung und Verdichtung. Hier liegt wohl eine konzentrierte Komposition vor, der es darum ging, Elischa als Nachfolger des Elija herauszustellen und dessen engen Konnex zu
Prophetenkreisen aufzuzeigen. Dieses Anliegen des Verfassers
wird in dem topographischen Aufriß von 2 Kön 2, 1-18 manifest. [39]

Die Verba, die die Hinwegnahme des Elija bezeichnen, sind nicht
einheitlich ; so in V. 3.5.9.10 jeweils לקח , während in V. 1.11
עלה steht.

V. 3 und 5 zeigen sich die Prophetensöhne in das Geheimnis der
Hinwegnahme des Elija eingeweiht, während sie in V. 16 f an Elischa die Forderung stellen, er möge doch eine Suchaktion nach
dem verschwundenen Elija einleiten lassen. Diese inhaltliche In-
kongruenz wirkt sich auch im sprachlichen Bereich aus. So sprechen in V. 3.5 die Prophetensöhne davon, daß Jahwe heute den
Elija noch hinwegnehmen wird. In V. 16 hingegen erwägen die
Prophetensöhne die Möglichkeit, daß der רוח יהוה den Elija
entrafft hat. Die Verbfolge ist hierbei נשא ... שלך .
Nach V. 7 a bestehen die Prophetensöhne aus fünfzig Mann, die
sich in gemessener Entfernung aufhalten, während sich nach V.16
unter den Prophetensöhnen fünfzig starke Männer befinden, die
befähigt sind, die Suche nach dem verschwundenen Elija aufzunehmen. V. 16 spricht also von mehr als fünfzig Männern.
V. 1.11 wird der "Sturmwind" (סערה) genannt, mit dem Elija
zum Himmel hinauffuhr, während V. 16 von dem רוח יהוה die
Rede ist, der Elija möglicherweise entrafft hat. Auch die רוח -
Vorstellung selbst von V. 16-18 zeigt Differenzen zu der in V.1-

---

39 Dies ist gegenüber J. Lindblom, Prophecy in Ancient Israel,
Oxford 1963, 62 und L. Delekat, Asylie und Schutzorakel
am Zion heiligtum, Leiden 1967, 284 mit Nachdruck zu betonen. Lindblom rechnet aufgrund des raschen Ortswechsels
mit einem ekstatischen Phänomen und Delekat deutet dies als
Flucht von Asyl zu Asyl.

15. V. 1-15 handeln von der רוח (fem.) des Elija (vgl. V. 9b.15),
V. 16-18 dagegen vom רוח יהוה (masc.). Dazu ist ferner zu bedenken, daß in V. 1-15 die רוח als eine dem Propheten mitgeteil-
te statische Kraft (V. 15) aufgefaßt wird, die ihm innewohnt, während es sich bei V. 16-18 um einen dynamischen Geistbegriff handelt : Der Geist wird nicht Besitz des Propheten,sondern kommt
von außen über ihn.

Das Textstück beinhaltet keine Angabe bezüglich des Wohnorts des
Elischa. Daher fällt die Notiz in V. 18a auf, nach der Elischa in
Jericho wohnte.

Bei kritischer Sichtung der aufgezeigten Spannungsmomente büßen
diese nichts von ihrem Gewicht ein. Lediglich die geschilderte
Wegstrecke und die verschiedenen Verba, die die Hinwegnahme des
Elija bezeichnen, stellen die Einheit des Textes nicht in Frage.

Die Wegstrecke stellt ein Kompositionselement dar und die Verba
לקח und עלה verraten eine geschickte kompositorische Hand.

לקח ist undifferenziert, der Leser bleibt in Spannung. Erst mit
עלה השמימה erfährt dieses Verbum seine Konkretisierung und Ex-
plizierung.

1.3. Literarkritische Sichtung auf kleine Einheiten hin
a. Sichtung der einzelnen Verse

V. 1 a greift überschriftartig einen herausragenden Punkt der folgenden Erzählung auf und markiert gegenüber dem vorhergehen-
den Kapitel 1, das mit einer redaktionellen Schlußbemerkung,
dem deuteronomistischen Epilog auf die Regierungszeit des Achas-
ja (2 Kön 1,18), schließt, einen deutlichen Neueinsatz.

V. 1 b beginnt dann mit der eigentlichen Erzählung, und zwar wird

in gestraffter Kürze berichtet, daß Elija und Elischa von Gilgal
weggingen. V. 1 b setzt sich deutlich gegenüber V. 1 a ab. V. 2
fährt mit einem kurzen Dialog zwischen Elija und Elischa fort.
Am Schluß dieses Verses wird angefügt, daß sie nach Bet-El
hinabgingen.

V. 3 treten die Prophetensöhne von Bet-El auf. Ein kurzer Redewechsel zwischen diesen und Elischa schließt sich an.

V. 4 setzt ein erneuter Redewechsel zwischen Elija und Elischa
ein, der fast wörtlich mit V. 2 übereinstimmt. Am Schluß erfolgt
die Anmerkung, daß sie nach Jericho kamen.

V. 5 treten die Prophetensöhne von Jericho auf. V. 5 stimmt fast
wörtlich mit V. 3 überein.

V. 6 folgt zum dritten Mal ein Kurzgespräch zwischen Elija und
Elischa. V. 6 stimmt fast wörtlich mit V. 2 und 4 überein. Am
Schluß heißt es, daß sie weitergingen.

V. 7 grenzt zwei Personengruppen gegeneinander ab. Einerseits
werden fünfzig Prophetensöhne genannt, die sich in gemessener
Entfernung aufhalten, andererseits stehen Elija und Elischa am
Ufer des Jordan.

V. 8 berichtet die wunderbare Durchschreitung des Jordan durch
Elija und Elischa.

V. 9 ermuntert Elija den Elischa zu einer Bitte angesichts seiner
bevorstehenden Hinwegnahme. Dieser äußert den Wunsch, daß ein
Teil des Geistes des Elija auf ihn übergehen möge.

V. 10 knüpft Elija die Erfüllung dieses Wunsches an eine bestimmte
Bedingung. Wenn Elischa ihn bei der Entrückung sieht, wird sich
seine Bitte erfüllen, andernfalls nicht.

V. 11 erwähnt feurige Wagen und Pferde, die plötzlich auftauchen,
und die Entrückung des Elija zum Himmel im Sturmwind.

V. 12 berichtet von den Reaktionen des Elischa aufgrund der Entrückung des Elija : Lautes Rufen und Zerreißen seiner Kleider.

V. 13 hebt Elischa den Mantel des Elija auf, der von diesem herabgefallen war und begibt sich an den Jordan.

V. 14 wirkt Elischa das gleiche Wunder wie Elija, indem er den Jordan trockenen Fußes überquert. In V. 13b. 14 liegt eine zum Großteil wörtliche Wiederaufnahme von V. 7b.8 vor, Elischa wird mit Elija parallelisiert.

V. 15 anerkennen die Prophetensöhne den Elischa als Nachfolger des Elija, dessen Geist auf ihn übergegangen ist.

V. 16-18 behandelt die vergebliche Suche nach dem verschwundenen Elija.

b. Zusammenstellung der kleinen Einheiten

V. 1a und 1b sind voneinander abzugrenzen. In V. 1a liegt ein überschriftartiger, später hinzugefügter Vorverweis auf einen Hauptpunkt des Folgenden vor, wenn dies auch nicht den eigentlichen Höhe- und Zielpunkt darstellt ; vgl. S. 59 . Mit V.1b erfolgt der Beginn einer Einheit.

In den folgenden Versen steht dann, wie bereits oben erwähnt, nicht Elija, sondern Elischa im Mittelpunkt des Geschehens. Näherhin kann man sagen, daß unser Text Elischa als Nachfolger des Elija ausweist, und demzufolge liegt der Skopus in dem Ausspruch der Prophetensöhne in V. 15 : "Der Geist des Elija ruht auf Elischa." Dieser Zielpunkt wird bereits durch V. 9 anvisiert und vorbereitet, wo Elischa den Wunsch ausspricht, Anteil am Geist des Elija zu erhalten.[40] In diesem Zusammenhang verdient

---

40 Nach den bisherigen Beobachtungen fügt sich dieses Phänomen homogen in den Gesamttext ein, denn mit Vorliebe wird hierbei mit dem Stilmittel der Wiederholung zum Zwecke der Steigerung gearbeitet.

die Tatsache Beachtung, daß im Elija- und Elischazyklus wiederholt der Höhepunkt einer Erzählung im Ausspruch einer Person/
Personengruppe beschlossen liegt. Der Skopus einer bestimmten
Erzählung wird also nicht in einer abstrakten Reflexion dargeboten,
sondern wird in echt orientalischer Manier der Spontaneität bestimmter Menschen zugewiesen. So sagt die Witwe, deren Sohn
Elija zum Leben erweckt hat : "Jetzt weiß ich, daß du ein Mann
Gottes bist und daß Jahwes Wort in deinem Munde wahr ist",
1 Kön 17,24. Im Anschluß an das dramatische Geschehen auf dem
Karmel, bei dem sich Jahwe als ein mächtiger Gott erwiesen hatte, artikuliert der Ausruf des Volkes das Zentralthema : "Jahwe
ist Gott, Jahwe ist Gott", 1 Kön 18,39. Ebenso stellt der Ausspruch des Aramäers Naaman einen Höhepunkt dar : "Siehe, ich
habe erkannt, daß es auf der ganzen Erde keinen Gott gibt außer
in Israel", 2 Kön 5,15. Jehus Salbung zum König von Israel gip-
felt in der Akklamation seiner Kameraden : "Jehu ist König", 2
Kön 9,13.
Den soeben angeführten Beispielen fügt sich unser V. 15 zwanglos an. Mit dem Ausruf der Prophetensöhne in diesem Vers ist
der Höhe- und Zielpunkt unseres Textes erreicht.
Umso verwunderlicher ist es, daß nun in V. 16 nochmals die Aufmerksamkeit auf die Person des Elija gelenkt wird, und zwar
wird Wert auf die Feststellung gelegt, daß Elija wirklich entrückt
ist. V. 16-18 wirkt störend im Anschluß an V. 15, mit dem die
Erzählung einen abgerundeten Schluß erreicht hat. Bereits an anderer Stelle konnte auf Spannungen hingewiesen werden, die zwischen V. 1b - 15 einerseits und V. 16-18 andererseits bestehen.
Diese Beobachtungen werden nun durch die Feststellung ergänzt,
daß V. 16-18 im Anschluß an die Einheit V. 1b-15 störend wirkt.
Wir können also sagen, daß die mit V. 1b beginnende Einheit in

V. 15 ihren Abschluß findet. Das mit V. 9 anklingende Hauptthema wurde konsequent entfaltet und ist durch V. 15 zu seinem angestrebten Zielpunkt gelangt.

Zusammenfassung : Folgende Einheiten wurden ermittelt :

V. 1b-15 : Elischas Berufung zum Propheten als Nachfolger des Elija.

V. 16-18 : Die vergebliche Suche der Prophetensöhne nach dem verschwundenen Elija.

V. 1a bildet einen späteren Zusatz.

2. Die literarkritische Zuordnung

Bezüglich der literarkritischen Zuordnung läßt sich sagen, daß die Einheit V. 16-18 und das Fragment V. 1a notwendigerweise eine andere Herkunft als die Einheit V. 1b-15 haben, denn sowohl V. 16-18 als auch V. 1a stehen in Spannung zu V. 1b-15. Auch V. 1a und V. 16-18 haben verschiedene Herkunft, denn V. 1a nimmt bezug auf eine Aussage der Einheit V. 1b-15, während V. 16-18 eine andere Thematik behandelt.

III. Formkritik

1. Elischas Berufung zum Propheten als Nachfolger des Elija (2 Kön 2, 1b-15)

1.1. Syntaktisch-stilistische Einzelanalyse

V. 1b wird mit dem Narrativ וַיֵּלְךְ eingeleitet, dessen Subjektsgruppe Elija und Elischa sind. V. 2 schließt sich mit וַיֹּאמֶר an, wodurch die Anrede des Elija an Elischa beginnt. Die Rede des Elija besteht aus Imperativ + Kausalsatz in der Form x-qatal. Die Gegenrede des Elischa wird ebenfalls mit וַיֹּאמֶר eingeführt,

dem ein negativer Schwursatz folgt. V. 2 schließt mit dem Narrativ ‏ויצאו‏ , dem der nominale Relativsatz ‏אשר בית אל‏ folgt. "Die
Prophetensöhne", die das Subjekt von ‏ויצאו‏ darstellen, wenden
sich mit einer direkten Frage an Elischa, die sich mit einem kon-
junktionalen Nominalsatz fortsetzt. Die Entgegnung Elischas greift
das gleiche Verbum ‏ידע‏ auf, das schon in der Anfrage verwendet
wurde, wobei das Personalpronomen ‏אני‏ betont vorangestellt ist.
V. 3 schließt mit dem Imperativ ‏החשו‏ . V. 4 gleicht V. 2 außer
der Einleitung und dem Schluß ; vgl. S. 60 . V. 5 gleicht V. 3
außer dem einleitenden Narrativ ‏ויגשו‏ und der Ortsangabe; vgl.
S. 62 . V. 6 bringt eine wörtliche Wiederholung von V. 2 und 4
mit Ausnahme der Eingangs- und Schlußwendung. V. 7 aα erfolgt
eine Inversion, worauf sich Afformativkonjugation anschließt ;
V. 7 aß wird der Narrativ ‏ויעמדו‏ angefügt. Entsprechend V. 7a
steht auch in V. 7b eine Inversion. V. 8 reihen sich in dichter
Folge fünf Narrative aneinander : ‏ויחצו - ויכה - ויגלם-ויקח‏
‏ויעברו‏. V. 9 a wird durch ‏ויהי‏ + inf. constr. mit dem Präfix
‏כ‏ eingeleitet. Durch diese Vorschaltung wird der kommende Ge-
schehensablauf temporal und lokal präzisiert. Dabei greift der
Verfasser auf das Verbum ‏עבר‏ aus V. 8b zurück. Sofort schließt
sich eine erneute Inversion an, die eine direkte Rede des Elija
einleitet. In V. 9b erfolgt die Entgegnung des Elischa, die durch
‏ויאמר אלישע‏ eingeführt wird. V. 10 folgt die Antwort des Elija
auf die Bitte des Elischa. Sie wird mit Narrativ eröffnet, Afformativkonjugation + inf. constr. schließen sich an. Darauf folgt
ein disjunktiver Bedingungssatz mit futurischer Bedeutung.[41]
Galling[42] analysiert ‏אם תראה...ואם אין‏ nicht als disjunktiven

---

41   Vgl. C.Brockelmann, Hebr.Syntax, Neukirchen 1956, § 169a.
42   Der Ehrenname Elisas 140.

Bedingungssatz, vielmehr legt er dem תראה אם eine temporale Bedeutung bei aufgrund "der im participium perfectum umschrie-
benen Entrückung" לקח. Nach seinem Dafürhalten besagt die Antwort des Elija an Elischa, daß nicht schon vor, sondern erst nach
erfolgter Entrückung des Elija die Geistübertragung an Elischa
stattfinden kann. Galling interpretiert also die hier ausgesproche-
ne Relation rein temporal. Diese Analyse Gallings ist bedenklich,
da er seine These nicht grammatikalisch mit einem Beispiel aus
dem AT untermauern kann. Ferner ist zu bedenken, daß bei einem
solchen Verständnis V. 10 jedes Gewicht verliert. Nach wie vor
bleibt deshalb die konditionale Deutung vorzuziehen. Disjunktive
Bedingungssätze der gleichen Art liegen auch Ri 9, 15.19 f vor.
Dem Einwand Gallings, daß, falls die konditionale Deutung richtig
wäre, analog zu 2 Kön 6,17 und Lk 24,16.31 auch in 2 Kön 2,10
das Öffnen der Augen durch Jahwe erwähnt sein müßte, kann entgegnet werden, daß 2 Kön 6,17 ; Lk 24,16.31 jeweils eine von
unserer Stelle verschiedene Akzentsetzung vorherrscht (die von
Galling zitierten Stellen lassen sich übrigens noch um Num 22,31
erweitern, wo ebenfalls das Öffnen der Augen durch Jahwe berichtet wird). Zunächst wird das Nichtsehen und die damit ent-
stehende Situation geschildert. Darauf erfolgt das Öffnen der Augen und das Sehen, wodurch sich neue Perspektiven eröffnen. Bei
2 Kön 2,10 besteht aber keine Veranlassung zu solch einer poin-
tierten Darstellung. Hier wird die Geistübertragung an Elischa an
die Schau des Hinwegnahmevorganges geknüpft. Schaut Elischa
dieses Geschehen, so darf er der Geistübertragung gewiß sein,
bleibt diese Schau ihm versagt, so wird der Geist des Elija nicht
auf ihm ruhen. Im übrigen kann man auf verschiedene Stellen verweisen, bei denen es um himmlische Erscheinungen und Visionen
geht, ohne daß dabei das Öffnen der Augen durch Jahwe eigens her-

vorgehoben wird ; vgl. Jos 5,13 ; Ri 13,20 ; 1 Kön 22,19 ; Jes 6,1
u.ö. Die Bedingung in 2 Kön 2,10 wird durch die Tatsache ver-
ständlicher, daß eben überirdische Erscheinungen sichtbar oder
unsichtbar sein können ; vgl. Num 22,22-25 ; 2 Kön 6,16 f ; Dan
10,7 ; 3 Makk 6,18 ; Apg. 9,7.

V. 11 wird durch ויהי + partizipialer Nominalsatz eröffnet. Diesem partizipialen NS sind zwei Infinitivi absoluti beigeordnet, wobei der erste Inf.absol. הלוך mit dem Partizip des NS הלכים
eine Paronomasie bildet. Diese Koordination zweier Infinitivi absoluti mit dem NS bringt eine durative Handlung mit retardierendem
Effekt zum Ausdruck.[43] Ein zweiter NS, mit הנה eingeleitet,
schließt sich an. Dieser eingliedrige NS kontrastiert dem durativ-
retardierenden Moment des vorausgehenden partizipialen NS, indem er ein völlig neues Geschehen schlagartig, unerwartet und
durch die Eingliedrigkeit mit betonter Kürze einführt. Ein Verbal-
satz folgt, der als Narrativ das Geschehen des zweiten NS fortführt.
Mit einem weiteren Narrativ schließt V. 11. V. 12 bringt zu Beginn zwei partizipiale NS. Darauf folgt der Ausruf des Elischa,
der sich aus drei eingliedrigen NS zusammensetzt. Die sich anschließende Afformativkonjugation in V. 12 aε hat die Funktion
eines Punktual. Mit zwei Narrativen schließt V. 12. Ab V.13 dominieren eindeutig Narrative. Nur in V. 14 wird die rasch ablau-
fende Handlung durch eine Kurzrede Elischas unterbrochen. Diese
Kurzrede Elischas hat eine steigernde Funktion. Durch die Frage
nach dem Gott des Elija soll die wunderbare Tat des Elischa am
Jordan mit Nachdruck herausgestellt werden. Die Steigerung
wird auch durch das zweimalige ויכה את המים in V. 14 unter-

---

43 Vgl. W. Gesenius - E. Kautzsch - G. Bergsträsser, Hebr.
Grammatik, Hildesheim 1962, § 113 s und u.

strichen; vgl. S.57. V. 15 ist ebenfalls von Narrativen bestimmt.
Nur der wichtige Ausspruch der Prophetensöhne steht in der Form
qatal-x. Die syntaktische Funktion der Afformativkonjugation beruht in diesem Fall darin, eine Aussage über einen Zustand zu machen (statischer Charakter).

1.2. Strukturanalyse

Bereits ein flüchtiger Blick auf die Einheit 2 Kön 2, 1b-15 läßt die
V. 1-6 als einen besonders eng verwobenen Block hervortreten.
Dies zeigt sich schon unter syntaktisch-stilistischen Aspekten,
denn in den V. 1b-6 dominieren im Gegensatz zu den folgenden
Versen eindeutig Narrative : וַיֵּלֶךְ V. 1b ; וַיֵּרְדוּ V. 2b ; וַיֵּצְאוּ
V. 3a ; וַיָּבֹאוּ V. 4b ; וַיִּגְּשׁוּ V. 5a ; וַיֵּלְכוּ V. 6b. All diese zitier-
ten Verba haben das gemeinsame Charakteristikum, daß es sich
um Verba der Bewegung handelt. Sie umrahmen Redepassagen,
die, von wenigen Ausnahmen abgesehen, eine wörtliche Überein-
stimmung zeigen ; vgl. S.60 - 62.
Weiterhin ist in den V. 1b-6 eine Verklammerung durch wechseln-
de topographische Angaben zu konstatieren : Gilgal V. 1b ; Bet-El
V. 2 (2x) ; Jericho V. 4 (2x); Jordan V. 6. Diese topographischen
Angaben finden sich alle im Elischazyklus : Gilgal 2 Kön 4,38 ;
Bet-El 2 Kön 2,23 ; Jordan 2 Kön 6,2.4. Das Wasserwunder, das
Elischa wirkt (2 Kön 2,19-22), ist aufgrund von 2 Kön 2,18 in Jericho zu lokalisieren.
Wenn man nun die V. 1b-6 auf ihre Funktion im literarischen Kom-
plex von 2 Kön 2,1b-15 hin befragt, so ergibt sich folgendes :
Der rasche Szenenwechsel, durch den in V. 3 die Prophetensöhne
von Bet-El und in V. 5 die Prophetensöhne von Jericho in das Ge-
schehen eingeführt werden, nachdem bereits in V. 1b Elija und

Elischa aufgetreten sind, stellt dem Leser/Hörer die einzelnen
Personen bzw. Personengruppen vor. Weiterhin wird der Leser/
Hörer in die Grundstimmung, Situation und in die für das Verständnis wichtigen Voraussetzungen eingeführt. Grundstimmung und
Situation von V. 1b-6 lassen sich als geheimnisvolle Atmosphäre
mit dynamischer Tendenz zum Geschehen der nächsten Zukunft
charakterisieren. Das geht einmal daraus hervor, daß ein steter
Ortswechsel erfolgt, wobei diese lokale Veränderung stets durch
einen Sendungsbefehl Jahwes motiviert wird. Elischa wird jeweils
durch Elija zum Verbleiben am alten Ort aufgefordert. Trotzdem
bleibt er in der Nähe seines "Herrn" Elija.
Ferner unterstreicht der nicht näher ausgeführte Hinweis der Prophetensöhne auf die unmittelbar bevorstehende Hinwegnahme des
Elija durch Jahwe und das Schweigegebot des Elischa in den V. 3
und 5 den geheimnisvollen Trend der V. 1b-6. Dadurch wird bei
dem Leser/Hörer eine gespannte Erwartung erweckt. Mit V. 7
erfolgt eine Inversion. Diese Tatsache verdient Beachtung, nachdem in den V. 1b-6 fortlaufend Narrative zu verzeichnen sind.
In V. 7 werden die Personengruppen, die in den V. 1b-6 vorgestellt wurden, gegeneinander abgegrenzt. Die starke Betonung
beider Subjekte ("fünfzig Mann der Prophetensöhne" - "beide")
aufgrund der Gegenüberstellung bedingt die Inversion. Die Abgrenzung beider Personengruppen hat Bedeutung für den weiteren
Verlauf des Berichtes. Elija und Elischa rücken in den Mittelpunkt
des Geschehens, während die Prophetensöhne am Rand der eigentlichen Aktion stehen. Erst mit V. 15 kommt Letzteren wieder eine
zentrale Funktion zu.
V. 8 berichtet in gedrängter Weise ein wunderbares Geschehen,
das von Elija gewirkt wird. Die fünf Narrative erwecken den
Eindruck einer raschen Folge und heben die durch Elija gewirkte

Wundertat hervor. Das den V. 9a einleitende וַיְהִי markiert einen
Abschnitt innerhalb der Einheit.[44] Dies ist dadurch bedingt, daß
in V. 9 das Hauptthema anklingt; vgl. S. 71. Gleichzeitig darf aber
nicht übersehen werden, daß der Inf.constr., der dem וַיְהִי folgt,
durch die Wiederaufnahme von עָבַר aus V. 8 b eine Verbindung
zwischen V. 8 und V. 9 herstellt. Sofort folgt in V. 9aß im Anschluß an den Inf.constr. eine Inversion. Sie beruht darauf, daß in
V. 9aß der mit Wau angefügte Satz die Erzählung zwar weiterführt,
aber nicht in einem zeitlichen oder logischen Folgeverhältnis,
sondern im Verhältnis der Gleichzeitigkeit zum vorausgehenden
וַיְהִי כְעָבְרָם.[45] Damit setzt sich die dynamische Tendenz von V. 8
fort. In V. 9 f dominieren Reden zwischen Elija und Elischa.
V. 11a wird wiederum mit וַיְהִי eingeleitet, wodurch ein erneuter
Markierungspunkt gesetzt wird. Dieser Einschnitt durch besagte
Formel gründet sich darauf, daß in V. 11 die Entrückung des
Elija erfolgt. Sofort schließt sich in V. 11aß ein partizipialer NS an,
der durch zwei inf.abs. erweitert ist. Darauf folgt in V. 11aγ ein
mit הִנֵּה eröffneter eingliedriger NS, der durch ein substantivi-
sches Attribut eine nähere Bestimmung erfährt. Die Interjektion
הִנֵּה hat in der atl Literatur oft die Funktion, ein unerwartetes
und plötzliches Geschehen einzuleiten. Ein solcher Fall liegt auch
an unserer Stelle vor. Durch die beiden NS + הִנֵּה werden Drama-
tik, Wucht und Überstürzung der Ereignisse in der Sprache ein-
gefangen.
Zwei Narrative beschließen V. 11, die die Trennung des Elischa
von Elija und die Entrückung des Letztgenannten konstatieren.
Dadurch wird die Geschehensfolge intensiviert und verdichtet.

---

44 Vgl. Meyer, Hebr. Grammatik III 45.
45 Vgl. Grether, Hebr. Grammatik 231 (§ 94 r).

Die folgenden zwei partizipialen NS in V. 12 aαß und die drei
eingliedrigen NS in V. 12 aγδ setzen im Ereignisablauf, der mit
V. 11 anhebt, eine Zäsur mit emphatischer Tendenz. V. 12 aα
ist aufgrund von V. 10b gefordert. V. 12 aßγδ unterstreichen die
Bedeutung der in V. 11 geschilderten Situation. Die Afformativkonjugation in V. 12 aε führt die an sich zeitneutralen partizipialen NS in V. 12aαß fort. Aufgrund des Kontextes ist die Zeitstufe
dieser NS die Vergangenheit. Eigentlich müßte nun in V. 12a ε
das Imperf.cons. stehen, aber weil zwischen die Kopula und das
Verbum die Negation לא tritt, erscheint die Afformativkonjugation.[46] In diesem Fall hat also die Afformativkonjugation die Funktion eines Punktual.[47] Zwei Narrative, die zur Ausleuchtung der
Situation beitragen, beschließen V. 12. Ab V. 13 treten Narrative
in den Vordergrund und forcieren den Ereignisablauf. V. 13b und
der gesamte V. 14 wiederholen teilweise wörtlich die V. 7b und 8.
Mit dieser wörtlichen Wiederaufnahme eines vorausgehenden Text-
abschnittes wird ein Steigerungseffekt erzielt. Ferner wird durch
diesen sprachlichen Kunstgriff Elischa in Parallele zu Elija gesetzt : Elischa kann die gleiche Machttat wie Elija wirken. V. 15
blendet ein neues Bild ein. Die Prophetensöhne treten nochmals
auf ; in ihrem Ausspruch liegt der Zielpunkt der Einheit V. 1b-15
beschlossen.
Zusammenfassend kann gesagt werden, daß die Einheit V. 1b-15
in eine Exposition und ein Korpus zerfällt. V. 1b-6 erfüllt alle
Voraussetzungen einer Exposition. Der dreimalige rasche Szenenwechsel führt die Personen und Personengruppen ein : Elija und
Elischa V. 1b ; Prophetensöhne von Bet-El V. 3 ; Prophetensöhne

---

46   Vgl. Meyer, Hebr. Grammatik III 44.
47   Vgl. Meyer, Hebr. Grammatik III 51.

von Jericho V. 5. Weiterhin versetzt V. 1b-6 den Leser/Hörer
in die Grundstimmung, Situation und in die für das Verständnis
der Einheit V. 1b-15 wichtigen Voraussetzungen. Der Erzählstil
durchläuft die gesamte Exposition. Die bereits oben festgestellten
Wiederholungen innerhalb der Exposition wurden als stilistisches
Charakteristikum des Autors klassifiziert.

Die Abgrenzung beider Personengruppen voneinander - Elija, Elischa einerseits und die Prophetensöhne andererseits - eröffnet
das Korpus der Einheit V. 1b-15, denn besagte Gegenüberstellung
behält grundlegende Bedeutung für den weiteren Verlauf der Erzählung. Das Absetzen des V. 7 von V. 1b-6 zeigt sich an verschiedenen formalen Kriterien. So brechen mit der Inversion in
V. 7 die Narrative der vorausgehenden Verse ab und werden einschließlich V. 12 nicht mehr dominierend. Darüberhinaus weist
sich V. 7b als zum Korpus gehörig deswegen aus, weil eine enge
Verzahnung zum späteren Text in V. 13b vorliegt, der teilweise
V. 7b wörtlich wiederaufnimmt. Ebenso liegt der Fall bezüglich
der Relation von V. 8 zu V. 14.

V. 9 f beinhaltet einen Dialog, dessen Realisierung in den V. 11-
15 geschildert wird. Auf die in V. 10 b gestellte Bedingung nimmt
V. 11 f bezug und die Bitte des Elischa von V. 9b zeigt sich in
V. 13-15 als erfüllt. Die Formel ויהי , mit der die V. 9.11 eingeleitet werden, hat gliedernde Funktion. Sowohl der Dialog als
auch dessen Realisierung, die zueinander in enger Korrelation
stehen, sind eingangs durch dieses sprachliche Signum markiert.
Somit erweist sich das Korpus als homogener Textabschnitt, dessen einzelne Glieder eng verwoben sind.

Daher läßt sich die Struktur der Einheit 2 Kön 2,1b-15 folgendermaßen skizzieren :

Exposition :

1.Szene : V.1b-2	Dialog	Elija - Elischa	
2.Szene : V. 3 f	Dialog	Elija-Elischa-Propheten-söhne aus Bet-El	
3.Szene : V. 5 f	Dialog	Elija-Elischa-Propheten-söhne aus Jericho	

Korpus :

Auftakt : V. 7   Inv.

1.Szene : V. 8-10	Narrative	Handlung	Elija-Elischa
	wajhi k⤳	Dialog	
2.Szene : V. 11 f	wajhi + NS	Handlung	Elija-Elischa
		emphatischer Ausruf	Feuerwagen-Feuerpferde
		Handlung	
3.Szene : V. 13 f	Narrative (Relation zu V. 7b-8)	Handlung	Elischa
4.Szene : V. 15	Narrative	Rede Handlung	Elischa-Propheten-söhne

Die Struktur läßt erkennen, daß hier eine abgewogene Komposition und Konstruktion vorliegt, der es primär nicht um die Aufzeichnung eines historischen Faktums, sondern um die Tatsache geht, Elischa als Nachfolger des Elija auszuweisen.

1.3. Geprägte Wendungen und Formeln

a. "Jahwe hat mich gesandt" (V.2.4.6). Die Basis שלח ist häu-
fig im AT belegt und kommt in verschiedenen Konstruktionsarten
vor : Für unseren Zusammenhang sind nur die Stellen von Bedeutung, von denen folgendes gilt :
Subjekt des Verbums ist Jahwe/Elohim, wobei ein Mensch der
Sprechende ist.
Objekt des Verbums ist eine Person (Personalsuffix).
Gelegentlich liegt eine Erweiterung mit +ל inf.constr. vor, um
die Tätigkeit zu klassifizieren, zu der der betreffende gesandt ist.
Eine andere Erweiterungsform besteht in der Präposition אל (על)
+ Person/Personenkreis, zu dem die Sendung erfolgt : Ex 3,13.14.
15 ; 7,16 ; Num 16,28 f ; Dtn 34,11 ; 1 Sam 12,8.11 ; 15,1 ; 2 Sam
12,1 ; Jes 48,16 ; Jer 26,12.15 ; 28,15 ; 43,2 ; Ez 13,6 ; Hag 1,12 ;
Sach 2,12.13.15 ; 4,9; 6,15. Jahwe/Elohim kann auch durch "ich"
substituiert sein : Ex 3,10.12 ; Jos 24,5 ; Ri 6,14 ; 1 Sam 9,16 ;
16,1 ; Jes 6,8 ; Jer 1,7 ; 14,14 f; 23,21 ; 26,5 ; 27,15 ; 29,9.31 ;
Ez 2,3 f ; 3,6 ; Mich 6,4. Richter [48] führt aus, daß man zwar nicht
mit Sicherheit die Basis שלח in der von uns behandelten Form "als
geprägte Wendung" einordnen und sie somit "als Formel klassifizieren" könne. "Ihr Gebrauch", so fährt er fort, "ist indes eindeutig. Sie ist beschränkt auf prophetische Bücher und Literatur über
Propheten, ferner auf Texte zur Einordnung von Personen und Tä-
tigkeiten als Prophet und gehört also zu prophetischem Sprachgebrauch."

b. "So wahr Jahwe lebt und so wahr du lebst, ich verlasse dich
nicht" (2 Kön 2,2.4.6). Dieser negative Schwursatz in der gleichen

---

48   Vorprophetische Berufungsberichte 158.

Form ist nur noch einmal im AT bezeugt und zwar im Elischazyklus (2 Kön 4, 30). Aufgrund dieses Tatbestandes könnte man von
einer geprägten Wendung sprechen, denn die festgeprägte Wortverbindung beschränkt sich auf ein literarisches Werk und kann
somit als Ausdruck eines Autors gewertet werden. Daneben müssen allerdings auch die Kurzformen dieser gleichen Wendung berücksichtigt werden. Die beiden Glieder "so wahr Jahwe lebt und
so wahr du lebst" finden sich in 1 Sam 20,3 ; 25,26, ohne daß
sich hier allerdings ein negativer Schwursatz anschließt. Vielmehr
wird in 1 Sam 20, 3 die emphatische Partikel יכ an den zitierten
Ausdruck angefügt. 1 Sam 25, 26 wird "so wahr Jahwe lebt und so
wahr du lebst" ohne engere syntaktische Verflechtung mit dem
übrigen Satz verwendet. Ein Doppelglied ist auch für 2 Sam 15, 21
bezeugt, wobei allerdings das 2. Glied "und so wahr mein Herr der
König lebt" lautet. Den Einzelgliedern "so wahr Jahwe lebt" bzw.
"so wahr du lebst" begegnet man an verschiedenen Stellen, wobei
sich bisweilen ein negativer Schwursatz wie bei 2 Kön 2, 2.4.6
anschließt. Der negative Schwursatz wird in solchen Fällen mit םא
eingeleitet. "Der durch םא eingeleitete Schwursatz ist als Konditio-
nalsatz konstruiert und gibt die Bedingung an, unter der die Selbst-
verfluchung eintreten sollte, die ursprünglich zu jedem Schwur gehörte, später aber meistens unterdrückt wurde."[49] "So wahr Jahwe
lebt"+negativer Schwursatz, der mit םא eingeleitet wird : 1 Sam
14,45 ; 19,6 ; 28,10 ; 2 Sam 14,11. "So wahr du lebst"+ negativer
Schwursatz, der mit םא eingeleitet wird : 1 Sam 17,55 ; 2 Sam 14,
19. Das Glied "So wahr Jahwe lebt" kann durch ein beigeordnetes
Nomen erweitert sein. Dann erst wird der mit םא eingeleitete negative Schwursatz angeschlossen : 1 Kön 17,12 ; 18,10. Ebenso kann

---

49   Grether, Hebr. Grammatik 233 (§ 95 h).

eine Erweiterung durch einen Relativsatz vorliegen, worauf dann
der mit אם eingeleitete negative Schwursatz folgt : 2 Kön 5, 16 ;
Jer 38, 16. "So wahr Jahwe lebt" wird auch ohne einen nachfolgenden mit אם eingeleiteten negativen Schwursatz verwendet : 1 Kön
1, 29 ; 2, 24 ; Jer 5, 2 ; 16, 14 f ; 23, 7 f. Im Anschluß daran kann
auch die emphatische Partikel כי stehen : 1 Sam 29, 6 ; 1 Kön 18,
15 ; 22, 14.
Vorausgehende Untersuchung zeigt also, daß es sich bei den Ausdrücken "so wahr Jahwe lebt" bzw. "so wahr du lebst" + negativer
Schwursatz, der mit אם eingeleitet wird, um Formeln handelt.
Diese Formeln werden verwendet, um eine feierliche Beteuerung
auszudrücken. Ihr Gebrauch ist auf wenige biblische Bücher beschränkt. Sie werden 2 Kön 2, 2.4.6 ; 4, 30 kombiniert, wodurch
eine besonders intensive Art der Beteuerung zustandekommt.

c.   "Prophetensöhne" (2 Kön 2, 3.5.7.15). Dieser Ausdruck findet sich noch an folgenden Stellen : 1 Kön 20, 35 ; 2 Kön 4, 1.38 (2x) ;
5, 22 ; 6, 1 ; 9, 1. Sofort fällt auf, daß besagte Wendung mit Ausnahme von 1 Kön 20, 35 nur im Elischazyklus vorkommt. Der Elischazyklus entstammt prophetischen Kreisen[50], so daß die Schlußfolgerung berechtigt ist, daß diese Wendung prophetischem Sprachgebrauch entstammt. Hierin zeigt sich nun eine Verwandtschaft mit
1 Kön 20, 35, denn auch hinter 1 Kön 20, 35-43 steht prophetische
Tradition.[51] Am 7, 14 begegnet man der gleichen Wendung im Singular, und zwar im Zusammenhang mit der Aussage des Propheten : "Ich bin kein Prophet und nicht der Sohn eines Propheten."

Daraus geht hervor, daß ein einzelner Prophet als "Prophetensohn"

---

50   Vgl. O.H.Steck, Überlieferung und Zeitgeschichte in den Elia-
      Erzählungen, Neukirchen 1968, 144-147.
51   Vgl. Gray, I & II Kings 431.

bezeichnet werden konnte. Weiterhin wird dadurch unterstrichen,
daß auch die singularische Form eine bekannte Institution voraussetzt, da sich Amos in negativer Weise davon distanziert.

Man kann also bezüglich "Prophetensöhne" bzw. "Prophetensohn"
sagen, daß es sich hierbei um eine Formel handelt, die im Nordreich beheimatet ist und näherhin aus dem Traditionskreis prophetischer Kreise kommt. Die Zeitspanne, für die uns diese Formel
bezeugt ist, ist relativ eng begrenzt. Wenn man die Entstehung
des Elischazyklus für das 8.[52] bzw. 9. Jahrhundert[53] ansetzt -
auch 1 Kön 20,35-43 gehört etwa in diese Zeit - und das Auftreten
des Amos um 760 oder 750 datiert[54], so gewinnt man eine Zeitspanne von ungefähr 100 Jahren, für die der Gebrauch dieser Formel belegt ist.

Was ist nun näherhin unter diesen "Prophetensöhnen" zu verstehen? J.G. Williams[55] vermutet, daß sich Propheten unter Elija
organisierten und unter Elischa beträchtlichen Einfluß gewannen.
Von ihnen ging nach seinem Dafürhalten der Sturz der Omriden
aus, wobei sie mit Jehu kollaborierten. Speziell zu בני הנביאים
fragt Williams[56], warum diese Wendung nicht בני נביא bzw.
בני הנביא lautet, wenn diese "Prophetensöhne" eine Gruppe dar-
stellten, die unter der Leitung eines einzelnen prophetischen Füh-
rers stand. Er gibt hierzu zwei Erklärungsversuche an. Es ist

---

52 Vgl. W.Michaux, Les Cycles d'Élie et d'Élisee : BiViChr 2,
   1953, 80 ; R. de Vaux, Les Livres des Rois (Jerusalem-B)
   Paris [2]1958, 12.
53 Vgl. O. Eissfeldt, Die Komposition von I Reg 16,29-II Reg
   13,25, in : BZAW 105, Berlin 1967, 58.
54 Vgl. O. Eissfeldt, Einleitung in das AT, Tübingen[3]1964,534.
55 The Prophetic "Father". A brief Explanation of the Term
   "Sons of the Prophets" : JBL 85,1966, 345.
56 A.a.O. 348.

möglich, daß es eine lange Traditionskette prophetischer Väter gab
und daß infolgedessen die Propheten als Söhne dieser "Väter" galten. Als weitere Möglichkeit für die Interpretation des Plurals
נביאים bleibt nach Williams zu bedenken, daß die Pluralbildung
durch Angleichung an den Plural "Söhne" zustandekam.

d. "Weißt du, daß Jahwe heute deinen Herrn von deinem Kopf
hinaufnehmen wird" (2 Kön 2,3.5). Die Basis לקח ist häufig im AT
belegt und kommt in verschiedenen Zusammenhängen vor. Für un-
seren Zusammenhang sind die Stellen von Bedeutung, für die fol-
gendes zutrifft :
Subjekt des Verbums לקח ist Jahwe.
Objekt des Verbums ist eine Person (Personalsuffix).
Bisweilen wird durch die Präposition מן + Nomen der Ort bzw. die
Personengruppe bezeichnet, von wo die Wegnahme erfolgt.
Jahwe holt die Kriegsfeinde gegen ein bestimmtes Volk herbei (Jer
25,9 ; 43,10).
Jahwe bringt die Versprengten und Zerstreuten zurück (Dtn 30,3 ;
Jer 3,14 ; Ez 36,24 ; 37,21).
Jahwe nimmt (im Sinne von erwählen) bestimmte Personen und
Personengruppen (Gen 24,7 ; Ex 6,7 ; Num 3,12 ; 8,16.18 ; 18.6;
Dtn 4,20 ; Jos 24,3 ; 2 Sam 7,8 ; 1 Kön 11,37 ; 1 Chr 17,7 ; Jes 66,
21 ; Am 7,15 ; Hag 2,23).
Jahwe kann auch einen Menschen oder eine Personengruppe hinweg-
raffen (Jer 15,15 ; 44,12), so daß die betreffenden Menschen sterben müssen. Hierzu ist auch der Ausdruck "das Leben nehmen"
(1 Kön 19,4 ; Jon 4,3) zu vergleichen, wobei ebenfalls Jahwe Subjekt
ist. Einer besonderen Besprechung an dieser Stelle bedarf Jes 53,8,
obgleich in diesem Fall nicht Jahwe das Subjekt von לקח darstellt.
Dort heißt es vom Knecht Jahwes : "Aus Haft und Gericht ward er

hinweggerafft." Die überwiegende Zahl der Forscher anerkennt,
daß mit dieser Wendung der gewaltsame Tod des Knechtes Jahwes
zum Ausdruck kommt.[57] Andere Exegeten beziehen die Ausdrücke
von Tod, Grab und Erhöhung des Knechtes konkret auf das Schicksal des Volkes[58] oder dessen Repräsentanten.[59] Entsprechend
wird dann auch לקח gedeutet. Vereinzelt wurde auch die Meinung
vertreten, daß Jes 53, 8 von der Entrückung des Knechtes nach
Art von Henoch und Elija die Rede sei, wobei dann konsequenterweise לקח als Entrückungsterminus gewertet wird.[60] Auch B.
Duhm[61] sieht betreffs לקח in Jes 53, 8 einen Ausdruck, der auf
eine Entrückung analog zu Henoch, Elija, Ps 49, 16 und 73, 24
schließen läßt. Aufgrund von Jes 53, 9 erkennt er allerdings den
Tod des Knechtes an und vertritt demzufolge keine körperliche,
sondern nur eine seelische Entrückung.[62] N. Johansson[63] glaubt,
Beziehungspunkte zwischen Jes 53, 8 ; Gen 5, 24 und dem äthiopischen Henochbuch Kap. 70 feststellen zu können. Nach seinem Da-

---

57 Vgl. J. Fischer, Das Buch Isaias (HS VII 1/2) Bonn 1939,
    135 f ; J. Muilenburg, The Book of Isaiah, chapters 40-66
    (IBV) New York-Nashville 1956, 626 ; E. Young, Isaiah
    fifty-three. A devotional and expository Study, Michigan[3] 1957,
    63 ; J. Ziegler, Das Buch Isaias (Echter-B III) Würzburg
    1958, 174 ; U.E.Simon, A Theology of Salvation. A Commen-
    tary on Isaiah 40-55, London [2]1961, 63 ; G. Fohrer, Das Buch
    Jesaja III, Kap. 40-66 (ZBK) Zürich-Stuttgart 1964, 165 f ; C.
    Westermann, Das Buch Jesaja, Kap. 40-66 (ATD 19) Göttin-
    gen 1966, 213 f.
58 Vgl. N.H.Snaith, The Servant of the Lord in Deutero-Isaiah,
    Edinburgh 1950, 191.200 ; R.Press, Der Gottesknecht im AT :
    ZAW 67, 1955, 74-76.
59 Vgl. E.Sellin, Das Rätsel des deuterojesajanischen Buches,
    Leipzig 1908, 137.
60 So R.Koch, Entrückung, in : Bibeltheologisches Wörterbuch I,
    hrsg.v.J.B.Bauer, Graz[2]1962, 252.
61 Das Buch Jesaja (HK III/1) Göttingen[4]1922, 400 f.
62 E.Sellin, Die atl.Hoffnung auf Auferstehung und ewiges Leben :
    NKZ 30, 1919, 284.
63 Parakletoi, Lund 1940, 117 f.

fürhalten ist der Tod des Knechtes so eng mit seiner wunderbaren
Auferstehung verknüpft, daß sein Tod in Anlehnung an Gen 5,24
auch als eine Entrückung beschrieben wird. Johansson sieht also
in לקח Jes 53,8,analog zu Gen 5,24, einen Entrückungsterminus.

Beim Abwägen der dargelegten, verschiedenartigen Meinungen der
zitierten Exegeten muß festgestellt werden, daß sowohl eine kollektive Deutung als auch der Verweis auf eine Entrückung keine
fundierte Basis im Kontext finden. Vielmehr bleibt weiterhin die
Exegese am besten begründet, die aus Jes 53,1-9 Leiden und Tod
eines einzelnen folgert, dem dafür ein herrlicher Lohn zuteil
wird (Jes 53,10-12). Bei dieser Interpretation wird durch לקח
(Jes 53,8a) der gewaltsame Tod des Knechtes ausgesagt. Gestützt
wird diese Exegese durch Jes 53,8b, wo es vom Knecht heißt :
"Denn er wurde abgeschnitten vom Land der Lebendigen". Weiterhin greift Jes 53,12b erneut diesen Gedanken rückblendend auf :
"Dafür, daß er sein Leben dahingab in den Tod." Sehr zu beachten
ist in diesem Zusammenhang Spr 24,11. Dort ergeht in weisheitlicher Manier die Aufforderung zur Befreiung derjenigen, die man
zum Tode schleppt : "Befreie, die man zu Tode schleppt, und die
zur Schlachtbank wanken -, ach rette sie!" An dieser Stelle ist לקח
eindeutig auf einen gewaltsamen Tod zu beziehen. Somit wird durch
die Verwendung von לקח in Spr 24,11 unsere Behauptung gestützt,
die wir bezüglich des gleichen Verbums in Jes 53,8 aufgestellt haben.

Ps 18,17 (par 2 Sam 22,17) lautet : "Er griff herab aus der Höhe
und faßte mich, zog mich heraus aus großen Wassern."[64] Ps 18
gehört zur Gattung der individuellen Danklieder und speziell in V.17

---

64 מים רבים ("große Wasser") ist bekanntlich häufig eine dichteri-
sche Bezeichnung des Meeres ; vgl. Ps 29,3 ; 77,20 ; 93,4 ;
Ez 26,18 ; 32,13 ; Hab 3,15. Siehe hierzu H.G.May,Some
cosmic Connotations of Mayim Rabbîm, "Many Waters" : JBL
74,1955,9-21.

wird die Errettung unter dem Bild des Ertrinkenden geschildert,
der von der Hand Gottes genommen (לקח), und aus dem Wasser
gezogen wird (משה). Die Wendung "er griff herab aus der Höhe
und faßte mich" (V. 17a) ist eine verkürzte Ausdrucksweise. Dies
geht klar aus Gen 8, 9 ; 2 Kön 6, 7 ; Ez 8, 3 hervor, wo jeweils dem
Verbum שלח als Objekt יד beigefügt ist und dann erst לקח folgt.
Aufgrund von Gen 8, 9 ; 2 Kön 6, 7 ; Ez 8, 3 kann man also sagen,
daß in Ps 18, 17a bei ישלח das Objekt ידו zu ergänzen ist. Auch
Ps 144, 7, obgleich dort nicht לקח vorkommt, weist durch die
Wortfolge שלח...ממרום...ממים רבים starke Ähnlichkeit mit Ps
18, 17 auf, wie ja überhaupt vielfache Berührungspunkte zwischen
Ps 18 und Ps 144 bestehen. In Ps 144, 7 findet sich nun ebenfalls
die unverkürzte Ausdrucksweise שלח ידיך. Die verkürzte Ausdrucksweise wie in Ps 18, 17 liegt in Ps 57, 4 ; 151, 7 vor.[65]
Ps 18, 17 a kommt also לקח einem Verbum des räumlichen Rettens
nahe, ohne daß es dabei seine Grundbedeutung "nehmen" abgestreift
hätte. Dies dokumentiert auch der Kontext, der eine Reihe von
Verben des räumlichen Rettens anführt : V. 17b (משה)[66]; V. 18a
(נצל)[67]; V. 20a (יצא)[68]; V. 20b (חלץ).[69] Es wurde bereits
darauf hingewiesen, daß Ps 18, 17 das Bild vom Ertrinkenden vorliegt, dem Hilfe von Jahwe zuteil wird. Das Wasser stellt nicht nur
im AT, sondern auch im alten Orient die Not- und Todessphäre dar.
Der Mensch, der sich in akuter Gefahr befindet, ist von bedrohen-

---

65 Ps 151 lag bisher nur in der LXX und in einer syrischen Über-
    setzung vor. Nun besitzen wir durch einen Fund aus Qumran
    auch den hebr. Text ; s. DJD IV 54 f. Bei Ps 151, 7 findet
    sich die Wortfolge וישלח ויקחני, während Ps 57, 4 folgende
    Textanordnung vorliegt : ישלח משמים ויושיעני.
66 Vgl. Ch. Barth, Die Errettung vom Tode in den individuellen
    Klage- und Dankliedern des AT, Zollikon 1947, 126.
67 Vgl. Barth a. a. O., 124 f.
68 Vgl. Barth a. a. O., 126 f.
69 Vgl. Barth a. a. O., 129.

den Wassern umgeben, die ihn zu verschlingen drohen.[70] Wer
sich in einer solch kritischen Situation befindet, schreit zu Jahwe
bzw. den verschiedenen Göttern um Rettung.

Es gibt viele Beispiele aus der altorientalischen Literatur, die
das Wasser als Symbol tödlicher Bedrohung zeigen. So heißt es in
einem Gebet an Marduk : "Nimm weg deine Strafe, rette ihn aus
dem Sumpf".[71] In einem anderen Gebet ergeht der beschwörende
Appell an Marduk : "Hebe ihn heraus aus den mächtigen Fluten".[72]
In einem Hymnus mit Klagegebet an Nabu lesen wir : "Nabu, kampf-
gewaltiger, du gerietest in Zorn gegen deinen Knecht ; sein Teil
wurde (darauf) Verarmung (und) Seufzen. In die tobende Wasser-
flut ist er geworfen, die Strömung... hoch ; das Ufer ist fern von
ihm ; das trockene Land weit entfernt. Er wurde zunichte im Garn
des Anschlages, den ... abzuschneiden, legte sich nieder im
Sumpf, ist im Schlamm zurückgehalten. Ergreif seine Hand, daß
dein Knecht nicht vernichtet werde ; laß seine Sünde untergehen,
ihn (aber) hebe aus dem Sumpf! Nabu, ergreif seine Hand, daß
dein Knecht nicht vernichtet werde ; laß seine Sünde untergehen,
ihn (aber) hebe aus dem Sumpf!"[73]

Eine Bußliturgie mit Fürbitte des Priesters bringt folgenden Satz :
"In eine Katastrophe geworfen ist dein Knecht ; nimm fort deine
Strafe, aus dem Morast zieh ihn heraus."[74] In einem Gebet, das
sich nicht speziell an einen bestimmten Gott, sondern an alle Götter
wendet, erschallt der Flehruf : "Mein Herr, wirf deinen Knecht

---

70 Zu dieser atl. Vorstellung s. Barth a.a.O. 85 f und 112 f.
71 W.G.Lambert, Three Literary Prayers of the Babylonians :
    AfO 19, 1959/60, 59 Z. 154.
72 Lambert a.a.O. 64 Z. 75.
73 Zitiert nach A.Falkenstein - W.v.Soden, Sumerische und
    akkadische Hymnen und Gebete, Zürich-Stuttgart 1953, 263 f.
74 Deutsche Übersetzung nach Falkenstein - Soden a.a.O. 271.

nicht hinunter. Er ist in die Wasser eines Sumpfes geworfen ;
nimm ihn bei der Hand."[75]

Einen weiteren beachtenswerten Fall für die Verwendung von לקח
stellt Gen 2,15 dar : "Und Jahwe Elohim nahm den Menschen und
brachte ihn in den Garten Eden, um ihn zu bebauen und zu behüten."
Hier steht לקח in Kombination mit dem Hiphil von נוח und nicht
absolut wie in fast allen vorausgehenden Fällen. Die Aussage über
die Versetzung des Menschen in den Garten Eden basiert also auf
der Abfolge zweier Verba. Man gewinnt den Eindruck, daß לקח in
Gen 2,15 in Verbindung mit נוח fast formelhaft erstarrt ist, wie
dies für viele Stellen im AT bezeugt ist, bei denen sich לקח + weiteres Verbum findet ; vgl. Gen 27,14 f ; 39,20 ; Ex 24,7 ; 40,20 ;
Num 27,22 ; Dtn 9,21 u.ö.

Ez 3,14 ; 8,3 gehören zwar nach den von uns gemachten Voraussetzungen eigentlich nicht hierher, da in beiden Fällen nicht Jahwe
das Subjekt von לקח darstellt. Dennoch sollen beide Stellen hier
erwähnt werden, weil sowohl Ez 3,14 als auch Ez 8,3 im Zusammenhang mit der Schilderung eines zeitlich begrenzten Entrückungsvorganges u.a. auch לקח gebraucht wird. In beiden Fällen steht
לקח nicht absolut, wie dies auch für Gen 2,15 festgestellt wurde,
sondern in Kombination mit anderen Verben ; so Ez 3,14 (לקח+נשא)
und Ez 8,3 (נשא +לקח+ שלח). Zur Abfolge der Verba in Ez 8,3
ist Ps 18,17 zu vergleichen, wo folgendes Wortfeld vorliegt :שלח
+לקח +משה ; s.S. 87 f .

Bezüglich לקח Gen 5,24 s.S. 165; Ps 49,16 s.S. 232; Ps 73,24 s.
S. 300-302.

Zusammenfassend läßt sich über die Basis לקח in den von uns dargelegten Fällen folgendes sagen :

לקח hat die Grundbedeutung "nehmen" nie ganz abgestreift, wenn

---

75   ANET 392.

Jahwe Subjekt ist, ob es sich nun der Bedeutung "erwählen, hinwegraffen, erretten, entrücken" annähert oder nicht.

לקח kann in Kombination mit anderen Verben gebraucht werden,
wobei durch לקח die Stufe einer fortlaufenden Handlung bezeichnet
wird ; vgl. Ps 18,17 ; Ez 3,14 ; 8,3. Bei einer derartigen Wort-
kombination kann לקח auch formelhaft erstarrt sein (vgl. Gen 2,
15).

Der Ausdruck "von deinem Kopf hinaufnehmen" (2 Kön 2,3.5) ist
nur an diesen beiden Stellen im AT bezeugt. Eine Klassifizierung als
festgeprägte Wendung oder Formel ist nicht möglich.

2 Kön 2,3.5 wird לקח mit der Doppelpräposition מעל konstruiert.
Auch 2 Sam 7,8 ; Am 7,15 wird לקח mit einer Doppelpräposition
konstruiert und zwar mit מאחר . Durch Doppelpräpositionen wird
eine Präzisierung der lokalen Angaben erreicht.[76]

Die Doppelpräposition מעל steht in zwei Himmelfahrtsberichten,
Gen 17,22 ; Ri 13,20. Ihre Bedeutung ist jeweils "von ... hinauf"
wie 2 Kön 2,3.5.

e.   2 Kön 2,3.5 schließen jeweils mit dem Imperativ "schweigt".
Solchen Aufforderungen zum Schweigen begegnet man an einigen
Stellen des AT : "Aber Jahwe (wohnt) in seinem heiligen Tempel.
Stille vor ihm alle Welt" (Hab 2,20). "Still vor dem Herrn Jahwe!
Denn der Tag Jahwes ist nahe" (Zef 1,7). "Still, alle Welt, vor
Jahwe! Denn er bricht auf aus seiner heiligen Wohnung" (Sach 2,17).
Für Hab 2,20 und Sach 2,17 besteht die Möglichkeit, daß mit der
Aufforderung zum Schweigen ein Sprachgebrauch aus dem Bereich
des Kultus vorliegt.[77] In allen drei Fällen stellt Jahwe selbst die

---

76   Gesenius-Kautzsch-Bergsträsser, Hebr. Grammatik § 119 b-d.
77   Vgl. G.v.Rad, Theologie des AT I, München[4] 1962, 255 ;
      E. Haag, Die Himmelfahrt des Elias nach 2 Kön 2,1-15:
      TThZ 78, 1969, 21 Anm. 9.

Hauptursache dar, weswegen Schweigen geboten ist. Hierin zeigt
sich nun ein Berührungspunkt mit der Aufforderung zum Schweigen in 2 Kön 2,3.5, denn 2 Kön 2,2.4.6 wird Jahwe als derjenige
genannt, der den Propheten Elija sendet und 2 Kön 2,3.5 sprechen die Prophetensöhne davon, daß Jahwe den Elija entrücken
wird. Somit kann man bezüglich der Aufforderung zum Schweigen
in Hab 2,20 ; Zef 1,7 ; Sach 2,17 einerseits und 2 Kön 2,3.5 andererseits von einer entfernten Parallele sprechen, denn in den
genannten Fällen ist wegen Jahwe Schweigen geboten. Selbstverständlich darf der Unterschied nicht übersehen werden, der darin
besteht, daß es bei Hab 2,20 ; Zef 1,7 ; Sach 2,17 um das Kommen Jahwes geht, während in 2 Kön 2,1b-6 das Handeln Jahwes
im Vordergrund steht. Das Wort, mit dem Schweigen geboten
wird, lautet für Hab 2,20 ; Zef 1,7 ; Sach 2,17 jeweils הס , während 2 Kön 2,3.5 החשו steht. Speziell החשו kann also nicht als
festgeprägte Wendung bezeichnet werden, aber hinter der Aufforderung zum Schweigen kann eine alte kultische Tradition stehen.

f.   "Es möchten doch zwei Drittel (Anteil) von deinem Geist
auf mich übergehen" (2 Kön 2,9). Der Ausdruck פי שנים (wörtlich :
"Mund von zweien") kommt im AT nur noch Dtn 21,17 und Sach 13,8
vor. Dtn 21,17 wird diese Wendung bezüglich des doppelten Anteils
gebraucht, der dem Erstgeborenen zusteht. Daher verstehen viele
Exegeten פי שנים 2 Kön 2,9 in der Weise, daß hier eine Anspielung auf das Erbrecht des Erstgeborenen vorliege.[78] Elischa wird,
wenn man sich dieser Deutung anschließt, als Erstgeborener unter den Prophetensöhnen verstanden, dem ein doppelter Anteil vom
Geist seines Herrn Elija zusteht. Auch in syntaktischer Hinsicht

---

78   Vgl. Montgomery-Gehman, Commentary on the Books of
     Kings 354 ; G. Molin, Elijahu : Judaica 8, 1952, 77 ;
     de Vaux, Les Livres des Rois 135.

besteht zwischen 2 Kön 2,9 und Dtn 21,17 Übereinstimmung, denn in beiden Fällen wird die Sache, von der man Anteil bekommen soll, mit der Präposition בְּ angeschlossen.בְּ שְׁנַיִם פִּי stellt also wohl eine Formel des Erbrechtes dar, die in der Berufungsgeschichte des Elischa verwendet wird. Sach 13,8 liegt sachlich gesehen 2 Kön 2,9 nicht so nahe wie Dtn 21,17, da mit (פִּי שְׁנַיִם) "zwei Drittel" des Volkes in Gegenüberstellung zu einem restigen "Drittel" (הַשְּׁלִשִׁית) bezeichnet werden. "Zwei Drittel" des Volkes werden vernichtet, "ein Drittel" findet Rettung.

g. "Du hast Schweres erbeten" (2 Kön 2,10). Dies ist eine ausgefallene Konstruktionsart, die nur noch Ex 13,15 bezeugt ist.

h. "Feurige Wagen und Pferde" (2 Kön 2,11). Von feurigen Pferden und Wagen hört man im AT nur noch an einer Stelle, und zwar im Elischazyklus 2 Kön 6,17. In beiden Fällen handelt es sich um Phänomene, die der Welt Jahwes entstammen, denn gerade bei Theophanietexten spielt das Motiv "Feuer" eine wichtige Rolle ; vgl. Ex 19,18 ; 24,17 ; Dtn 4,12 ; 5,24 ; 1 Kön 19,12 ; Ps 18,9.13 ; 50,3 ; 97,3 ; 104,4 ; Jes 66,15 ; Ez 1,4. Man kann Galling[79] bezüglich 2 Kön 6,17 nicht zustimmen, wenn er darzulegen versucht, daß die feurigen Pferde und Wagen dem Elischa und nicht Jahwe zuzuordnen sind. Er geht bei seiner Behauptung davon aus, daß die feurigen Pferde und Wagen rings um Elischa sind (סְבִיבֹת אֱלִישָׁע) und folgert weiter, daß man davor zurückschreckte, Jahwe "mit dem Mythologem eines Kriegswagenkorps zu verbinden".[80] Dagegen ist zu sagen, daß in dem zitierten Ausdruck der Schutz Jahwes anklingt, unter dem Elischa steht, und nicht etwa die besondere Zuordnung der feurigen Wagen und Pferde

---

79   Der Ehrenname Elisas 137.147.
80   Der Ehrenname Elisas 147.

zu Elischa. סכך wird ja wiederholt dazu verwendet, um den besonderen Schutz anzusagen, unter dem die Jahweanhänger stehen
(vgl. Ps 34,8 ; 125,2 ; Sach 2,9). Weiterhin ist zu bedenken, daß
2 Kön 6,17 eine Kontrastparallele zu 2 Kön 6,15 darstellt. Sowohl
2 Kön 6,15 als auch 2 Kön 6,17 wird סכך gebraucht ; jedesmal
wird von Pferden und Wagen gesprochen. Beide Verse werden mit
הנה eingeleitet. Der Kontrast besteht darin, daß Pferde und Wagen 2 Kön 6,15 in bedrohender Weise die Stadt und den Propheten
umzingeln, während 2 Kön 6,17 feurige Pferde und Wagen zum
Schutz des Propheten entsandt sind.

Galling[81] hat nach der Herkunft dieser Vorstellung gefragt. Wir
wissen aus den Inschriften Assurbanipals, daß es bei den Assyrern
Götterwagen im Kult gegeben hat.[82] Ferner berichtet eine Nabonid-
Inschrift, daß der Wagenlenker des Schamasch den Titel rākib
narkabti führte.[83] Das Weltschöpfungsepos erwähnt, daß Marduk
den Sturmwagen besteigt.[84] Bei L.Dürr[85] finden sich verschiedene Beispiele für die babylonisch-assyrische Vorstellung des auf
einem Wagen fahrenden Gottes. Trotz dieser Beispiele hat sich
Galling[86] mit Recht dagegen ausgesprochen, Wagen und Pferde bei
der Entrückung des Elija mit Hilfe babylonisch-assyrischer Vorstellungen zu erklären. Ebenso scheidet Galling[87] für einen Erklä-

---

81 Der Ehrenname Elisas 142.
82 M.Streck, Assurbanipal II (VAB 7) Leipzig 1916,148 Z.32 ;
    300 Z. 12.
83 S.Langdon, Die neubabylonischen Königsinschriften (VAB 4)
    Leipzig 1912, 260 Z. 32.
84 ANET 66 Tafel IV Z. 50.
85 Ezechiels Vision von der Erscheinung Gottes im Lichte der
    vorderasiatischen Altertumskunde, Münster 1917, 14-21.
86 Der Ehrenname Elisas 143.
87 Der Ehrenname Elisas 142-144.

rungsversuch die Stellen Jos 5,13 f ; Ri 5,20 ; 1 Kön 22,19 ;
2 Kön 23,11 ; Ps 19,6 f aus. Zur religionsgeschichtlichen Erhellung verweist Galling[88] auf den Gott RKB-EL aus dem nordsyri-
schen Sam'al. Sowohl aus phönizischen Inschriften der Zeit um
825 v.Chr.[89], als auch aus aramäischen Inschriften des 8. Jahrhunderts v.Chr.[90], kennen wir nämlich einen Gott RKB-EL
("Streitwagenfahrer Els").[91] Aber auch dieser Hinweis auf den
nordsyrisch-aramäischen Raum gibt keine befriedigende Antwort
auf die Frage nach der Herkunft der Vorstellung von den feurigen
Wagen und Pferden in 2 Kön 2,11. Nach dem uns heute zur Verfügung stehenden außerbiblischen Material des alten Orients läßt
sich der Ursprung dieser Vorstellung nicht genau orten.
Es bleibt nun noch zu fragen, was das AT selbst zur Lösung dieses Problems beisteuern kann. Bei der Theophanieschilderung
Hab 3,3-15 heißt es in V. 8 : "Ist, Jahwe, gegen Fluten dein Zorn
entbrannt, deine Wut gegen das Meer, daß du mit Pferden daher-
fährst, mit Wagen zum Sieg?"[92] Hier wird Jahwes Kommen als
ein Heranbrausen mit Kriegswagen beschrieben, die von Pferden
gezogen werden. Nach den Versen der Gerichtstheophanie Jes 66,
15 f kommt Jahwe zur Vernichtung mit seinen Wagen : "Denn siehe,
Jahwe kommt im Feuer, wie der Sturm sind seine Wagen" (V.15).
In beiden Fällen (Hab 3,8 ; Jes 66,15) wird eine Vielzahl der Wagen Jahwes erwähnt, denn es steht jeweils der Plural מרכבה.
Auch Ps 68,18 hebt bei der Schilderung einer glanzvollen Epiphanie

---

88 Der Ehrenname Elisas 146-148.
89 KAI I 24,16 ; 25,4.5 f.
90 KAI I 214,2.3.11.18 ; 215,22 ; 216,5 ; 217,7 f.
91 Näheres über diesen Gott s. KAI II 34.
92 רכב על סוסים darf nicht mit "reiten" übersetzt werden,
    denn bis zur Perserzeit waren Reiterkämpfe in Israel un-
    bekannt. Vgl. S. Mowinckel, Drive and/or ride : VT 12,
    1962,285 ; J.Jeremias, Theophanie,Neukirchen 1965,50.

Jahwes die Menge seiner Wagen hervor : "Wagen Gottes! Zehntausend mal Tausend."[93] Der Theophanietext Ps 77,17-20 spricht
ebenfalls vom Wagen Jahwes : "Der Lärm deines Donners im
Wagen."[94] Weiterhin ist in diesem Zusammenhang auf den Thron-
wagen Gottes zu verweisen, der sowohl im Kult (1 Chr 28,18),
als auch in der prophetischen Vision eine Rolle spielt (Sir 49,8 ;
Ez 1,15-21 ; 10,8-17 ; 43,3 ; Dan 7,9). Auch Jahwes Boten fahren mit Wagen, denen Pferde vorgespannt sind (vgl. Sach 6,1-8).
Nur in der Spätphase des AT begegnet man der Vorstellung, daß
Jahwes Boten auf Pferden reiten (vgl. 2 Makk 3,25 ; 5,2 f ; 10,29 ;
11,8 ; Sach 1,8-11).

Zusammenfassung : Die angeführten Stellen bezeugen, daß vor
allem die Theophanien des AT das Kommen Jahwes als ein Daher-
fahren mit Pferden und Wagen schildern. Daher bietet für die Erklärung des behandelten Ausdrucks das AT noch die zuverlässigsten
Anhaltspunkte und nicht der außerbiblische Raum des alten Orients.
Man bewegt sich auf sicherem Fundament, wenn man diese Wendung als Glied einer Theophanieaussage wertet.

i. "Und Elija stieg im Sturm zum Himmel" (2 Kön 2,11b). Dieser Ausdruck als ganzer ist im AT nicht belegt, dafür aber findet
sich wiederholt "zum Himmel hinaufsteigen".
"Zum Himmel hinaufsteigen (עלה השמים/השמימה) ist mehrfach
im übertragenen, sprichwörtlichen Sinn belegt : Dtn 30,12 ; Spr
30,4 ; Jes 14,13 ; Jer 51,53 ; Am 9,2 (vgl. Bar 3,29 τίς ἀνέβη
εἰς τὸν οὐρανόν). Dieser übertragene, sprichwörtliche Sprachgebrauch ist auch für die Literatur des alten Orient bezeugt. So

---

93 Auch רכב 2 Kön 2,11 hat kollektive Bedeutung ; vgl. S. 48.
94 Wörtlich lautet hier der Text zwar nicht "im Wagen", sondern
    "im Rad". Doch die Übersetzung von "Wagen" anstelle von
    "Rad" ist gerechtfertigt, da "Rad" pars pro toto ist.

heißt es in den El-Amarna-Tafeln in einem Brief an den König :
"Wenn wir hinaufsteigen zum Himmel (šum-ma ni-til-lí a-na
šamê/ša-me-ma), wenn wir hinabsteigen zur Erde, so ist unser
Haupt in deinen Händen."[95] In dem Werk Ludlul bēl nēmeqi sagt
der vom Unglück betroffene bezüglich des menschlichen Verhal-
tens im Glück bzw. im Unglück : "Im Glück reden sie vom Hinaufsteigen zum Himmel (i-li ša-ma-ʾi), im Unglück sprechen sie
vom Hinabstieg zur Unterwelt."[96] In der altorientalischen Literatur ist auch außerhalb der sprichwörtlichen Verwendung
elû(m) ana šamê/šamai häufig anzutreffen. So heißt es im Mythos von Nergal und Ereschkigal, daß Ereschkigal ihren Boten
Namtar zum Himmel schickte : "Namtar stieg zum erhabenen
Himmel hinauf" (i-la-am- [m] a n [am-t] a-ru a [-n] a [š] a-me-
e si-i-ru-ú-ti).[97] Das Gilgameschepos berichtet, daß Ischtar
voll Zorn zum Himmel hinaufstieg, nachdem Gilgamesch auf ihr
Liebeswerben nicht eingegangen war : "Ischtar - kaum daß sie
dieses hörte, war sie, Ischtar, sehr zornig, stieg empor zum
Himmel."[98] Im Etana-Mythos liest man über Etana und den Adler,
der ihn emporträgt : "Nachdem sie zum Himmel des Anu emporgestiegen waren" (iš-tu e-lu-ú a-na šame-e).[99] Wenig später
sagt Etana zum Adler, der ihn immer höher trägt : "Mein Freund,
ich will nicht zum Himmel hinaufsteigen."[100] Von Adapa, der die Flügel des Südwindes zerbrochen hat und sich deswegen vor Anu ver-

---

95 J.A.Knudtzon, Die El-Amarna-Tafeln I (VAB 2) Leipzig
    1915, Nr. 264, 15-19.
96 W.G. Lambert, Babylonian Wisdom Literature, Oxford[2]
    1967, 40 Z. 46 f.
97 ANET 103 Z. 8 ; Umschrift nach Knudtzon, Amarna-Tafeln I
    Nr. 357,8.
98 A.Schott - W.v.Soden, Das Gilgamesch-Epos, Stuttgart 1966,
    56 Z. 80 f.
99 ANET 118 C-5 Z. 34 ; Umschrift nach S.Langdon, The Le-
    gend of Etana : Babyloniaca 12, 1931,47 Z. 34.
100 ANET 118 C-6 Z. 29.

antworten muß, wird erzählt : "Als er zum Himmel hinaufgestiegen war und sich dem Tor Anus genähert hatte" ... (a-na ša-me-
e i-na e-li-šu).[101] Im Era-Epos sagt Era zu Marduk : "Zum Himmel will ich emporsteigen" (⌈a-n⌉ a šamê^e el-li-ma).[102] Im
Atraḫasis-Epos wird wiederholt erwähnt, daß Götter zum Himmel
emporsteigen : "Anu war zum Himmel hinaufgestiegen" (⌈a-nu⌉
i-te-li š ⌈a-me⌉ -⌈e⌉-ša).[103] " Nachdem Anu zum Himmel emporgestiegen war" (⌈iš⌉-tu a-nu-u⌉ m i-lu-⌈ú⌉ ša⌉- me-e-ša).[104]
"Soll ich"(es spricht hier die Göttin Nintu)"zum Himmel hinaufsteigen?" (e-te-el-li-i-ma a-na ša-ma-i).[105]

Ri 13, 20 berichtet von der "Himmelfahrt" des Engels Jahwes.
Dort steht zwar nicht der volle Ausdruck השמימה / עלה השמים
sondern nur עלה . Es ist jedoch zu beachten, daß die Zielangabe
"zum Himmel" bereits im ersten Teil des Verses vorweggenom-
men ist : "Als aber die Flamme vom Altar zum Himmel emporstieg..."

Eine "Himmelfahrt" Elohims erwähnt P an zwei Stellen (Gen 17,
22 ; 35, 13). In beiden Fällen steht עלה ohne die Ortsmarkierung
"zum Himmel".

Auch in den Psalmen wird davon gesprochen, daß Jahwe "emporstieg". "Jahwe stieg empor mit Jubelschall" (Ps 47, 6). "Du
stiegst empor zur Höhe" (Ps 68, 19). Bei Ps 47, 6 steht עלה ohne
irgendeine Zielangabe. Wahrscheinlich bezieht sich עלה hier auf
eine Himmelfahrt Jahwes ; vgl. S. 330 f. Bei Ps 68, 19 ist dem

---

101   ANET 102 Z. 38 ; Umschrift nach Knudtzon, Amarna-
        Tafeln I Nr. 356, 37.
102   P. F. Gössmann, Das Era-Epos, Würzburg o. J., 14 Z. 182.
103   W. G. Lambert - A. R. Millard, Atra-ḫasīs, Oxford 1969,
        42 Z. 13.
104   Lambert-Millard, Atra-ḫasīs 42 Z. 17.
105   Lambert-Millard, Atra-ḫasīs 94 Z. 48.

Verbum עלה als Richtungspunkt למרום hinzugefügt. Hier wird
in poetischer Sprache ein glanzvoller Aufstieg Jahwes zu seinem
himmlischen Wohnsitz geschildert ;*vgl. S.335 f.
An dieser Stelle ist auch 1 Sam 2,10 zu erwähnen. Leider ist der
Text korrupt. Von den Massoreten wurde bereits für das grammatikalisch falsche Ketib עלו das Qereעלי gesetzt. BHK schlägt
עליו als Konjektur vor. Die LXX las an dieser Stelle in ihrer
Vorlage wohl עלה , denn sie übersetzt : κύριος ἀνέβη εἰς οὐρανούς.
Wenn man diese Lesart der LXX-Vorlage als ursprünglich gelten
läßt, dann wäre mit 1 Sam 2,10 eine weitere Stelle gegeben, an der
die Wendung "zum Himmel emporsteigen" im AT bezeugt ist.[106]

Bezüglich des zweimaligen Imperativs עלה ... עלה in 2 Kön 2,23
kommt Ds.W.Tom[107] zu dem Ergebnis, daß diese Aufforderung
der spottenden Jungen als "fahr hinauf" (zu ergänzen : in den Himmel) nach Art deines Herrn Elija zu verstehen sei. Dieser Interpretation steht zunächst entgegen, wie Tom[108] auch zugibt, daß dem
zweimaligen Imperativ עלה ... עלה bereits im gleichen Vers zweimal עלה vorausgeht, wobei sich in beiden Fällen עלה klar auf
das Hinaufgehen nach Bet-El bezieht. Deshalb liegt es nahe, auch
die folgenden Imperative von עלה im gleichen Sinn zu interpretieren. Als weitere Schwierigkeit stellt sich der These von Tom die
Tatsache entgegen, daß in 2 Kön 2,23 der zweimalige Imperativ von

---

106 Eine kleine Abweichung von der gängigen Wendung עלה השמים
   (השמימה)läge dann in 1 Sam 2,10 nur insofern vor, daß hier
   das Nomen שמים mit der Präposition בַ versehen ist. Die
   Zuverlässigkeit der LXX in 1 Sam 2,10 kann nicht dadurch
   ernstlich in Frage gestellt werden, daß bei V.10 ein beträcht-
   liches Plus gegenüber MT vorliegt. Vielmehr muß betont werden, daß die LXX 1 Sam 2,10 ziemlich wörtlich wiedergibt, das
   Plus ist lediglich dem V.10 zwischengeschaltet und stimmt
   auf weite Strecken mit Jer 9,22(23) f überein.
107 "Kaalkop, ga op!, kom op! af : vaar op!"? : Gereformeerd
   Theologisch Tijdschrift 59,1959,149-151.
108 a.a.O. 150.

עלה ohne השמים steht, nachdem doch 2 Kön 2,1.11 jeweils die
Zielangabe השמים beigefügt ist ; denn 2 Kön 2 entstammt doch den
gleichen prophetischen Kreisen und ist dem Elischazyklus zuzurechnen. Trotz dieser Punkte, die die These Toms zu widerlegen scheinen, sprechen andere Überlegungen für seinen Lösungsversuch.
Tom[109] stützt sich bei seiner Argumentation hauptsächlich auf den
lexikographischen Befund, der besagt, daß עלה primär "hinaufsteigen" vom Ort des Sprechers aus bedeutet und nicht "heraufsteigen" zum Sprecher hin. Er hätte allerdings diese seine Behauptung
sprachlich noch besser untermauern können. Eine genaue Analyse
führt nämlich zu folgendem Ergebnis : In den Fällen, in denen עלה
("heraufsteigen") zum Sprecher hin bedeutet, hat diese Basis jeweils die Präposition אל mit Personalsuffix bei sich : Ex 24,12;
Dtn 10,1 ; Jos 10,6 ; 1 Sam 14,10.12. Nur Ri 16,18 läßt sich auf
den ersten Blick nicht dieser Regel subsumieren, denn hier ist עלה
als "heraufsteigen" zum Sprecher zu verstehen, ohne daß die Präposition אל verwendet wird. Aber noch im gleichen Vers folgt
dann ויעלו אליה , so daß letzten Endes durch den Kontext auch
hier unsere Regel bestätigt wird. Nach dieser sprachlichen Analyse
müßte der zweimalige Imperativ עלה in 2 Kön 2,23, wenn er als
Aufforderung in dem Sinne zu verstehen wäre, daß Elischa zu den
spottenden Jungen hinaufkommen soll, die Präposition אל mit Personalsuffix bei sich haben. Von hier aus gesehen könnte man eigentlich den Imperativ עלה in 2 Kön 2,23 als "fahr hinauf" (nämlich
zum Himmel, wie es dein Herr Elija getan hat) übersetzen. Dieser
letztgenannten Version stehen aber die bereits ausgeführten Schwierigkeiten entgegen, so daß eine gesicherte Entscheidung nicht möglich ist.

---

109 A.a.O. 149 f.

Eine seltsam anmutende Bedeutung von עלה findet sich in Ps 102,
25. Hier wird das Hifil von עלה im Sinne von "hinwegraffen, hinwegnehmen, sterben lassen", verwendet. Der Ausdruck "raffe
mich nicht hinweg in der Mitte meiner Tage", stellt eine Bitte
des Psalmisten an Jahwe dar, ihn vor einem zu frühen Tod zu bewahren. Man ist zunächst erstaunt, עלה in einer solch ungewohn-
ten und vereinzelten Bedeutung zu begegnen. Doch können hierbei
einige weitere Stellen Verstehenshilfe leisten. So wird bei Prd 3,
21 bezüglich des Todes die Frage gestellt : "Wer weiß, ob der
Odem der Menschen emporsteigt zur Höhe?" Prd 12,7 heißt es im
Zusammenhang mit dem Tod : "Zur Erde kehrt wieder der Staub,
wie er war, und der Geist kehrt wieder zu Gott, der ihn gegeben."
Nach Tob 3,6 wünscht Tobit sich den Tod : ἐπίταξον ἀναλαβεῖν
τὸ πνεῦμά μου. Beide Rezensionen (BA und S) überliefern besagte
Wendung. Auch hier ist im Zusammenhang mit dem Sterben, genau
wie bei Prd 3,21, von einer Bewegungsrichtung des Lebensodems
nach oben die Rede. Daher ist es möglich, daß אל תעלני (Ps
102,25) eine verkürzte Ausdrucksweise für אל תעל את רוחי/נפשי
darstellt ; denn der Lebensodem stammt von Gott und kehrt beim
Tod zu ihm zurück (vgl. Prd 12,7). Abgesehen aber von der Möglichkeit, אל תעלני als verkürzte Ausdrucksweise zu interpretieren, muß auch an Ijob 32,22 erinnert werden, wo zur Bezeichnung
des Sterbens נשא ohne jede Hinzufügung gesetzt ist. נשא ist bedeutungsmäßig mit עלה insofern verwandt, weil auch hier eine
Bewegungsrichtung nach oben ausgesagt wird.
Häufig wird עלה (hi.) als Errettungsaussage gebraucht, wobei
Jahwe Subjekt ist.
"Jahwe macht tot und lebendig, er läßt in die Scheol hinabsteigen
und führt herauf" (ויעל), 1 Sam 2,6. Vgl. hierzu die entsprechenden Wendungen aus deuterokanonischen(apokryphen)Büchern ;

so Tob 13,2 (AB) : "er (nämlich Gott) führt in das Totenreich hinab und führt wieder herauf" (ἀνάγει) und Weish 16,13 : "denn du (nämlich Gott) hast Macht über Leben und Tod und führst hinab zu den Pforten der Unterwelt und wieder herauf" (ἀνάγεις).

"Jahwe, du ließest mich aus der Scheol heraufsteigen (העלית), du holtest mich ins Leben zurück aus der Reihe derer, die zur Grube hinabsteigen" (Ps 30,4).

"Er ließ mich heraufsteigen (ויעלני) aus der Grube des Grauens, aus Schmutz und Schlamm" (Ps 40,3).

"Du belebtest uns wieder! Aus den Tiefen der Erde ließest du mich wieder heraufsteigen" (תעלני) Ps 71,20.

"So spricht der Herr Jahwe : "Ich öffne eure Gräber und lasse euch aus euren Gräbern heraufsteigen (והעליתי)" Ez. 37,12.

"Du ließest aus der Grube mein Leben heraufsteigen (ותעל),Jahwe mein Gott" (Jon 2,7).

Zusammenfassend läßt sich über עלה als Errettungsterminus folgendes sagen : Mit Ausnahme von 1 Sam 2,6 steht jeweils in Verbindung mit עלה die Präposition מן + Ort, aus dem die Errettung erfolgt. "Aus der Scheol" (Ps 30,4) ; "aus der Grube" (Ps 40,3 ; Jon 2,7) ; "aus den Tiefen der Erde" (Ps 71,20) ; "aus den Gräbern" (Ez 37,12). In 1 Sam 2,6 fehlt deshalb bei עלה die Präposition מן + Ort, weil bereits ירד mit dem Zielpunkt שאול verbunden ist. Dies gilt in entsprechender Weise auch für Tob 13,2 und Weish 16,13.

Es besteht heute in der Forschung Übereinstimmung darüber, daß es sich bei diesen Aussagen nicht um Totenerweckungen oder um Anspielungen auf ein ewiges Leben handelt. Vielmehr wird hierbei auf eine Verlängerung des irdischen Lebens bezug genommen, das einer akuten Gefährdung ausgesetzt war. Zur Klärung dieser Frage hat vor allem Ch. Barth[110] beigetragen. Bezüglich der Stellen, bei de-

---

110   Die Errettung vom Tode in den individuellen Klage- und Dankliedern des AT, Zollikon 1947.

nen עלה als Errettungsterminus gebraucht wird, schreibt Barth[111]:
"Die Meinung dieser Aussage ist deutlich : Jahwe hat die Bedrängten aus gefährlicher, im Blick auf ihre Kräfte hoffnungsloser Situation gerettet. Wenn hier von Rettung aus der Tiefe die Rede ist,
so muß darunter die Angabe des 'kosmischen Ortes' der Bedrängnis verstanden werden. In der Sphäre des Grabes befand sich der
Bedrängte also weder in einem greifbar-wirklichen, noch in einem
dichterisch-fingierten, sondern im Grabe schlechthin hielt er sich
auf."

Diese Behauptungen werden durch außerbiblische Zeugnisse aus
dem alten Orient gestützt. So erhalten die Götter Marduk, Nabû,
Ninurta, Šamaš und Gula, die Göttin der Heilkunst, das Epithet
muballiṭ miti ("der/die die Toten lebendig macht").[112] Mit Recht
sagt Heidel[113] von diesem Beinamen : "All that these two words
imply is that through the interposition of a given deity those al-
ready on the brink of death, or those virtually dead, are given a
new lease on life." In dem Werk Ludlul bēl nēmeqi ("Den Herrn
der Weisheit will ich preisen!") schildert der Sprecher Šubši-mešrê-
Šakkan auf der vierten Tafel seine wunderbare Errettung, nachdem
er in den ersten drei Tafeln ausführlich die Not beschrieben hatte,
die er durchlebt hat. Sein Dank gilt dem Gott Marduk mit folgenden
Worten[114]:

Tafel IV Z. 4   "Mein Herr gab mir Leben,

Tafel IV Z. 7   er zog mich zurück vom Unterweltsfluß."

---

111   A.a.O. 130.
112   Vgl. A. Heidel, The Gilgamesh-Epic and Old Testament
      Parallels, Chicago-London[2] 1949, 208.
113   A.a.O. 208.
114   Zitiert nach W.G. Lambert, Babylonian Wisdom Literature,
      Oxford [2] 1967, 59.61.

Tafel IV Z. 35   "Marduk kann aus dem Grab ins Leben zurück-

rufen"

Tafel IV Z. 78   " ⌈Ich stieg⌉ hinunter ins Grab und kehrte zu-

rück zum Tor ⌈des Sonnenaufganges⌉ . "

In dem großen Hymnus an Šamaš heißt es [115]:

Z. 62   "Du läßt vom Unterweltsfluß hinaufsteigen (tu-šel-li ina-ḫu-

bur), wer in einen Prozeß verwickelt ist. "

Im letztgenannten Beispiel wird sogar das Verbum elû(m) verwen-

det. In einem Opferschaugebet an Ninurta äußert sich der Sprecher

in gläubiger Gewißheit[116]:

"Du verschonst den, der bei einem Diebstahl versteckt und

zum ... verlassen wurde,

befiehlst seine Genesung noch aus der Unterwelt herauf.

Wer..., von Kampf umtobt war,

schon dem Tode geweiht war, dann aber deinen Namen

nannte, (dem) bist du barmherzig, Herr, (und) verschonst

ihn in der Vernichtung. "

Zu einem weiteren Gebet an Ninurta findet sich folgendes Bekennt-

nis[117]:

"Du fassest die Hand des Schwachen, erhöhst den, der

ohne Kraft ist ;

den Leib dessen, der (schon) zur Unterwelt hinab mußte,

bringst du zurück. "

Auch in ägyptischen Texten stößt man auf ähnliche Formulierungen.

So sagt ein Text aus der 19. Dynastie über den Gott Amon-Re von

Theben[118]:

---

115   Zitiert nach Lambert a.a.O. 129.

116   A. Falkenstein - W.v.Soden, Sumerische und akkadische
Hymnen und Gebete, Zürich-Stuttgart 1953, 276.

117   Falkenstein - v. Soden a.a.O. 315.

118   ANET 269.

"Er rettet denjenigen, den er will, mag der betreffende
auch bereits in der Unterwelt sein."

In einer Inschrift, die ebenfalls aus der Zeit der 19. Dynastie
stammt, dankt Neb-Re, ein Zeichner aus der Nekropole von Theben, Amon-Re für die Errettung seines Sohnes aus schwerer Krankheit [119]:

"Du bist Amon-Re, der Herr von Theben, der den rettet,
der in der Unterwelt ist."

Für die zitierten altorientalischen Texte gilt, daß es sich hierbei
um extreme Unglückssituationen handelt, aus denen der Betroffene
befreit wird.

Wir konnten weiter oben bereits feststellen, daß עלה (hi.) mit Jahwe
als Subjekt in Verbindung mit der Präposition מן + verschiedener
Bezeichnungen für die Unterwelt (Scheol, Grube, Tiefe, Grab) als
Errettungsaussage gebraucht wird. Im Gegensatz zu dieser Gruppe
wird עלה in der Erzählung von der Befragung des verstorbenen
Samuel durch die Totenbeschwörerin von Endor (1 Sam 28,3-25)
verwendet, um den Heraufstieg des Totengeistes aus der Scheol
zur Welt der Lebenden zu schildern. Beachtung verdient die Tatsache, daß 1 Sam 28,8.11 (2x).15 jeweils עלה (hi.) steht, wobei V.8
und 11 die Totenbeschwörerin und V. 15 Saul das Subjekt ist, während V. 13 f עלה (qal) steht. Die Scheol wird in diesen Fällen nicht
eigens erwähnt, obgleich sie oder ein Synonymon zu ergänzen ist,
denn der verstorbene Samuel befindet sich in der Scheol und muß
zur Befragung zur Welt der Lebenden heraufsteigen.

Die Überzeugung, daß man Verstorbene aus dem Totenreich vorübergehend zur Welt der Lebenden zurückrufen kann, ist außerhalb des
AT auch für den alten Orient bezeugt. Ein babylonischer Priester-
titel lautet : mušêlû etimmu ("derjenige, der die Totengeister her-

---

119   ANET 380.

aufsteigen läßt").[120] Im Mythos von der "Höllenfahrt der Göttin Ischtar" droht diese, falls man ihr den Zutritt zur Unterwelt verwehren sollte : "Ich werde die Toten heraufsteigen lassen (ú-še-el-la-a mi-tu-ti), damit sie die Lebenden auffressen."[121] Die treffendste Parallele zu 1 Sam 28,3-25 aus der altorientalischen Literatur findet sich auf der zwölften Tafel des Gilgameschepos.[122] Dort wird nämlich geschildert, wie der Totengeist Enkidus auf Veranlassung des Wassergottes Ea und des Unterweltbeherrschers Nergal aus dem Totenreich heraufsteigen darf, um seinen Freund Gilgamesch über die Unterwelt zu informieren. Seit dem Bekanntwerden der sumerischen Gilgamesch-Dichtungen wissen wir, daß die 12. Tafel des Gilgameschepos auf große Strecken hin eine fast wörtliche Übersetzung der zweiten Hälfte der sumerischen Dichtung "Gilgamesch, Enkidu und die Unterwelt" darstellt.[123] Daraus wird ersichtlich, daß die Vorstellung über das Heraufsteigen eines Totengeistes aus der Unterwelt zwecks einer Befragung uralt ist. Die für unseren Zusammenhang relevanten Verse aus dem Gilgameschepos lauten [124]:

"Kaum daß Vater Ea dieses vernommen,

Da sprach er zu Nergal, dem mannhaften Helden :

'Nergal, mannhafter Held, hör mich an :

Möchtest du doch ein Loch der Erde auftun,

Damit Engidus Totengeist der Erde entfahren kann,

120   Heidel, The Gilgamesh Epic 207.
121   R. Borger, Babylonisch-assyrische Lesestücke II, Rom 1963, 87 Z. 19 (Ninive-Rezension).
122   ANET 97-99 ; Schott - v.Soden, Das Gilgamesch-Epos, Stuttgart 1966, 100-106.
123   Vgl. Schott - v.Soden , Gilgamesch-Epos 100.
124   Zitation nach Schott - v.Soden a.a.O. 104 Z. 76-84.

Daß er künde seinem Bruder die Ordnung der Erde!'

Nergal, der mannhafte Held, gehorchte

Und hatte kaum ein Loch der Erde aufgetan,

Als Engidus Totengeist schon wie ein Wind aus der

Erde entfuhr!"

Von dem unter i. eingangs zitierten Ausdruck bleibt nun noch das
Nomen סערה ("Sturmwind") zu besprechen. Mit dieser Vokabel
wird das Medium bezeichnet, mit dem Elija zum Himmel auffährt.
Im Zusammenhang mit סערה wird man sofort an Theophanieschilderungen erinnert, denn dort spielt diese Vokabel eine wichtige Rolle.

In den Theophanien des AT wird Jahwes Kommen im Sturm geschildert :

"Durch Sturm und Wetter geht sein Weg,

Gewölkt ist der Staub seiner Füße " (Nah 1, 3).

"Der Herr Jahwe stößt in das Horn,

er geht in den Stürmen des Südens" (Sach 9, 14).

"Er bestieg den Kerub und flog daher,

und schwebte auf den Flügeln des Sturmes" (Ps 18, 11).[125]

"Es kommt unser Gott und schweigt nicht.

Feuer frißt vor ihm her,

ihn umgibt mächtiges Sturmesbrausen" (Ps 50, 3).

"Ich schaute, und siehe : ein Sturmwind kam von Norden..."

(Ez 1, 4).

Bei der Theophanie Ijob 38, 1 ; 40, 6 ergeht Jahwes Stimme aus dem
Sturm an Ijob.

---

125 Die Vorstellung, daß der Wind Flügel hat, ist auch aus dem
Adapa-Mythos bekannt. In diesem Mythos macht sich Adapa
schuldig, weil er dem Südwind die Flügel zerbricht ; s.
ANET 101-103.

Auch außerhalb einer Theophanieschilderung wird Ps 104,3 in
einem hymnischen Text vom Fahren Jahwes "auf Flügeln des Win-
des" gesprochen :

    "Der Wolken zu seinem Wagen macht

    und auf Flügeln des Windes einherfährt."

J.Jeremias[126] weist darauf hin, daß auch verschiedene altorientalische Götter auf dem Sturmwind einherfahren. So wird Ninurta,
"der auf dem Sturmwind Fahrende" genannt. Ischkur und Adad reiten auf einem Sturm und Nergal geht im Sturm einher.[127]
Bezüglich "des Sturmwindes" in 2 Kön 2,11 kann also gesagt werden, daß hier ein Motiv der Theophanieschilderung in den Text aufgenommen wird, wie dies bereits für die "feurigen Wagen und Pferde" im gleichen Vers festgestellt wurde ; s.S. 96 . Es bleibt noch
anzumerken, daß in den Theophanieschilderungen Ps 50,3 und Ez
1,4 die beiden Phänomene "Sturm" und "Feuer" genauso wie in
2 Kön 2,11 erwähnt werden. Auffallend ist vor allem die Übereinstimmung, die zwischen 2 Kön 2,11 und Jes 66,15a besteht. In beiden Fällen werden "Feuer", "Wagen" und "Sturmwind" erwähnt.
Jes 66,15a wird allerdings das aus der Theophanietradition entnom-
mene Glied "Sturmwind" nicht mehr als selbständige Komponente gebraucht, sondern als Vergleich und Metapher, wodurch sich Jes 66,
15 aß als später Text erweist (vgl. Jes 59,19 ; Sach 9,14). Galling[128]

---

126   Theophanie, Neukirchen 1965, 88.
127   Hier muß mit der Möglichkeit gerechnet werden, daß ein
        Epitheton altorientalischer Götter auf Jahwe übertragen
        wurde, um seine Hoheit, Macht und Würde auszusagen ;
        vgl. den Übergang des Epithetons "Wolkenfahrer" von Baal
        auf Jahwe, das dem kanaanäischen Raum entstammt, S.334.
128   Der Ehrenname Elisas 141 f.

versucht 2 Kön 2,11 literarkritisch aufzuspalten, wobei er והנה

bis שניהם als sekundär betrachtet und somit die "feurigen Wagen

und Pferde" als nicht zum ursprünglichen Text gehörig ansieht.

Aufgrund unserer bisherigen Untersuchung konnten die "feurigen

Wagen und Pferde" und auch "der Sturmwind" in V. 11 als Glieder

einer Theophanieschilderung ausgewiesen werden. Daraus folgt, daß

eine literarkritische Aufspaltung, wie sie Galling vornimmt, proble-

matisch und gefährlich ist. Außer den bereits zitierten Theophanie-

texten (Ps 50,3 ; Jes 66,15 ; Ez 1,4), bei denen mehrere Phäno-

mene aufgezählt werden, sind auch noch andere Theophanieschilde-

rungen zu berücksichtigen, bei denen ebenfalls eine Häufung der

Phänomene vorliegt : Ps 18,10-14 (Wolkendunkel, Kerub, Wind, Fin-

sternis, Hagel, Donner) Hab 3,4 (Lichtstrahlen, Rauch, Pest, Seu-

che).

Zusammenfassung : Unter i. wurde von der Wendung in 2 Kön 2,11b

ausgegangen. Dabei mußten auch in detaillierter Form die Vokabeln

עלה und סערה behandelt werden, um die Bandbreite dieser Wen-

dung auszuleuchten. Aufgrund dieses Vorgehens ergab sich ein weit

gespannter Rahmen. Nun können wir zu der eingangs analysierten

Wendung השמימה / עלה השמים /ס zurückkehren. Sie kann als Formel

klassifiziert werden. Dies ergibt sich aus der sprichwörtlichen Ver-

wendung dieser festgeprägten Wortverbindung in verschiedenen li-

terarischen Werken des AT. Darüberhinaus ist festzustellen, daß

man dieser festgeprägten Wortverbindung auch innerhalb der alt-

orientalischen Literatur häufig begegnet. Im letztgenannten Fall zeigt

diese Formel eine mythologische Einfärbung : Götter, Göttinnen und

außergewöhnliche Menschen, die in besonderer Freundschaft zu den

Göttern stehen, steigen zum Himmel empor.[129] Diese im alten Orient

---

129 Auch der bereits behandelte Entrückungsbericht aus dem sumerischen und babylonisch-assyrischen Kulturkreis stellt den Entrückten als besonders frommen Menschen dar, dem göttliche
Gunst widerfahren ist, ohne daß dabei die Formel "zum Himmel
emporsteigen" gebraucht wird ; vgl. S. 5 - 23 .

als Formel weitverbreitete mythologische Redeweise vom Hinaufstieg zum Himmel wird 2 Kön 2,11 b dazu verwendet, um die Tatsache auszusprechen, daß Elija gestorben ist.[130] Dieser Bezug
zum Tod des Elija wird durch Untersuchungsergebnisse an anderer
Stelle erhärtet ; vgl. S. 114.

Ein Euphemismus bezüglich des Todes des Elija erklärt sich leicht
aufgrund der überragenden Persönlichkeit dieses Propheten. Sein
Leben ist durch verschiedene Ausnahmeerscheinungen geprägt, so
daß aus dieser Perspektive eine euphemistische Kundgabe seines
Todes[131] eine homogene Abrundung seines Lebens darstellt.[132]

Seine Ausnahmestellung bestätigt sich auch im Tod. Während für
alle Menschen gilt, daß sie zur Scheol hinabsteigen müssen[133],
wird auf ihn die Formel angewandt, daß er zum Himmel emporsteigen durfte. Dadurch wird seine Ausnahmestellung dokumentiert.
Analog zu einigen besonders ausgezeichneten Menschen der altorientalischen Mythologie, von denen man zu berichten wußte, daß sie
zum Himmel emporsteigen durften, wird diese Redeweise auch auf
ihn übertragen, der sich bedingungslos für die Sache Jahwes einge-

---

130   Wahrscheinlich vermeidet P bewußt die Anwendung dieser im
      alten Orient gängigen Formel auf Jahwe, um sich von einer
      mythologischen Redeweise zu distanzieren ; vgl. S. 326. -
      L. Bronner, The Stories of Elijah and Elisha, Leiden 1968,
      127 möchte in dieser Wendung eine Antithese zum Epithe-
      ton des Baal rkb ʿrpt ("Wolkenfahrer") sehen. Nach ihrer
      Meinung soll hiermit zum Ausdruck kommen, daß nur Jah-
      we über die Wolken gebietet und daher kann auch sein Pro-
      phet zum Himmel auffahren, während der Leib Baals nach
      seinem Tod auf der Erde bleibt. Ob sich allerdings hinter
      besagter Wendung eine solch polemische Tendenz verbirgt,
      ist fraglich und kann durch keinen Beweis gestützt werden.
131   Vgl. die euphemistischen Tendenzen in den Pyramidentexten
      bezüglich des Todes des Pharao S. 39 .
132   Zu diesen Ausnahmeerscheinungen können die Wunder- und
      Machttaten gerechnet werden, die er vollbracht hat. Er steht
      in einem engen und exzeptionellen Verhältnis zu Jahwe. Für
      Jahwes Sache setzt er sich mit letzter Radikalität ein, dafür
      bekennt sich Jahwe in einmaliger Weise zu ihm.
133   Vgl. A. Vaccari, Antica e Nuova Interpretazione del Salmo 16 :
      Bibl 14,1933,420 Anm. 2.

setzt hatte und der demzufolge einer besonderen Gunst und Freundschaft Jahwes sicher sein konnte.[134]

Es ist auch die Möglichkeit nicht grundsätzlich auszuschließen, daß
die Formel vom Hinaufstieg des Elija zum Himmel ein beabsichtig-
tes Kompositionselement in Anpassung an die Fakten des unvermit-
telten Auftretens (1 Kön 17,1) und des zeitweiligen Verschwunden-
seins (1 Kön 18,10-12) darstellt.[135] Bei einer solchen Interpretation könnte man von einer Inclusion sprechen, denn durch diese
Kompositionstechnik wird der Leser vom Ende an den Anfang zu-
rückgeführt. Elija tritt plötzlich, ohne nähere Vorbereitung, aus
der Anonymität kommend auf und in Korrelation dazu bleibt sein
Ende in ein gewisses Dunkel gehüllt.

j.   "Und Elischa sah (dies)" (2 Kön 2,12). Hier kann zwar
nicht von einer geprägten Wendung oder Formel gesprochen werden, aber prophetischer Sprachgebrauch liegt sicher vor (vgl. 1
Kön 22,19 ; Jes 6,1 ; Ez 1,4 u.ö.). Die Hervorhebung, daß Elischa
das Geschehen, das in V. 11 geschildert wird, sieht, ist durch V.10
gefordert ; vgl. S. 73 .

k.   "Mein Vater, mein Vater" (2 Kön 2,12). Hier wird Elija
mit dem Titel "Vater" angesprochen. Diese Anrede findet sich im

---

134   Aus 2 Kön 2,11 erwächst in der Spätphase des AT die Über-
        zeugung, daß Elija noch lebt (vgl. 2 Chr 21,12) und einst
        wiederkommen wird (Sir 48,10 f ; Mal 3,23 f). Der Glaube
        an die Wiederkunft des Elija war auch in neutestamentlicher
        Zeit lebendig (vgl. Mt 11,14 ; Mk 6,15 ; Joh 1,21). 2 Kön
        2,11 b bildet also die Voraussetzung für die eschatologische
        Funktion des Elija.

135   Verschiedene Forscher haben auf diese Tatsache hingewie-
        sen ; so A. Schulz, Die Quellen zur Geschichte des Elias,
        Braunsberg 1906, 17 ; W. Michaux, Les Cycles d'Élie et
        d'Élisee : BiViChr 2, 1953, 98 ; R.S. Wallace, Elijah and
        Elisha, Edinburgh-London 1957, 3.

Elijazyklus überhaupt nicht und im Elischazyklus nur selten.[136]

Die Bezeichnungen für den Propheten Elija im Elijazyklus :

"Mann Gottes" in der Anrede : 1 Kön 17,18.24 ; 2 Kön 1,
9.11.13.

"Mann Gottes" außerhalb der Anrede : 2 Kön 1,10.12.

"Mein Herr" in der Anrede : 1 Kön 18,7.13.

Die Bezeichnungen für den Propheten Elischa im Elischazyklus :

"Mann Gottes" in der Anrede : 2 Kön 4,40.

"Mann Gottes" außerhalb der Anrede : 2 Kön 4,7.9.21 f.
25.27.42 ; 5,8.14 f. 20 ; 6,6.9.10.15 ; 7, 2.17.19 ;
8,2.4.7 f. 11 ; 13,19.

"Mein Herr" in der Anrede : 2 Kön 2,19 ; 4.16.28 ; 6,5.
15 ; 8.12.

"Herr" außerhalb der Anrede : 2 Kön 2,3.5.16 ; 5,20.22.
25.

Zusammenfassung : Mit Recht sagt Galling[137], daß "die Anrede des Propheten als Vater" nicht primär unter den Prophetensöhnen beheimatet ist, denn sonst würde man sich nicht in 2 Kön 4,40 ; 6,5.15 vermissen. Auch in anderen Volkskreisen war diese Form der Anrede nicht üblich, sonst wäre sie in 2 Kön 2,19 ; 4,16.28 ; 8.12 anzutreffen. Auch die der Bezeichnung "Vater" korrespondierende Bezeichnung "Sohn" scheint weder in Propheten- noch in Volkskreisen ihren Ursprung zu haben, sonst müßte sie wenigstens

---

136 Nur 2 Kön 6,21 ; 13,14 wird diese Anrede durch den König von Israel dem Propheten Elischa gegenüber gebraucht. In die gleiche Richtung zielt, wenn Ben-Hadad, der König von Aram, als Sohn des Elischa bezeichnet wird (2 Kön 8,9), denn dies setzt konsequenterweise für Elischa ebenfalls den Titel "Vater" voraus. (Die Bezeichnung als "Sohn" dem Propheten gegenüber ist insofern bemerkenswert, weil sich diese weder im Elija- noch im Elischazyklus findet. Vielmehr wird in solchen Fällen durchwegs עבד gebraucht ; vgl. 1 Kön 18,9; 2 Kön 1,13; 2,16; 4,1; 5,15.17.18.25; 6,3; 8,13).

137 Der Ehrenname Elisas 130.

teilweise in 2 Kön 2,16 ; 4,1 (2 x) ; 5,15.17 f. 25; 6,3 ; 8,13 zu
finden sein. Bei der Bezeichnung "Vater" für den Propheten Elischa handelt es sich um einen geprägten Titel innerhalb des Elischazyklus, der das Autoritätsverhältnis charakterisiert, das
zwischen Prophet und König besteht. Dabei wird sogar die natio-
nale Schranke durchbrochen, denn der dem Begriff "Vater" korrespondierende Ausdruck "Sohn" wird sogar dem König von Aram
(2 Kön 8,9) zuerkannt. Dieser Titel "Vater" wird 2 Kön 2,12 auch
von Elischa dem Elija gegenüber gebraucht. Hierbei handelt es
sich um eine Übertragung von 2 Kön 13,14 auf 2 Kön 2,12, von
der Todesstunde des Elischa auf die Todesstunde des Elija. Einer
weiteren derartigen Transposition von 2 Kön 13,14 auf 2 Kön 2,12
werden wir weiter unten noch begegnen, s. S. 115 .
1 Sam 10,12 findet sich das Wort "Vater" als Bezeichnung für das
Prophetenoberhaupt. Es ließe sich nun denken, daß speziell diese Tradition auf 2 Kön 2,12 eingewirkt hat. Doch gegen eine solche Annahme steht der gesamte Elischazyklus, der die Bezeichnung "Vater" nicht als Titel für das Haupt der prophetischen Gruppen bezeugt, sondern nur für den Bereich König-Prophet. Williams[138] trifft bezüglich der Bezeichnung "Vater" (2 Kön 2,12 ;
13,14) die Feststellung : "It points to the importance of the prophetic leader and to one of his titles." Hier kann man ihm zustimmen. Fraglich bleibt allerdings, ob man daraus, wie Williams[139]
meint, Untertöne eines Konfliktes heraushören kann, der zwischen
"prophetic leadership and monarchic secularization of the military
in particular and the ancient Yahwist tradition in general" bestan-
den haben soll.
Zur Doppelung "mein Vater, mein Vater" ist zu bemerken, daß

---

138   The Prophetic "Father" 346.
139   The Prophetic "Father" 346.

wiederholt im Elija- und Elischazyklus von der Möglichkeit der
Wiederholung einzelner Wörter bzw. Wendungen Gebrauch gemacht
wird, um die Intensität des betreffenden Wortes bzw. der betreffenden Wendung hervorzukehren (vgl. 1 Kön 18, 37. 39 ; 2 Kön 2,
23 ; 4, 19). - Die Doppelung "mein Vater, mein Vater" ist für zwei
Stellen des Elischazyklus bezeugt (2 Kön 2, 12 ; 13, 14). In beiden
Fällen handelt es sich um die Todesstunde des Elija bzw. Elischa.
Von da aus liegt es nahe, das zweimalige "mein Vater, mein Vater" als Schmerzruf zu interpretieren. Dies wird weiterhin dadurch
gestützt, daß in beiden Fällen ein Verbum verwendet wird, das den
Schmerzaspekt unterstreicht.[140] Zu Recht spricht J. Muilenburg[141]
bezüglich dieser Doppelung von einem emphatischen Vokativ.[142]
Dieser emphatische Vokativ kehrt den schmerzlichen Charakter
der Todesstunde nachdrücklich hervor.

1.   "Kriegswagenkorps (koll. sing.) Israels und dessen Gespanne" (2 Kön 2, 12).[143] Galling[144] konnte durch ausgreifende lexiko-
graphische Erörterungen diese Übersetzung überzeugend begründen. Allerdings dürfen "mein Vater, mein Vater" und "Kriegswagenkorps Israels und dessen Gespanne" traditionsgeschichtlich nicht
als Einheit verstanden werden.[145] Während nämlich die Anrede
"mein Vater" aus dem Bereich Prophet-König stammt, handelt es

---

140   So steht עזק ("schreien") vor allem bei schmerzvoller Kla-
        ge (vgl. Gen 27, 34 ; Jes 33, 7 ; 65, 14 ; Jer 22, 20 ; 49, 3 ;
        Klgl 2, 18). 2 Kön 13, 14 geht dem Ausruf "mein Vater, mein
        Vater" das Verbum בכה ("weinen") voraus.
141   A Study in Hebrew Rhetoric Repetition and Style, in : VTS 1,
        1953, 102.
142   Vgl. Gen 22, 11 ; Ex 3, 4 ; 2 Sam 19, 1. 5 ; Ps 22, 2.
143   Diese Version ist von Galling, Der Ehrenname Elisas 135,
        übernommen.
144   Der Ehrenname Elisas 131-135.
145   Vgl. Galling, Der Ehrenname Elisas 131.

sich bei "Kriegswagenkorps Israels und dessen Gespanne" um
einen politischen Ehrentitel des Propheten. Nach wie vor besteht
die treffendste Deutung dieses Ehrentitels darin, daß der Prophet
für Israel soviel bedeutet wie eine schlagkräftige Streitmacht.[146]
Speziell wird dieser Titel in Zusammenhang gebracht mit 2 Kön
13,7, wonach Israel nur noch über 50 Gespanne, 10 Wagen und
10 000 Mann Fußtruppen verfügte. Der Prophet, so argumentiert
man, glich durch seine Person diese militärische Unterlegenheit
aus.[147] Zunächst mutet ein solcher Titel etwas seltsam an, doch
konnten ähnliche Metaphern für den arabischen Raum durch Šandā[148]
und B. Rocco[149] nachgewiesen werden. Man ist sich heute in der
Forschung im allgemeinen darüber einig, daß dieser politische
Ehrentitel primär dem Elischa zukommt und seinen ursprünglichen
Ort in 2 Kön 13,14 hat und erst von da auf Elija übertragen wurde.[150]
Elischa kommt deswegen dieser Titel viel eher zu, weil er nach
Darstellung des Elischazyklus ein positives, politisches Engage-
ment für Israel zeigt (vgl. 2 Kön 3,9-20 ; 6,8-7,20 ; 13,14-19).
2 Kön 6,8-7,20; 13,14-19 wird seine hilfreiche Haltung dem Königs-
haus gegenüber in Zeiten der Bedrängnis herausgestellt. Er steht
zwar in Opposition zur Dynastie der Omriden und ist am Militär-
putsch des Jehu aktiv beteiligt (vgl. 2 Kön 9,1-14), das ändert aber
nichts an seiner positiven, politischen Haltung gegenüber dem Nordreich. Von Elija dagegen gilt nicht das gleiche. Nach Darstellung

---

146   Vgl. A. Šanda, Die Bücher der Könige 12 ; Montgomery-
       Gehman, Commentary on the Books of Kings 354.
147   Vgl. E.Jacob,La Tradition Historique en Israel : ETRel 21,
       1946, 126 Anm. 7.
148   Die Bücher der Könige 12.
149   Currus Israel et auriga eius : Bibbia e Oriente 9,1967, 51 f.
150   Vgl. Jacob, La Tradition Historique 126 Anm. 7 ; Galling,
       Der Ehrenname Elisas 129.131.142 ; R. de Vaux, Les Liv-
       res des Rois 135 Anm. c ; van den Born, Koningen 136.

des Elijazyklus wirkt Elija keineswegs politisch so engagiert für
Israel wie Elischa. Er steht in schärfstem Gegensatz zum Königs-
haus. Er muß sich vor Ahab verbergen (1 Kön 17, 3). Ahab spricht
ihn als "Verderber Israels" an (1 Kön 18, 17). Dies steht in einem
schroffen Kontrast zur Anrede des Elischa durch den König von
Israel mit "mein Vater" (2 Kön 6, 21 ; 13, 14). Er wird von Isebel,
der Frau des Ahab, mit dem Tode bedroht (1 Kön 19, 2). Er gerät
in eine unerbittliche Konfrontation mit Ahab wegen der Steinigung
Nabots (1 Kön 21, 1-29). Sein Tadel trifft Ahasja, den Sohn Ahabs,
wegen der Befragung des Beelzebul, des Gottes von Ekron, und
gleichzeitig kündigt er dem Ahasja seinen bevorstehenden Tod an
(2 Kön 1, 16).

Der Titel "Kriegswagenkorps Israels und dessen Gespanne" stellt
eine Wendung dar, die wohl sprichwortartig gebraucht wurde. In
der Komposition von 2 Kön 2, 1b-15 gewinnt dieser Ausdruck besonderes Gewicht, weil er eine Assoziation zu den "feurigen Wagen und Pferden" von V. 11 weckt. Sowohl die "feurigen Wagen und
Pferde" als auch die Wendung "Kriegswagenkorps Israels und dessen Gespanne" entstammen dem Elischazyklus (2 Kön 6, 17; 13, 14)
und haben ursprünglich nichts miteinander zu tun. Dies zeigt der
Gebrauch verschiedener Nomina für "Pferde". In 2 Kön 2, 11 f
wurden beide Wendungen zusammengefügt.

m.   "Und er sah ihn nicht mehr" (2 Kön 2, 12). Galling[151] sieht
die einzige Möglichkeit, diesen kurzen Satz sinnvoll in den Kontext
einzufügen, in einer literarkritischen Aufspaltung, und zwar meint
er, daß 2 Kön 2, 12aßb mit dem Vordersatz 2 Kön 2, 12 aα ursprünglich keine literarische Einheit bildete. Doch gegen Galling ist zu
sagen, daß sich das zweimalige ראה in V. 12 durchaus sinnvoll

---

151   Der Ehrenname Elisas 141.

erklären läßt. רָאֹה in 2 Kön 2,12 aα greift prophetischen Sprachgebrauch auf und nimmt bezug auf das Sehen der Vorgänge, die in
V. 11 geschildert werden ; vgl. S. 111 . Der Hinweis auf das
Sehen an unserer Stelle ist durch 2 Kön 2,10 geradezu gefordert.
Ganz anders verhält es sich dagegen mit dem zweiten רָאֹה in 2
Kön 2,12 a γ. Im AT werden nämlich mitunter Berichte, die von
der Erscheinung himmlischer Boten erzählen, mit der Bemerkung
abgeschlossen, daß der betreffende Bote Jahwes entschwand. So
endet der Bericht über das Zusammentreffen des Engels Jahwes
mit Gideon mit der Bemerkung : "Der Bote Jahwes aber war seinen Augen entschwunden" (Ri 6,21). Auch im Anschluß an die Himmelfahrt des Engels Jahwes (Ri 13,20) wird in 13,21 angefügt :
"Weiterhin zeigte sich der Bote Jahwes Manoach und seiner Frau
nicht mehr." Aus diesem Verschwundensein erkennt er, daß sich
ihm der Engel Jahwes gezeigt hatte : "Da erkannte Manoach, daß
es der Bote Jahwes gewesen war." Im 12. Kapitel des Buches Tobias sagt Rafael, nachdem er sich Tobit und Tobias zu erkennen
gegeben hat (Tob 12,15), daß er zu dem hinaufsteige, der ihn gesandt hat (Tob 12,20). Tob 12,21 (BA und S) fährt dann fort : "Da
erhoben sie sich und sahen ihn nicht mehr." 2 Makk 3,34 wird von
den beiden jungen Leuten, die Heliodor gezüchtigt hatten, nach Art
griechischer Entrückungsberichte vermerkt, daß sie entschwan-
den (ταῦτα δὲ εἰπόντες ἀφανεῖς ἐγένοντο).[152] Die gleiche
Tendenz wie im AT setzt sich auch im NT fort (vgl. Mk 9,8 par ;
Apg 8,39 ; 12,10).
Aus den angeführten Beispielen geht hervor, daß dem Ausdruck
"und er sah ihn nicht mehr" kein störendes Moment innewohnt.
Vielmehr fügt sich dieser Ausdruck aufgrund des in V.11 vorausgehenden "und Elija stieg im Sturmwind zum Himmel" homogen in

---

152   Lohfink, Himmelfahrt 41.

den Kontext ein. 2 Kön 2,12 a γ steht in einem korrespondierenden Verhältnis zur Entrückungsaussage von V. 11, mit der der Tod des Elija umschrieben wird. Hier handelt es sich zwar nicht um eine geprägte Wendung oder Formel, aber unser Ausdruck zeigt doch eine Affinität zu Berichten über Erscheinungen himmlischer Boten, deren Entschwinden eigens am Schluß vermerkt wird.

n.   "Und er ergriff seine Kleider und zerriß sie in zwei Teile" (2 Kön 2,12). Es ist naheliegend bei diesem Ausdruck an einen Trauergestus zu denken, nachdem bereits mit dem zweimaligen "mein Vater" ein Schmerzruf erfolgt ist ; vgl. S.114 . Allerdings ergibt sich dann eine Schwierigkeit wegen der Reihenfolge, denn im Trauerritus erfolgt zuerst das Zerreißen der Kleider und erst im Anschluß daran bricht man in Klagen aus.[153] Diese Schwierig- keit sucht Galling[154] durch literarkritische Operationen zu umge- hen, indem er 12 a α zur jüngeren Schicht der Erzählung rechnet, während er 12 aßb als älteren Bestandteil ansieht.

Auffallend ist, daß V. 12b eine starke Übereinstimmung mit 1 Kön 11,30 zeigt. Bei dieser letztgenannten Stelle handelt es sich nun beim Zerreißen des neuen Mantels in zwölf Stücke nicht um einen Trauergestus, sondern um eine Symbolhandlung, mit der der Pro- phet Ahija aus Schilo dem Jerobeam gegenüber die kommende Tei- lung des Reiches ankündigt. Die Übereinstimmung zwischen 2 Kön 2,12b und 1 Kön 11,30 beruht auf folgenden Punkten :

Die Paronomasie קְרָעִים...ּ. קָרַע ist nur für die beiden Stellen bezeugt, wie ja überhaupt das Nomen קְרָעִים sich nur noch in Spr 23,21 findet.

Alle Stellen, die vom Kleiderzerreißen als Schmerzgestus spre-

---

153   Vgl. Galling, Der Ehrenname Elisas 141.
154   A.a.O. 141.

chen, erwähnen nie in wieviele Teile das betreffende Kleidungs-
stück zerrissen wurde. 2 Kön 2,12b und 1 Kön 11,30 machen jedoch eine solche Angabe.

Das Erfassen des Gewandes vor dem Zerreißen beim Trauergestus
ist nur 2 Sam 1,11 überliefert, in den übrigen Fällen fehlt eine solche Angabe. 2 Kön 2,12b und 1 Kön 11,30 sind auch hier kongruent.

Beide Stellen zeigen also in formaler Hinsicht eine starke Ähnlichkeit. Möglicherweise weitet sich diese formale Beziehung auch auf
das sachliche Gebiet aus, so daß sich von 1 Kön 11,30 aus eine so-
lide Basis gewinnen ließe, von der aus eine zutreffende Interpretation von 2 Kön 2,12b erfolgen könnte. Wie bereits erwähnt, handelt
es sich bei 1 Kön 11,30 um eine Symbolhandlung. Wahrscheinlich
geht hiermit auch 2 Kön 2,12b konform, so daß im Akt des Kleider-
zerreißens ebenfalls eine Symbolhandlung vorliegen dürfte. Diese
Symbolhandlung unterstreicht die Endgültigkeit der Trennung zwischen Elija und Elischa. Sowohl "und sie trennten zwischen beiden" aus V. 11, als auch "und er sah ihn nicht mehr" aus V. 12
erfahren hierdurch ihre letzte Bestätigung. Dieser Rückgriff auf
bereits ausgeführtes paßt sich literarisch gesehen gut in den Gesamttrend dieser Einheit ein. Mit dieser Exegese entfällt die bereits angedeutete Schwierigkeit bezüglich der Reihenfolge von
Schmerzruf und Schmerzgestus und auch die von Galling praktizier-
te literarkritische Operation erübrigt sich.

o.   "Der Geist des Elija ruht auf Elischa" (2 Kön 2,15).
Dieser Ausdruck geht konform mit den "Wendungen der Geistmitteilung", die für Simson, Saul, David u.a. bezeugt sind.[155] Hierbei fällt auf, daß das Verbum eine gewisse Variationsbreite aufweist. Trotz dieser Inkonstanz des Verbums liegt aber, wie Richter zu Recht feststellt, in dieser Wendung eine Formel vor, "da

---

155   Richter, Vorprophetische Berufungsberichte 48 f.

sie in mehreren literarischen Werken unabhängig voneinander belegt ist". Die Basis נוח findet sich an zwei Stellen, und zwar handelt es sich jeweils um eine Geistmitteilung, die darauf hinzielt,
die betreffende(n) Person(en) für eine spezielle Aufgabe auszustat-
ten und zu legitimieren. So heißt es in Num 11, 25 bei E bezüglich
der siebzig Ältesten, die zusammen mit Mose bei der Leitung des
Volkes tätig sein sollen, daß sich der Geist (des Mose) auf sie
niederließ. Vom Nachkommen Isais wird gesagt, daß der Geist
Jahwes auf ihm ruht (Jes 11, 2).

p.　　"Und sie kamen ihm entgegen und fielen vor ihm zu Boden" (2 Kön 2, 15). Diese Wendung ist im AT wiederholt fast mit
der gleichen Wortfolge anzutreffen. Als einleitendes Verbum findet
sich בוא (Gen 42, 6 ; 43, 26) bzw. das Synonymon רוץ (Gen 18, 2).
Auch mit קום kann eröffnet werden (1 Kön 2, 19). Sodann folgt wie
2 Kön 2, 15 לקראת + Personalsuffix in Gen 18, 2 ; 1 Kön 2, 19.

לקראת + Personalsuffix kann auch durch die Präposition ל + Personalsuffix substituiert sein. In Übereinstimmung mit 2 Kön 2, 15
schließt sich sodann חוה (Reflexiv des Šafel) + Präposition ל mit Personalsuffix in folgenden Fällen an : Gen 42, 6 ; 43, 26 ; 1 Kön 2, 19.
שחה im Hitpalel kann auch ohne ל + Personalsuffix gesetzt werden (vgl. Gen 18, 2). Der Schluß wird wie im Falle von 2 Kön 2, 15
so auch Gen 18, 2 ; 42, 6 ; 43, 26 durch ארץ + He locale gebildet.
Doch kann dieses letzte Glied auch fehlen (vgl. 1 Kön 2, 19) bzw.
durch אפים erweitert sein (vgl. Gen 42, 6). Trotz der aufgezeigten Variationsbreite wird in dieser Wendung eine Formel vorliegen, da sie in mehreren literarischen Werken unabhängig voneinander belegt ist. Sie läßt sich als Anerkennungs- bzw. Huldigungs-
formel klassifizieren.

Ergebnis : Die Untersuchung über geprägte Wendungen und Formeln zeigt, daß eine Reihe von Formeln in dieser Einheit nachzu-

weisen ist. Die nämliche Reihenfolge wiederholt sich nicht in verschiedenen Einheiten, so daß nicht von einem Schema gesprochen
werden kann.[156] Vielmehr ist die Reihe der Formeln in der untersuchten Einheit singulär. Aus dem Letztgesagten geht hervor, daß
die Einheit einen hohen Stellenwert im Elischazyklus einnimmt.[157]
Wir dürfen nämlich annehmen, daß sich der Autor vor allem dann
einer festgeprägten Sprache bedient, wenn es um entscheidende
Aussagen geht. So wird beispielsweise prophetischer Sprachgebrauch
eingesetzt, um Elija als Prophet zu qualifizieren (S. 81). Ferner
wird der Tod des Elija mit einer Formel umschrieben, um seine
einmalige Stellung zu unterstreichen (S. 109-111). Der Hauptper-
son der Einheit, Elischa, wird gleich zu Beginn eine Formel in den
Mund gelegt, die seine Sonderstellung zu Elija dokumentiert (S. 81-
83). Dieses konsequente Verbleiben in der Nähe des Meisters
schafft die Voraussetzung für den Geistempfang und damit für das
Eintreten in die Nachfolge. Nach V. 12aα schaut Elischa die in V.
11 geschilderten Vorgänge ; hierbei klingt prophetischer Sprachgebrauch an (S.111). Bedeutsam ist vor allem V. 15, denn dort finden sich zwei Formeln (S.119-120). Dieser V. 15 wurde von uns
bereits als Höhe- und Zielpunkt der Einheit erkannt. Dieses frühe-
re Ergebnis findet nun eine Ergänzung und Bestätigung. Indem nämlich der Übergang des Geistes von Elija auf Elischa und seine Anerkennung durch die Prophetenkreise mit Formeln konstatiert werden, manifestiert sich das Gewicht dieser Aussagen. Auch die Benennung der in dieser Einheit agierenden prophetischen Kreise erfolgt durch eine Formel. Dies alles demonstriert deutlich, daß wir
es hierbei mit einer gezielten Komposition und Konstruktion zu tun

---

156 Vgl. W.Richter, Exegese als Literaturwissenschaft, Göttin-
     gen 1971, 102.
157 Wegen der Zugehörigkeit von 2 Kön 2,1b-15 zum Elischa-
     zyklus s. S.131 f.

haben, der es primär nicht um die Aufzeichnung historischer Sachverhalte geht. Das nämliche Faktum konnte bereits bei der
Strukturanalyse eruiert werden.

2. Die vergebliche Suche der Propheten-söhne nach dem entschwundenen Elija (2 Kön 2, 16 - 18.)

2.1. Syntaktisch-stilistische Einzelanalyse

Auf das zu Beginn von V. 16 stehende ויאמרו אליו folgt ein durch
הנה נא eingeleiteter reiner Nominalsatz. Sodann schließen sich
zwei Jussive an, ילכו נא ויבקשו. In Unterordnung unter diese
beiden Jussive folgt ein mit פן eingeleiteter negativer Finalsatz.
Mit einem Prohibitiv (אל+ Jussiv), schließt V. 16. V. 16 hat durch
die breit angelegte Konstruktion Nominalsatz mit ergänzender Beifügung בני חיל + zwei Jussive + negativer Finalsatz die Funktion,
die Suchaktion nach dem entschwundenen Elija mit besonderem
Nachdruck herauszustellen. Im Gegensatz dazu steht die knappe
Antwort des Elischa : "Schickt nicht hin." V. 17 wird mit Narrativ
eröffnet. Der Imperativ שלחו nimmt das letzte Wort von V. 16 auf.
Im Anschluß daran wird שלח erneut verwendet, und zwar im Narrativ. Diesem Narrativ folgt ein zweiter Narrativ ויבקשו. Mit dem
konstatierenden ולא מצאהו klingt V. 17 aus. V. 18 beginnt mit
einem Narrativ. Ein partizipialer Nominalsatz folgt, dessen Ursprünglichkeit an diesem Platz Gunkel[158] wohl zu Recht anzweifelt.
Er geht davon aus, daß dieser partizipiale Nominalsatz "er wohnte
(er hielt sich gerade) in Jericho (auf)" in V. 18 aß eine Einleitung
zum Folgenden darstellt und deshalb an den Anfang von V. 19 zu

---

158   Geschichten von Elisa 95 Anm. 6.

stellen ist.[159] Mit einem Prohibitiv (אל + Jussiv) endet V. 18.
Nicht zu übersehen im rein formalen Aufbau der V. 16-18 ist die
Tatsache, daß alle drei Sätze mit einem negierten Verbum enden.
Dieser formale Aspekt greift auf den inhaltlichen Bereich über.
"Schickt nicht hin" (V.16) resultiert aus dem Wissen des Elischa
um die Hinwegnahme seines Herrn. Durch die Feststellung "und
sie fanden ihn nicht" (V.17) wird die Unauffindbarkeit des Elija unterstrichen. "Geht nicht hin" am Schluß von V.18 resultiert ebenso wie "schickt nicht hin" am Ende von V.16 aus der Zwecklosig-
keit einer Suche nach dem entschwundenen Elija. Die drei negierten Verba am Schluß der genannten Verse haben die Funktion, die
Unauffindbarkeit des Elija nachdrücklich mit sprachlichen Mitteln
herauszustellen.

2.2. Strukturanalyse

Es ist unverkennbar, daß die Einheit V.16-18 in ihrer Struktur eine
starke Ähnlichkeit mit anderen Kurzgeschichten im Elischazyklus
aufweist (vgl. 2 Kön 2,19-22 ; 4,1-7 ; 6,1-7). Diese Übereinstimmung zeigt sich in folgenden Punkten :
a. Anrede an den Propheten Elischa von seiten einer Person
bzw. eines Personenkreises, wobei ein bestimmtes Anliegen vorgebracht wird : 2 Kön 2,16.19 ; 4,1 ; 6,1. In 2 Kön 2,19 ; 6,1 wird
übereinstimmend mit 2 Kön 2,16 jeweils der Nominalsatz, der das

---

159   Man könnte zwar auf verschiedene Stellen des Elischazyklus
      hinweisen, bei denen eine Einschaltung im partizipialen
      NS anzutreffen ist, die für den Kontext entbehrlich erscheint.
      So erfolgt in 1 Kön 19,19 die Näherbestimmung : "Er war
      gerade beim Pflügen" (wegen der Zugehörigkeit von 1 Kön
      19,19-21 zum Elischazyklus s.S.129). 2 Kön 2,23 präzi-
      siert : "Er stieg gerade auf dem Weg hinauf." Schließlich
      wird in 2 Kön 6,30 verdeutlichend hinzugefügt : "Er ging ge-
      rade auf der Mauer vorüber." Trotzdem wird durch die auf-
      gezählten Beispiele die Vermutung Gunkels, daß 2 Kön 2,18aß
      am unrichtigen Ort steht, nicht erschüttert.

Anliegen beinhaltet, durch הנה בא eingeleitet.

b.   Von seiten des Propheten Elischa erfolgt eine Anweisung
in Form eines Imperativs : שלחו (2 Kön 2,17) ; ... קחו לי
ושימו (2 Kön 2,20) ; שאלי לך לכי (2 Kön 4,3) ;   לכו (2 Kön 6,2)。

c。   Die Ausführung des Befehls wird in Narrativen berichtet : ויבקשו
ותסגר... ותלך 2 Kön 2,20 ; ויקחו 2 Kön 2,17 ; וישלחו ...
2 Kön 4,5 ; ויבאו ... ויגזרו 2 Kön 6,4.

d.   Das erzielte Ergebnis und damit die Abrundung der Kurzge-
schichte erfolgt in einem Schlußvermerk : 2 Kön 2,17b.18 ; 2,22 ;
4,6 f ; 6,7.
Die Strukturanalyse bestätigt somit das Ergebnis der Literarkritik
und weist 2 Kön 2,16-18 als selbständige Einheit aus.

2.3.   Geprägte Wendungen und Formeln

a.   "Vielleicht hat der Geist Jahwes ihn emporgehoben und
weggeschleudert" (2 Kön 2,16). Die Basis נשא in Verbindung mit
רוח wird Ex 10,13.19 in sehr konkretem Sinn gebraucht, und
zwar wird hier geschildert, daß der Wind Heuschrecken heran-
bzw。 fortträgt。 Auch im übertragenen Sinn begegnet man diesem
Ausdruck (vgl。 Jes 41,16 ; 57,13)。
Bemerkenswert ist die Tatsache, daß נשא in Kombination mit
רוח wiederholt bei Ezechiel zur Beschreibung einer zeitlich begrenzten Entrückung herangezogen wird (Ez 3,12.14 ; 8,3 ; 11,1.
24). In den genannten Fällen wird, abgesehen von Ez 3,12, übereinstimmend mit V。16 der Ausdruck נשא רוח / נשא רוח durch ein
weiteres Verbum fortgeführt und präzisiert, so bei Ez 3,14 durch
לקח und bei Ez 8,3 ; 11,1。24 durch בוא 。 Abweichend von V. 16
steht bei den zitierten Ezechielstellen jeweils nur רוח und nicht
רוח יהוה。 Es steht außer Zweifel, daß Ezechiel mit dem Ausdruck

‏נשא רוח‎ sowohl sprachlich als auch inhaltlich im Strom einer alten Tradition steht, die nach den uns verfügbaren Quellen im Elija- und Elischazyklus ihren Ursprung hat. Die stärkste Parallele zu ‏נשא רוח יהוה‎ (V. 16) liegt im Elijazyklus (1 Kön 18, 12) vor. Der einzige Differenzpunkt besteht darin, daß 1 Kön 18, 12 eine Inversion gegenüber V. 16 bringt, die durch Betonung des Subjekts bedingt ist. Der weitere Kontext von V. 16 wirkt gegenüber 1 Kön 18, 12 gefüllter und mehr reflektiert. ‏נשא‎ wird nämlich in V. 16 durch ‏שלך‎ fortgeführt und eine weitere Präzisierung wird durch die lokalen Angaben "auf einen der Berge oder in eines der Täler" erreicht.

b. "Und sie suchten... und fanden ihn nicht" (2 Kön 2, 17). Die Wortfolge ‏בקש ולא מצא‎ wird gerade dann verwendet, wenn auf die Tatsache der Unauffindbarkeit ein Schwerpunkt gelegt werden soll (vgl. Ps 37, 36 ; Ez 26, 21).

Die gleiche Wortfolge findet sich ebenfalls in 1 Kön 18, 10, wenn auch beide Verba an dieser Stelle durch einen größeren Passus getrennt sind. Neben ‏בקש‎ ... ‏לא מצא‎ steht sowohl in V. 17 als auch in 1 Kön 18, 10 das Verbum ‏שלח‎. 1 Kön 18, 10 gehört zur Anekdote 1 Kön 18, 2b-16, die das Zusammentreffen des Obadja mit Elija schildert. Bereits unter a. konnte bei der Behandlung des Ausdruckes ‏נשא רוח יהוה‎ eine sprachliche Parallelität zwischen V. 17 einerseits und der Obadjaanekdote 1 Kön 18, 12 andererseits festgestellt werden. Man kann also sagen, daß zwischen der Obadja- anekdote und der Einheit 2 Kön 2, 16-18 sowohl im sprachlichen als auch im sachlichen Bereich - in beiden Fällen geht es um eine vorübergehende Entrückung - auffallende Übereinstimmung besteht. Dies läßt auf literarische Abhängigkeit und Beeinflussung schliessen. Welches der beiden Stücke hierbei dominierend gewirkt hat und welchem eine zeitliche Priorität zuzuerkennen ist, kann nicht sicher entschieden werden.[160]

IV. Gattungskritik

1. 1 Kön 2,1b-15

1.1. Bestimmung der Gattung

Mit Recht hat G.del Olmo Lete[161] darauf hingewiesen, daß in 2
Kön 2,1b-15 unverkennbare Elemente der prophetischen Berufungsberichte vorliegen, wie sie bei Jes 6,1-13; Jer 1,4-19 ; Ez 1,4-
3,9 anzutreffen sind.[162]

a.   In 2 Kön 2,11 zeigen sich Elemente einer Theophanie, wie
aus "feurigen Wagen und Pferden" (vgl. S. 93 -96) und aus "dem
Sturmwind" (vgl. S. 107 f) hervorgeht. Die Tatsache, daß hier mit
Elementen der Theophanie operiert wird, erfährt auch durch den
Ausdruck in V. 12a ь eine Stütze ; vgl. S. 116 f. Der Berufungsbericht des Jesaja beginnt mit einer Vision des Königs Jahwe durch
den Propheten (Jes 6,1-4), bei der Elemente einer Theophanie erkennbar sind. Sowohl im Ausdruck "da erbebten die Grundfesten
der Schwellen" als auch in der Fortführung des Satzes "und das
Haus ward mit Rauch erfüllt" (Jes 6,4), klingen Motive der Theophanie an, denn sowohl das Erdbeben (vgl. Ri 5,4 f ; Ps 18,8 ;68,

---

160   Über die getroffene Feststellung hinaus ist ja überhaupt eine
      Verwandtschaft zwischen der Obadjaanekdote und dem Eli-
      schazyklus erkennbar. So wird nur 1 Kön 18,7.13 Elija in-
      nerhalb des Elijazyklus mit "mein Herr" angesprochen,
      während diese Anrede im Elischazyklus häufiger vorkommt
      (vgl. S.112). 1 Kön 18,12 und 2 Kön 4,1 steht jeweils der
      Ausdruck יהוה את ירא (היה) עבדך(ו) . Schließlich darf
      nicht unerwähnt bleiben, daß die Zahl 50 in 1 Kön 18,4.13
      und 2 Kön 2,7.16 bei der Aufzählung prophetischer Gruppen
      eine Rolle spielt.
161   La Vocación de Eliseo : EstB 26,1967,290-292.
162   Die sog. vorprophetischen Berufungsberichte weisen demge-
      genüber andere Gattungsmerkmale auf ; vgl.Richter, Vor-
      prophetische Berufungsberichte.

8 f als auch die Vokabel "Rauch" (vgl. Ex 19,18 u.ö.) berechtigen
zu einer derartigen Schlußfolgerung. Dem ezechielischen Berufungsbericht ist eine eindrucksvolle Theophanieschilderung vorgeschaltet (Ez 1,4-28).

b.   Mit V. 12aα wird ein Sprachgebrauch aufgegriffen, der gerade in prophetischen Berufungsberichten nachzuweisen ist (vgl.
Jes 6,1 ; Ez 1,4); s.S. 111 . Der hohe Stellenwert von V. 12aα
zeigt sich durch V. 10.

c.   2 Kön 2,12aßb schildert als Reaktion des Elischa auf den in
V.11 erfolgten Tod des Elija, der als Entrückung dargestellt und
in den Rahmen einer Theophanie kompositorisch eingebettet ist,
einen Ausruf. Auch Jes 6,5 wird die Reaktion des Propheten auf
die Vision hin berichtet, die sich in einem angstvollen Aufschrei
des Jesaja kundgibt. Bei Jer 1,6 erfolgt die Reaktion des Propheten
auf das Berufungswort Jahwes hin in der Weise, daß Jeremia seine
Jugend und das Nichtredenkönnen geltend macht. Ezechiel fällt auf
sein Angesicht, nachdem sich ihm die Herrlichkeit Jahwes gezeigt
hatte (Ez 1,28).

d.   2 Kön 2,13a stellt die Übernahme des Mantels des Elija
durch Elischa das Zeichen der Einsetzung zum Propheten dar.
Elischa nimmt den Prophetenmantel in Besitz und wird dadurch
mit der gleichen Wirkmächtigkeit ausgestattet wie Elija. Jes 6,6 f
liegt ein ähnlich gearteter Fall vor. Die Berührung des Mundes
mit dem Glühstein dokumentiert einen Akt der Entsündigung und
göttlicher Vergebung. Damit wird die Voraussetzung für Jesaja
geschaffen, um als Künder Jahwes zu wirken. Jer 1,9 f berührt
Jahwe mit seiner Hand den Mund des Propheten und legt damit seine Worte in dessen Mund. Hierdurch ist ebenfalls ein Zeichen zur
Bestellung als Prophet gesetzt.Seine künftige Aufgabe besteht dar-

in, unverkürzt und unverfälscht Jahwes Wort anzusagen. Bei Ez
2,8-3,3 begegnet man einem gleichgearteten Phänomen. Hier wird
das Ordinationsgeschehen vor uns ausgebreitet. Das Essen der
Buchrolle versinnbildet die Befähigung, Ausstattung und Legitimation zu prophetischer Verkündigung.

e.   Sowohl bei Jes 6,8-13 als auch bei Jer 1,17-19 und Ez 3,4-
11 schließt der Berufungsbericht jeweils mit einem Sendungsauftrag Jahwes an den Propheten. Speziell bezüglich der Berufungsberichte des Jesaja und des Ezechiel könnte man formulieren : Auf
die visio folgt die missio. Bei 2 Kön 2,1b-15 vermißt man dieses
Element. Del Olmo Lete[163] glaubt, daß dieses Glied in V. 9f vorhanden sei. Dabei muß er allerdings zugeben, daß die Reihenfolge
gegenüber den Berufungsberichten der großen Propheten verändert
ist. Dieser Vorschlag ist allerdings wenig überzeugend und man
gewinnt den Eindruck, daß del Olmo Lete zu stark von dem Zwang
geleitet ist, das genannte Element in 2 Kön 2,1b-15 nachzuweisen.
Es wurde bereits darauf hingewiesen, daß zwischen V. 9f und V.
14 f ein enger Zusammenhang besteht, weil V. 14 f sowohl durch
die Machttat des Elischa als auch durch den Ausspruch und die Ver-
haltensweise der Prophetensöhne die Erfüllung dessen bringt, was
V. 9f als Möglichkeit angedeutet worden war. Deshalb braucht del
Olmo Lete, wenn er schon einen Sendungsauftrag bei der Berufung
des Elischa entdecken will, keine veränderte Reihenfolge gegenüber den Berufungsberichten der großen Propheten anzunehmen,
sondern kann sich auf V. 14 f stützen. Ein entfernter Berührungspunkt zwischen dem Sendungsauftrag bei Jes, Jer,Ez einerseits
und V.14 f andererseits liegt allerdings nur insofern vor, als es in
beiden Fällen um prophetische Wirksamkeit geht.Der Sendungsauftrag
bei Jes,Jer und Ez zielt auf die Verpflichtung und Legitimation zu

---

163   La Vocación de Eliseo 290 f.

prophetischer Aktion in der Zukunft hin, während mit V.14f prophetische Tätigkeit bereits realisiert ist.

Zusammenfassung : Die durchgeführten Untersuchungen zeigen, daß
in 2 Kön 2,1b-15 Elemente eines prophetischen Berufungsberichtes
vorhanden sind, wie sie uns für die spätere klassische Prophetie in
einer breiteren und vertieften theologischen Reflexion bezeugt sind.
Daher ist diese Einheit gattungsmäßig als prophetischer Berufungsbericht einzustufen. Damit bestätigt sich unser früheres Ergebnis, daß
Elischa und nicht Elija die Hauptfigur dieser Einheit darstellt und der
Ziel- und Höhepunkt in V.15 liegt. Die Gattungsanalyse weist aus, daß
die Entrückung des Elija zum Himmel, mit der der Tod des Elija umschrieben wird, innerhalb des Ganzen eine nur untergeordnete Funktion
hat.
Es bleibt allerdings noch die Frage offen, in welchem Verhältnis 2 Kön
2,1b-15 zu 1 Kön 19,19-21 steht, denn auch an letztgenannter Stelle
wird eine Berufung Elischas berichtet. Beide Texte gehören dem Elischazyklus an, denn Elischa stellt jeweils die Hauptfigur dar. Auffallende Berührungspunkte bestehen zwischen beiden Stücken. So spielt
in beiden Fällen der "Mantel" (אדרת) des Elija eine Rolle (1 Kön
19,19 und 2 Kön 2,8.13.14). Ferner sagt 1 Kön 19,21, daß Elischa
mit Elija ging und sein Diener wurde. Dieses Stehen des Elischa in
der Gefolgschaft des Elija geht auch aus 2 Kön 2,1-8 hervor. Trotz dieser Gemeinsamkeiten bietet die Existenz der beiden Berufungsberichte
kein unlösbares Problem. 1 Kön 19,19-21 schildert wie Elischa in den
Dienst des Elija trat und 2 Kön 2,1-8 nimmt hier den Faden wieder auf
und zeigt Elischa bereits an der Seite des Elija.2 Kön 2,9-15 bringt
dann einen Fortschritt gegenüber 1 Kön 19,19-21,indem das Faktum hervorgekehrt wird,daß der Geist des Elija auf Elischa überging und

er somit in des Wortes eigentlicher Bedeutung die Nachfolge seines
Meisters nach dessen Tod antrat.[164]

1.2. Der "Sitz im Leben"

Als Verfasser dieser Einheit sind prophetische Kreise ins Auge zu
fassen, denn "Prophetensöhne" spielen darin eine gewichtige Rolle
(vgl. V.3.5.7.15). Näherhin kann man die Autoren dieser Einheit
als Anhänger des Elischa charakterisieren, die an der Tatsache
interessiert sind, daß ihr Meister Elischa seine Legitimation als
Prophet in einer Berufung empfing. Gerade die Berufungsberichte
zu Beginn der Bücher Jes, Jer, Ez zeigen deutlich, welch hohe Bedeutung einer solchen Berufung zum Propheten auch in späterer
Zeit beigemessen wurde. Auch als Hörer/Leser dieses Berufungsberichtes muß zunächst an prophetische Zirkel gedacht werden, die
mit Stolz und Bewunderung erfuhren und sich demzufolge darauf
berufen konnten, daß ihr Oberhaupt Elischa die Nachfolge des Elija
angetreten hat und sie somit in einer ausgezeichneten Traditionslinie standen. Die Grundstimmung, die den gesamten Berufungsbericht durchzieht, zeigt einen Trend zum Geheimnisvollen (V.1b-7)
und Wunderbaren (V.8.11.14). Diese Gestimmtheit deutet ebenfalls
auf religiöse Gemeinschaften als Ursprungsort hin. Der kunstvolle
Aufbau in der Exposition, bei der mit dem Stilmittel der Wiederholung gearbeitet wird (vgl. V.2.4.6 ; V.3.5), weist auf Erzähler
hin, die ihr Fach beherrschen. Auch die bis auf wenige Ausnahmen
wörtliche Wiederaufnahme von V. 7b.8 in V. 13b.14, wobei mit V.
14 durch eine Kurzrede des Elischa eine bewußte Steigerung gegenüber V. 8 erzielt wird, demonstriert beachtliche kompositorische

---

164   Vgl. A. Alt, Die literarische Herkunft von I Reg 19,19-21 :
       ZAW 32, 1912, 123-125.

Gestaltungskraft. Ebenso zeigt die Einführung der Prophetensöhne
in V. 7 als Randfiguren für das kommende Ereignis und ihr Hervortreten in V. 15 am Höhepunkt und Abschluß der Einheit erzähle-
risches Niveau. Es ist nicht zu übersehen, daß hier ein konstruier-
ter Berufungsbericht vorliegt, der sich auf weite Strecken hin ge-
prägter Wendungen, Formeln und feststehender Vorstellungen bedient und mit dem Stilmittel der Wiederholung operiert.

Man ist sich in der heutigen Forschung darüber einig, daß diese
Einheit nicht dem Elija-, sondern dem Elischazyklus zugerechnet
werden muß.[165] Zur Begründung beruft man sich darauf, daß in
2 Kön 2, 1b-15 nicht Elija, sondern Elischa die Hauptfigur darstellt.
Dies stimmt mit unserem Ergebnis überein. Ferner kann man darauf verweisen, daß der Ereignisablauf im Kreis der Prophetensöhne angesiedelt ist (vgl. V. 3.5.7.15). Dies ist für den Elischazyklus, nie aber für den Elijazyklus bezeugt (vgl. 2 Kön 4, 38-41 ; 6,
1-7). Darüberhinaus kann die Zugehörigkeit unserer Einheit zum
Elischazyklus auch mit philologischen Argumenten begründet werden. So durch den negativen Schwursatz חי יהוה וחי נפשך אם אעזבך
(V. 2.4.6), der im AT nur noch an einer Stelle und zwar im
Elischazyklus (2 Kön 4, 30) belegt ist ; vgl. S. 81 f. בני הנביאים
(V. 3.5.7.15) stellt einen spezifischen Ausdruck des Elischazyklus
dar, der in der Pluralform nur an einer Stelle im AT außerhalb
des Elischazyklus vorkommt ; vgl. S. 83 f. Auch הנה והנה (V. 8)
verweist auf den Elischazyklus (vgl. 2 Kön 4, 35).[166] Der Wendung
מה אעשה לך (V. 9) begegnet man zweimal im Elischazyklus im glei-

---

165   Vgl. de Vaux, Les Livres des Rois 11 ; Fohrer, Elia 61 ;
      Steck, Überlieferung und Zeitgeschichte in den Elia-Er-
      zählungen 5 Anm. 1.

166   הנה והנה im Sinne von "hierhin und dorthin" findet sich
      nur noch Jos 8, 20 ; 1 Kön 20, 40. Mit הנה והנה ist das
      synonyme אנה ואנה zu vergleichen, das ebenfalls im Eli-
      schazyklus vorkommt (2 Kön 5, 25) und sonst nur noch in
      1 Kön 2, 36.42 bezeugt ist.

chen Zusammenhang wie an unserer Stelle, nämlich dann, wenn
der Prophet jemand nach einem Wunsch befragt (vgl. 2 Kön 4,2.
13). Weiterhin dokumentiert der Ausdruck "feurige Wagen und
Pferde" (V.11) eine Beziehung zum gleichen Ausdruck im Elischazyklus (2 Kön 6,17 ; vgl. S. 93 - 96). Die Bezeichnung des Elija
als "Vater" (V.12), stellt ebenfalls einen Konnex zum Elischazyklus her (2 Kön 6,21 ; 13,14 ; vgl. S.111). Auch der politische Ehrentitel "Kriegswagenkorps Israels und dessen Gespanne" (V.12)
ist nur noch im Elischazyklus (2 Kön 13,14) anzutreffen; vgl. S.114-116.
Diese Beispiele zeigen anschaulich, wie eng verflochten 2 Kön 2,
1b-15 in sprachlicher Hinsicht mit dem Elischazyklus ist. Dies
wird noch deutlicher, wenn man vergleichsweise sprachliche Beziehungspunkte zwischen 2 Kön 2,1b-15 und dem Elijazyklus aufzuzeigen versucht. Hierbei kann nur auf das Nomen אדרת (V.8.
13.14) verwiesen werden, das auch 1 Kön 19,13.19 vorkommt und
im sonstigen atl Schrifttum selten bezeugt ist (vgl. Gen 25,25 ;
Jos 7,21.24 ; Jon 3,6 ; Sach 11,3).

Bezüglich der Datierung des Elija- und Elischazyklus hat man die
Ansicht vertreten, daß die Aufzeichnung der Elijageschichten für
das ausgehende 9. Jahrhundert und die der Elischageschichten ein
halbes Jahrhundert später anzusetzen sei.[167] Eissfeldt[168] verlegt
die Entstehung beider Zyklen in das 9. Jahrhundert. Es muß gefragt
werden, ob 2 Kön 2,1b-15 Indizien zur Datierungsfrage beisteuern
kann. Wenn man diesen Berufungsbericht mit denen bei Jes, Jer
und Ez vergleicht, so zeigt erstgenannter unverkennbar einen älteren Einschlag. Dies geht aus der fast magisch anmutenden Vorstellung des Übergangs vom Geist des Elija auf Elischa hervor

---

167   Vgl. Michaux, Les Cycles d'Élie et d'Élisee 80 ; de Vaux,
       Les Livres des Rois 12.
168   Die Komposition von I Reg 16,29 - II Reg 13,25, Berlin
       1967, 58.

(V. 9 f.15), während bei Jes, Jer und Ez eine theologisch reflektierte Konzeption vorherrscht, indem Jahwe allein der Handelnde ist. Überhaupt steht ja bei den Berufungserzählungen des Jes, Jer und Ez Jahwe viel stärker im Vordergrund als bei Elischas Berufung. Diese Tatsache weist darauf hin, daß die Berufungserzählungen der klassischen Propheten eine intensivere theologische Reflexion voraussetzen und somit einer späteren Zeit entstammen, während bei Elischas Berufung ein älterer Berufungstypus sich zeigt. Bei Jes, Jer und Ez schließen die Berufungserzählungen jeweils mit einem Sendungsauftrag, während bei Elischas Berufung an dieser Stelle ein Wunder berichtet wird, das der neu berufene Prophet wirkt. Auch dieser Hang zum Wunderhaften läßt auf mehr archaische Vorstellungen schließen gegenüber dem Sendungsauftrag der großen Propheten, der auf Wortverkündigung hinzielt. Auch der Ausdruck בְּנֵי הַנְּבִיאִים bzw. בֶן נָבִיא weist auf alten Ursprung hin und ist im Nordreich beheimatet. Ebenso zeigt die mythologische Wendung עָלָה הַשָּׁמַיִם ein hohes Alter an. Somit kann man aufgrund immanenter Kriterien den oben zitierten Autoren bezüglich der Datierungsfragen zustimmen.

2. 2 Kön 2,16-18

2.1. Bestimmung der Gattung

Bereits bei der Strukturanalyse konnte eine starke Ähnlichkeit dieser Einheit mit anderen Kurzgeschichten aus dem Elischazyklus nachgewiesen werden. Gattungsmäßig ist 2 Kön 2,16-18 als prophetische Anekdote zu bezeichnen. Solche prophetische Anekdoten finden sich wiederholt im Elischazyklus (2 Kön 2,19-22 ; 2,23-25 ; 4,1-7 ; 4,38-42 ; 6,1-7 ; 13,20 f). Prägnante Knappheit in der Schilderung des Geschehens und ein schlagkräftiger Aufbau der

Pointe, die in gestraffter und geraffter Weise Zusammenhänge erkennen läßt, sind Haupterfordernisse für die genannte Gattung. Diese Voraussetzungen sind für 2 Kön 2,16-18 und auch die anderen
oben erwähnten Kurzgeschichten des Elischazyklus gegeben.

2.2. Der "Sitz im Leben"

Als Verfasser kommen prophetische Kreise in Frage, denn die Handlung spielt im prophetischen Milieu. Da Elischa in dieser Einheit im
Gespräch mit den Prophetensöhnen auftritt, ist sie dem Elischazyklus
zuzurechnen. Sprachliche Indizien weisen ebenfalls auf den Elischazyklus hin. Das Verbum בְּ צַר ("in jemand dringen") 2 Kön 2,17, das
im AT relativ selten belegt ist (Gen 19,3.9 ; 33,11; Ri 19,7) kommt
ebenfalls im Elischazyklus vor (2 Kön 5,16). Der ungewöhnliche Ausdruck עַד בֹּשׁ ("bis zum Schämen") 2 Kön 2,17, findet sich nur noch
zweimal in der atl Literatur (Ri 3,25; 2 Kön 8,11), wobei die eine Stelle
dem Elischazyklus angehört.[169] Betreffs der Zuhörer ist an Prophetengruppen zu denken, die danach fragten, wie es sich denn mit dem Lebensausgang des Elija verhalten habe. Die hierbei erstrebte Wirkung
zielt dahin, das Ende des großen Propheten unaufgehellt zu lassen. Derjenige, der die wahren Zusammenhänge kennt, ist sein Nachfolger Elischa.

V. Motivgeschichtliches

Fohrer[170] weist darauf hin, daß die Elijaerzählungen wiederholt starke Berührungen mit den Moseerzählungen aufweisen. Die Elija-
überlieferung parallelisiert Elija immer wieder mit Mose. Fohrer
stellt hierzu fest, daß Elija "als ein zweiter und neuer Mose erscheinen" sollte.[171] Dieser Trend der Parallelisierung zwischen

---

169   Für diesen ungewöhnlichen Ausdruck steht in der Regel מֵאֵן
      (Gen 19,3.9); עַד מֵאֵן (Gen 27,33 ; 1 Sam 11,15 ; 25,36 ; Ps 38,
      7.9; Klgl 5,22 ; Jes 64,8.11) oder מֵאֵן מֵאֵן (Gen 30,43 ; 34,
      12 ; 2 Sam 2,17 ; Ez 37,10).
170   Elia 55-57.
171   Elia 57.

Mose und Elija ist auch für 2 Kön 2,1b-15 nachweisbar.

1.   V. 8 wird die Überquerung des Jordan durch Elija und Elischa berichtet. Dadurch werden sofort Assoziationen an den Durch-
zug durch das Schilfmeer geweckt (Ex 14,16.21 f). In V. 8 nimmt
Elija zunächst eine vorbereitende Handlung vor, indem er seinen
Mantel zusammenrollt und damit auf das Wasser schlägt. Ex 14,16
wird dem Mose durch Jahwe geboten, seinen Stab zu erheben und
seine Hand über das Meer auszustrecken. Ex 14,21 folgt die Ausführung des Befehls. V. 8 erwähnt die Teilung des Wassers und
auch Ex 14,16.21 spricht von der Spaltung des Wassers. Allerdings
verwendet V. 8 hierfür חצה , während sich Ex 14,16.21 des Verbums בקע bedient. Schließlich folgt V. 8 die Bemerkung, daß Elija
und Elischa trockenen Fußes an das andere Jordanufer gelangten
und auch Ex 14,16.22 wird ausgeführt, daß die Israeliten auf trocke-
nem Boden das Meer durchschritten. In sprachlicher Hinsicht bestehen jedoch Differenzen : ויעברו...בחרבה (V. 8) ויבאו...ביבשה
(Ex 14,16.22). Zwischen V. 8 und Ex 14,16.22 herrscht also unverkennbar inhaltlich gesehen eine Parallelität, während das sprachliche Gewand verschieden ist. Eine Wortparallele zeigt die Jordan-
durchschreitung unter Josua (Jos 3,17), wo in Übereinstimmung mit
V. 8 עבר und בחרבה verwendet werden. Allerdings wird hierbei nicht
eigens von einem Handeln des Josua und von einer Spaltung (Teilung)
des Wassers gesprochen. V. 8 zufolge gehen Elija und Elischa gemeinsam durch den Jordan, wobei von Elija die Machttat gewirkt
wird und aufgrund von V. 14 kehrt Elischa nach seiner Trennung
von Elija auf diesem gleichen Weg zurück. Es ist nicht auszuschliessen, daß in diesem Fall das Nachfolgemotiv Mose-Josua wirksam
wird, da von beiden das Wunder einer Wasserdurchschreitung berichtet wird (Ex 14,15-22 ; Jos 3,1-17).

2.   V. 8 läßt Elija nach Transjordanien, Jericho gegenüber,als

letzte Station seines Lebens kommen. In diesem gleichen Raum
stirbt nach Dtn 32, 48-50 ; 34, 1-6 auch Mose.

3. Auffällig ist in V. 9 die Bitte des Elischa, die darauf zielt,
vom Geist des Elija Anteil zu erhalten. Num 11, 17. 25 heißt es, daß
Jahwe einen Teil vom Geist des Mose auf die siebzig Ältesten überträgt. Sonst wird im AT nirgends davon gesprochen, daß der Geist
eines Menschen auf andere übergeht. Derartiges gilt nur vom Geiste
Jahwes. Auch hier ist also wahrscheinlich ein Motiv aus der Mosetradition aufgenommen.

4. Sowohl das Ende des Mose als auch das Sterben des Elija
ist in ein Geheimnis gehüllt. Über Mose erfährt man zwar, daß er
im Lande Moab starb (Dtn 34, 5) und daß man ihn'im Tale, im Lande
Moab, gegenüber von Bet-Pegor" begrub (Dtn 34, 6a). [172] Aber die
Wendung "doch niemand kennt sein Grab bis auf den heutigen Tag"
(Dtn 34, 6b) und die Tatsache, daß der Tod den Mose in ungebroche-
ner Vitalität ereilt (Dtn 34, 7b) und nicht wie zu erwarten, nachdem
seine Lebenskraft erloschen ist, lassen das Ende dieses Mannes in
einer eigenartigen Ambivalenz erscheinen. Aus dieser Gegebenheit
resultieren im Judentum sporadische Entrückungsspekulationen über
Mose, die allerdings nie allgemeine Geltung erlangten. [173] Diese
Entrückungsspekulationen können bereits frühzeitig eingesetzt haben, wenn sie auch erst für die spätjüdische und urchristliche Zeit
literarisch bezeugt sind. Deshalb ist die Möglichkeit nicht auszu-

---

172 "Das dem deutschen 'man' entsprechende unpersönliche
Subjekt" kann durch 3. m. sg. ausgedrückt werden ; s.
Meyer, Hebr. Grammatik III 22. Die Version "man begrub
ihn" (V. 6a) findet eine indirekte Bestätigung durch die zweite Vershälfte, denn auch אִישׁ ("Mann") kann in dieser unper-
sönlichen Bedeutung fungieren, so daß beide Vershälften bezüglich des Subjektes "man" übereinstimmen ; vgl. Meyer
a. a. O. III 22. Der Rückschluß auf ursprüngliches וַיִּקְבְּרוּ
aufgrund der LXX (καὶ ἔθαψαν) ist nicht statthaft ; vgl.
S. Schwertner, Erwägungen zu Moses Tod und Grab in Dtn
34, 5. 6 : ZAW 84, 1972, 26 Anm. 1.
173 Vgl. Lohfink, Himmelfahrt 61-69.

schließen, daß der Tod des Elija motivgeschichtlich aus der Mosetradition beeinflußt wurde.[174]

5.   Gemäß V. 15 erkennen die Prophetensöhne Elischa als
Nachfolger des Elija an. Auch auf Josua hören die Israeliten und
sehen in ihm den Nachfolger des Mose (vgl. Dtn 34,9 ; Jos 1,16-
18). Josua gilt als zweiter Mose (vgl. Jos 3,7 ; 4,14). In V. 15
kann also durchaus das Nachfolgemotiv Mose-Josua wirksam sein.

Zusammenfassung : Es ist damit zu rechnen, daß in der Einheit
2 Kön 2,1b-15 bestimmte Motive aus der Mosetradition auf Elija
übertragen wurden. Das heißt mit anderen Worten, daß Mose wiederholt das Modell darstellt, nach dem Elija gezeichnet wird. Einige Indizien deuten ferner darauf hin, daß in der gleichen Einheit
eine gewisse Parallelisierung zwischen Elischa und Josua stattgefunden hat. Die Tatsache, daß im Elijazyklus Motive aus der Mosetradition wirksam werden, wurde von verschiedenen Forschern
herausgestellt.[175]   Aufgrund von Dtn 18,15-18 folgert beispielsweise Carroll[176] eine stete Sukzession von Propheten, die nach
Mose modelliert sind. Diese Tendenz sieht er im Elija- und Elischazyklus verwirklicht.[177] Bezüglich des Elija gelingt ihm ein
überzeugender Nachweis, für Elischa hingegen sind seine Ausführungen weniger überzeugend, was keineswegs verwundert, da für
eine solche Behauptung die Voraussetzungen im Elischazyklus
nicht gegeben sind.

---

174   Vgl. R.P.Carroll, The Elijah-Elisha Sagas : VT 19,1969,
      410 f.
175   Vgl. Fohrer, Elia 55-57 ; Carroll, The Elijah-Elisha
      Sagas 400-415.
176   A.a.O. 401.
177   A.a.O. 403-414.

VI. Redaktionskritik

Der Elischazyklus, dem 2 Kön 2,1-15.16-18 angehören,und auch der
Elijazyklus bilden einen literarischen Block innerhalb der Königsbü-
cher. Vieles spricht dafür, daß beide Zyklen dem Dtr vorlagen und von
ihm in sein Gesamtwerk aufgenommen wurden.[178] Bekanntlich
stützt sich ja Dtr in den Königsbüchern auch noch auf andere Quel-
lenwerke.[179]

Bei der Literarkritik wurde 2 Kön 2,1a als späterer Zusatz klassifiziert, der in Spannung zu 2 Kön 2,1b-15 steht.[180] Es ist durchaus möglich, daß V.1a von Dtr überschriftartig der Einheit V. 1b-
15 vorgeschaltet wurde, um über 2 Kön 1,17aß-18 hinweg einen
Konnex zur vorausgehenden Elijageschichte in 2 Kön 1, 2-17 a α her-
zustellen.[181] Auch das ביריחו אשר in V. 15 a geht wahrscheinlich
auf den Redaktor zurück, der hier verdeutlichend in den Text ein-
gegriffen hat. Ebenso bildete wohl der partizipiale NS in V. 18aß
ursprünglich die Einleitung zu V. 19 ; vgl. S. 122. Die Umstellung
kann durch den Redaktor erfolgt sein. Bereits bei der literarkritischen Analyse wurde festgestellt, daß 2 Kön 2,16-18 Spannungsmomente gegenüber 2 Kön 2,1b-15 aufweist. 2 Kön 2,16-18 stellt
gattungsmäßig eine prophetische Anekdote dar, der noch zwei weitere Anekdoten folgen 2 Kön 2,19-22 ; 2,23-25 ; vgl. S.133 f. Es
besteht die Möglichkeit, daß diese drei Anekdoten bereits im frü-

---

178   Vgl. M.Noth, Überlieferungsgeschichtliche Studien, Halle
       a.d.Saale, 1943, 78 f.
179   R.de Vaux, Les Livres des Rois 10 f ; E. Sellin-G. Fohrer,
       Einleitung in das AT, Heidelberg[10] 1965, 201.
180   Vgl. S. 71.
181   Vgl. Galling, Der Ehrenname Elisas 139.

hesten Stadium der Überlieferung einen gemeinsamen Block bilde-
ten und erst durch Dtr in den jetzigen Zusammenhang gesetzt wurden. Der Anschluß von 2 Kön 2,16-18 an 2 Kön 2,1b-15 bot sich
aus sachlichen Erwägungen an, da in beiden Fällen das Entrückungsmotiv anklingt. Die Fortführung durch 2 Kön 2,19-25 legte sich
aus topographischen Überlegungen heraus nahe, weil hier eine
rückläufige Bewegung zu 2 Kön 2,2-5 vorliegt. 2 Kön 2,2-5 führt
der Weg von Bet-El nach Jericho, während die Anekdote 2 Kön 2,
19-22 in Jericho lokalisiert wird und von da der Hinaufstieg nach
Bet-El erfolgt, 2 Kön 2,23. Überhaupt erweckt ja 2 Kön 2 den Eindruck, als solle hier ein Gesamtabriß der Orte geboten werden,
an denen Elischa gewirkt hat : Gilgal V. 1b ; Bet-El V. 2 (2x).23 ;
Jericho V. 4 (2x).5.15.18 ; Jordan V. 6a.7b ; Berg Karmel und
Samaria V. 25. Diese topographischen Angaben, mit Ausnahme von
Bet-El und Jericho, finden sich auch an anderen Stellen des Elischa-
zyklus : Gilgal 2 Kön 4,38 ; Jordan 2 Kön 6,2.4 ; Berg Karmel 2
Kön 4,25 ; Samaria 2 Kön 5,3.

§ 2   Die Entrückung des Elija nach Sir 48,9.12

I. Zur Exegese von Sir 48,9.12

Das Buch Jesus Sirach zählt zu den späten Schriften des AT. Wie
wir aus dem Vorwort des griechischen Übersetzers, der zugleich
der Enkel des Verfassers ist, erfahren, kam er "im 38. Jahr des
Königs Euergetes nach Ägypten", das war im Jahr 132 v. Chr.
Dort in Ägypten entstand einige Zeit nach 132 v.Chr. die griechische Übersetzung des hebräischen Werkes seines Großvaters, der
seine Schrift in den ersten Jahrzehnten des 2. Jahrhunderts v.Chr.

verfaßt hatte.[182] Glücklicherweise besitzen wir etwa zwei Drittel des hebräischen Textes aus der Geniza der Esra-Synagoge von Kairo.[183]

1. Sir 48,9 (hebr. Text) :

"Du wurdest im Sturm nach oben entrückt und inmitten feuriger Scharen zur Höhe ."[184]

Hier liegt offensichtlich eine Anlehnung im Wortschatz an 2 Kön 2, 1-15 vor. Dies zeigt sich durch לקח , das auch in den V. 3.5.9.10 steht, und durch סערה, dem man in V. 1.11 begegnet. Als nähere Bestimmung des Entrückungsortes wird im ersten Halbvers "nach oben" beigefügt. מעלה stellt eine Abschwächung und diskrete Bezeichnung für das Nomen השמים ("Himmel") dar, das in V. 1.11 steht.[185] Im parallelen zweiten Halbvers folgt sodann der Ausdruck "inmitten feuriger Scharen". Zweifellos nimmt dieser Ausdruck bezug auf "die feurigen Wagen und Pferde" von V. 11. גדוד ist ein Terminus, der dem militärischen Bereich entstammt.[186] Dieser wurde auch auf den Bereich Jahwes übertragen, indem man ihm Scharen zuerkannte, die um ihn sind und seine Befehle ausführen (vgl. Ijob 19,12 ; 25,3).[187] ובגדודי אש im zweiten Halbvers steht zu בסערה im ersten Halbvers in einem synonymen Parallelismus.

---

182 Bezüglich der Datierungsfrage s. O.Eissfeldt, Einleitung in das AT, Tübingen³ 1964, 809.

183 Vgl. Eissfeldt, Einl. 811 f.

184 Für den hebr. Text s. I. Lévi, The Hebrew Text of the Book of Ecclesiasticus, Leiden² 1951.

185 Der umgekehrte Fall läßt sich für Jes 8,21 nachweisen. Dort wird nämlich das unbestimmte למעלה durch die LXX konkret mit εἰς τὸν οὐρανὸν ἄνω wiedergegeben.

186 Vgl. de Vaux, Das AT und seine Lebensordnungen II, Freiburg 1962, 29 f.

187 Zu der Vorstellung, daß ein gewaltiges Heer in Jahwes Diensten steht, vgl. ferner Gen 32,2 f ; Jos 5,14 f ; Sach 14,5.

Dies bedeutet eine Weiterführung gegenüber 2 Kön 2,11. Während
nämlich nach 2 Kön 2,11 "die feurigen Wagen und Pferde" die Trennung zwischen Elija und Elischa herbeiführen, und nur "der Sturmwind" das Medium der Entrückung darstellt, geht aus Sir 48,9 hervor, daß hier sowohl "der Sturm" als auch "die feurigen Scharen"
als Media der Entrückung gelten. Das letzte Wort des zweiten
Halbverses ist nicht erhalten. Es wurde aufgrund des Parallelwortes מעלה im ersten Halbvers von I. Lévi[188] und M. Z. Segal[189]
durch מרום ergänzt. R. Smend[190] füllt die Textlücke in Anlehnung
an die syrische Übersetzung und 2 Kön 2,1.11 durch שמים auf.
Die Ergänzung durch מרום ist jedoch gegenüber שמים vorzuziehen,
da מרום in seiner Unbestimmtheit besser dem Parallelwort
entspricht. Ferner ist zu bedenken, daß hier eine verhaltene Ausdrucksweise spätjüdischem Denken adäquater ist als eine zu starke Konkretisierung. Sir 48,12a ist hebräisch nicht erhalten. Levi
und Segal retrovertieren hier lediglich den griechischen Text.

    2. Sir 48,9 (griechische Übersetzung) :
"Er wurde aufgenommen in einem Feuersturm und in einem Wagen
feuriger Pferde."

Sofort fallen starke Abweichungen vom hebräischen Text auf. So
stellt πυρός in V. 9a, das an das zweimalige אש von 2 Kön 2,11
erinnert, ein überschießendes Plus gegenüber dem hebräischen
Text dar, während מעלה unübersetzt bleibt. V. 9b weicht ebenfalls
stark vom hebräischen Text ab, so daß man fast eher von einer Anlehnung an 2 Kön 2,11 als von einer Übersetzung aus dem hebr.
Sirach sprechen möchte. Die Übereinstimmung zwischen dem heb-

---

188   The Hebrew Text 67.
189   Das vollständige Buch Ben Sira, Jerusalem[2] 1958, 351.
190   Die Weisheit des Jesus Sirach, Berlin 1906, 460.

räischen und griechischen Sirach in 48,9 beruht lediglich auf der
Wendung ὁ ἀναλημφθεὶς ἐν λαίλαπι. Mit gutem Grund kann deshalb gefragt werden, ob dem griechischen Text von Sir 48,9 überhaupt die hebräische Textform der Kairoer Geniza vorgelegen hat.
Trotz der starken Differenz beider Texte kann die Frage nicht ka-
tegorisch verneint werden. Es ist nämlich möglich, daß dem griechischen Übersetzer 2 Kön 2,11 präsent war und sich bei ihm ein
Trend zur Harmonisierung und Parallelisierung zwischen Sir 48,9
und 2 Kön 2,11 auswirkte. Dies würde die starken Abweichungen
der griechischen Übersetzung vom hebräischen Text erklären.
Die Auslassung im griechischen Text von מעלה und des nicht erhal-
tenen Parallelwortes im zweiten Halbvers, können auf einer bestimmten Intention des Übersetzers beruhen. So glaubt Smend[191],
daß diese beiden Wörter deshalb ausgelassen wurden, weil der
Enkel des Jesus Sirach an der Himmelfahrt Anstoß nahm oder vor
den Griechen sich ihrer schämte. Diese Meinung ist nicht unbegrün-
det, wenn man sich beispielsweise der Version von השמים 2 Kön
2,1.11 mit ὡς εἰς τὸν οὐρανόν durch die LXX und der Verwendung des gleichen Ausdrucks in 1 Makk 2,58 erinnert; vgl. S.145-
151.-Auch der griechische Sirach sieht im Gegensatz zu 2 Kön 2,11
sowohl im "Sturm" als auch im "Feuerwagen" Media der Entrückung;
vgl. S. 141.   Besondere Beachtung verdient ἀναλαμβάνεσθαι.
Dieses Verbum spielt, wie Lohfink[192] zu Recht hervorhebt, "in

---

191   Sirach 460.
192   Himmelfahrt 42. Allerdings darf nicht übersehen werden, daß
      wiederholt bei Entrückungsberichten der Profangrazität als
      Entrückungsterminus ein Verbum fungiert, dem die Präpo-
      sition ἀνά vorgeschaltet ist : ἀνάγειν - ἀναφέρειν - ἀνα-
      πέμπειν - ἀναρπάζειν (Lohfink, Himmelfahrt 36 f). Hier-
      durch wird die Bewegungsrichtung des Entrückungsvorgan-
      ges veranschaulicht. Bei ἀναλαμβάνειν kann es sich also
      um eine Analogiebildung zu den zitierten Termini griechi-
      scher Entrückungsberichte handeln.

den griechischen Entrückungstexten keinerlei Rolle". ἀναλαμβάνειν steht in der LXX vor allem für נשׂא und לקח, wobei gelegentlich die undifferenzierte Bedeutung "nehmen" anzutreffen ist. Meist
jedoch hat ἀναλαμβάνειν in der LXX, entsprechend der dem Verbum
simplex vorgeschalteten Präposition ἀνά, die speziellere Bedeutung "(vom Boden) aufnehmen, nach oben nehmen, hochheben".
Von diesen Bedeutungen her war die Möglichkeit gegeben, αναλαμ-
βάνεν auch speziell in der LXX im Zusammenhang mit Entrückungen
zu verwenden. So steht ἀναλαμβάνειν bei den ekstatischen Erlebnissen des Ezechiel, die als ein Emporgehobenwerden durch den
Geist und ein Versetztwerden an einen anderen Ort dargestellt werden (vgl. Ez 3,12.14 ; 8,3 ; 11,1.24). Auch zur Bezeichnung einer
endgültigen Entrückung wird ἀναλαμβάνεσθαι verwendet (vgl. 2
Kön 2,9.10.11 ; 1 Makk 2,58 ; Sir 48,9 ; 49,14). Hinter dem Passiv steht Jahwe als Handelnder. Die zuletzt genannten Stellen bilden die Grundlage für das gleiche Verbum im lukanischen Himmel-
fahrtsbericht (vgl. Apg 1,2.11.22). [193]

3. Sir 48,12a (griechische Übersetzung):
"Elija, der im Sturm entschwand."

Smend[194] vermutet aufgrund der syrischen Übersetzung, daß der
Enkel des Jesus Sirach bei der griechischen Version den Ort der
Entrückung "in die (der) Kammer"[195] bewußt aus Scham umging

193 Betreffs ἀναλαμβάνειν τὸ πνεῦμα Tob 3,6 s.S. 101.
194 Sirach 462 f.
195 Die Kammer(n) wird (werden) in der apokryphen Literatur
    als der Ort zitiert, zu dem die Verstorbenen gelangen ;
    vgl. Smend, Sirach 463 und K. Schubert, Die Entwicklung
    der Auferstehungslehre von der nachexilischen bis zur
    frührabbinischen Zeit : BZ 6,1962, 206 f.

und dafür "im Sturm" wählte.[196]

σκεπάζειν hat im klassischen Griechisch die Grundbedeutung "bedecken, beschützen, beschirmen".[197] In der LXX bedeutet dieses Verbum neben "bedecken, bergen, beschützen" auch "verbergen" (Ex 2,2 ; 1 Makk 11,16 ; 3 Makk 3,27.29). Diese letztgenannte Bedeutung "er wurde verborgen = er entschwand" trifft für unsere Stelle zu. Zur Deutung von σκεπάζειν ist folgendes zu bedenken : Möglicherweise lautete das Äquivalent in der hebr. Vorlage סתר.[198] Damit könnte eine Bezugnahme auf die Wendung "und er sah ihn nicht mehr" von 2 Kön 2,12 gegeben sein. Daneben ist aber auch eine Interpretation aus hellenistischem Geist nicht auszuschliessen. ἐσκεπάσθη ("er wurde verborgen = er entschwand") rückt nämlich bedeutungsmäßig ganz in die Nähe von κρύπτειν ("verbergen"), das beispielsweise für verschiedene homerische Entrückungsberichte bezeugt ist.[199] Auch von anderen Autoren wird κρύπτειν im Zusammenhang mit Entrückung verwendet. Vom Ende des Amphiaros heißt es : σὺν τῷ ἅρματι καὶ τῷ ἡνιόχῳ Βάτωνι ἐκρύφθη καὶ Ζεὺς ἀθάνατον αὐτὸν ἐποίησεν , bzw. Ζεὺς κρύψεν ἅμ᾽ ἵπποις .[200] Über Althaimenes, den man auf Rhodos verehrte, wird erzählt : εὐξάμενος ὑπὸ χάσματος ἐκρύβη.[201]

---

196 "Sturm'bot sich aufgrund von 2 Kön 2,11 an und kam gleichzeitig griechischem Empfinden entgegen, bei dem sich häufig der Sturmwind als Motiv der Entrückungserzählungen nachweisen läßt ; vgl. Lohfink, Himmelfahrt 43.

197 H. G. Liddell-R. Scott-H. S. Jones, A Greek-English Lexicon, Oxford⁹ 1940, 1606.

198 So Smend, Sirach 462.

199 RAC V Sp. 462.

200 E. Rohde, Psyche. Seelencult und Unsterblichkeitsglaube der Griechen I, Darmstadt³ 1961, 144 Anm. 1.

201 Rohde a.a.O. 116 Anm. 1. Vgl. hierzu auch die Wortgruppe ἀφανίζειν bei Lohfink, Himmelfahrt 41.

§ 3 Die Entrückung des Elija nach
1 Makk 2, 58

I. Zur Exegese von 1 Makk 2, 58

In 1 Makk, einem weiteren späten Buch des AT, dessen Abfassungs-
zeit im letzten oder vorletzten Jahrzehnt des 2. Jahrhunderts v.
Chr. liegt[202], wird ebenfalls die Entrückung des Elija erwähnt. In
der Rede des Mattatias (1 Makk 2, 49-68), die dieser vor seinem
Tod an seine Söhne richtet, weist er auf besonders herausragende
Gestalten der jüdischen Geschichte als Beispiele für seine Söhne
hin. Hierbei wird auch in 1 Makk 2, 58 bezug auf Elija genommen :
Ἠλίας ἐν τῷ ζηλῶσαι ζῆλον νόμου ἀνελήμφθη ὡς εἰς τὸν οὐρανόν.
Betreffs ἀνελήμφθη ὡς εἰς τὸν οὐρανόν fällt sofort die wörtliche
Übereinstimmung mit 2 Kön 2, 1.11 auf. Trotz dieses Zusammen-
gehens mit 2 Kön 2, 1.11 ist ὡς in 1 Makk 2, 58 nicht unumstritten,
da die Überlieferung hier gespalten ist. So fehlt ὡς bei S (codex
Sinaiticus), in einer Reihe von Minuskeln, in der lateinischen und
teilweise in der syrischen Übersetzung. V (codex Venetus) bezeugt
anstelle von ὡς die Präposition ἕως. Rahlfs hat in seiner Hand-
ausgabe ὡς nicht in den Text aufgenommen, sondern in den Appa-
rat verwiesen. Der oben zitierte Text von 1 Makk 2, 58 entstammt
der großen Edition der Göttinger Septuaginta, in der Kappler die
Herausgabe von 1 Makk besorgt hat. Er hat nun im Gegensatz zu
Rahlfs ὡς als ursprünglich anerkannt. Es ist nämlich gut möglich,
daß der Übersetzer von 1 Makk - 1 Makk ist ja bekanntlich die
Übersetzung eines uns verlorengegangenen hebräischen Originals -
wörtlich die LXX-Übersetzung von 2 Kön 2, 1.11 ἀνελήμφθη ὡς

---

202 Eissfeldt, Einl. 784 f.

εἰς τὸν οὐρανόν übernommen hat.[203] Weiterhin ist bei der Frage
nach der Ursprünglichkeit von ὡς zu bedenken, daß kaum nachträglich das schwierige ὡς in 1 Makk 2, 58 eingefügt wurde.[204] Vielmehr ist der umgekehrte Vorgang eher denkbar, daß nämlich ὡς
in einem späteren Stadium der Überlieferung weggelassen wurde.[205]
Als Resultat kann gelten, daß ὡς in 1 Makk 2, 58 als ursprünglich
anzusehen ist und somit zu Recht von Kappler in den Text aufgenommen wurde.

Nun müssen wir uns speziell dem Ausdruck ἀνελήμφθη ὡς εἰς τὸν
οὐρανόν zuwenden. Bezüglich ἀναλαμβάνεσθαι s. S. 142f. ὡς

---

203 Eine weitere wörtliche Übernahme der LXX von Gen 15, 6
findet sich in unmittelbarer Nähe von 1 Makk 2, 58, nämlich
in 1 Makk 2, 52 : καὶ ἐλογίσθη αὐτῷ εἰς δικαιοσύνην.
Wenn in den sonstigen Rückblicken der Mattatias-Rede auf
bestimmte Personen der jüdischen Geschichte nur schwa-
che Anklänge an die LXX festzustellen sind, so resultiert
dies aus der komprimierten Darstellungsweise. Abraham,
Josef, Pinhas, Josua, Kaleb, David, Hananja-Asarja-Mischaël,
Daniel werden jeweils nur mit einem Satz erwähnt.
204 Es ließe sich höchstens vermuten, daß ὡς aus einer sekun-
dären Angleichung an 2 Kön 2, 1.11 resultiert. Diese Überlegung war für Rahlfs neben den zahlreichen Handschriften,
die ὡς nicht bezeugen, bestimmend.
205 Zur Lesart ἕως ist zu sagen, daß diese sicher nicht ursprünglich ist. Für ihre Entstehung gibt es verschiedene
Möglichkeiten. Es kann sich um innergriechische Verderbnis
von ὡς zu ἕως handeln. Weiterhin ließe sich im Übergang von
ὡς zu ἕως eine Vereinfachungstendenz sehen, indem man
das schwierigere ὡς durch das einfachere ἕως ersetzte. Dies
wäre insofern naheliegend, weil die Doppelpräposition ἕως εἰς
relativ häufig in der LXX vorkommt (vgl. Lev 27, 18 ; Dtn
23, 4 ; 31, 24. 30 ; Jos 3, 16 u.ö.). Schließlich ist auch die
Möglichkeit nicht auszuschließen, daß ἕως nicht aus ὡς entstanden ist - bei einer Reihe von Textzeugen fehlt ja ὡς -,
sondern vielmehr als Additamentum zu εἰς anzusehen ist. Es
ist nämlich in der LXX-Überlieferung die Tendenz zu beobachten, daß ein ursprüngliches εἰς ein sekundäres ἕως und
ein ursprüngliches ἕως ein sekundäres εἰς bei sich hat (vgl.
Lev 24, 4 ; Jos 8, 24 ; 2 Kön 2, 6 ; Tob 8, 3 (BA) ; Jer 50 (27),
5).

in der Verbindung mit den Präpositionen εἰς, ἐπί, πρός "bezeichnet eine Vergleichung = wie, ut und deutet eine nicht wirklich statt-
findende, sondern nur vorgestellte, daher auch beabsichtigte Richtung nach einem Orte an".[206] ὡς + Präposition ist in der LXX
häufig bezeugt. Bei näherer Differenzierung ergibt sich folgendes
Bild :

1.   ὡς + Präposition ist durch den hebr. Text bedingt, da sich
dort die Präposition כְּ in Kombination mit einer weiteren Präposition findet : Ps 119(118), 14 ὡς ἐπί (כעל). Auch bei den jüngeren griechischen Übersetzern trifft man auf diese Gegebenheit :
Gen 2,18 α'ὡς κατέναντι αὐτοῦ (כנגדו) ; 1 Kön 14,14 θ' ὡς ἐπὶ
ἥμισυ   (כבחצי) ; Jes 59,18 α' ὡς ἐπί [2x] (כעל) ; σ' ὡς
περί ...ὡς ἐπί, θ'ὡς ἐπ᾽...καθὼς ἐπ᾽... Bei diesen Stellen wird
das Moment einer ungefähren Entsprechung sowohl im MT als auch
in der griechischen Übersetzung hervorgehoben.

2.   ὡς + Präposition steht in der LXX, während bei MT nur
die Präposition כְּ steht. Die auf ὡς folgende Präposition in der
LXX ist somit überschießendes Plus gegenüber MT. Sie ist vom
Kontext bzw. der griechischen Syntax her gefordert : Ps 78 (77),
15 ; 95 (94), 8 ; 106 (105), 9 ; Jes 51,9 ; 59,10 ; 63,2 ; Sach 10,7.

3.   Sehr viel wichtiger für unsere Analyse als die vorausgegan-
genen Fälle sind die Stellen, bei denen ὡς in der LXX steht, ohne
daß dem die Präposition כְּ im MT entspricht :

a.   Jes 5,18 ὡς σχοινίῳ, σ' ὡς σχοινίῳ, θ' ἐν σχοινίῳ
(בחבלי). Folgende Faktoren können bei der hier vorliegenden Dis-
krepanz zwischen LXX und MT wirksam sein : Die LXX las in ihrer
Vorlage wirklich כְּ statt בְּ , denn כ und ב können leicht ver-
wechselt werden.[207] Ferner ist es denkbar, daß die LXX eine An-

---

206   R. Kühner-B. Gerth, Grammatik der griechischen Sprache.
      Satzlehre I, Darmstadt[4] 1963, 472 Anm. 1. Vgl. auch F. Blass-
      A. Debrunner, Grammatik des neutestamentlichen Griechisch,
      Göttingen[11] 1961, § 453 4 ; W. Bauer, Griechisch-Deutsches
      Wörterbuch, Berlin[5] 1958, Sp. 1776.

207   Vgl. F. Delitzsch, Die Lese-und Schreibfehler im AT, Berlin-
      Leipzig 1920, 110.

gleichung an das folgende ὡς ζυγοῦ (וכעבות) vorgenommen hat.
Nicht auszuschließen ist weiterhin, daß die LXX zur Setzung von ὡς
durch sachliche Gründe bewogen wurde, um das metaphorische Moment
herauszustellen. - Jes 66,15 κύριος ὡς πῦρ ἥξει (באש) ; οι λ'ἐν
πυρὶ (α'σ'θ' ἐν πυρί) ἥξει . Auch hier sind zur Erklärung die beiden erstgenannten Überlegungen des vorausgehenden Beispiels zu bedenken, nämlich Vertauschung von כ und ב bzw. Anpassung an das folgende καὶ ὡς καταιγίς (כסופה). Darüberhinaus muß mit der Möglichkeit gerechnet werden, daß die LXX die Konkretheit der hebräischen
Aussage mindern wollte und deshalb ὡς setzte.

b.   Ergiebiger als die unter a. genannten Fälle sind die Stellen, bei
denen in der LXX die Präposition לְ durch ὡς wiedergegeben wird, obgleich eine wörtliche Übersetzung   εἰς verlangen würde. Bei dieser
Übertragung soll zum Ausdruck kommen, daß es sich hierbei nicht um
eine wörtlich zu nehmende Realität, sondern um einen Vergleich handelt :
Gen 45,8 ὡς πατέρα; Jes 1,31 ὡς καλάμη - ὡς σπινθῆρες; Jer 1,18 ὡς
πόλιν ὀχυρὰν καὶ ὡς τεῖχος χαλκοῦν ; Jer 15,20 ὡς τεῖχος ὀχυρόν.
Jer 51(28),25 ὡς ὄρος.

c.   ὡς (ὡσεί) wird wiederholt in der LXX gesetzt, ohne daß überhaupt eine Präposition wie in den unter a. und b. genannten Fällen vorliegt.
ὡς (ὡσεί) wird deshalb herangezogen, um das metaphorische Moment
hervorzukehren : Num 23,19 οὐχ ὡς ἄνθρωπος ὁ θεός ... οὐδὲ ὡς υἱὸς
ἀνθρώπου ; 1 Sam 17,43 ὡσεὶ κύων ἐγώ εἰμι ; Jes 13,8 καὶ τὸ πρόσωπον
αὐτῶν ὡς φλόξ ; Jer 9,2 (3) καὶ ἐνέτειναν τὴν γλῶσσαν αὐτῶν ὡς τόξε
Jer 51(28)53 ὡς ὁ οὐρανός ; Ez 1,5 ὡς ὁμοίωμα ; Zef 3,3 ὡς λέοντες...
ὡς λύκοι ; Sach 3,2 ὡς δαλός ; 12,2 ὡς πρόθυρα . Dieser Trend zur
Abschwächung der Konkretheit des Hebräischen und der Anpassung an griechisches Empfinden durch ὡς setzt sich vor allem bei σ' fort : Ijob
4,12 ; 24,16 ; Ps 31 (30), 22 ; 63(62), 2 ; Spr 15,15 ; Jes 63,19 ; Ez 13,
5 ; Dan 11,23. Auch in der Rezension des Lukian läßt sich diese Tendenz
feststellen : Jer 6,26 ; 8,28 ; Ps 137 (136), 6.

d.   ὡς kann entgegen der hebräischen Vorlage auch aufgrund
theologischer Überlegungen eingefügt werden. Ein interessantes
Beispiel hierfür bietet Jes 45,20 καὶ προσευχόμενοι ὡς πρὸς
θεούς. Die Bestimmtheit der hebräischen Aussage wird hier verlassen, weil es neben Jahwe keinen Gott gibt und infolgedessen
auch niemand in seinem Gebet sich an andere Götter wenden kann.

4.   Speziell zu   הַשָּׁמַיִם (Artikel + Nomen, als Ortsrichtungsan-
gabe) ist zu bemerken, daß dieser Fall häufig vorkommt : 1 Sam 5,
12 ; 1 Kön 8,22 ; 2 Chr 32,20 ; Ijob 35,5 ; Jes 14,13 ; Jer 51 (28),
53 ; Am 9,2. Mit Ausnahme von Jer 51(28),53 (s.o. unter c.) werden die angeführten Stellen jeweils mit εἰς τὸν οὐρανόν übersetzt.[208]
Auch verschiedene Präpositionen können vorgeschaltet sein ; z.B. לְ :

2 Chr 30,27 ; Jes 51,6 (LXX jeweils εἰς τὸν οὐρανόν) ; Ijob
20,6 (LXX εἰς οὐρανόν) ; אֶל : Dtn 32,40 (LXX εἰς τὸν οὐρανόν);
בְּ : Gen 11,4 ; Dtn 1,18 ; 9,1 (LXX jeweils ἕως τοῦ οὐρανοῦ) ;
1 Sam 2,10 (LXX εἰς οὐρανούς) ; עַד : Ps 57,11 (LXX ἕως τῶν
οὐρανῶν). Auch zwei Präpositionen können vorausgehen ; z.B.
לְ עַד: 2 Chr 28,9 (LXX ἕως τῶν οὐρανῶν) ; Esr 9,6 (LXX ἕως εἰς
οὐρανόν).

5.   Zweifellos steht hinter der Hinzufügung von ὡς zu εἰς τὸν
οὐρανόν in 2 Kön 2,1.11 eine bestimmte Intention des Übersetzers,
denn wie dargelegt wird die Richtungsangabe "zum Himmel" in der
LXX jeweils wörtlich übersetzt. J.W.Wevers[209] bemerkt hierzu :

---

208   Daneben wird zur Ortsrichtungsbezeichnung auch das He
        locale angefügt : Gen 15,5 ; 28,12 ; Ex 9,8 f ; Dtn 30,12 ;
        Jos 8,20 ; Ri 13,20 ; 20,40 ; 2 Chr 6,13. Die genannten
        Stellen werden in der LXX mit εἰς τὸν οὐρανόν wiederge-
        geben, mit Ausnahme von Ri 13,20 ; 20,40, wo zwar die
        A-Rezension jeweils εἰς τὸν οὐρανόν , die B-Rezension
        jedoch ἕως τοῦ οὐρανοῦ (20,40 ohne Artikel) übersetzt.
209   Principles of Interpretation : CBQ 14, 1952, 46.

"It seems that G objected to Elijah's miraculous transportation and
the word is rendered by ως εις τον ουρανον. Does this betray
Hellenistic influence reflected in the Sadducean party's denial of
the after life ? It seems to identify the translator's point of view
at all events." Ob man allerdings so weit wie Wevers zu gehen
braucht, ist fraglich. Aus den unter 3.a.b.c.d. angeführten Beispielen geht hervor, daß ὡς häufig in der LXX als überschießendes Plus gegenüber der hebräischen Vorlage gesetzt wurde, um
die Konkretheit der hebräischen Vorlage abzuschwächen, ja die
Setzung von ὡς kann sich bis hin zur theologischen Interpretation
ausweiten. Im Falle von 2 Kön 2,1.11 stehen wohl Bedenken jüdi-
scher Exegeten im Hintergrund, die es für unmöglich hielten, daß
Elija in des Wortes wahrer Bedeutung zum Himmel entrückt wurde. Der Himmel ist nach Aussagen der Schrift Jahwes Wohnsitz
(vgl. Dtn 26,15 ; 1 Kön 8,30.43 ; 2 Chr 6,21 ; Ps 11,4 ; 103,19)
und der Zutritt dorthin ist den Menschen versagt (vgl. Dtn 30,12 ;
Spr 30,4). Die gleiche Tendenz wie in der LXX zeichnet sich auch
im Targum ab, wo man ebenfalls die direkte Aussage "zum Himmel" bzw. "in den Himmel" umging und dafür die theologisch weniger anfechtbare Wendung שמיא לצית ("zur Seite des Himmels hin")
wählte.[210] Allerdings darf nicht ganz ausgeschlossen werden, daß
u.U. mit der Version ἐν τῷ ἀνάγειν ...ὡς εἰς τὸν οὐρανόν (2
Kön 2,1) und καὶ ἀνελήμφθη ...ὡς εἰς τὸν οὐρανόν (2 Kön 2,11)
eine bewußte Distanzierung und Antithese zur gebräuchlichen Terminologie griechischer Entrückungsberichte vollzogen wurde. ἀνάγειν und ἀναλαμβάνεσθαι zählen nicht zu den termini technici
griechischer Entrückungsberichte[211], und ὡς schwächt den häufig
gebrauchten terminus ad quem des Entrückungsweges εἰς τὸν

---

210   A. Sperber, The Bible in Aramaic II, Leiden 1959, 273 f.
211   Lohfink, Himmelfahrt 41 f.

οὐρανόν ab.[212] Diese Distanzierung könnte dadurch bedingt sein, daß frühzeitig in der antiken Welt eine Erschütterung des Entrükkungsglaubens festzustellen ist.[213] Das ὡς kann auch daraus resultieren, daß mit der Entrückungsvorstellung in der griechisch-hellenistischen Welt die Überzeugung verbunden war, daß die Versetzung eines Menschen in den Himmel gleichzeitig dessen Vergöttlichung miteinschloß.[214] Einem solchen Mißverständnis sollte vorgebeugt werden.[215] Trotzdem letztgenannte Thesen nicht von der Hand zu weisen sind, so hat doch die erstgenannte Überlegung, daß nämlich innerjüdische Erwägungen für die Setzung von ὡς ausschlaggebend waren, einen höheren Wahrscheinlichkeitsgrad.

Es bleibt noch anzumerken, daß Flavius Josephus ebenfalls die Entrückung des Elija erwähnt.[216] Bemerkenswert ist, daß er keinerlei Verwandtschaft mit der LXX zeigt, sondern sich vielmehr der Terminologie griechischer Entrückungsberichte bedient. Dies geht eindeutig aus ἐξ ἀνθρώπων [217] und ἀφανίζεσθαι [218] hervor. Wenn deshalb bei Montgomery-Gehman [219] im Zusammenhang mit ὡς εἰς τὸν οὐρανόν ein Hinweis auf Josephus erfolgt, so ist diese Bemerkung unangebracht, weil Josephus nichts zur Erhellung von ὡς beitragen kann.

212 Lohfink, Himmelfahrt 37. Nur ganz vereinzelt wird in griechisch-hellenistischen Entrückungsberichten ὡς mit abschwächender Tendenz gesetzt. So berichtet Diodor von Sizilien II 20,1 bezüglich der Entrückung der Semiramis ...ὡς εἰς θεούς... μεταστασομένη... und auch bei Plutarch, Romulus 27,6 ...ὡς ἀνηρπασμένον εἰς θεούς ist diese Möglichkeit nicht auszuschließen.

213 Lohfink, Himmelfahrt 49 f.

214 Vgl. Lohfink, Himmelfahrt 46-49.

215 Vgl. A. Schmitt, Interpretation der Genesis aus hellenistischem Geist (erscheint demnächst in ZAW). Hierbei konnte ich nachweisen, daß man sich in der Gen-LXX wiederholt verschiedener Interpretationen bediente, um Mißdeutungen auszuschließen.

216 B. Niese, Flavii Josephi opera II, Berlin² 1955, IX 28.

217 Lohfink, Himmelfahrt 37.

218 Lohfink, Himmelfahrt 41.

219 Commentary on the Books of Kings 356.

FÜNFTES KAPITEL

Die Entrückung des Henoch

Nach der Behandlung der Entrückung des Elija folgt nun in einem
weiteren Kapitel die Entrückung des Henoch. Henoch ist die zweite
Gestalt des AT, von der eine Entrückung ausgesagt ist. Innerhalb
der protokanonischen (kanonischen) Bücher des AT hört man nur in
Gen 5,21-24 von Henoch. Diese fragmentarische Notiz stellt das
älteste Zeugnis über Henoch innerhalb der jüdischen Tradition dar.
Erst in den deuterokanonischen (apokryphen) Schriften des AT wird
dieses Thema in Sir 44,16 ; 49,14 und Weish 4,7-20 neu aufgegriffen. Entsprechend dieser Henochüberlieferung im AT wird auch in
der anschließenden Untersuchung vorgegangen. Die vielfache Be-
schäftigung mit Henoch im apokryphen (pseudepigraphischen)
Schrifttum des Spätjudentums liegt außerhalb des Themas unserer
Arbeit.

§ 1 Die Entrückung des Henoch nach Gen 5,21-24

I. Textkritik

Nach der formalen Strenge zu urteilen, die in dem Genealogieschema Gen 5,1-32 herrscht, erwartet man in 5,22 analog zu 5,7.10.
13.16.19.26.30 die stereotype Wendung ויחי חנוך.[1] Allerdings
kann genannte Wendung nicht aufgrund griechischer und lateini-
scher Handschriften postuliert werden, wie dies BHK und BHS
tun, denn sowohl LXX als auch Vetus Latina und Vulgata weisen

---

1   Vgl. E.A. Speiser, Genesis (The Anchor Bible) New York
     1964, 41.

ursprünglich diese Wendung nicht auf.[2]

In 5,23 hat anstelle von יהי ו (3.m.sg.) die Form ויהיו (3.m.pl.) entsprechend 5,5.8.11.14.17.20 als originär zu gelten. U. Cassuto[3] meint zwar, daß ויהיו in 5,23 ebenso wie in 5,31 ursprünglich sei, um die Einheit der beiden Zahlenangaben 365 und 777 darzulegen. Er unterläßt es aber, seine Aussage mit weiteren Beispielen zu untermauern, so daß er den Beweis für seine Behauptung schuldig bleibt.

II. Einige literar- und formkritische Vorbemerkungen zu Gen 5, 1-32

Gen 5,1-32 gehört der Quellenschicht P an. Die literar-, form-, gattungs-, traditions- und redaktionskritischen Probleme der Quellenschicht P des Pentateuch wurden schon mehrfach behandelt, so daß man im Rahmen dieser Untersuchung nicht im Detail auf diese komplizierten Sachverhalte einzugehen braucht.[4] Gen 5,21-24 steht in einem Genealogieschema und Genealogien stellen bekanntlich ein Charakteristikum von P dar. Vor allem spielen Genealo-

---

2   Die späte Bezeugung von καὶ ἔζησεν Ενωχ / ἔζησεν δὲ Ενωχ für 5,22 durch griechische und (et) vixit Enoch bzw. vixit autem Enoch durch lateinische Handschriften stellt unverkennbar eine sekundäre Angleichung an 5,7.10.13.16.19. 26.30 dar.

3   A Commentary on the Book of Genesis I, Jerusalem 1961, 284 f.

4   Vgl. G.v. Rad, Die Priesterschrift im Hexateuch (BWANT 4/13) Stuttgart-Berlin 1934 ; M. Noth, Überlieferungsgeschichte des Pentateuch, Stuttgart 1948, 7-19.247-267 ; K. Elliger, Sinn und Ursprung der priesterlichen Geschichtserzählung : ZThK 49, 1952, 121-143 ; H. Gunkel, Genesis (HK I/1) Göttingen[6] 1964, XCII - XCIX ; E. Sellin - G. Fohrer, Einleitung in das AT, Heidelberg [10] 1965, 194-202.

gien bei P in der Urgeschichte eine dominierende Rolle, indem
sie eine geschlossene Reihe von Adam bis Abraham bilden.[5]
Nicht zu übersehen ist die Tatsache, daß in den Genealogien ein
starker Trend zur Systematisierung vorherrscht. Die Wendung זה
ספר תולדות/אלה תולדות in der Funktion als Überschrift geht
auf P zurück. Damit schafft er eine Verklammerung, die sich
durch die gesamte Urgeschichte hindurchzieht. P verarbeitet in
den Genealogien alte ihm vorliegende Traditionen, ohne daß man
deswegen ein eigenes Toledotbuch anzunehmen braucht, das nur
Genealogien enthielt und von P für sein Gesamtwerk herangezogen
wurde.[6] Die Toledotabschnitte (Gen 2,4a ; 5,1a ; 6,9 ; 10,1 ;
11,10 ; 11,27 ; 25,12.19 ; 36,1.9 ; 37,2 ; Num 3,1) sind unter
sich sehr verschieden. Während man beispielsweise in Gen 5,1 -
32 und 11,10-26 auf Toledotabschnitte trifft, die formal gesehen
am besten die Urform eines Genealogieschemas bewahrt haben,
indem sie in mathematischer Systematisierung und strenger Mono-
tonie dargeboten werden, findet man auch Toledotabschnitte, die
mit historischen und theologischen Angaben durchsetzt sind, die
man eigentlich nicht in einem Genealogieschema erwartet (Gen 6,
9 f ; 25, 19 f ; 37,2). Das für unsere Untersuchung relevante Genealogieschema Gen 5,1-32 zeigt folgendes Strukturmuster :

"Als NN x Jahre alt war, zeugte er den NN.

Nachdem NN den NN gezeugt hatte, lebte er noch x Jahre
und zeugte Söhne und Töchter.

Die gesamte Lebenszeit des NN betrug x Jahre.

---

5   C.Westermann, Genesis (BK I/1) Neukirchen 1966 ff, 17.
6   Ein solches Toledotbuch vermuten folgende Autoren :
    v.Rad, Priesterschrift 33-40 ; Noth, Überlieferungsge-
    schichte 9 f ; J.Hempel, Priesterkodex, in : PW XXII Sp.
    1944.

Dann starb er. "[7]

Wenn man bei diesem Genealogieschema die zeitlichen Angaben
eliminiert, so bleiben drei elementare Fakten stehen, nämlich
Geburt - Zeugung - Tod, "wobei die Glieder der Reihe so miteinander verklammert sind, daß nicht die Geburt des NN, sondern nur
die Erzeugung durch seinen Vater im voraufgehenden Glied genannt
wird".[8] Die Reihe erstreckt sich von Adam bis Noach und umfaßt
zehn Glieder.

Gerade weil nun in Gen 5, 1-32 eine beachtliche Formstrenge dominiert, verdienen die Teile eine besondere Aufmerksamkeit, die
vom Grundschema abweichen. Eine Erweiterung liegt gleich zu Beginn in V. 1b-2 und in V. 3aγ ("nach seinem Bild, ihm entsprechend") vor. Dieser Befund hat v. Rad[9] zu einer literarkritischen
Operation veranlaßt, indem er nämlich V. 1a einem eigenen Toledotbuch zurechnet und V. 1b als zu P^A und V. 2 als zu P^B gehörig
ansieht.[10] Gegen eine derartige Aufspaltung hat sich bereits P.
Humbert[11] gewandt, der V. 1b-2 einem einzigen Autor zuspricht,
lediglich die Toledotwendung in V. 1a nimmt er hiervon aus. Auch
O. Eissfeldt[12] betont bezüglich Gen 5, 1 f, "daß die hier vorliegenden Erweiterungen des bloßen Toledot-Schemas sachlich begründet
und sinnvoll sind und so keinesfalls als sekundäre Zutaten ausgeschieden werden dürfen". Es wurde bereits oben erwähnt, daß V.
1a auf P selbst zurückgeht. Ebenso gehört V. 1b.2.3aγ zum origi-

---

7   Westermann, Genesis 18.
8   Westermann, Genesis 18.
9   Priesterschrift 5 f.
10   Nach v. Rad sind bei P folgende literarische Schichten festzu-
      stellen : Das Toledotbuch und die beiden Parallelrezensionen
      A und B.
11   Die literarische Zweiheit des Priester-Codex in der Genesis :
      ZAW 58, 1940/41, 39.
12   Biblos geneseos, in : Gott und die Götter, Festgabe für E.
      Fascher, Berlin 1958, 35.

nären Textbestand von Gen 5,1-32. P stellt dadurch eine Verknüp-
fung zwischen Schöpfungsbericht (Gen 1,26-31) und Genealogie
her. Derartige Verknüpfungen lassen sich wiederholt in den Genealogien des P in der Urgeschichte nachweisen.[13]

V. 29 gehörte ursprünglich nicht zur Genealogie des P. Zu Recht
wird dieser Vers allgemein J zugeschrieben[14]; in die P-Genea-
logie kam er durch einen Redaktor.[15] Nun bleiben noch die V. 21-
24 zu behandeln. Hier wird ebenfalls das stereotype Gepräge des
Schemas gesprengt, so daß wir auch an dieser Stelle von Erweiterungen sprechen müssen. Westermann[16] kommt sogar zu dem
Schluß, daß P "abgesehen von den verknüpfenden Erweiterungen
in Kap. 5,9 und 11 und dem die Listen ausweitenden Satz in Kap.
10, innerhalb der eigentlichen Genealogien nur eine Erweiterung
hat : 5,24 und ähnlich 6,9". Aufgrund der Themenstellung dieser
Untersuchung erfordern die V. 21-24 eine eingehende Analyse.

III. Wichtige Wendungen in Gen 5,21-24

1. "Und Henoch wandelte mit Gott" (Gen 5,22 a α .24a)

1.1. Literarkritische Vorbemerkungen

Diese Doppelung hat verschiedene Erklärungen gefunden. So
nimmt v. Rad[17] an, daß diese Wiederholung auf verschiedenen
Quellen beruht. Er weist Gen 5,21-23 dem Toledotbuch zu, während Gen 5,24 nach seinem Dafürhalten aus der Rezension P^B
stammt. Im Gegensatz dazu betont Humbert[18], daß das zweimalige

---

13 Westermann, Genesis 20.
14 Bezüglich der Argumente hierfür s. Westermann, Genesis
    487.
15 Wegen der Herkunft dieses Verses s. Westermann, Gene-
    sis 487.
16 Genesis 21.
17 Priesterschrift 193 f.
18 Priester-Codex 38 f.

"und Henoch wandelte mit Gott" nicht unbedingt auf "literarische
Ungleichartigkeit" hinweise. Vielmehr wollte der Verfasser in
Gen 5, 22 aα hervorheben, daß Henoch ein frommes Leben führte.
Gen 5, 24 a habe er nochmals auf diesen Ausdruck zurückgegriffen,
um die Anspielung auf den Mythos seiner Entrückung zu rechtfertigen. [19] H. Holzinger [20] äußert Bedenken gegen die Ursprünglichkeit
von Gen 5, 22 a α. 24a. In Gen 5, 22aα vermutet er Korrektur durch
eine spätere Hand aufgrund von Gen 5, 24a. Aber auch Gen 5, 24a
ist ihm wegen der Durchbrechung des Schemas verdächtig. Gunkel [21]
merkt an, daß Gen 5, 22a α. 24a aus dem Zusammenhang fällt. Als
Ursache dafür gibt er an, daß P die Notiz, die er in seiner Vorlage
fand, nicht besser in das Schema einzuordnen wußte. P. Grelot [22]
erkennt das zweimalige "und Henoch wandelte mit Gott" als ursprünglich an. Nach seinem Dafürhalten wird durch die Wiederholung ein besonderer Nachdruck auf besagte Wendung gelegt. Für
N. M. Papadopulos [23], der ebenfalls an der Ursprünglichkeit "und
Henoch wandelte mit Gott" in beiden Fällen festhält, ist mit der
Wiederholung ein Hinweis auf den besonders frommen Lebenswandel
des Henoch gegeben.

Es spricht vieles dafür, daß das zweimalige "und Henoch wandelte
mit Gott" primär dem Genealogieschema Gen 5, 1-32 zugehört und
nicht erst durch eine spätere Auffüllung in den Text eingebracht

---

19 Der Hinweis von Humbert, daß Gen 5, 22aα aufgrund von Sep-
    tuaginta- und Vulgatahandschriften nicht gesichert sei, ist
    nicht haltbar, denn sowohl LXX als auch Vetus Latina und
    Vulgata bezeugen ursprünglich für V. 22 und 24 besagte Wen-
    dung. Erst einige Handschriften jüngeren Datums ließen Gen
    5, 22 aα mit Rücksicht auf Gen 5, 24a unübersetzt.
20 Genesis (KHC) Tübingen 1898, 59 f.
21 Genesis 136.
22 La Légende d' Hénoch dans les Apocryphes et dans la Bible :
    RSR 46, 1958, 190.
23 Ο ΘΑΝΑΤΟΣ ΚΑΙ ΑΙ ΜΕΤΑΘΑΝΑΤΙΟΙ ΠΑΡΑΣΤΑΣΕΙΣ , Athen
    1965, 93.

wurde. Wiederholungen sind für P charakteristisch und können
nicht durch literarkritisches Aufspalten eliminiert werden (vgl.
Gen 2,1-3 ; 6,11 f. 19 f ; 7,13-16 ; 9,1.7.9.11 ; Num 13,3.7).
Bereits oben wurde darauf verwiesen, daß die Genealogieschema-
ta bei P gelegentlich mit historischen und theologischen Angaben
durchsetzt sein können. Eine solch theologische Angabe liegt in
Gen 5,22 a α.24a vor. Die Doppelung dieser Angabe findet ihre
beste Erklärung in der von Humbert[24] vorgeschlagenen Interpretation, die schon früher dargelegt wurde.

1.2. Texterklärung

Bezüglich der Interpretation von "und Henoch wandelte mit Gott"
sind die Meinungen der Kommentatoren geteilt. Eine Reihe von Forschern faßt diesen Ausdruck wörtlich auf und sieht darin einen persönlichen und vertrauten Verkehr mit Gott ausgesprochen.[25] Einige setzen diesen vertrauten Wandel mit Gott in Parallele zu dem
Verkehr Gottes mit den Menschen im Paradies.[26] Andere Exegeten sprechen aufgrund von Gen 5,22a α.24a davon, daß Henoch in
göttliche Geheimnisse eingeführt wurde.[27] Gegen diese Deutung

---

24   Priester-Codex, 38 f.

25   F. Delitzsch, Neuer Commentar über die Genesis, Leipzig
      1887,143 ; B.D. Eerdmans, Die Komposition der Genesis,
      Gießen 1908, 5 f ; J. Pedersen, Israel its Life and Culture
      III-IV, Copenhagen 1940, 498 ; H. Junker, Das Buch Gene-
      sis (Echter-B I) Würzburg 2.3 1955, 37 f ; G.v.Rad, Das
      erste Buch Mose (ATD 2/4) Göttingen 7 1964, 57.

26   C.F. Keil, Biblischer Commentar über die Bücher Mose's.
      1. Genesis und Exodus (Bibl. Commentar über das AT)
      Leipzig3 1878, 97 ; A. Dillmann, Die Genesis, Leipzig5
      1886, 114.

27   J. Skinner, Genesis (ICC) Edinburgh 1910, 131 ; Gunkel,
      Genesis 136 ; J. Daniélou, L'Ascension d'Hénoch : Irénikon
      28, 1955, 258.

wenden sich jedoch F. Nötscher[28] und Grelot[29]. Daneben steht noch
eine große Anzahl von Gelehrten, die diese Wendung nicht wörtlich,
sondern im metaphorischen Sinn verstehen. Nach ihrer Meinung
geht aus Gen 5, 22 a α. 24a hervor, daß Henoch ein ethisch und reli-
giös vollkommenes Leben führte.[30] Auch U. Cassuto[31] schließt
sich für V. 22aα in seiner Deutung den eben genannten Forschern
an. V. 24a hingegen möchte er nicht in gleicher Weise interpretieren ; V. 24a bedeutet nach ihm "removal from the world, for-
ming a parallelism with : 'for God took him'". Letztgenannter
Vorschlag ist nicht akzeptabel, da es sehr unwahrscheinlich ist,
daß V. 24a gegenüber V. 22 aα eine neue Bedeutung annimmt.
Wenn man die angeführten Auslegungen für V. 22 aα. 24a überschaut, so heben sich zwei große Blöcke heraus. Einerseits plädiert eine Reihe von Forschern für ein wörtliches Verständnis,
während die größere Gruppe von Exegeten der besagten Stelle nur
eine metaphorische Bedeutung zuerkennt. Zweifellos hat die metaphorische Deutung die besseren Argumente für sich. Leider vermißt man jedoch eine differenzierte Beweisführung in den Kommen-
taren.

הלך kommt in Verbindung mit den Präpositionen אחרי - לפני vor. Diese Ausdrücke werden im wörtlichen und übertragenen Sinn gebraucht.

הלך לפני wörtlich : 1 Sam 12, 2 ; Klgl 1, 5.

לפני - metaphorisch : Gen 17, 1 ; 24, 40 ; 48, 15 ; 2 Kön 20, 3.

---

28 Altorientalischer und alttestamentlicher Auferstehungsglau-
   ben, Würzburg 1926, 124 Anm. 1.
29 La Légende d'Hénoch 187.
30 Nötscher, Auferstehungsglauben 123 f ; P. Heinisch, Das
   Buch der Genesis (HS I/1) Bonn 1930, 152 ; J. Chaine, Le
   Livre de la Genèse (LD 3) Paris 1948, 95 ; A. Clamer, La
   Genèse (Pirot & Clamer I/1) Paris 1953, 168 f ; F. Michaeli,
   Le Livre de la Genèse chap. 1-11 (La Bible ouverte) Neu-
   châtel 1957, 73 ; Grelot, La Légende d'Hénoch 187 ; R. de
   Vaux, La Genèse (Jerusalem-B) Paris 1961, 55 ; Papadopulos,
   Ο ΘΑΝΑΤΟΣ 90 Anm. 3.
31 A Commentary on the Book of Genesis I, Jerusalem 1961, 285.

אַחֲרֵי - wörtlich : 1 Sam 17,13 f ; Jos 3,3.

אַחֲרֵי - metaphorisch : Dtn 13,5 ; 1 Kön 14,8 ; 18,21 ; 2 Kön 23,3 ;
 Hos 11,10.

עִם - wörtlich : Ri 4,8 ; 1 Sam 30,22.

עִם - metaphorisch : Mich 6,8.

אֵת - wörtlich : 1 Sam 23,23 ; 25,15 ; 2 Kön 3,7 ; 6,4.

אֵת - metaphorisch : Mal 2,6.

Folgende Argumente sprechen dafür, daß die Wendung "und Henoch
wandelte mit Gott" im metaphorischen Sinn zu verstehen ist :

a.   Die Statistik über הלך in Verbindung mit den Präpositionen
לִפְנֵי - אַחֲרֵי - עִם - אֵת zeigt, daß alle vier Fälle im metaphorischen Sinn bezeugt sind.

b.   Viel zu wenig wurde bisher bei der Auslegung von Gen 5,22aα
24a die Stelle Gen 6,9b herangezogen. Dort stößt man nämlich
ebenfalls bei P auf den gleichen Ausdruck bezüglich des Noach :
"Mit Gott wandelte Noach. " Dazu findet sich in V. 9aß folgende
Erklärung : "Noach war ein gerechter, untadeliger Mann unter seinen Zeitgenossen. " Daraus geht hervor, daß dieses "Wandeln mit
Gott" metaphorisch verstanden wurde.

c.   Gegen ein allzu konkretes Verständnis von Gen 5,22aα.24a
ist zu bedenken, daß bei P die Transzendenz Gottes eine bedeuten-
de Rolle spielt.[32] "Vom unbefangenen Anthropomorphismus des
Jahwisten ist in P nichts mehr zu spüren. "[33] Dies schließt natür-
lich keineswegs aus, ja es ist sogar wahrscheinlich, daß die Traditionen, die P vorlagen, von einem vertrauten und befreundeten
Umgang des Henoch mit Gott in wörtlicher Auffassung zu berichten

---

32   Vgl. Sellin - Fohrer, Einleitung 200 f.
33   R. Kilian, Die Priesterschrift, in : Wort und Botschaft des
     AT, Würzburg[2] 1969, 250 f.

wußten.[34] Diese Überlieferungen wurden aber von ihm nicht unbesehen übernommen, sondern in seinem Sinne interpretierend gestaltet.

d. Im Akkadischen findet sich der Ausdruck alākum itti/ittu
("gehen mit") im wörtlichen Sinn, der dem hebräischen הלך את
entspricht. Sogar im metaphorischen Sinn ist diese Wendung in
Keilschrifttexten nachzuweisen: "Wenn er Sünde verwarf wird sein
Gott mit ihm gehen" (ilšu ittišu ittanallak).[35] Metaphorische Bedeutung liegt auch vor im Eigennamen ^{d}Nabû-itti-ēdi-a-lik ("Nabu,
geh mit dem Verlassenen").[36] Ein Unterschied besteht allerdings
zwischen Gen 5,22aα.24a ; 6,9b und den zitierten akkadischen
Formulierungen insofern, daß bei den atl Stellen jeweils ein Mensch
Subjekt der Handlung ist, während im Akkadischen ein Gott das
Subjekt der Aussage darstellt. Von diesem Gott wird gesagt, daß
er mit dem Menschen geht, wodurch Hilfe und Schutz einem Menschen von seiten eines Gottes zugesichert werden. Trotz der aufgezeigten sachlichen Differenzen bleibt für diesen Fall die Übereinstimmung im formalen Bereich zwischen hebräischer und akkadischer Sprache beachtlich. E.A.Speiser[37] schreibt hierzu :

---

34 Diese Traditionen wiederum können durch ein Motiv beein-
    flußt sein, das im alten Orient weit verbreitet ist. Dort hört
    man in zahlreichen Variationen von einem Menschen der Ur-
    zeit, der in direkter und unmittelbarer Verbindung zu den Göt-
    tern steht, deren besonderes Wohlwollen genießt und teilweise
    auch in ihre Pläne und Absichten eingeweiht ist. Vgl. dazu un-
    sere Untersuchungen über den Fluthelden S. 9.14 f.21.
    Besonders instruktiv hierfür ist Atrachasis, eine andere Be-
    nennung des Fluthelden, der engen Kontakt zu den Göttern be-
    sitzt (W.G. Lambert -A.R. Millard, Atra-ḫasīs, Oxford 1969,
    67.89.107.113). Auch Adapa, Etana und Enmeduranki gehören
    in diese Kategorie ; s. S. 24.26.29.
35 F.R. Kraus, Ein Sittenkanon in Omenform : ZA 43,1936,98 Z.31.
36 J.J. Stamm, Die akkadische Namengebung, Darmstadt^{2}1968,171.
37 The Durative Hithpaˁel : JAOS 75, 1955, 120.

"Not only is the idea of intimate association between a deity and a mortal expressed in each language by the same form, but the entire phrase is made up both times of exactly the same etymological elements. You might say that in this instance Hebrew walked with Akkadian."

e.   Schon die LXX, die älteste und wichtigste Übersetzung des hebräischen AT, hat Gen 5,22aα.24a ; 6,9b im metaphorischen Sinn verstanden, denn sie übersetzt an den genannten Stellen jeweils εὐαρεστεῖν + Dativ.

Es bleibt nun noch zu fragen, wie sich die Wendung "wandeln mit Gott" zu den sachlich eng verwandten Ausdrücken "wandeln vor/ hinter/mit (עם) Gott" verhält. Verschiedene Exegeten betonen einen Unterschied.[38] Skinner[39] sieht kaum eine Differenz, und warnt davor, auf die verschiedenen Präpositionen zu starkes Gewicht zu legen.

Bei P ist uns in Gen 17,1 noch die Aufforderung von seiten Gottes an Abraham bezeugt : "Wandle vor mir." Sachlich gesehen stimmt zwar "wandeln mit" in Gen 5,22aα.24a ; 6,9b mit "wandeln vor" in Gen 17,1 überein, denn in beiden Fällen handelt es sich um eine fromme und rechtschaffene Lebensführung. Wenn man sich aber die Akribie von P vor Augen hält, so fällt die Behauptung schwer, daß hierbei völlige Identität herrscht. P hat wohl bewußt die Präposition "mit" auf zwei Gestalten der Urzeit beschränkt. Vielleicht will er durch die Präposition "mit" - im Gegensatz zu "vor" - für die vorsintflutliche Zeit bei Henoch und Noach einen Frömmigkeitsgrad kennzeichnen, der später nie mehr erreicht wurde, genauso wie die lange Lebensdauer der Urväter von Gen 5,1-32 späteren Generationen versagt blieb.

---

38   Keil, Bibl.Commentar 97 ; Delitzsch, Genesis 142 f ; Dillmann, Genesis 114 ; Eerdmans, Genesis 6.
39   Genesis 131.

2. "Und er war nicht mehr" (Gen 5,24bα).

Wie die bereits im vorausgehenden Abschnitt III 1 behandelte Wendung, so unterbricht auch dieser Ausdruck die monotone Folge der
gleichbleibenden Glieder dieser Genealogie. Die Funktion dieses
eingliedrigen NS besteht darin, die Tatsache des Verschwunden-
seins Henochs in aller Kürze und Gerafftheit zu erwähnen. Die von
P komponierte Form der Genealogie in Kap. 5 zwang ihn zu dieser
gedrängten Diktion bezüglich der Ereignisse um Henoch, obgleich
die ihm vorliegenden Traditionen zweifellos detailliertere Angaben enthielten. Cassuto[40] sieht hier einen Euphemismus für "sterben". Als Beweisstellen dienen ihm Ijob 7,21 ; 8,22 ; Ps 39,14 ;
103,16 ; Spr 12,7. Bei Ijob 7,21 ; Ps 39,14 ; 103,16 hat אין einen
klaren Bezug zum Tod des Menschen. So steht Ijob 7,21 parallel
zu "nicht mehr sein" der Ausdruck "sich in den Staub legen", wobei Ijob selbst Subjekt ist. Auch Ps 39,14 ist mit "bevor ich hin-
gehe und nicht mehr bin" der Tod ins Auge gefaßt. Subjekt ist der
Beter selbst. Ps 103,16 ist zwar "die Blume" von V.15b Subjekt ;
sie wird aber in diesem Fall als Sinnbild der Vergänglichkeit und
Hinfälligkeit des Menschen herangezogen und somit besteht auch
hier eine klare Relation zum menschlichen Tod, wie übrigens der
Kontext V.14-16 ausweist. Die Vernichtung und der Untergang der
Frevler samt ihrer Habe wird durch אין in Ijob 8,22 ; Spr 12,7
umrissen. Damit ist auch in beiden letztgenannten Fällen indirekt
ein Verweis auf den Tod gegeben. Subjekt in Ijob 8,22 ist "das Zelt
der Frevler" und in Spr 12,7 "die Frevler". Obgleich also Cassuto
zu Recht die zitierten Stellen als Beweis dafür anführt, daß mit אין
ein Hinweis auf den Tod vorliegen kann, ist es doch nicht zulässig,
Gen 5,24 bα als Euphemismus für "sterben" zu bezeichnen. Es gehört ja gerade zu den Eigentümlichkeiten der Genealogie in Kap 5,

---

40   Genesis 285.

daß hier ein strenger Wiederholungstrend vorherrscht. Von der
Möglichkeit einer variablen Vokabelverwendung wird nicht Gebrauch gemacht. Das Faktum des Todes wird jeweils mit מות bezeichnet (V. 5. 8. 11 usw.), ohne daß dafür ein Synonymon eintritt.
Daher ist es ganz unwahrscheinlich, daß mit V. 24bα das Gleiche
ausgesagt wird wie mit dem stets wiederkehrenden "dann starb er".
Vielmehr bleibt festzuhalten, daß mit "und er war nicht mehr" ein
beabsichtigter Kontrapunkt zu "dann starb er" gesetzt wird.

אין wird auch dann verwendet, wenn es um das nichtaufgeklärte
und rätselhafte Verschwinden eines Menschen geht. So spielt dieses Verbum in der Josefgeschichte eine nicht zu übersehende Rolle
(Gen 37, 29. 30 ; 42, 13. 32. 36). Subjekt ist hierbei jeweils Josef.
Auch bei 1 Kön 20, 40 handelt es sich um das nichtaufgeklärte Verschwinden eines Menschen. Subjekt ist in diesem letzten Fall "ein
Gefangener", der anonym bleibt. Auch das Moment des plötzlichen
Verschwindens schwingt bei אין gelegentlich mit. Ijob 27, 19 heißt
es, daß das Haus des reichen Frevlers plötzlich über Nacht "nicht
mehr da ist". Jes 17, 14 liest man bezüglich der "vielen Völker",
womit die Assyrer gemeint sind, die Israel bedrängen : "Ehe es
Morgen wird, sind sie dahin!"
Schließlich kann auch der Gedanke des spurlosen Verschwindens
in אין enthalten sein (Ps 37, 36 ; Jer 50, 20 ; Ez 26, 21). In diesen
Fällen wird das spurlose Verschwinden durch den Kontext unterstrichen. Ps 37, 36 ; Ez 26, 21 steht parallel zu אין der Ausdruck
"suchen und nicht finden". Jer 50, 20 bildet "nicht finden" eine
Parallele zu אין. Subjekt von אין bei Ps 37, 36 ist der Frevler,
bei Jer 50, 20 die Schuld Israels und bei Ez 26, 21 die Stadt Tyros.
Besondere Beachtung verdient Ez 26, 21, weil der dortige Kontext
einige Konsequenzen des "Nichtmehrseins" aufzeigt. So erwähnt
Ez 26, 20, daß die Bewohner von Tyros aus dem "Land der Leben-

digen" verschwinden. Zugleich wird noch angefügt, daß ihr künftiger Wohnort in der Scheol sein wird, von wo es keine Rückkehr
gibt.

Selbst auf Gott wird אֵין angewandt, um seine Unauffindbarkeit auszudrücken. So heißt es bei Ijob 23, 8 : "Jedoch, gehe ich nach Osten,
so ist er nicht da, und nach Westen, so merke ich nichts von ihm. "

Zusammenfassend läßt sich sagen, daß mit Gen 5, 24bα "und er war
nicht mehr" aufgrund der durchgeführten Analyse sehr wohl der
Aspekt des rätselhaften, plötzlichen und spurlosen Verschwindens
anklingen kann. Hier stüzt sich P auf eine Tradition, die das Faktum des Verschwindens des Henoch in einer Unaufgeklärtheit beließ. Der anschließende Satzteil "denn Gott hatte ihn genommen
(entrückt)" deutet das rätselhafte, plötzliche und spurlose Verschwinden.

3.   "Denn Gott hatte ihn genommen/entrückt" (Gen 5, 24bß)
Bezüglich des Verbums "nehmen" kann auf die bereits durchgeführte Untersuchung S. 85 - 91 verwiesen werden. Es bleibt nun
noch zu fragen, wie dieses Verbum hier zu verstehen ist. Stellt es
einen terminus technicus für "entrücken" dar ? Liegt hier eine
Entrückungsaussage in der Weise vor, daß Henoch ohne vorausgehenden Tod von Gott aus dieser Welt hinweggenommen wurde ?
O. R. Sellers[41] faßt die gesamte Wendung "denn Gott hatte ihn genommen" als "a figurative way" für den Tod des Henoch auf. Dieser Ansicht ist entgegenzuhalten, was bereits weiter oben im
Zusammenhang mit "und er war nicht mehr" gesagt wurde, daß
nämlich formale Strenge und stereotyper Wiederholungstrend des
Genealogieschemas zwingend nahelegen, Gen 5, 24bß nicht als die

---

41   Israelite Belief in Immortality : BA 8, 1945, 2.

gleiche Aussage zu werten wie "dann starb er". Cassuto[42] verweist im Zusammenhang mit Gen 5,24bß auf Ps 49,16 und 73,24.
Nach seiner Auffassung spricht V. 24bß nicht davon, daß Henoch
nicht starb, sondern daß sein Tod nicht dem der übrigen Menschen
glich. Als Henoch starb, stieg er nicht zur Scheol hinab, sondern
Gott löste ihn aus der Macht der Scheol. Die von Cassuto vorge-
nommene Interpretation von Gen 5,24bß unter Berufung auf die
beiden Psalmstellen läßt sich aus dem vorliegenden Text nicht erweisen. Andere Exegeten sehen in לקח an dieser Stelle einen terminus technicus für Entrückung von der Erde in ein jenseitiges Leben.[43] Gegenüber diesen verschiedenen Erklärungsversuchen bleibt
festzustellen, daß mit V.24bß von P selbst eine theologische Interpretation für V.24bß gegeben wird. Das plötzliche, spurlose Verschwinden des Henoch wird durch P theologisch gedeutet. Diese
Deutung wird aber von P nicht breit entfaltet, sondern paßt sich
in ihrer gedrängten und knappen Ausdrucksweise der Grundstruktur
des Genealogieschemas an. Die Kürze des Kausalsatzes V.24bß ist
aber sicher nicht nur aufgrund formaler Aspekte zu erklären. Das
Verschweigen der näheren Umstände bei der Hinwegnahme durch
Gott und des Entrückungsortes resultieren auch aus einer bestimmten Haltung des P, der bei überweltlichen Dingen scheue Zurückhaltung erkennen läßt.[44] Möglicherweise grenzt sich P mit dieser
verhaltenen Redeweise gegenüber den detaillierteren Entrückungsberichten aus dem altorientalischen Raum ab, die er sicher ge-
kannt hat und in deren Einflußbereich er stand. Mit V.24b nimmt
P ein Motiv auf, das im alten Orient weitverbreitet war : Ein
Mensch der grauen Vorzeit genießt die besondere Gunst der Götter ;

---

42 Genesis 286.
43 O. Procksch, Die Genesis (KAT I) Leipzig 1913, 440 ; Hei-
    nisch, Genesis 151 f ; Papadopulos, Ο ΘΑΝΑΤΟΣ 89.
44 Vgl. Gunkel, Genesis 135.

er bleibt vom Tod verschont, indem er durch göttliches Eingreifen
aus dieser Welt an einen besonderen Ort entrückt wird. Diese Beeinflussung durch altorientalische Traditionen erklärt sich leicht
daraus, "daß P zur Zeit des Exils und im Exil entstanden ist".[45]
P hat dieses Motiv seiner geschichtlichen Gesamtkonzeption dienst-
bar gemacht : Innerhalb der Reihe von Adam bis Noach wird erkennbar, daß die von Gott verliehene Segenskraft weiter wirkt.[46]
Homogen in diese positive Grundstimmung fügt sich die Tatsache
ein, daß unter diesen Urvätern der Gottesfreund Henoch steht, dem
eine einmalige Bevorzugung durch Gott zuteil wird, indem ihm das
Todeslos erspart bleibt. Motivaufnahmen aus vorgegebenen Traditionen lassen sich bei P für die Urgeschichte mehrfach nachweisen. Wenn beispielsweise die Erschaffung der Welt in Gen 2, 4a
unter dem Begriff תולדות zusammengefaßt wird, so erinnert dies
an die Vorstellung der Schöpfung als Geburt.[47] Das Trennen von
Himmel und Erde (Gen 1, 5-8) basiert auf einem weitverbreiteten
Traditionskomplex.[48] Auch die Tatsache, daß die Erschaffung des
Menschen auf einem besonderen Beschluß Gottes beruht und daß
der Mensch gottähnliche Züge an sich trägt (Gen 1, 26), dokumentiert die Abhängigkeit von vorliegenden Traditionen.[49] Das Gleiche
gilt auch bezüglich des Sintflutberichtes.[50]
Man hat im Zusammenhang mit לקח in Gen 5, 24bß auf das akkadische leqû(m) verwiesen, das bei der Entrückung Utnapischtims eine
Rolle spielt.[51] Diese Parallelisierung besteht nicht zu Recht wie
aus den Untersuchungen auf S. 312 f hervorgeht.

---

45   Kilian, Priesterschrift 243.
46   Westermann, Genesis 471.
47   Westermann, Genesis 36-39.
48   Westermann, Genesis 46-48.
49   Westermann, Genesis 50-52.
50   Westermann, Genesis 66 f.
51   Gunkel, Genesis 135 ; Grelot, La Légende d'Hénoch 190.

IV. Fragen, die sich aus Gen 5, 21-24 ergeben

1. Die siebte Stelle des Henoch innerhalb der Genealogie

Mehrfach wurde erklärt, daß Henoch im Genealogieschema nicht
zufällig an siebter Stelle stehe, vielmehr werde ihm dieser Platz
bewußt als Auszeichnung zuerkannt.[52]
J. Hehn[53] hat auf die Bedeutung der Zahl Sieben bei Aufzählungen
in der altorientalischen Literatur und in der Bibel aufmerksam
gemacht. Bei den von ihm angeführten Beispielen schließt jedoch
jeweils die Aufzählungsreihe sobald die Siebenzahl erreicht ist.
Mit diesen siebenfachen Aufzählungen soll Gesamtheit und Voll-
ständigkeit ausgesagt werden. Man findet allerdings bei Hehn kein
Beispiel für eine Aufzählungsreihe, deren Gesamtzahl über Sieben
hinausgeht, wobei dem siebten Platz eine exponierte Stellung zukommt. Selbst in bezug auf die zehngliedrige Genealogie Gen 5,
1-32 äußert er sich nicht zum siebten Platz, sondern sagt nur, daß
die Zahl Zehn "Symbolzahl für das abgeschlossene Ganze" sei.[54]
Es müssen nun alle Argumente geprüft werden, die für bzw. gegen
eine besondere Bedeutung der siebten Stelle innerhalb der Genealogie Gen 5, 1-32 sprechen.

1.1. Die sumerische Königsliste W-B 444, die acht vorsintflutliche Urkönige aufzählt, erwähnt an siebter Stelle einen König
namens Enmenduranna ; vgl. S. 28 . Dieser König Enmenduranna
wird von Berossos unter dem Namen Evedôranchos bzw. Edôres-

---

52 Michaeli, Genèse 73 ; Grelot, La Légende d'Hénoch 185 ;
    Cassuto, Genesis 282.
53 Siebenzahl und Sabbat bei den Babyloniern und im AT (Leip-
    ziger Semitistische Studien II/5) Leipzig 1907, 18 f. 89.
54 Hehn, Siebenzahl 89 Anm. 1.

chos ebenfalls als siebter vorsintflutlicher babylonischer Urkönig
in einer zehngliedrigen Königsreihe überliefert ; vgl. S. 28 f. Weiterhin begegnet man dem gleichen Enmenduranna als Enmeduranki
in einem assyrischen Ritualtext, der von der überragenden Bedeutung des Enmeduranki als des ersten bārûm -Priesters berichtet,
der sogar vorübergehend in die Versammlung der Götter entrückt
wurde ; vgl. S. 28 - 31 . Von dieser hohen Auszeichnung her gesehen, die Enmeduranki widerfuhr, wäre es gut denkbar, daß Enmenduranna in der sumerischen Königsliste bewußt an siebter Stelle eingegliedert wird, um seine Bedeutung zu unterstreichen. Somit kann W-B 444 möglicherweise als Beweis dafür gelten, daß
eine Aufzählungsreihe aus der Literatur des Alten Orient, deren
Gesamtzahl Sieben überschreitet, der siebten Stelle eine besondere
Bedeutung zuerkennt.

1.2.   Bei der Behandlung von Gen 5, 1-32 darf Gen 4, 17-26
nicht übersehen werden, denn beide Texte zeigen eine auffallende
Übereinstimmung. So setzt die Genealogie von Gen 5 mit den drei
Namen ein, die sich auch in Gen 4, 25 f finden (Adam, Set, Enosch).
Ferner liegt eine Entsprechung zwischen den Namen 4 bis 9 in Gen
5 und den Namen in Gen 4, 17 f vor, wenn auch bezüglich der Reihenfolge Differenzen zu verzeichnen sind. Der Blick auf Gen 4, 17-
26 verrät, daß es sich bei V. 17-24 einerseits und V. 25 f andererseits um getrennte Traditionskomplexe handelt. Mit V. 17-24
weist J auf das Anwachsen der Gottentfremdung hin, während V. 25 f
das entgegengesetzte Thema behandelt, nämlich die Zuwendung zu
Gott. P hat beide Genealogien, die getrennt überliefert wurden,
zu einer einzigen vereinigt. Möglicherweise hat P beide Reihen
aus J übernommen, die er dann kompositorisch geprägt und seiner
Gesamtkonzeption integriert hat. Es ist sogar denkbar, daß Gen
4, 17-24 und 5, 1-32 Kontrastparallelen darstellen. Während nämlich in der Kainitengenealogie mit fortschreitender Zivilisation

die Gottentfremdung wächst, wie sich bei Kain und Lamech zeigt,
dominiert in Gen 5,1-32 die Frömmigkeit, deren Repräsentanten
Henoch und Noach sind. Speziell bezüglich des Lamech und Henoch
ist eine bewußte Gegenüberstellung möglich. Mit Henoch erreicht
die Frömmigkeit ihren Höhepunkt, während bei Lamech die Gott-
losigkeit elementar hervorbricht. Letztgenannter lebt in Polyga-
mie und ist gewalttätig bis zum Mord. Unter diesen Aspekten ist
es nicht auszuschließen, daß Henoch mit Absicht an die siebte
Stelle der Genealogie gesetzt wurde.

1.3.　　Bezüglich einer eventuellen Exponiertheit des siebten
Platzes innerhalb einer Genealogie, deren Gliederzahl Sieben
überschreitet, muß nach weiteren Argumenten Ausschau gehalten
werden. Bei P findet sich in Gen 11,10-26 eine zehngliedrige Genealogie, die neben Gen 5 am reinsten die ursprüngliche Form
eines Genealogieschemas bewahrt hat. Mit Serug steht ein Mann
an siebter Stelle, der keineswegs aus der Reihe der Aufgezählten
herausragt. Vielmehr liegt der Schwerpunkt auf Abraham, der
den zehnten Platz in der Genealogie einnimmt. Ihm wendet sich ab
Kapitel 12 das ausschließliche Interesse zu. Einem weiteren zehngliedrigen Stammbaum begegnet man in Rut 4,18-22. Auch hier
steht mit Boas an siebter Stelle keine Persönlichkeit, die von allen
übrigen abgehoben werden soll. Dagegen liegt ein besonderer Akzent auf dem zehnten Glied, nämlich auf David. Aus diesen letztgenannten Argumenten geht hervor, daß nicht ohne weiteres der
siebte Platz in einer Genealogie des AT auf eine exponierte und
privilegierte Stellung hinweist. Dennoch darf aufgrund der weiter
oben gemachten Ausführungen mit der Möglichkeit gerechnet werden, daß Henoch den siebten Platz bewußt erhält, um ihn besonders hervorzuheben.

2. Die Lebenszeit des Henoch

Die Lebenszeit des Henoch wird Gen 5,23 mit 365 Jahren angegeben. Diese Zahl hat man mit den Tagen eines Sonnenjahres in Beziehung gesetzt.[55] Dieser Hinweis ist jedoch nicht stichhaltig, da
im AT das Sonnenjahr keine nennenswerte Rolle spielt, zumal in
Israel nach Mondjahren gerechnet wurde.[56] Weiterhin hat man von
der Lebenszeit des Henoch ausgehend, die mit der Zahl der Tage
eines Sonnenjahres identisch ist, auf eine besondere Beziehung
zwischen Henoch und Enmeduranki, dem Begründer des bārûm-Priestertums, geschlossen.[57] Bei Enmeduranki sah man insoferne eine
Beziehung zum Sonnenkult als gegeben an, weil unter den Göttern,
die ihm ihre besondere Gunst erweisen, auch Schamasch, der Sonnengott, genannt wird. Ferner verwies man darauf, daß Enmeduranki König von Sippar war, der Kultstadt des Sonnengottes. Diese
Kombination von Henoch und Enmeduranki aufgrund angeblicher Beziehungen beider zum Sonnenkult gründet mehr auf Spekulation als
auf Tatsachen und kann keineswegs überzeugen. Andere Exegeten
sehen in den 365 Lebensjahren des Henoch ein abgerundetes Ganzes.[58] Auch für diese Deutung ergibt sich kein sicherer Anhalts-
punkt aus dem AT.[59]

---

55 Skinner, Genesis 132 ; Speiser, Genesis 43.
56 Nötscher, Auferstehungsglauben 123.
57 Gunkel, Genesis 135 f ; Grelot, La Légende d' Hénoch 187 f.
58 W. Zimmerli, 1. Mose 1-11 (ZBK) Zürich³1967, 256 ; Papado-
    pulos, Ο ΘΑΝΑΤΟΣ 93 Anm. 15 ; de Vaux, La Genèse 55 ("un
    chiffre parfait") ; Daniélou, L' Ascension 258 ("signe... de per-
    fection").
59 Um zu zeigen, wie fest gerade die Zahl 365 der Lebensjahre
    Henochs in der Tradition verankert ist, verwies man darauf,
    daß in diesem Fall MT, Samaritanus und LXX übereinstimmen,
    während die gleichen Textzeugen bei der Angabe des Lebens-
    alters der anderen vorsintflutlichen Urväter oft beträchtliche
    Differenzen aufweisen (vgl. Zimmerli, 1. Mose 1-11 (ZBK)256 ; Papado-
    pulos, Ο ΘΑΝΑΤΟΣ 93 Anm. 15). Doch Kongruenz zwischen MT,

Somit läßt sich zu den 365 Lebensjahren des Henoch nur sagen,
daß sein Leben, verglichen mit dem der übrigen Urväter, kurz ist.
Es überrascht, daß Henoch, der in besonderer Freundschaft zu
Gott steht und dessen Ende anders verläuft als das der übrigen,
nur relativ kurz lebte, da langes Leben im AT als Zeichen beson-
deren göttlichen Wohlwollens gilt (vgl. Gen 15,15 ; 25,8 ; 35,29 ;
Ri 8,32 ; 1 Chr 29,28 ; 2 Chr 24,15 ; Tob 14,3.13 f ; Jdt 16,24 ;
Ijob 42,17 ; Sir 47,23). Dagegen gilt früher Tod als furchtbare
Strafe (vgl. Ijob 36,14 ; Spr 24,19-22 ; Jer 17,11-13). Nach den
Zahlen, die der Samaritanus angibt, sterben Jered, Metuschelach
und Lamech im Jahr der Sintflut ; das ließe darauf schließen, daß
diese drei durch die Flut umkamen.[60] Daraus könnte weiterhin der
Schluß gezogen werden, daß Henoch deshalb nach einem relativ
kurzen Leben hinweggenommen wurde, weil Gott ihn vor der dro-
henden Flutkatastrophe retten wollte.[61] Die Vorstellung nämlich,
daß Gott jemanden frühzeitig sterben läßt, um ihn vor künftigem
Unheil zu bewahren, ist im AT trotz der starken Zuwendung zum
Leben bezeugt.[62] Doch der Gedanke, daß Jered, Metuschelach und

---

Samaritanus und LXX bezüglich der Zahl der Lebensjahre besteht relativ häufig, wie beispielsweise die Angaben bei Adam,
Set, Enosch, Kenan, Mahalalel zeigen, so daß die Konformität der genannten Zeugen betreffs der Lebensjahre des
Henoch nichts außergewöhnliches darstellt (vgl. die Über-
sichtstafel bei A. Deimel, Die altbabylonische Königsliste
und ihre Bedeutung für die Chronologie (Sacra Scriptura Antiquitatibus Illustrata 6) Rom 1935, 34).

60 Gunkel, Genesis 133 f ; Papadopulos, Ο ΘΑΝΑΤΟΣ 93.
61 Clamer, La Genèse 168.
62 So wird der frühe Tod des Abija, des Sohnes Jerobeams, damit
begründet, daß er als einziger aus der Familie des Jerobeams
ein ehrenvolles Begräbnis bekommen soll, "weil sich an ihm etwas findet, das Jahwe, dem Gott Israels, am Hause Jerobeams
wohlgefällt" (1 Kön 14,13), während über die übrigen Angehöri-
gen dieser Dynastie entehrendes Verderben hereinbricht (1 Kön
14,10 f.14). Auch der tragische Tod des frommen Königs Jo-
schija im Kampf gegen Pharao Necho, den König Ägyptens, bei

Lamech bei der Flut umkamen, paßt nicht recht zum Grundtenor
von Gen 5. Gerade die einleitenden Verse 1-3, die an Gen 1,26-
28 anknüpfen, das hohe Alter der Urväter und deren zahlreiche
Nachkommenschaft sollen den Segen Jahwes dokumentieren, der
auf den Urvätern ruhte.[63] Das stereotype "dann starb er" (V.5.
8.11.14 u.ö.) hat hier einen guten Klang.
Somit bleibt auch die Überlegung, daß die relativ kurze Lebensspanne durch die bevorstehende Flutkatastrophe bedingt ist, aus
der ihn Jahwe gerettet hat, nicht unumstritten. Eine Lösung, die
allen Einwänden standhält, läßt sich nicht erbringen.

3. Henoch und Enmeduranki

Über Enmeduranki wurde bereits S. 28 - 31 ausführlich gesprochen.
Bei der Erörterung der Lebenszeit Henochs wurde darauf aufmerksam gemacht, daß Parallelisierungen zwischen Henoch und Enmeduranki sehr fraglich sind ; vgl. S.171. Trotzdem berief man sich
immer wieder auf vermeintliche Beziehungen und Abhängigkeiten
zwischen Henoch und Enmeduranki.[64] Allerdings wurden dagegen
auch Stimmen laut und diese verfügen zweifellos über die besseren

---

Megiddo (2 Kön 23,29 f) wird dahingehend abgeschwächt, daß
er noch würdevoll bestattet und von den verhängnisvollen
militärischen, politischen und nationalen Katastrophen nicht
mehr betroffen werden soll (2 Kön 22,20).

63 Vgl. A.Schulz, Der Sinn des Todes im AT, Braunsberg 1919,
13 ; L.Dürr, Die Wertung des Lebens im AT und im antiken
Orient, Münster i.W. 1926, 5 ; C.R. Smith, The Bible
Doctrine of the Hereafter, London 1958, 33.

64 So z.B. Skinner, Genesis 132 ; A. Jirku, Altorientalischer
Kommentar zum AT, Leipzig 1923, 30 Anm. 10 ;
Chaine, La Genèse 95 ; Gunkel, Genesis LVIII. 136.

Argumente. [65] Wenn man schon von einer Relation zwischen Henoch und Enmeduranki sprechen will, so wäre dies nur im Hinblick
auf die Entrückung möglich. Aber auch für diesen Fall liegt ein
grundsätzlicher Unterschied vor. Enmeduranki wird nämlich nur
vorübergehend in die Versammlung der Götter entrückt, während
man bezüglich des Henoch nichts von einer befristeten Entrückung
erfährt. Er wird vielmehr für immer aus dieser Welt von Jahwe
hinweggenommen.

4. Henoch und der Flutheld

Sowohl im sumerischen als auch im babylonisch-assyrischen Flutbericht bis hin zu Berossos ist jeweils der aus der Flut Gerettete
zugleich auch derjenige, der entrückt wird. Näherhin ist der sumerische Flutheld Ziusudra (nach W-B 62) und Xisuthros (nach Berossos), der zehnte einer vorsintflutlichen Urkönigsreihe ; vgl. S. 8 f
und S.21 . Zweifellos besteht zwischen dem Flutbericht aus dem
mesopotamischen Kulturkreis und dem der Bibel eine Verwandtschaft. Bezüglich dieser engen Relation braucht hier nichts gesagt
zu werden, da in vielen Untersuchungen die frappierende Verflechtung beider Berichte herausgearbeitet wurde. Von verschiedenen
Forschern wurde auch auf die auffallenden Übereinstimmungen
zwischen den sumerischen Königslisten (W-B 444 und W-B 62),
die auch von Berossos überliefert werden, und der Genealogie in
Gen 5 hingewiesen. [66] Eine Übereinstimmung sah man aufgrund

---

65   Nötscher, Auferstehungsglauben 122 ; E. Dhorme, L'Aurore
     de l'Histoire Babylonienne (Recueil Edouard Dhorme)
     Paris 1951, 26 f.
66   Vgl. Zimmerli, 1.Mose 1-11 (ZBK) 250 f ; Gunkel, Genesis
     131 f.

folgender Punkte als gegeben an :

a.   Die Zeit, in der die betreffenden Männer gelebt haben, liegt vor
der großen Flut. b. Alle Listen, mit Ausnahme von W-B 444, führen
eine zehngliedrige Personenreihe an. c. Sämtliche Männer dieser Reihen erreichen ein sehr hohes Lebensalter. d. Unter dem Letzten der
Gruppe bricht jeweils die große Flut herein.

Daneben hat es aber auch nicht an Exegeten gefehlt, die, trotz der zunächst ins Auge fallenden Kongruenz, die Disparität nicht übersahen.[67]
Die neueste Entwicklung in der Forschung hat nun gerade den Letztgenannten Recht gegeben. So kann als gesichert gelten, daß der Teil der
altbabylonischen Königsliste, der sich auf die vorsintflutliche Zeit bezieht, ursprünglich einen separaten Traditionskomplex darstellt. Die Datierung "vor der Flut" und "nach der Flut" entstammt einem überliefe-
rungsgeschichtlich späteren Stadium.[68] Somit ist Punkt a. korrekturbedürftig. Ferner herrscht heute Einmütigkeit darüber, daß es sich bei den Königen vor der Flut ursprünglich nicht um zehn, sondern um acht bzw. sieben
handelt.[69] Damit verliert Punkt b. seine Stringenz. Schließlich muß
beachtet werden, daß auch Ziusudra, der entrückte Flutheld, nicht
von Anfang an dieser Serie von Urkönigen angehört.[70] Damit entfällt das Problem, wieso in Analogie zur altbabylonischen Königsliste, nach Gen 5 nicht der aus der Flut gerettete Noach, der den
zehnten Platz in der Genealogie einnimmt, entrückt wird, sondern
Henoch, der Mann der siebten Stelle.[71] Wenn man unter diesen
Voraussetzungen die atl und altbabylonische Liste vergleicht, so
kann von einer Entsprechung zur altbabylonischen Königsreihe in
ihrer Urgestalt lediglich im Hinblick auf die hohen Zahlangaben

---

67   Deimel, Die altbabylonische Königsliste 32-37 ; v. Rad,
     Das erste Buch Mose 56.
68   Westermann, Genesis 474-476.
69   Westermann, Genesis 475.
70   Westermann, Genesis 476.
71   Chaine, La Genèse 96 und Grelot, La Légende d'Hénoch
     190 suchten diese Schwierigkeit dadurch zu lösen, indem sie
     darauf verwiesen, daß eine Transposition von Noach auf
     Henoch stattgefunden habe.

gesprochen werden. Es ist nicht auszuschließen, daß dem P die
babylonische Liste der Urkönige mit den hohen Zahlen bekannt war,
auf eine Abhängigkeit bzw. Vorlage von dieser Seite braucht man
deswegen nicht zu schließen. Gen 5 hat seine charakteristische
Form und bestimmende Zielrichtung im Gesamtaufriß des priesterlichen Geschichtswerkes[72] durch P erhalten. Wie schon der Schöpfungsbericht dieser Quellenschrift so ist auch die anschließende
Genealogie von einem positiven Zug durchwoben. Dieser optimisti-
sche Trend wirkt sich vor allem in Gen 5, 21-24 aus. Hier verarbeitet P das Gottesfreund- und Entrückungsmotiv des alten Orients.
Auf den Urvätern der grauen Vorzeit ruhte Gottes Segen. Einer von
ihnen stand in so enger Freundschaft und Beziehung zu Gott, daß
er vom Tod ausgenommen blieb.

§ 2 Die Entrückung des Henoch nach Sir 44,16; 49,14

I. Textkritische und literarkritische Anmer-kungen

Nach den kurzen Bemerkungen über Henoch in Gen 5, 21-24 hören
wir von dieser Gestalt erst wieder in später Zeit, nämlich in den
deuterokanonischen (apokryphen) Büchern Sirach und Weisheit.[73]
1. Doppelerwähnung Henochs : Sowohl Sir 44,16 als auch 49,14
handeln von Henoch. Y. Yadin[74] folgert aufgrund der neuen Sirach-
funde von Masada, daß ursprünglich nur in 49,14 von Henoch die
Rede war und zwar rechnet er zum originalen Textbestand von 49,
14 auch folgende Teile aus 44,16 : אות דעת לדור ודור und

---

72   Westermann, Genesis 488-490.
73   Zur Entstehungszeit von Sirach s.S. 139 f.
74   The Ben Sira Scroll from Masada, Jerusalem 1965, 38.

ו.ייתהלך עם י .Er scheidet also gegenüber dem hebräischen Text der

Kairorer Geniza von 44,16 nur נמצא תמים und ויּלקח als sekundär

aus. Gestützt wird diese These Yadins noch dadurch, daß auch

die weiteren Persönlichkeiten,auf die in dem zusammenfassenden

Rückblick von Sir 49,14-16 bezug genommen wird, in früheren Text-

teilen noch nicht angeführt worden waren. Demgegenüber hält N.

Peters[75] an der Ursprünglichkeit beider Stellen fest. Um seine Be-

hauptung zu erhärten, beruft er sich auf die zweifache Zitation

Davids im "Preis der Väter" (Sir 45,25 f ; 47,1-12). Darüberhin-

aus ließe sich das zweifache Eingehen auf Henoch unschwer als

eine spezifische Eigenart der Weisheitsliteratur erklären. Wie

nämlich aus den Untersuchungen S.253-261 hervorgeht, stellt es

eine literarische Eigentümlichkeit der Weisheitsliteratur dar, am

Schluß bestimmter Abschnitte in lehrhafter Manier eine Zusammen-

fassung des Vorausgehenden zu geben.[76] Konkret auf unseren Fall

angewandt würde dies bedeuten, daß Henoch, nachdem mit ihm in

44,16 die Aufzählung der illustren Männer der Vergangenheit er-

öffnet worden ist, zum Abschluß des "Preises der Väter" als ein

hervorragender Repräsentant der Frühzeit nochmals hervortritt.

Damit ist eine Inclusion gegeben.[77] Das wichtigste Argument für

---

75 Henochs zweimalige Erwähnung im "Preis der Väter" des
   Jesus Sirach : ThGl 2,1910, 319.

76 In die gleiche Richtung zielt auch der Abschluß von Weish 19,
   18-22, bei dem der Verfasser in einem abrundenden Aus-
   klang Hauptthemen der vorausgehenden Abhandlungen nochmals anklingen läßt ; vgl. H.Eising, Die theologische Geschichtsbetrachtung im Weisheitsbuche, in : Festschrift f. M.Meinertz,
   Münster 1951, 29 f.

77 Eine Inclusion läßt sich auch für Sir 42,15-43,33 nachweisen.
   Nachdem in 42,15-25 Gottes Lob aufgrund seiner Werke in der
   Natur in allgemeiner Weise gesungen wurde, wird dieser Preis
   Gottes durch konkrete Beispiele motiviert (43,1-25). Ein ab-
   rundender Schluß wird mit 43,26-33 erreicht, der die allgemei-
   ne Thematik der Introduktion (42,15-25) wieder aufnimmt.

die ursprüngliche Erwähnung Henochs in 44,16 bildet jedoch nach
wie vor der hebräische Text der Kairoer Geniza und die griechische Übersetzung. Demzufolge ist daran festzuhalten, daß die Erwähnung Henochs in 44,16 ursprünglich ist. Der Sirachfund von
Masada, der gerade an dieser Stelle sehr fragmentisch ist, kann
diese wichtigen Textzeugen nicht entkräften.

2.   Textbefund von Sir 44,16 : Dieser Vers wirkt textlich überla-
den und der Rhythmus ist gestört. תמים נמצא ist zweifellos sekundär und aus V. 17 eingedrungen. [78] Diese Wendung fehlt auch be-
zeichnenderweise in der griechischen Übersetzung. Der Entrückungsterminus לקח ist konsequenterweise als sekundär anzusehen, wenn
man als ursprünglichen Ort 49,14 annimmt, wie dies Yadin tut,
denn dort steht bereits dieses Verbum. Schon vor Yadin hat man
an der Echtheit von לקח in 44,16 gezweifelt, einerseits aus metri-
schen Gründen, andererseits weil durch 49,14 vorausgesetzt werde, daß die Entrückung Henochs noch nicht erwähnt worden sei. [79]
Dagegen hielten jedoch andere Forscher an der Echtheit von לקח
in 44,16 fest. [80] Auch der Enkel des Jesus Sirach, der die griechische Übersetzung anfertigte, hat לקח 44,16 in seiner hebräischen
Vorlage gelesen und mit καὶ μετετέθη wiedergegeben. Es besteht
keine zwingende Veranlassung, dieses Verbum hier als nicht ursprünglich zu eliminieren. Durch ויילקח und   עם ויתהלך   in

---

78   Smend, Sirach 241 ; Lévi, The Hebrew Text of the Book of
      Ecclesiasticus 59 Anm. k ; V.Hamp, Das Buch Sirach oder
      Ecclesiasticus (Echter-B IV) Würzburg 1959, 692.
79   G.H. Box - W.O.E.Oesterley, The Book of Sirach, in :
      Charles I, Oxford 1913, 482 ; Smend, Sirach 422.
80   V.Ryssel, Die Sprüche Jesus', des Sohnes Sirachs, in :
      Kautzsch I, Tübingen 1900, 450 ; Segal, Ben Sira z.St.

44,16 wird die enge Anlehnung an Gen 5,22.24 erkennbar.[81]

II. Exegese :

Große Schwierigkeiten hat den Exegeten der Ausdruck דעת אות
44,16 bereitet. Nicht annehmbar ist der Vorschlag, דעה als nicht
ursprünglich auszuscheiden, da es aus 44,17 als לעה bzw. בעה eingedrungen sei und dann zu דעה wurde.[82] Verschiedene wollten aufgrund von דעהאות einen Hinweis auf die außerordentliche Frömmigkeit Henochs sehen.[83] Bei dieser Erklärung ließe sich דעת אות
mit » עם ויתהלך in Verbindung bringen ; vgl. S.162 . Wahrscheinlich verbirgt sich aber hinter der Wendung "Zeichen des Wissens
(der Erkenntnis)" die Vorstellung von Henoch als dem Weisen katexochen, der über vielfältiges Wissen verfügt. Durch die Henochtraditionen des Buches der Jubiläen und des äthiopischen Henochbuches
sind wir nämlich darüber informiert, daß man Henoch ein großes
Wissen zusprach. So erwähnt Jub 4,17f, daß Henoch detaillierte
Kenntnisse im profanen Bereich besaß. Auch Hen(aeth) geht hiermit im Reisebericht über Erde und Unterwelt (Kap.17-36) und im
astronomischen Buch (Kap 72-82) konform. Darüberhinaus bezeugt
Jub 4,19 und Hen(aeth) Kap.37-69 und 83-90, daß Henoch mit ver-
gangenen und künftigen Geheimnissen wohl vertraut ist.
Die griechische Übersetzung ὑπόδειγμα μετανοίας für דעת אות
ist sehr seltsam, denn אות wird in der LXX niemals mit ὑπόδειγμα,
sondern meist mit σημεῖον , und דעה niemals mit μετάνοια , son-

---

81 Bemerkenswert ist, daß 44,16 הלך nicht, wie zu erwarten, in
Anlehnung an Gen 5,22.24 mit der Präposition את, sondern
mit der Präposition עם konstruiert wird. Das zeigt, daß
die Präpositionen את und עם in Verbindung mit הלך von Jesus Sirach als synonym empfunden wurden.

82 C. Taylor - J.H.A.Hart, Two Notes on Enoch in Sir 44,16 :
JThS 4,1903, 589.

83 N. Peters, Das Buch Jesus Sirach oder Ecclesiasticus (EH 25)
Münster i.W.1913,378 ; Nötscher,Auferstehungsglauben 124
Anm. 1.

dern überwiegend mit γνῶσις übersetzt. Überhaupt ist μετάνοια
nur an dieser Stelle für Sir bezeugt. Smend hält διανοίας, das von
V Arm = H überliefert wird, für ursprünglich.[84] Ziegler hat demgegenüber zu Recht ὑπόδειγμα μετανοίαςwegen der Bezeugung
durch fast alle Unzialen bei seiner Sirach-Edition in den Text aufgenommen. Hierbei kann eigentlich nicht mehr von einer Übersetzung des hebräischen הער תואגesprochen werden, vielmehr liegt
eine Interpretation vor, die wahrscheinlich auf die alexandrinische
Exegese zurückzuführen ist, unter deren Einfluß der Enkel des Jesus Sirach bei der Übersetzung des Werkes seines Großvaters
stand.[85]

Philo, der als Hauptzeuge für die alexandrinische Exegese gilt,
spricht im Zusammenhang mit μετάνοια ("Reue") und βελτίωσις
("Besserung") davon, daß Henoch "von einem schlechten Leben zu
einem besseren überging" (τὸν ἀπὸ χείρονος βίου πρὸς τὸν ἀμεί-
νω μεταβαλόντα).[86] Auch Clemens Alexandrinus berichtet von
"Henoch, der sich bekehrte" (τὸν μετανοήσαντα ᾽Ενώχ).[87]

In der griechischen Übersetzung von 44,16 stellt man eine enge Anlehnung an die LXX von Gen 5,22.24 bezüglich εὐαρεστεῖν und μετατιθέναι fest.[88] In der altlateinischen Übersetzung findet sich
bei μετετέθη der Zusatz in paradisum und in der Vulgata in para-
diso.[89]

---

84   Sirach 421.
85   Vgl. Taylor-Hart, Two Notes on Enoch 590 f ; Box-Oesterley,
      The Book of Sirach 482 ; Grelot, La Légende d'Hénoch 181.
      Bekanntlich hat ja der Enkel des Jesus Sirach, wie er selbst
      im Prolog sagt, seine Übersetzung in Ägypten für die grie-
      chisch sprechenden Juden Ägyptens angefertigt.
86   De Abr.17.
87   Stromata II Cap. XV 70,3.
88   Vgl. A. Schmitt, Die Angaben über Henoch Gen 5,21-24 in der
      LXX 163 f. 166-168.
89   Dies ist ein additamentum christianum.

49,14 wird לקח im Gegensatz zu 44,16 mit ἀναλαμβάνειν übersetzt ; vgl. S.142 f.Schwierig ist die Deutung von פנים in 49,14.
Ryssel[90] möchte an Stelle von פנים— פתאם lesen. Weiterhin gibt
er zu bedenken, daß פנים im Sinne von פנימה ("hinein sc. in den
Himmel", vgl. Lev 10,18) stehen kann. Man hat auch den Vorschlag
gemacht, statt פנים-פניה מעל zu lesen.[91] Am besten begründet
ist noch immer das Verständnis von פנים als ("in Person, leibhaf-
tig"), ohne daß man eine Konjektur vornimmt.[92] Die griechische
Version hat als terminus a quo ἀπὸ τῆς γῆς, die Vulgata entsprechend a terra.[93]

§ 3   Weish 4, 7-20

Die Entstehung des Buches der Weisheit wird in der Forschung
heute im allgemeinen auf das erste vorchristliche Jahrhundert datiert.[94] Dieser Termin liegt kurz nach Sirach, dessen Henochtraditionen im vorausgehenden § 2 behandelt wurden. Als Ent-
stehungsort nimmt man Alexandrien an.[95] Die Schwierigkeit, vor
die wir uns in Weish 4, 7-20 gestellt sehen, liegt darin, daß Henoch
in diesem Abschnitt nicht namentlich genannt wird. Deshalb stellt
sich zunächst die Frage, ob in dem vorliegenden Text überhaupt
auf ihn Bezug genommen wird.
Unter Berufung auf εὐάρεστος und μετατιθέναι (4,10) und ἀρεστή

---

90   Die Sprüche Jesus' 467.
91   Box-Oesterley, The Book of Sirach 506.
92   Smend, Sirach 475 ; Hamp, Sirach 707. Vgl. hierzu E.
     Dhorme, L'Emploi métaphorique des Noms de Parties du
     Corps en Hébreu et en Akkadien, Paris² 1963, 59 f.
93   Der terminus a quo und der terminus ad quem wird in grie-
     chisch-hellenistischen Entrückungsberichten häufig gesetzt ;
     vgl. Lohfink, Himmelfahrt 37.
94   Eissfeldt, Einl. 815.
95   Eissfeldt, Einl. 815.

(4,14) beziehen verschiedene Exegeten diesen Abschnitt auf Henoch.[96]
Auch ohne ausdrücklichen Hinweis auf die genannten griechischen
Termini sieht die Mehrzahl der Gelehrten an dieser Stelle eine Anspielung auf Henoch.[97] Nur wenige Forscher erwähnen bei der Behandlung von 4,7-20 den Urvater aus Gen 5,21-24 überhaupt nicht.[98]
Zweifellos wird mit εὐάρεστος und μετατιθέναι (4,10) und ἀρεστή
(4,14) die Henochterminologie der LXX von Gen 5,22.24 aufgegriffen. J. Fichtner konnte überzeugend nachweisen, daß vielfach in
Weish auf die Übersetzung der LXX zurückgegriffen wird, nicht selten sogar in Fällen, bei denen die LXX vom hebräischen Urtext ab-
weicht.[99] Die griechische Henochtradition basiert ja bekanntlich in
Anlehnung an die Septuagintaübersetzung von Gen 5,22.24 vornehmlich auf εὐαρεστεῖν und μετατιθέναι (Sir 44,16 ; Philo, De mut.
nom. 34, De Abr.17 ; Hebr 11,5 f ; Klemensbrief 9,3).[100] Die
fehlende Namensangabe in 4,7-20 ließe sich unter Umständen als eine
Eigentümlichkeit des Verfassers erklären, der oftmals bei geschichtlichen Anspielungen die betreffenden Personen in der Anony-

---

96   C. Gutberlet, Das Buch der Weisheit übersetzt und erklärt,
      Münster 1874, 116 ; K. Siegfried, Die Weisheit Salomos, in :
      Kautzsch I, Tübingen 1900,485 Anm. r ; E. Gärtner, Kompo-
      sition und Wortwahl des Buches der Weisheit (Schriften der
      Lehranstalt für die Wissenschaft des Judentums II/2-4) Ber-
      lin 1912, 163.186 ; J. Fichtner, Weisheit Salomos (HAT II/6)
      Tübingen 1938,23.
97   W. J. Deane, The Book of Wisdom, Oxford 1881, 130 ; F. W.
      Farrar, The Wisdom of Solomon (Apocrypha I) London 1888,
      445 f ; S. Holmes, The Wisdom of Solomon, in : Charles I,
      Oxford 1913,541 ; F. Feldmann, Das Buch der Weisheit (HS
      VI/4) Bonn 1927,42 ; Nötscher, Auferstehungsglauben 124
      Anm. 1 ; J. Weber, Le Livre de la Sagesse (Pirot & Clamer
      VI) Paris 1951, 245.
98   A. Schulz, Der Sinn des Todes im AT, Braunsberg 1919,39 ;
      A. Drubbel, Wijsheid (BOuT VIII/IV) Roermond 1957,31.
99   Der AT-Text der Sapientia Salomonis : ZAW 57,1939,155-192.
100 Vgl. hierzu Schmitt, Die Angaben über Henoch 163 f. 166-168.

mität beläßt (10,1.3.4.5.6.10.13.16 ; 11,1 ; 12,3 ; 14,6 ; 15,14 ;
18,5.21 ; 19,14.17). Weiterhin wird wiederholt die nicht beim Namen genannte Person als δίκαιος bezeichnet (so 10,4.5.6.10.13 ;
19,17). Über den δίκαιος , so könnte man schlußfolgernd fortfah-
ren, wird nun auch in 4,7.16 gesprochen. Doch diese letztgenannten Argumente dürfen nicht vorschnell dazu verwendet werden, um
4,7-20 direkt auf Henoch beziehen zu können. All diese Fälle entstammen nämlich dem letzten Abschnitt des Buches der Weisheit,
der von Kap.10-19 reicht, und im Gegensatz zu den vorausgehenden Kap. 1-5 und 6-9 eine geschichtliche Rückschau bringt (Kap.
10-12 ; 16-19) bzw. Reflexionen bietet, die sich aus historischen
Gegebenheiten herleiten (Kap. 13-15). Im Gegensatz dazu zeigt
schon ein kurzer Blick auf den Kontext, in den 4,7-20 eingebettet
ist, daß hierbei ein Trend zur Verallgemeinerung und Abstraktion
ohne konkreten geschichtlichen Bezug vorherrscht, der es fraglich erscheinen läßt, ob 4,10.14 direkt mit Henoch in Verbindung
gebracht werden kann, wenn auch die Termini der griechischen
Henochtradition verwendet werden. So wird 2,10.12.18 ganz allgemein vom "Gerechten" gesprochen, der der Oppression durch die
Gottlosen ausgesetzt ist. 3,1 heißt es generalisierend : "Die Seelen der Gerechten sind in Gottes Hand", und 3,9 führt diese Linie
fort : "Denn Gnade und Erbarmen wird seinen Frommen und Ent-
lohnung seinen Auserwählten zuteil." Dieselbe allgemeine Tendenz
ohne konkrete Bezugnahme auf eine bestimmte Person herrscht dann
auch in 3,13-4,20 vor, wo zwei Sonderfälle behandelt werden. 3,13-
4,6 hebt hervor, daß es um den kinderlosen Gerechten besser bestellt ist als um den kinderreichen Gottlosen. In gleicher Weise unterstreicht 4,7-20, daß ein früher Tod für den Gerechten kein Unglück und langes Leben für den Gottlosen kein Glück darstellt. Die
Allgemeinheit in der Aussage wird auch in 5,1.15 nicht verlassen.
Bei diesen letztgenannten Stellen richtet sich der Blick auf das künf-

tige, glückliche Los der Gerechten.

Die gleiche Generalisierungstendenz, die bezüglich der Gerechten und Frommen zu konstatieren ist, zeigt sich auch betreffs der Gottlosen, die in scharfem Kontrast zu den Gerechten gezeichnet werden. 1,16 spricht ganz allgemein von den ἀσεβεῖς, die sowohl einer frivolen Lebensauffassung (2,1-5) als auch einer schrankenlosen Genußsucht (2,6-9) huldigen und von tiefem Haß gegenüber dem Gerechten erfüllt sind (2,10-20). 3,10-12 wird ihnen eine harte Strafe in Aussicht gestellt. Diese drohende Abrechnung kontrastiert der Belohnung, die den Gerechten verheißen wird (3,1-9). Eine solche Gegenüberstellung von Gerechten und Gottlosen setzt sich auch bei den bereits erwähnten Sonderfällen bezüglich Kinderreichtums und langen Lebens fort. So wird 4,3-6 ausgeführt, daß Kinderreichtum den Gottlosen nichts nützt und 4,16 klingt an, daß ihnen ein langes Leben nichts einbringt, denn ein furchtbares Ende erwartet sie (4,19 f). Schließlich werden auch 5,1-14 der Gerechte und die Gottlosen in einer geschickten literarischen Komposition konfrontiert.

Zusammenfassend kann also gesagt werden, daß in Weish 1-5 unverkennbar eine Tendenz zur Verallgemeinerung herrscht. Es geht um "den (die) Gerechten" und dessen Gegenstück "den (die) Gottlosen". Hinter diesen Bezeichnungen stehen keine benennbaren historischen Personen. Dies schließt jedoch nicht aus, daß bei der Schilderung "des (der) Frommen" und "des (der) Gottlosen" konkrete, geschichtliche Erfahrungen eingearbeitet wurden. 4,10.14 werden mit εὐάρεστος - μετατιθέναι - ἀρεστή bei der Behandlung des frühen Todes des Gerechten Termini aus der Henochtradition aufgenommen, ohne daß damit eine direkte Verbindung zu dem vorsintflutlichen Urvater hergestellt wird.

Nach diesen Feststellungen können wir uns nun der Exegese von 4,7-20 zuwenden:

M.J. Suggs[101] kommt am Ende seiner Untersuchung zu dem Ergebnis, daß 2,10-5,23 eine Lehrpredigt darstellt, die hauptsächlich auf Jes 52,13-53,12 basiert. Der Autor hatte also nach Meinung von Suggs in 2,10-5,23 den Gottesknecht aus Jes 52,13-53,12
vor Augen und an diesem Modell demonstrierte er Bedrängnis und
Belohnung des Gerechten. Allerdings muß er zugestehen, daß für
3,15-4,13, eine direkte Abhängigkeit und Bezugnahme auf Jes 52,
13-53,12 fraglich ist.[102] Zwar versucht er für dieses mangelnde
Bezugsverhältnis eine Deutung zu geben, ohne allerdings überzeugen zu können.[103] Im Zusammenhang mit 4,14.17 verweist Suggs[104]
auf Jes 6,9 und bei 4,19 auf Jes 52,15. Auch A.G.Wright[105] ist
der Ansicht, daß in den Kap. 2-5 wiederholt Anlehnungen und Beziehungen zu Jesaja festzustellen sind : "Throughout 2,12-5,23
the author draws heavily on Is 52-66. His teaching on retribution
is the fruit of meditation on these chapters in their LXX form and
he sets forth that teaching in a series of characters or types taken
from Is, presented in their Isaian sequence and embellished with
additional details from elsewhere. In 3,2 ff. the author is drawing
on Is 53,4-11 on the subject of suffering. In 3,13 ff. he has moved
on to Is 54,1 ff. and 56,2-5 and the subject of childlessness, and
in 4,7 ff. he has moved on to Is 57,1-2 and the subject of early
death." So instruktiv die Ausführungen von Suggs und Wright auch
sind, es bleibt doch fraglich, ob eine solche Relation zwischen Jesaja und dem Buch der Weisheit, wie sie die genannten Autoren
vertreten, besteht. Deshalb muß bei dieser Untersuchung gefragt

---

101   Wisdom of Solomon 2,10-5 : JBL 76, 1957, 33.
102   A.a.O. 29.
103   A.a.O. 31.
104   A.a.O. 30.
105   The Structure of the Book of Wisdom : Bibl 48, 1967, 171.

werden, ob die Herkunft speziell von 4, 7-20 nicht überzeugender
auf andere Weise nachgewiesen werden kann. Wie bereits angedeutet werden in 3, 13-4, 20 zwei Spezialprobleme behandelt, nämlich
Kinderlosigkeit (3, 13-4, 6) und früher Tod des Gerechten (4, 7-20).
Beide Probleme sind sowohl im jüdischen als auch im hellenistischen Raum von brennender Aktualität.[106] Im Judentum wurde
zahlreiche Nachkommenschaft stets als ein Zeichen göttlichen Wohlwollens betrachtet, umgekehrt bedeutete es Strafe und Schande,
wenn Eltern kinderlos blieben (vgl. Gen 12, 2 ; 15, 5 ; 24, 60 ; 26,
24 ; 28, 3. 14 ; Ri 11, 37 f ; 1 Sam 1 ; 2 Sam 6, 23 u. ö.).[107] Jeder
wünschte sich ein langes und erfülltes Leben ; vgl. S. 172. Auch im
griechischen Denken wurde Kinderlosigkeit hart und bedrückend
empfunden. Deshalb findet sich oft auf Grabinschriften die Klage,
daß der/die betreffende Tote kinderlos sterben mußte.[108] Ebenso
galt es als bedauerliches und tragisches Verhängnis, wenn ein
Mensch in jugendlichem Alter zum Hades hinabsteigen mußte.[109]
Interessant ist auch, daß bei einigen Epitaphien das Sterben in jugendlichem Alter und Kinderlosigkeit in unmittelbarem Zusammenhang genannt werden.[110] Es gehört zu den gesicherten Ergebnissen
der Forschung, daß das Buch der Weisheit durch zwei Komponenten
geprägt ist, nämlich biblisch-jüdische Tradition einerseits und hel-
lenistisches Denken andererseits. Letzteres hat vielfach auf Inhalt

---

106   "Zwei Probleme haben den Menschen immer zu schaffen ge-
      macht, nämlich das Sterben der Kinder und das der Unver-
      heirateten" ; C. Schneider, Kulturgeschichte des Hellenis-
      mus II, München 1969, 209.
107   R. de Vaux, Das AT und seine Lebensordnungen I, Freiburg[2]
      1964, 78.
108   W. Peek, Griechische Grabgedichte (Schriften und Quellen
      der Alten Welt 7) Berlin 1960, Nr. 139, 6; 140, 3 ; 195, 3 f ;
      234, 2 ; 328, 6 ; 417, 3 ; 429, 8.
109   Peek, Grabgedichte Nr. 121, 2; 204, 5 f ; 270, 7 f ; 288, 5 ; 313,
      5 f ; 324, 5 ; 350, 7 f ; 388, 3-5 ; 390, 13-17, 434, 7.
110   Peek, Grabgedichte Nr. 140, 3 ; 234, 2 ; 417, 1. 3.

und Form eingewirkt.[111] Aus dieser Sachlage heraus ist es gut verständlich, daß man sich solchen Fragen zuwendet, die in beiden
Kulturkreisen aktuell waren. Dies trifft für Kinderlosigkeit und für
den Tod in jungen Jahren zu. In 3,13-4,20 erfährt das angespro-
chene Problem eine besondere Zuspitzung, weil Antwort darauf
erwartet wird, wesnalb gerade der Gerechte von Kinderlosigkeit
und frühem Tod betroffen ist. Speziell bezüglich des frühen Todes
des Gerechten (4,7-20) - um diesen Text geht es ja im Rahmen
dieser Arbeit - werden Überlegungen angestellt, die dem hellenistischen Raum entstammen.
Schon in 4,8 f finden sich zum Teil wörtliche Übereinstimmungen
mit Philo, der im Gegensatz zum traditionellen jüdischen Denken
wiederholt davon spricht, daß nicht die Zahl der Lebensjahre, sondern ganz andere Faktoren über die Qualität des menschlichen Lebens entscheiden : " ... denn die wahre Bezeichnung 'der Ältere'
ist nicht in der Länge der Zeiten, sondern in einem lobenswerten
und vollkommenen Leben begründet."[112] "... und zwar sämtlich
Älteste, nicht an Jahren, sondern an Klugheit und Rat."[113]
"Manche Seelen sind stets auch noch in gealterten Körpern kindlich,
andere wieder vollkommen reif schon in Körpern, die noch auf-
blühen und jugendlich sind."[114] "... ein schönes Greisenalter,
nicht etwa ein zeitlich langes, sondern ein einsichtsvolles Leben."[115]
Gleichgearteten Überlegungen begegnet man auch in dem unter
Anm. 115 erwähnten Trostschreiben des Plutarch an Apollonius,

---

111   Vgl. Eissfeldt, Einl. 813-816.
112   De Abr. 271.
113   De migratione Abr. 201.
114   De fuga et inventione 146.
115   Quis rerum divinarum heres sit 290. Bemerkenswert ist, daß
       sowohl an dieser Stelle als auch in Weish 4,8 πολυχρόνιος
       verwendet wird ; vgl. hierzu Plutarch, Παραμυθητικος προς
       Απολλωνιον 33,119 A, wo ebenfalls dieses Adjektiv vorkommt.
       Als weitere auffallende Übereinstimmung zwischen Philo und
       Weish 4,9 ist dessen Schrift de virtutibus 222 zu registrieren :
       In beiden Fällen steht der äußerst seltene Ausdruck ἀκηλιδω-
       τος βιος.

dessen Sohn frühzeitig starb : "... daß nicht das längste Leben das
beste ist, sondern das tüchtigste"(17,111 A) ; "Vortrefflichkeit ist
nicht der Länge der Zeit zuzusprechen, sondern der Tugend und
dem zeitlichen Ebenmaß" (17,111 B) ; "das Maß des Lebens ist die
Vortrefflichkeit, nicht aber die Zeitdauer" (17,111 D).
Mit ἠγαπήθη (4,10) klingt ein wichtiges Motiv an, das auch aus der
griechischen Literatur gut bekannt ist. In dem Trostschreiben an
Apollonius wird ausgeführt : "... die Tatsache, daß solche, die
sich durch Tugenden auszeichnen als Götterlieblinge (θεοφιλεῖς)
in jungen Jahren sterben" (34,119 E). Im Anschluß daran erfolgt
die Zitation des bekannten Verses des Menander : "Wen die Götter
lieben, der stirbt jung. " Auch auf einer Grabinschrift für einen jungen Mann begegnet man diesem Gedanken : "Den haben die Unsterb-
lichen lieb, der im Jünglingsalter zu den Toten kam. "[116]
ἡρπάγη (4,11) weist in seiner Bedeutung eine gewisse Ambivalenz
auf. So stellt ἁρπάζειν einerseits den ältesten griechischen Entrückungsterminus dar[117], andererseits wird dieses Verbum häufig
im Sinne von "hinweggraffen" durch den Tod verwendet, wie viele
Grabinschriften bezeugen.[118] Zweifellos ist mit diesem Verbum in
4,11 kein Entrückungsterminus gegeben, sondern es bezieht sich
auf den Tod des Gerechten. Hinter dem Passiv steht Gott selbst, der
den frommen Gerechten vor der Zeit zu sich genommen hat. - 4,11 f.
14 wird der frühe Tod des Frommen mit dem Hinweis begründet,
daß die Gefahr der Ansteckung durch das Laster bestand. Dieses
Argument läßt sich auch gelegentlich auf griechischen Grabinschriften nachweisen : "Den jungen Kalokairos umschließt dies Grabmal

---

116   Peek, Grabgedichte Nr. 273,3 f.
117   Lohfink, Himmelfahrt 42.
118   Vgl. Peek, Grabgedichte Nr. 149,3 ; 157,2 ; 268,1 ; 269,1;
      276,8; 301,1; 306,3; 314,3; 345,8; 351,1; 384,6; 401,1;
      408,4; 417,1; 434,3; 449,5; 451,3.

hier, nachdem die unsterbliche Seele den jungen Knabenleib verlassen hat. Denn den Weg zu Gott eilte sie hin, hinter sich lassend die Sorge des bitteren Lebens, um in Reinheit aufzusteigen zum Himmel. "[119] An anderer Stelle liest man : "Und doch wie glücklich der Mensch, der, in der Jugend ausgelöscht, um so rascher der Verworfenheit dieses Lebens entfloh. "[120]
Bei 4, 11 f. 14. 17 wird man darüberhinaus auch ganz allgemein an die Fürsorge Gottes erinnert, die sich beim frühen Tod eines Menschen auswirken kann. Diese Überlegung findet sich in dem bereits zitierten Trostbrief des Plutarch an Apollonius : "Denn wer weiß, ob Gott, der in väterlicher Weise für das Menschengeschlecht sorgt und zukünftige Ereignisse voraussieht, einige Menschen zu früh sterben läßt ? Deshalb können wir glauben, daß sie nichts erleiden, was vermieden werden sollte" (31, 117 D). Auch ohne Hinweis auf die besondere Fürsorge Gottes wird auf Epitaphien junger Menschen das über sie hereingebrochene Verhängnis dadurch abzuschwächen versucht, indem man zu bedenken gibt, daß ihnen viel Schlimmes durch den frühen Tod erspart blieb.[121]

τελειωθείς (4, 13) und καὶ νεότης τελεσθεῖσα ταχέως (4, 16) geht wahrscheinlich ebenfalls auf griechischen Einfluß zurück, denn in der griechischen Philosophie wird vielfach über das τέλος des menschlichen Lebens spekuliert und auch das Problem "der Vollendung" (τελείωσις) des Menschen steht im Brennpunkt der Diskussion.[122] Auch Philo, der in diesem Punkt von griechischen Vorstellungen beeinflußt ist, kommt wiederholt auf die τελειότης τοῦ

119   Peek, Grabgedichte Nr. 296.
120   Peek, Grabgedichte Nr. 314,9 f.
121   Peek, Grabgedichte Nr. 283,4 ; 324,7-12; 333,3 f.
122   C. Larcher, Études sur le Livre de la Sagesse (ÉtB) Paris
      1969, 202.

βίου zu sprechen.[123]

4.14 wird davon gesprochen, daß die Seele des Gerechten eilends (ἔσπευσεν) aus der Schlechtigkeit dieser Welt hinwegging. Dem gleichen Verbum begegnet man in einer Grabinschrift, in der es heißt, daß die Seele "den Weg zu Gott hin eilte" (σπεῦδεν).[124] Sachlich identisch damit ist eine weitere Stelle, bei der für σπεύδειν das synonyme τρέχειν steht : "Doch meine Seele eilte aus dem Herzen zum Äther, gleich einem Windhauch."[125]

In 4,7-20 trifft man wiederholt auf auszeichnende Benennungen, so δίκαιος (4,7) ; εὐάρεστος (4,10) ; τελειωθείς (4,13) ; ἀρεστή (4, 14) ; δίκαιος ...νεότης τελεσθεῖσα (4,16) ; ... σοφοῦ (4,17). Diese konzentrierte Anwendung positiver Bezeichnungen in einer kurzen Textpassage läßt vermuten, daß hierbei eine Anlehnung an die Lobpreisungen und Tugendkataloge vorliegt, die in Grabinschriften häufig bezeugt sind. Vor allem werden folgende Tugenden des/ der Verstorbenen gerühmt : Besonnenheit, Bildung, Eintracht, Fleiß, Frömmigkeit, Gerechtigkeit, Klugheit, Schönheit, Sparsamkeit, Tapferkeit, Treue, Tüchtigkeit.[126]

Bei einer Zusammenfassung kann folgendes festgestellt werden : Trotz der in 4,10.14 nachweisbaren Terminologie aus der Henochtradition geht es in diesem Abschnitt nicht um Henoch, sondern allgemein um den frühen Tod des Gerechten.[127] Nicht übersehen wer-

---

123 De Abr.34-38; 53-54; de somniis I 131 ; de migratione Abr. 139; s.hierzu auch Larcher, Études 202 Anm.4.
124 Peek, Grabgedichte Nr. 296,3.
125 Peek, Grabgedichte Nr. 391,4.
126 Peek, Grabgedichte (im Sach- und Motivregister 373 unter "Lobpreis des Toten").
127 Die Tatsache, daß die Darstellung nicht auf Henoch zielt, wird auch durch das Außerachtlassen der uns bekannten Henochtraditionen demonstriert. So unterbleibt ein Hinweis auf Weisheit bzw. Reue,als deren Repräsentant Henoch gilt ; vgl. S.179 f. Auch von Verstrickung in Sünde und Schuld ist nicht die Rede.Der Midrasch Rabba führt nämlich als

den, daß die eigentliche Basis, von der aus eine positive Sicht des
vorzeitigen Sterbens ermöglicht wird, der Unsterblichkeitsglaube
ist, der das Buch der Weisheit durchzieht. Damit gibt sich aber
der Verfasser nicht zufrieden. Er nimmt vielmehr hier eine Interpretation aus griechisch-hellenistischem Geist vor. Bei diesem
Vorgang verwendet er Motive, die in einer spezifischen Literaturgattung beheimatet sind, die sich am treffendsten als Consolations-
literatur charakterisieren läßt.[128] Nicht abtrennbar von der Con-
solationsliteratur und auf das engste mit ihr verwandt und verflochten sind die Grabinschriften, die deshalb bei unserer Analyse
miteinbezogen wurden.

Die Trostmotive für einen frühen Tod, die von uns aus der Conso-
lationsliteratur und aus Grabinschriften ermittelt werden konnten
und die sich ebenfalls in 4,7-20 finden, sind folgende :

1.   Nicht die Vielzahl der Lebensjahre, sondern die Qualität
der betreffenden Person entscheidet über Wert oder Unwert des
menschlichen Lebens.

2.   Beim Tod eines jungen Menschen offenbart sich die Liebe
Gottes zu dem früh Heimgeholten.

3.   Der frühe Tod bringt den Vorteil, daß der betreffende
Mensch unbefleckt von Laster und Schuld diese Welt verläßt.

Meinung verschiedener Rabbinen über Henoch an "that he
was not inscribed in the roll of the righteous, but in the
roll of the wicked" und weiterhin heißt es dort "Enoch
was a hypocrite, acting sometimes as a righteous, sometimes as a wicked man" ; H. Freedman, Genesis (Midrash
Rabbah I) London 1951, 205. Ebenso fehlt ein klarer Bezug zu den weiteren Henochtraditionen, die durch das Buch
der Jubiläen und durch das äthiopische und slavische Henochbuch bezeugt sind ; s. H. Odeberg, ʾΕνώχ, in ThW II 554 f.
128   Neben dem Trostschreiben des Plutarch an Apollonius, das
die stärkste Beziehung zu 4,7-20 aufweist, gibt es noch eine
ganze Reihe derartiger Werke, die eine Verwandtschaft mit
4,7-20 erkennen lassen ohne daß allerdings der Grad der
Übereinstimmung wie im erstgenannten Fall erreicht wird ;
vgl. Larcher, Études 202 Anm. 7 und 203 Anm. 1.

4.   Im vorzeitigen Sterben zeigt sich auch die besondere Fürsorge Gottes, denn niemand weiß, was dem früh Verstorbenen noch
alles in dieser Welt zugestoßen wäre.

5.   In 4, 13. 16 klingt griechische Vollkommenheits- und Vollen-
dungsspekulation an.

6.   Die ehrenvollen und auszeichnenden Benennungen in 4, 7-20
lassen auf Verwandtschaft mit Lobpreisungen griechischer Grabinschriften schließen.

SECHSTES KAPITEL

Psalm 49

Die Themenstellung dieser Untersuchung zwingt uns zu einer de-
taillierten Behandlung von Ps 49. Bedingt nämlich durch das in V.
16 b stehende Verbum לקח hat es nie an Forschern gefehlt, die mit
Nachdruck dafür eintraten, daß hier eine Entrückungsaussage vorliege. Ebenso entschieden wurde dies aber auch immer wieder be-
stritten. Bevor wir uns der Erklärung von V.16 näher zuwenden
können, muß jedoch erst die Frage der Echtheit dieses Verses über-
prüft werden. Weiterhin müssen wir uns im Anschluß daran mit
der Stilistik, Struktur, Gattung und theologischen Thematik dieses
Psalms auseinandersetzen.

I. Die Frage nach der Ursprünglichkeit
von V. 16

1. Bisherige Lösungsversuche

Von verschiedenen Gelehrten wurde im Laufe der Zeit immer wieder die Ursprünglichkeit von V.16 bezweifelt und verneint. Ch.A.
Briggs[1] bezeichnet V.16 als Glosse eines späteren Herausgebers.
K.Budde[2] äußert Zweifel an der Echtheit, ohne nähere Angaben zu
machen. Wegen der Kürze des in V.16 ausgesprochenen Gedankens
innerhalb des gesamten Psalms schließt W.Staerk[3] auf "eine Korrektur von späterer Hand". H.Gunkel[4] betrachtet die V.11 und 16 als
Zusätze und zwar begründet er seine Behauptung bezüglich V. 16

---

1   The Book of Psalms I (ICC) Edinburgh 1907, 411.
2   Zum Text der Psalmen : ZAW 35, 1915, 188.
3   Psalmen (SAT 3/1) Göttingen[2] 1920, 267.
4   Die Psalmen (HK II/2) Göttingen[5] 1968, 210.

damit, daß dieser Vers deutlich aus dem Zusammenhang herausfalle, unvermittelt auftrete und dann wieder fallen gelassen werde. P.A. Munch[5] spricht sich dagegen aus, daß V.6 und 16 "in ihrer vorliegenden Form" ursprünglich Ps 49 angehören. Bei seiner Argumentation verweist er auf Stilbruch. Zunächst herrsche ein nüchterner und weltlicher Ton, der unvermittelt einer "religiösen Stimmung" weiche. Ebenso falle auf, daß nur in diesen beiden Versen das Ich des Dichters hervortrete. Auch inhaltlich scheiden nach seinem Dafürhalten die beiden Verse aus. V. Maag[6] sieht in V.16 einen "Fremdkörper", der sich nur als "Beischrift eines späteren Frommen" erklären läßt.

Daneben stehen andere Exegeten, die an der Ursprünglichkeit von V.16 festhalten.[7]

Eine dritte Gruppe von Wissenschaftlern hält zwar an der Echtheit von V.16 fest, möchte aber V.16 transponieren ; so E.Sellin[8], der der Meinung ist, daß V.16 im jetzigen Zusammenhang des Psalms "versprengt und isoliert" stehe. H.Torczyner[9], der den gesamten Psalm neu zu koordinieren versucht, weist auch V.16 innerhalb des Ganzen einen neuen Platz zu.

Wenn man V.16 als ursprünglichen Bestandteil des Psalms 49 erweisen will, so kann man sich zunächst auf die einleitenden V.2-5 berufen, die einen außergewöhnlichen Höhepunkt erwarten lassen.

---

5   Das Problem des Reichtums in den Pss 37.49.73 : ZAW 55, 1937,44.

6   Tod und Jenseits nach dem AT :Schweizerische Theologische Umschau 1/34, 1964, 27.

7   P.Volz, Psalm 49 : ZAW 55,1937,242 ; E.Podechard, Le Psautier.Traduction et Explication I, Lyon 1949,220 ; S. Mowinckel, The Psalms in Israel's Worship II, Oxford 1962, 113 Anm. 31 ; ders., Psalms and Wisdom, in : VTS III, Leiden 1955, 215 Anm.1 ; A. Rose, Le Sort du Riche et du Pauvre : BiViChr 37,1961, 58.

8   Die atl Hoffnung auf Auferstehung und ewiges Leben : NKZ 30,1919,283.

9   Ein Psalm "über den Tod" : WZKM 29,1915,58.

Dieser angepeilte Gipfelpunkt wäre sodann mit V.16 erreicht.[10]
Als weitere Begründung für die Ursprünglichkeit von V.16 ließe
sich noch anführen, daß ohne diesen Vers dem ganzen Psalm die
eigentliche Sinnspitze fehlt.[11] Dennoch können beide Argumente
nicht voll überzeugen. Die einleitenden V.2-5 sind, wie wir später
noch im einzelnen sehen werden, spezifische Wendungen der Weisheitsliteratur, so daß man sie inhaltlich nicht überbewerten darf. Ohne
V.16 vermißt man zwar den Kontrapunkt zum Todeslos der Reichen,
doch wäre auch ohne diesen Vers der Psalm sinnvoll und verständlich, wenn wir auch nach unserem Empfinden mehr erwarten. Deshalb empfiehlt es sich, dieses Problem von einer anderen Seite
anzugehen.

2. Stilanalyse zu Ps 49

Aufgrund einer Stilanalyse soll hier untersucht werden, ob sich
aus dieser Perspektive V.16 als integrierender Bestandteil des
Psalms zu erkennen gibt. Auffallend ist zunächst an Ps 49, daß
V.13 und 21 sich fast auf das Wort gleichen, so daß man von einer
refrainartigen Wiederholung sprechen kann. MT bietet drei Differenzen: V.13a ‏לין‎ ("übernachten, Bestand haben"), V.21a dagegen ‏בין‎ ("verstehen, einsehen").[12] Eine weitere Differenz ge-

---

10 Sellin, Atl Hoffnung 283 ; Volz, Ps 49 250 ; Podechard, Le
Psautier. Traduction et Explication I 220.

11 Vgl. Volz, Ps 49 242 ; Mowinckel, Psalms and Wisdom 215
Anm.1 ; Rose, Le Sort 58.

12 Der Unterschied besteht in diesem Fall in einem Buchstaben,
nämlich ‏ל‎ / ‏ב‎ und kann durchaus durch fehlerhafte Überlieferung bedingt sein. Da Ps 49, wie noch gezeigt werden soll,
in erster Linie gattungsmäßig der Weisheitsliteratur zuzurechnen ist, kann man als ursprüngliche Lesart V.13 a ‏בין‎
statt ‏לין‎ vermuten, da ‏בין‎ ein Lieblingswort der Weisheitsliteratur ist. Auch die LXX verwendet in beiden V. συνιέναι,
das auf ‏בין‎ in der Vorlage schließen läßt.

ringfügiger Art besteht darin, daß V.13 a אדם mit der Kopula ו
versehen ist, während V.21a אדם ohne Kopula steht. In V.13a steht
die Negation בל und im Gegensatz dazu findet sich in V.21a die Negation לא. Ob man nun diese textlichen Differenzen als ursprüngliche Lesarten oder spätere Korruptionen ansehen will, als Tatsache fällt ins Auge, daß in beiden Versen eine Wiederholungstendenz erkennbar wird. Wir wissen nun aus vielen Psalmen, aus prophetischen Texten und aus der Weisheitsliteratur, daß solche Kehrverse relativ häufig sind. [13] Somit wäre dem Kehrvers in Ps 49,
13.21 keine aussergewöhnliche Bedeutung beizumessen, wenn nicht
im gesamten Psalm eine durchgängige Wiederholungstendenz erkennbar wäre. Das Wiederaufgreifen bestimmter Wörter und Wort-
stämme erweist sich als spezifisches Merkmal einer stilkritischen
Analyse :

V. 2b אזן (Verbum) - V. 5a אזן (Nomen).

V. 7a-11b חיל .

V. 7b רב (N.) - V.17b רבה (V.).

V. 3b עשיר (N.) - V. 7b עשר (N.) - V. 17a עשר (V.).

V. 6a - V.17a ירא .

V.10b לא יראה השחת - möglicherweise bewußte Wiederaufnahme in
V.11a כי יראה - V. 20b לא יראד אור.

V. 3b יחד עשיר ואביון - V. 11a יחד כסיל ובער (In beiden Fällen
also יחד + zwei beigeordnete Nomina).

V. 10a לנצח - V. 20b עד נצח .

V. 9a - 16a - 19a נפש .

V.11a כסיל (N.) - V.14a כסל (N.).

---

13   Ps 8,2.10; 24,7-10; 39,6.12; 42,6.12; 46,8.12; 62,2 f.6 f;
       67,4.6; 80,4.8.20 ; 99,5.9 ; 107,8.15.21.31 ; Jes 9,11.16.20;
       10,4; Am 1,3.6.9.13 ; 2,1.4.6 ; 4,6.8 f.10 f ; Sir 39,16.33 ;
       39,21.34.

V.10a חיה(V.) - V.19a חיים (N.).

V.11a מות(V.) - V.15a מות (N.) - V.18a מות(V.)[14]

V.17b - 18b כבוד.[15]

Aufgrund dieser Wiederholungstendenz, die sich als ein stilistisches Charakteristikum des gesamten Psalms ausweist, müssen
wir nun fragen, ob sich der gleiche Trend auch bezüglich V.16
und des übrigen Psalms nachweisen läßt. V.15 (2x)-V.16b שאול ;
V.16b-18a לקח. Auch hier scheint das gleiche Prinzip vorzu-
herrschen. Neben diesen beiden genannten Fällen ist vor allem die
Relation zwischen V.8a und V.16a instruktiv:
Verschiedene Autoren schlagen vor, אח V.8a als אך zu lesen,
wodurch dann die V.8 und 16 jeweils mit dem gleichen Wort be-
ginnen.[16] Diese Abänderung entspräche genau dem Wiederholungs-

---

14   Hier ergäbe sich noch ein viertes Beispiel für die Verwen-
     dung dieser Basis, wenn man על מות von Ps 48,15b als Über-
     schrift"über den Tod"zu Ps 49 hinzuzieht.

15   Diese Beobachtungen ließen sich noch um ein weiteres Bei-
     spiel vermehren,wenn man V.2b חלד als חדל lesen würde,
     wie dies einmal durch eine hebräische Handschrift bezeugt
     ist (s.BHS z.St.). Das entsprechende Verbum wäre dann im
     V.9b gegeben.Doch dies ist unsicher,da חדל als Nomen in
     der Bedeutung "Unterwelt" nur Jes 38,11 bezeugt ist. F.
     Delitzsch,Die Lese- und Schreibfehler im AT,Berlin-Leip-
     zig 1920,89, bezeichnet חדל Jes 38,11 als "sinnlos" ; er
     hält חלד für die richtige Lesart.Ebenso betrachtet er
     Ps 49,2b als korrekt. Somit ist an חלד ("Welt") in V.2b wohl
     festzuhalten (vgl.Ps 17,14), schon allein im Hinblick auf das
     parallele Glied V.2a.

16   Vgl.BHS z.St.; H.J.Kraus, Psalmen I (BK XV/1) Neukirchen[2]
     1961,363 ; C.F.Burney,Israel's Hope of Immortality,Oxford
     1909,40 ; Delitzsch,Die Lese- und Schreibfehler 125. Bei
     der Abänderung von אח zu אך muß das impf.qal יפדה als impf.
     ni. יפדה punktiert werden, weil פדה im qal ein Objekt nach
     bibl.Sprachgebrauch erfordert, das dann nicht mehr gegeben
     ist,da איש Subjekt wird.Eine genaue Aufstellung der ver-
     schiedenen Objekte bei פדה hat J.van der Ploeg,Notes sur
     le Psaume XLIX: OTS 13,1963,156 f,gegeben.Der Regelfall
     bei der Verwendung eines inf.abs. + verbum fin. besteht

modus, den wir für viele Stellen des Psalms ausfindig machen konnten. Doch nach Feststellung von M. Dahood[17] können "words expres-
sing blood relationship" im biblischen Sprachgebrauch die Bedeutung von Interjektionen haben, so z. B. אָח(Ez 6,11 ; 21,20) אֲבִי
(Ijob 34,36). Im Anschluß daran kann man deshalb אח unverändert
stehenlassen und dennoch als emphatische Partikel "alas" übersetzen.[18]

Auch bei dieser letztgenannten Entscheidung liegt ein Bezug zwischen
V. 8a und V. 16a aufgrund von Alliteration und Assonanz vor, so daß
auch hier unsere Beobachtung indirekt bestätigt wird.[19]

Klar fällt ins Auge פדה V. 8a (2x) - פדיון V. 9a einerseits und פדה
V. 16a andererseits. Hier liegt bewußte Wiederaufnahme und Gegenüberstellung vor, wie es die stilistische Analyse für viele Fälle im
Psalm 49 gezeigt hat. Auch die emphatische Hervorhebung in V. 8a
ist zu beachten, die sich sowohl in אח als auch in der Figur inf.
abs. + verbum fin. manifestiert. Auf das verstärkte Gewicht in
V. 16, das mit der Wortfolge כִּ... אַךְ gegeben ist, werden wir
noch später eingehen.

Es herrscht also unverkennbar in Ps 49 als stilistisches Prinzip
ein Wiederaufnehmen und Wiederholen bestimmter Wörter. Vor allem fällt hierbei die Variation zwischen Verbum und Nomen auf.

---

darin, daß beide Formen der gleichen Stammesmodifikation
angehören. Bei der Punktation von יִפְדֶּה als impf. ni. steht
aber inf. abs. qal neben einem ni. Doch auch diese Verschiedenheit in den Stammesmodifikationen ist bezeugt,
wenn auch relativ selten ; (vgl. W. Gesenius - E. Kautzsch -
G. Bergsträsser, Hebr. Grammatik, Hildesheim[29] 1962,
§ 113w).

17   Psalms I (The Anchor Bible 16) New York 1965, 298.
18   Dahood, Psalms I 295.
19   Bei dem Verständnis von אח im Sinne von Dahood muß die
      Punktation des MT gemäß Anm. 16 geändert werden.

Wenn auch N.H.Ridderbos[20] ausführt, daß die Wiederholung von
Wörtern in den Psalmen bisweilen keine spezielle Bedeutung besitzt, so weist er doch auf die Bedeutung der "stylefigure of repetition" hin, die eine wichtige Funktion in den Psalmen hat. Daher
muß nach seiner Meinung präsumiert werden, "that there are many
cases in which a repeated usage of words is quite intentional". Dies
trifft für Ps 49 zu. Zustimmung verdienen die Bemerkungen von Dahood[21] : "Rhyme, wordplay, assonance, alliteration figure prominently
in this riddle."

Die stilistische Analyse erweist also V.16 als einen homogenen Bestandteil des gesamten Psalms. Allerdings erzielt dieses Argument
nicht seine volle Durchschlagskraft, da die Möglichkeit nicht auszuschließen ist, daß ein späterer Bearbeiter bei der Hinzufügung von
V.16 sich der stilistischen Eigentümlichkeiten von Ps 49 voll angepaßt hat. Deshalb muß der Beweis für die Ursprünglichkeit von V.16
noch von anderen Gesichtspunkten her geführt werden.

3. Inhaltliche Entsprechungen in Ps 49

Die bei der Wortuntersuchung von Ps 49 konstatierte Wiederholungs-
tendenz findet eine gewisse Entsprechung im inhaltlichen Aufbau des
Psalms. Bereits M.Löhr[22] hat darauf hingewiesen, daß "die einzel-
nen Verse zum Teil in genauer Korrespondenz" zueinander stehen.
So begründen nach seiner Meinung die V.12a.13.20f eine Relation.
"Weiter entsprechen einander V.18 und 11b", wo jeweils davon die
Rede ist, daß die Reichen ihren Besitztum in dieser Welt zurück-

---

20   The Psalms. Style-Figures and Structure: OTS 13, 1963,
      47.
21   Psalms I 297.
22   Psalmenstudien (BWANT NF 3) Berlin 1922, 34.

lassen müssen. Ebenso findet er eine Entsprechung zwischen V. 8
und 17 und daraus folgert er, "daß V. 16 in dem Aufbau des Ganzen
unentbehrlich ist". Im letztgenannten Beispiel ist Löhr dahingehend
zu korrigieren, daß vor allem V. 8 und 16 in einem korrespondierenden Verhältnis stehen. Dies ergab sich bereits aus der stilistischen Analyse. Der inhaltliche Befund geht hiermit konform. Während V. 8 die Ohnmacht des Menschen dem Tod gegenüber deklariert, verweist V. 16 auf Jahwe als einzigen Retter und Helfer angesichts der Tatsache des Sterbenmüssens. Auch von der inhaltlichen
Entsprechung einzelner Psalmteile her betrachtet erweist sich also V. 16 als ein integrierender Bestandteil des gesamten Psalms.
Wir werden dazu noch ein weiteres, wichtiges Argument in den
kommenden Ausführungen hinzufügen.

II. Die Gattung von Ps 49

1. Bisherige Gattungsbestimmungen

Viele Exegeten sind sich darüber einig, daß Ps 49 gattungsmäßig
der Weisheitsliteratur zuzurechnen ist. Deshalb wird er von ihnen
als weisheitlicher Psalm, Weisheitsgedicht, weisheitlicher Kommentar oder Lehrpsalm bezeichnet.[23] Andere sehen in Ps 49 einen
Theodizeepsalm[24], in dem über die Vergeltung gehandelt wird.[25]

---

23   Vgl. G. Castellino, Libro dei Salmi (SB) Torino-Roma 1955,
      825 ; S. Terrien, The Psalms and their Meaning for today,
      Indianapolis-New York 1952, 262 ; Barth, Die Errettung vom
      Tode 158 ; A. Weiser, Die Psalmen (ATD 14/1) Göttingen[3]
      1950, 249 ; Dahood, Psalms I 296 ; R. Tournay, L'Eschato-
      logie individuelle dans les Psaumes : RB 56, 1949, 493 f ;
      H. Gunkel-J. Begrich, Einleitung in die Psalmen, Göttingen
      1933, 385. 393 ; Gunkel, Psalmen 209 ; Kraus, Psalmen I 364.
24   N. Peters, Das Buch der Psalmen, Paderborn 1930, 115.
25   P. Drijvers, Les Psaumes (LD 21) Paris 1958, 185. 201.

S. Mowinckel[26] rechnet Ps 49 zu den "personal thanksgiving psalms".
Es soll nun untersucht werden, inwieweit die Behauptungen der zitierten Exegeten haltbar sind.

2. Untersuchungen zum Wortschatz und zu den Wendungen

V. 2 f lautet : "Höret dies, alle Völker, merket auf, all ihr Bewohner der Welt, ihr Menschen, ihr Leute, reich und arm zumal!"
Sowohl die beiden Imperative als auch die Anrede an einen großen
Kreis, zeigt verwandtschaftliche Züge mit der Weisheitsliteratur,
denn zu den wichtigsten Wendungen dieser Literaturgattung gehört
die Aufforderung "höret" (vgl. Spr 4,1 ; 7,24 ; 8,6.32 ; Weish 6,1;
Sir 3,1 ; 23,7 ; 41,6).[27] Auch die Anrede an einen großen Kreis
findet sich speziell in der Weisheitsliteratur (vgl. Ijob 34,2.10 ;
Spr 8,4 ; Weish 6,1 ; Sir 16,24 ; 39,13). Die beiden Abstraktplurale חכמות und תבונות in V. 4 sind ebenso Indizien dafür, daß
weisheitliche Diktion vorherrscht. Van der Ploeg[28] führt als weitere Stellen mit dem Abstraktplural חכמות Spr 1,20 ; 9,1 ; 24,7
an. Man kann dem noch zwei weitere Stellen aus dem hebräischen
Sirach hinzufügen, nämlich Sir 4,11 ; 32,16. Nach Dahood[29] ist
חכמת "the Phoenician form of classical Heb. hokmah", der sich
hierbei Ginsberg und Albright anschließt. Dagegen ist zu sagen,
daß wir keineswegs das Phönizische zur Erklärung heranzuziehen
brauchen. Vielmehr handelt es sich bei dem Abstraktplural חכמות

---

26 Psalms and Wisdom, in : VTS III, Leiden 1955, 217 ; The
Psalms in Israel's Worship II, Oxford 1962, 39.114.252.
27 Vgl. J. Ziegler, Chokma-Sophia-Sapientia (Würzburger
Universitätsreden 32) Würzburg 1961, 10.
28 Notes sur le Psaume XLIX 143.
29 Psalms I 296 f.

um eine sprachgeschichtliche Form, die mit Vorliebe in der späten
weisheitlichen Literatur verwendet wird. Es ist darüberhinaus
nicht zu übersehen, daß allgemein der Gebrauch der Abstraktplurale in den jüngeren Büchern des AT, vor allem in der Weisheitsliteratur, zunimmt.[30]

אמרנות : Spr 28,20.

ביּנות : Jes 27,11.

תחבולות : Ijob 37,12; Spr 1,5; 11,14; 12,5; 20,18; 24,6.

תהפכות : Dtn 32,20; Spr 2,12.14; 6,14; 8,13; 10,31 f; 16,28.
30; 23,33.

תברנות : Ijob 32,11; Ps 78,72; Spr 11,12 ; 28,16; Sir 50,27 ;
Jes 40,14.

Dieser zuletzt angeführte Abstraktplural תבונות steht, wie schon
gesagt, auch in V.4b ; den Parallelbegriff dazu stellt חכמות in
Ps 4a dar. G.S. Gunn[31] vermutet, daß in den beiden Pluralen in
V.4 "the fulness of the wisdom and understanding" zum Ausdruck
kommt. Unsere Untersuchung zeigt jedoch, daß es sich hierbei um
sprachgeschichtlich späte Formen handelt, denen keine Sonderbedeu-
tung im intensiven Sinn zukommt. Vielmehr unterscheiden sich diese Abstraktplurale bedeutungsmäßig nicht von den entsprechenden
Singularformen. Zu תבונה selbst ist zu sagen, daß dieser Terminus auffallend oft in der Weisheitsliteratur vorkommt (vgl. Spr
19 mal ; Ijob 4 mal ; Sir 4,24 ; 14,21 ; 15,3). Zu beachten bleibt
ferner, daß in der Weisheitsliteratur חכמה und תבונה sich häufig,
wie auch in unserem Fall, als Parallelbegriffe gegenüberstehen
(vgl. Ijob 12,12 ; Spr 2,2 ; 3,13 ; 8,1 ; 24,3).

---

30   Vgl. C.Brockelmann, Grundriß der vergleichenden Grammatik der semitischen Sprachen II, Berlin 1913, 59.
31   God in the Psalms, Edinburgh 1956, 156.

Auffallend ist in V.4b die Verwendung des Verbalabstraktums הָגוּת
das nur hier im AT vorkommt. An Stelle dieses hapax legomenon
werden הֶגֶה und הִגָּיוֹן im biblischen Wortschatz verwendet. M.
Wagner[32] möchte in הָגוּת aufgrund des unveränderlichen ā in der
ersten Silbe einen grammatikalischen Aramaismus sehen. L. Gulkowitsch[33] betrachtet הָגוּת als nachexilisch. Die Aussagen beider
Forscher gewinnen dadurch an Glaubwürdigkeit, weil unverkennbar
in der späten Weisheitsliteratur Verbalabstrakta und Denominative
mit abstrakter Bedeutung auf -ūt stark zunehmen, wobei das Aramäische eine nicht unerhebliche Rolle gespielt hat.[34] Selbstverständlich gab es auch in früheren Epochen der hebräischen Sprache bereits Bildungen auf -ūt, aber doch nur in einem beschränkten
Umfang.[35] Die starke Zunahme an Abstrakta hat sachlich darin
ihre Ursache, daß in der Spätphase einer Sprache aufgrund der Entwicklung des begrifflichen Denkens mehr Abstrakta erforderlich
sind.

Folgende Beispiele seien hier erwähnt :

אַכְזְרִיּוּת nur Spr 27,4.

הוֹלֵלוּת nur Prd 10,13 (הוֹלֵלוֹת kommt nur in Prd vor ;

1x גָּ ת und 4x וֹ ת).

חַכְלִלוּת nur Spr 23,29.

כְּסִילוּת nur Spr 9,13.

לֵזוּת nur Spr 4,24.

---

32   Die lexikalischen und grammatikalischen Aramaismen im atl
       Hebräisch (BZAW 96) Berlin 1966, 127.
33   Die Bildung von Abstraktbegriffen in der hebr. Sprachgeschich-
       te, Leipzig 1931, 122.
34   Vgl. Gesenius-Kautzsch-Bergsträsser, Hebr. Grammatik
       § 86 k ; H. Bauer-P. Leander, Historische Grammatik der
       hebr. Sprache des AT ; Halle 1922, 505 f.
35   Vgl. Gulkowitsch, Bildung von Abstraktbegriffen 8 ;
       Wagner, Aramaismen 130 f.

שִׂכְלוּת Prd 1,17.

סִכְלוּת Prd 2,3.12.13 ; 7,25 ; 10,1.13.

עִקְּשׁוּת Spr 4,24 ; 6,12.

פְּתַיוּת Spr 9.13.

רְפָאוּת Spr 3,8 ; Sir 38,14.

Den Großteil dieser Abstrakta weist Gulkowitsch[36] der hellenistischen Zeit bis 200 v. Chr. zu.

Das Verbalabstraktum הָגוּת fügt sich also sehr gut in den von
weisheitlicher Sprache geprägten Ps 49 ein, so daß keineswegs die
Umänderung von וְהָגוּת zum inf.abs. וְהָגוֹת notwendig erscheint,
wie dies Dahood[37] versucht.

Auch die beiden Termini מָשָׁל und חִידָה , die sich in V. 5 als Parallelbegriffe gegenüberstehen, sind bezeichnend für die Weisheitsliteratur.[38] Sie werden wiederholt in der Weisheitsliteratur zusammen verwendet und zwar entweder in paralleler Gegenüberstellung (Ps 78,2 ; Spr 1,6), in einer Genitivverbindung ἐν αἰνίγμα-
σιν παραβολῶν (Sir 39,3) oder als einander beigeordnete Begriffe
(Sir 47,17). Die Wendung V.5a ; "Ich neige mein Ohr dem Weis-
heitsspruch" ist eine charakteristische Ausdrucksweise weisheitlicher Sprache.[39] Selbst bis in die Konstruktion hinein läßt sich
Übereinstimmung feststellen (vgl. Ps 78,1 ; Spr 4,20b ; 5,1b) ;
denn die Sache, der man sich zuneigt, wird jeweils mit der Präposition לְ angeschlossen.

Auch בַּעַר V.11b ist ein spezifischer Begriff weisheitlicher Sprache
(vgl. Ps 73,22 ; 92,7 ; Spr 12,1 ; 30,2). Ebenso läßt sich dies von
כְּסִיל V.11b und כֶּסֶל V.14 a sagen.

---

36   Bildung von Abstraktbegriffen 9.
37   Psalms I 297.
38   Vgl. E. Sellin-G. Fohrer, Einleitung in das AT, Heidelberg[10]
      1965, 339 f.
39   Vgl. Ziegler, Chokma 10.

Es zeigt sich also, daß Wortschatz und Wendungen von Ps 49 eine
enge Verflechtung zu weisheitlicher Sprache aufweisen.

3. Topoi der Weisheitsliteratur

In Ps 49 trifft man auf viele Gemeinplätze oder Topoi der biblischen
Weisheitsliteratur. Hieraus wird ersichtlich, wie stark der Psalm-
dichter mit Hilfe einer festgeprägten Sprache spricht und wie sehr
er unter dem Einfluß überpersönlicher Stilkräfte steht.
Im einzelnen treten folgende Topoi auf :
3.1.   V. 11a wird ausgeführt, daß Weise und Toren, d. h. alle
Menschen, sterben müssen. Der gleiche Gedanke wird in folgenden
Weisheitsbüchern angesprochen : Prd 2, 14-16 ; 3, 20 ; 8, 8 ; 9, 2 f ;
Weish 7, 5 f ; Sir 14, 17 ; 41, 3 f. Wichtig ist von den genannten Stellen vor allem Prd 2, 14-16, weil in Prd 2, 16 in wörtlicher Übereinstimmung mit V. 11a das Sterben (מות) des Weisen (חכם) und
des Toren (כסיל) erwähnt wird.
Auch in der außerbiblischen, altorientalischen Weisheitsliteratur
wird wiederholt darauf hingewiesen, daß alle Menschen dem Tod
verfallen. So heißt es in einem babylonischen Text, der von W. G.
Lambert[40] als "the Babylonian Theodicy" bezeichnet wird : "Unsere Väter geben auf und gehen den Weg des Todes. Es ist ein uraltes Wort, daß sie den Ḫubur-Fluß überschreiten. "[41] Auf einer fragmentarischen Keilschrifttafel aus der Bibliothek Assurbanipals,
deren Inhalt Lambert[42] als "Counsels of a Pessimist" betitelt,
lautet das Resümee : "(Was immer) die Menschen schaffen, bleibt
nicht ewig. Die Menschheit und das geschaffene Werk kommen zusammen zu Ende. "[43]

---

40   Babylonian Wisdom Literature, Oxford 1967, 63.
41   Lambert a. a. O. 70 Z. 16 f.
42   A. a. O. 107.
43   Lambert a. a. O. 108 Z. 9 f.

3.2. Der Reiche muß seinen Reichtum beim Sterben anderen hin-
terlassen, V. 11b. Auch dieser Gedanke kehrt in verschieden Varia-
tionen in der biblischen Weisheitsliteratur wieder : Prd 6, 1 f ;
Sir 11, 19; 14, 15 ; vgl. auch Prd 2, 18 ; Lk 12, 19-21. Wichtig ist
vor allem Sir 14, 15, weil hier wörtliche Übereinstimmung mit V.
11b besteht : Basis עזב + Präposition לְ + אחר + Nomen חיל .

3.3. Ohne Reichtum und Besitz muß der Mensch beim Sterben
aus dieser Welt gehen, V. 18. Dies ist ebenfalls ein beliebter Topos der Weisheitsliteratur : Jer 17, 11 ; Ijob 1, 21 ; Prd 5, 14 f ;
vgl. auch 1 Tim 6, 7. Dem gleichen Hinweis begegnet man in einem
der Harfner-Lieder.[44] Nachdem vom Todeslos aller Menschen die
Rede war und daraus die Schlußfolgerung gezogen wurde, das Leben zu genießen, heißt es am Schluß : "Sieh, niemand nahm seine
Sachen mit sich ! Sieh, niemand kommt wieder, der fortgegangen
ist!"

3.4. Gegen den Tod ist kein Kraut gewachsen. Vor der Unterwelt und aus der Unterwelt vermag niemand zu retten, V. 8-10.
Auch in Weish 2, 1 "und es gibt kein Heilmittel gegen das Ende des
Menschen und nicht ist bekannt geworden ein Retter aus der Unterwelt" und in Weish 16, 14 "ein Mensch kann wohl töten durch seine
Bosheit, aber nicht den entflohenen Geist zurückbringen, noch die
(in die Unterwelt) aufgenommene Seele erlösen" klingen diese
Gedanken an. Auf die Unerbittlichkeit des Todes wird auch in der
ägyptischen Weisheitsliteratur Bezug genommen, wenn dort ausgeführt wird : "Ein Bote des Todes nimmt keine Belohnung, das,
was ihm aufgetragen ist, außer Acht zu lassen."[45]
Wir werden im weiteren Verlauf der Arbeit noch auf andere Wen-

---

44   S. Schott, Altägyptische Liebeslieder, Zürich[2] 1950, 54 f.
45   S. Schott, Liebeslieder 138.

dungen des Ps 49 zu sprechen kommen, die zwar nichts mit der
Weisheitsliteratur zu tun haben, aber gemeinsemitischer Herkunft
sind und eine festgeprägte literarische Tradition verraten ; s. S.
234 - 240. Sie wurden vom Verfasser des Psalms 49 aufgegriffen und
als kompositorische Elemente verwendet. Aufgrund dieser Beobachtungen wird deshalb die Aussage von van der Ploeg[46] unhaltbar,
der bezüglich Ps 49 schreibt : "Le langage du psaume est assez par-
ticulier et personnel ; à l'exception de certaines expressions de
l'introduction, l'auteur n'emploie pas de vrais clichés. Son style
n'est point 'anthologique', on n'y trouve pas de citations, comme
dans les compositions d'époque tardive." Gerade das Gegenteil ist
der Fall.

Wenn man aufgrund der bisherigen Analyse zu dem Ergebnis kommt,
daß Ps 49 durch Wortschatz und Topoi engste Verwandtschaft mit
der Weisheitsliteratur aufweist und somit zu Recht als Weisheitspsalm bezeichnet werden kann, so dürfen doch die Elemente in
Ps 49 nicht übersehen werden, die auf eine andere Psalmgattung
verweisen.

4. Elemente des individuellen Klage-liedes

4.1.   V. 6f lautet : "Warum soll ich mich fürchten in schlimmen
Tagen, wenn mich der Frevel meiner Verleumder umgibt, die auf
ihr Vermögen vertrauen und ihres großen Reichtums sich rühmen?"
Unverkennbar ist die Tatsache, daß in V. 6f Elemente eines individuellen Klageliedes wahrnehmbar sind. Auf diese Realität haben
verschiedene Forscher aufmerksam gemacht.[47] Dies wird deutlich
durch formale und inhaltliche Aspekte.

---

46   Notes sur la Psaume XLIX 139.
47   So Barth, Die Errettung vom Tode 158 f ; Kraus, Psalmen
      I 364.

4.1.1.   "In bösen Tagen", V. 6a. Die Wendung "am Tag des
Unheils" oder "am Tag der (meiner) Bedrängnis" findet sich wiederholt in den individuellen Klageliedern; vgl. Ps 27,5 ; 41,2 ;
59,17 ; 77,3 (hier ist nur der erste Psalmteil ein individuelles
Klagelied) ; 86,7 ; 102,3.

4.1.2.   "Feinde" spielen in den individuellen Klageliedern eine
dominierende Rolle.[48] Gunkel-Begrich weisen hierbei darauf hin,
daß in diesen Fällen jeweils das Suffix eine Beziehung zur Person
des Beters herstellt : "meine Feinde", "meine Verfolger", "meine
Widersacher", "meine Verleumder", "meine Hasser", "meine Be-
kämpfer" usw. Diese "Feinde" werden in V.6b mit dem Nomen
עקב bezeichnet. Es hat hier die Bedeutung "Verleumder", "Betrü-
ger" und nicht die Bedeutung "Ferse".[49] Durch das Suffix der ersten pers.sg. wird in V.6b besagte Beziehung zur Person des Beters hergestellt.

4.1.3.   Auch die Basis סבב ist wiederholt in den individuellen
Klageliedern anzutreffen, und zwar im Zusammenhang mit der
Schilderung der Notsituation. Man erfährt, daß Feinde (Ps 17,11 ;
109,3), Stiere bzw. Hunde (Ps 22,13.17) und Schrecknisse (Ps 88,
18) den Beter "umringen". Auch im Danklied Ps 18,6 hören wir
beim Rückblick auf die ausgestandene Bedrängnis, daß "Schlingen
der Scheol" den Beter "umfingen".

4.1.4.   V.7 werden "die Verleumder" als reiche Leute vorgestellt, deren Vertrauen sich auf die Macht des Reichtums gründet.
Sich selbst bezeichnet der Dichter des Psalms zwar nicht als "Armen", aber dies darf wohl stillschweigend gefolgert werden. Der

---

48   Vgl. Gunkel-Begrich, Einl. 196 f.
49   Vgl. hierzu das Adjektiv עקב ("trügerisch") Jer 17,9 und
      das Verbum עקב ("betrügen") Gen 27,36 ; Jer 9,3 ; Hos
      12,4. Dahood, Psalms I 252, führt ein Beispiel aus dem
      Ugaritischen an, daß auch dort ᶜqb die Bedeutung "ver-
      leumden" haben kann.

Gegensatz zwischen den frommen Armen und den gottlosen Reichen ist ein beliebtes Thema der individuellen Klagelieder.[50] Somit ist auch hierin ein Anklang an die individuellen Klagelieder erkennbar.

4.1.5.   Das einleitende "warum soll ich mich fürchten" in V. 6a ist eine Mahnung, die in einen Fragesatz eingekleidet ist.[51] Ermahnungen und Belehrungen sind vor allem in der Weisheitsliteratur beheimatet.[52] Sie werden bisweilen in einen Fragesatz eingekleidet (vgl. Spr 1,22 ; 5,20 ; 6,9 ; Sir 13,17 ; 51,24 ; Klgl 3,39). Somit ist diese Wendung als eine weisheitliche Sprachform anzusehen, der sodann im weiteren Verlauf des Verses Anklänge an das individuelle Klagelied folgen.

4.2.   V. 16 lautet : "Doch (gewiß) Gott kauft mich los, aus der Gewalt der Scheol, führwahr, nimmt er mich." Gunkel-Begrich[53] haben darauf verwiesen, daß in den individuellen Klageliedern "nicht selten ein ganz auffallender, jäher Umschwung in der Stimmung des Beters" zu beobachten ist. Unmittelbar vorher nimmt noch die Klage und die Bitte um Erhörung und Befreiung breiten Raum ein, während kurz darauf die Gewißheit auf Erhörung ausgesprochen wird. Die Gewißheit auf Erhörung wird durch die Präformativkonjugation ausgedrückt : Ps 27,10 ; 55,23 f ; 71,20 ; 102, 14 ; 130,8.[55] Der Grad der Gewißheit auf Erhörung kann soweit gesteigert werden, daß sogar die Afformativkonjugation verwendet wird, die als konstativer Aspekt fungiert: Ps 22,22b.25 ; 28,6 ; 56,14 ; 64,8 f.[56]

---

50   Vgl. Gunkel-Begrich, Einl. 208 f.
51   Vgl. Gunkel-Begrich, Einl. 391.
52   Vgl. Gunkel-Begrich, Einl. 390 f.
53   Einl. 243.
54   Vgl. Kraus, Psalmen I XLVI.
55   Vgl. Gunkel-Begrich, Einl. 245.
56   Vgl. Gunkel-Begrich, Einl. 245.

Auch in V.16 liegt zweimal die Präformativkonjugation vor, die den
Aspekt der Nachzeitigkeit bzw. Gleichzeitigkeit einbringt und sich
gut als Bestandteil eines individuellen Klageliedes erklären läßt.
Man braucht daher bezüglich V.17 nicht notwendig mit Kraus[57] an
ein Element des individuellen Dankliedes zu denken. Während mit
V.6 f Assoziationen an eine leid- und drangvolle Situation geweckt
werden, lichtet sich mit V.16 das düstere Gemälde auf. V.16 steht
also in Relation zu V.6. Beide Verse zeigen Merkmale des individuellen Klageliedes und bilden eine logische Einheit. Bereits bei
der stilistischen Analyse konnten wir Beziehungen von V.16 zum
übrigen Teil des Psalms konstatieren. Nun ergibt sich aufgrund der
Relation zwischen V.6 und 16 noch ein weiteres Argument dafür,
daß V.16 in den Gesamtrahmen des Ps 49 fest eingebettet ist. Der
Eindruck verstärkt sich, daß V.16 einen integrierenden Bestandteil dieses Psalms bildet.

Es bleibt nun noch zu klären, wie der Ausdruck "fürchte dich nicht"
in V.17a zu interpretieren ist. J.Begrich[58] konnte diese Wendung
als spezifischen Bestandteil des priesterlichen Heilsorakels erweisen. Weiterhin hat er[59] darauf aufmerksam gemacht, daß "die
Formen des Heilsorakels und des Klageliedes des einzelnen geradezu ineinandergreifen". Für den engen Konnex zwischen priesterli-
chem Heilsorakel und dem individuellen Klagelied beruft sich Begrich[60] auf eine große Anzahl von Beispielen. Nachdem wir die V.6.
16 als Elemente des individuellen Klageliedes analysieren konnten,
wäre es denkbar, die Wendung "fürchte dich nicht" als priesterli-
ches Heilsorakel zu klassifizieren, das ebenso wie V.6 und 16 als

---

57   Psalmen I 364.
58   Das priesterliche Heilsorakel : ZAW 52,1934, 82.
59   A.a.O. 82.
60   A.a.O. 87-91.

Element des individuellen Klageliedes in den Ps 49 eingefügt wurde.
Befremdend wirkt jedoch die Tatsache, daß dieser Prohibitiv dem
V. 16 nachgestellt ist. Man würde ihn viel eher vor dem V. 16 erwarten, in dem die Gewißheit auf Errettung artikuliert wird. [61]
Näherliegend für eine sachgerechte Erklärung des "fürchte dich
nicht" ist jedoch der Gedanke, daß hier eine negative Warnung in
weisheitlicher Manier erfolgt. [62] "Ermahnungen und Lehren" treten sehr häufig in der Weisheitsliteratur auf und zwar bedient man
sich hierbei der "positiven Mahnungen" und der "negativen Warnungen". [63] Die negative Warnung erfolgt in der Form des Prohibitivs
(אל + Jussiv) wie in V. 17a. [64] Solchen Warnungen schließt sich oft
eine Schilderung über das Unheil der Gottlosen an, die mit der Konjunktion כי eingeleitet wird. [65] Auch in den V. 18-20 folgt ein Hinweis auf das Verhängnis, das über die gottlosen Reichen hereinbrechen wird. [66] Die Konjunktion כי steht im Anschluß an den Prohibitiv in V. 17a mehrfach, und zwar sowohl im Zusammenhang mit
dem Hinweis auf das Wohlergehen der Gottlosen in der Jetztzeit
(V. 17a b. 19a) als auch bezüglich des Todesgeschicks, dem sie
nicht entrinnen können (V. 18a). Wenn man also "fürchte dich nicht"
(V. 17a) als weisheitliche Redeform versteht, so ergibt sich eine Beziehung zu "warum soll ich mich fürchten" (V. 6a), das wir als weis-

---

61   Vgl. Gunkel-Begrich, Einl. 246.
62   Vgl. Gunkel-Begrich, Einl. 391.
63   Vgl. Gunkel-Begrich, Einl. 390 f.
64   Beispiele hierfür bieten Gunkel-Begrich, Einl. 391 Anm. 7. 8. 9.
65   Gunkel-Begrich, Einl. 391 Anm. 10.
66   Man geht sicher in der Annahme nicht fehl, daß die Reichen
      dieses Psalms das Signum der Gottlosigkeit tragen. Dies
      geht einerseits aus dem Refrain (V. 13. 21) hervor, der unter-
      streicht, daß der Mensch ohne Einsicht, auch wenn er über
      Macht und Ansehen verfügt, mit dem Tier gleichzusetzen ist.
      Ferner zählen die reichen Potentaten zu den persönlichen
      Gegnern des Frommen (V. 6 f).

heitliche Mahnung definierten, die in einen Fragesatz eingekleidet
ist. Bereits bei der stilistischen Analyse konnte als Charakteristikum von Ps 49 der iterative Gebrauch bestimmter Vokabeln und
das Variieren bestimmter Basen nachgewiesen werden. Darunter
fiel auch ירא (V.6a.17a). Dieser Wortentsprechung in beiden Versen läßt sich nun noch eine Sachentsprechung hinzufügen. In beiden Fällen handelt es sich nämlich um eine weisheitliche Mahnung,
die in V.6a als Fragesatz und in V.17a als negative Warnung erscheint.

Am Schluß dieses Exkurses zur Frage nach der Gattung von Ps 49
können wir feststellen, daß Ps 49 gattungsmäßig der Weisheitsliteratur zuzurechnen ist. Wortwahl und Topoi geben ihm ein eindeu-
tiges Gepräge. Die Elemente des individuellen Klageliedes, die
sporadisch vorhanden sind, wurden vom Verfasser bei der Komposition des weisheitlichen Liedes dazu benutzt, um seine eigene
Situation auszusprechen. Die Gegenwart konfrontiert ihn mit Bedrängnis (V.6), seine Hoffnung resultiert aus der Gewißheit, daß
Jahwe ihn einmal aller Not und Gefährdung entreißen wird (V.16). Sie
gehören zum ursprünglichen Bestand des Psalms, wenn sie auch
uneingeschmolzen im Zusammenhang stehen.

III. Vergleich von Ps 49 mit Ijob 18,5-21; 20,4-29 und Ps 37

Dieser Vergleich muß deswegen durchgeführt werden, weil es in
all diesen Fällen um das Schicksal der Frevler aus weisheitlicher
Sicht geht. All diese Kompositionen gehören zur Gattung des Weisheitsliedes. Auch für formgeschichtliche Aspekte ist dieser Vergleich bedeutungsvoll.

1. Ijob 18, 5-21

Wir haben es hier mit einer geschlossenen Komposition zu tun, die
einen kontinuierlich fortschreitenden Gedankengang erkennen läßt.
F. Horst[67] unterteilt die gesamte Komposition "in zwei gleichartig
aufgebaute Strophen von je acht Perioden" (V. 5-12 ; 13-20). Im
einzelnen läßt sich die Gliederung folgendermaßen skizzieren :

a.   "Geläufiges Spruchgut" (V. 5 f).

b.   Das Verderben des Frevlers wird durch Bilder aus der
     Jagdsprache dargestellt (V. 7-10).

c.   Schrecknisse ängstigen ihn und die Katastrophe steht
     unmittelbar bevor (V. 11 f).

d.   Krankheit und Tod kommen über ihn (V. 13 f).

e.   Verödung seiner Wohnung und Auslöschung seines
     Andenkens (V. 15-18).

f.   Kein Nachkomme verbleibt ihm und die Umwelt reagiert
     auf ein solches Schicksal mit Grauen und Entsetzen (V. 19 f).

g.   Kurzer Redeabschluß (V. 21).

2. Ijob 20, 4-29

Im Gegensatz zu Ijob 18, 5-21 liegt hier keine in sich geschlossene
Komposition mit fortschreitender Tendenz vor, vielmehr zeichnet
sich eine Aneinanderreihung einzelner Sprüche oder Spruchgruppen
ab. "Mehrfach sind ursprünglich selbständige Weisheitssprüche
aufgenommen, aber nicht in den Zusammenhang eingeschmolzen
(V. 10. 16. 24-25). "[68]

---

67   Hiob (BK XVI/1) Neukirchen 1968, 267.
68   G. Fohrer, Das Buch Hiob (KAT XVI) Gütersloh 1963, 327.

Der Aufbau der Komposition ergibt folgendes Bild :

a.   Erste Spruchgruppe (V.5-9) : Der frühe und totale Untergang des Frevlers. Sodann folgen die V.10 und 11, die
in einem losen Verhältnis zum Kontext stehen.

b.   Zweite Spruchgruppe (V.12-16) : Die große Täuschung
des Frevlers.

c.   Dritte Spruchgruppe (V.17-21) : Der Frevler kann seinen
Reichtum nicht genießen.

Von V.22 bis zum Schluß folgt sodann eine lose Spruchfolge.
Bei Ijob 20,4-29 fehlt es im Duktus des Ganzen an einem strengen
Gedankenfortschritt. In diesem Punkt fällt die Verwandtschaft mit
Ps 49 auf, wo ja beispielsweise in den V. 8-12.14-15.18-20 der
Tod als Endgeschick und Entmachtung aller Menschen figuriert.
Aus dieser Sicht wird die Bedeutung des Reichtums relativiert.
Auch in Ps 49 läßt sich kein strenger gedanklicher Fortschritt
konstatieren, sondern vielmehr wird durch Topoi der Weisheitsliteratur die eine Wahrheit stets neu umkreist : Alle Menschen,
auch die Reichen, sind dem Tod verfallen. In dieses Kolorit einer
fast pessimistischen Todeselegie werden uneingeschmolzen Elemente des individuellen Klageliedes eingestreut. Wichtig ist bei
der Gegenüberstellung von Ijob 20,4-29 zu Ps 49 vor allem, daß
wir in beiden Fällen das Entstehen des Weisheitsliedes aus einzelnen Sprüchen oder Spruchgruppen noch verfolgen können. Als weiteres Indiz der Kongruenz im Gegensatz zu Ijob 18,5-21 bleibt
festzuhalten, daß es sich bei Ps 49 und Ijob 20,4-29 um reiche
Frevler handelt ; vgl. Ijob 20,15.18.22.

3. Ps 37

Auch Ps 37 gehört zur Gattung der Weisheitslieder und behandelt
als Thema "Jahwes gerechtes Walten", das sich darin äußert, daß
es den Gerechten gut geht, während das Verderben über die Frevler hereinbricht.[69] Auch in diesem Weisheitslied ist kein strenger
Gedankenfortschritt feststellbar, sondern das Thema tritt in verschiedenen Variationsfolgen stets neu auf. Das Umkreisen des
Themas ohne kontinuerliche Vorwärtsbewegung wird bis in wörtliche Wiederholungen hinein sichtbar : "Ereifere dich nicht" (V.
1.7.8) ; "das Land erben" (V.9.11.22.29.34). Beharrlich wird
der Gedanke repetiert, daß die Gottlosen vernichtet werden (V.2.
9.10.20.28.34.36.38). Ebenso wird stets erneut die Belohnung
der Frommen in Aussicht gestellt, denen Jahwe jederzeit hilfreich
nahe ist (V.4.5f.9.11.17b-19.23-25.29.39f). Wichtig wegen Ps
49,16 ist die Beobachtung, daß mit V.16 eine Äußerung vorliegt,
die nicht in den Zusammenhang des Psalms eingeschmolzen ist
und die Kontinuität der Spruchgruppe V.14-17 unterbricht. Ähnliche
Fälle dieser Art konnten wir bereits bei Ijob 20,4-29 nachweisen.

Im Rückblick auf Ijob 18,5-21 ; 20,4-29 ; Ps 37 und 49 läßt sich als
Gemeinsamkeit dieser vier Weisheitslieder feststellen, daß in ihnen die Nichtigkeit des Reichtums und der Untergang der Frevler
herausgestellt wird. Mit Ausnahme von Ijob 18,5-21 ist in diesen
Weisheitsliedern kein strenger Gedankenfortschritt feststellbar.
Vielmehr werden einzelne Sentenzen und Spruchgruppen als Kom-
positionselemente verwendet, um das gleiche Thema von verschiedenen Aspekten her zu beleuchten und zu umkreisen.

---

69   Kraus, Psalmen I 285.

IV. Der "Sitz im Leben"

Kraus[70] ist darin beizupflichten, "daß nicht unbedingt alle Psalmen einen kultischen Sitz im Leben einnehmen". Man möchte diesen richtigen Grundsatz nur zu gern auf Ps 49 anwenden, da dieses Gedicht auf einen unvoreingenommenen Leser wie eine Komposition wirkt, die man zwanglos der privaten Sphäre zurechnen kann. Schwingt dennoch, so lautet die Frage, in Ps 49 ein gewisser Öffentlichkeitscharakter mit, so daß es sich noch eruieren läßt, wo dieser Psalm angestimmt wurde, oder ist eine solche Ermittlung fehl am Platz, da dieses Lied nie eine solch konkrete Bezugnahme zum Leben besessen hat ? Van der Ploeg[71] ist der Meinung, daß Ps 49 dazu bestimmt war, mit Musikbegleitung gesungen zu werden. Ausgehend von der feierlichen Eröffnung (V. 2-5) gibt er als Möglichkeit für den "Sitz im Leben" dieses Psalms an, daß er von einem einzelnen Sänger "dans une réunion religieuse" gesungen wurde, "peut-être à l'occasion d'une lecture biblique publique ou d'une commémoraison qui évoquaient le problème de la felicité apparente des pécheurs". Daneben ließe sich aber auch noch an folgende Lösung denken : Wie bereits festgestellt, sind in Ps 49, 6f. 16 Elemente des individuellen Klageliedes nachweisbar. Es ist nicht auszuschließen, daß unter dem Einfluß der Weisheitsliteratur Klage und Gewißheit auf Erhörung im Tempel vorgetragen wurden, wobei Klage und Gewißheit auf Erhörung gegenüber dem traditionellen Modus eine starke Verkürzung erfuhren und weisheitliche Formelemente eine dominante Stellung gewannen, wie der Kontext von Ps 49 ausweist.[72] Somit könnte aus dieser Perspektive für Ps 49 der

---

70 Psalmen I XLI.
71 Notes sur le Psaume XLIX 172.
72 Für die herkömmlichen Klage-, Dank- und Vertrauenslieder war ja zumeist der Tempel der Ort, an dem sie vorgetragen wurden; vgl. Kraus, Psalmen I XLVIII.

Tempel als kultischer "Sitz im Leben" erschlossen werden. Eine letzte Sicherheit läßt sich in dieser Frage nicht gewinnen.

V. Die Struktur

Zunächst hebt sich klar die Einleitung (V.2-5) ab, die eine Anrede an den Hörerkreis und das Vermelden einer wichtigen Botschaft beinhaltet. Die hierbei verwendeten Vokabeln und Wendungen entstammen dem Bereich weisheitlicher Sprache. Für die anschliessende strukturelle Gliederung hat man sich wiederholt auf die beiden Kehrverse (V.13.21) berufen, wodurch Ps 49,6-21 in zwei Abschnitte zerfalle.[73] Doch diese Auskunft ist zu undifferenziert und wird der komplexen Struktur von Ps 49 nicht gerecht. H. Torczyner[74] glaubt in Ps 49 "einander widersprechende Sätze" zu entdecken und folgert daraus, daß in Ps 49 die Ansichten der Reichen und deren Widerlegung durch den Dichter ursprünglich getrennt sich gegenüberstanden. In der traditionsgeschichtlichen Phase des Psalms seien dann aber beide durcheinandergeworfen worden. Folgende Gliederung rekonstruiert Torczyner[75] als ursprünglich :

V.2.3.4.5.6	(Einleitung)
V.7.12.10.14	A I.
V.11.8.9.13	A II.
V.15.20b.16	B I.
V.17.18.19.20a.21	B II.

Bei dieser Rekonstruktion merkt man deutlich das Bemühen, dem

---

73 Vgl. F. Baethgen, Die Psalmen (HK II/2) Göttingen[3] 1904,140 ; Löhr, Psalmenstudien 34 ; J. Lindblom, Die "Eschatologie" des 49. Psalms, in : Horae Soederblomianae I/1, Stockholm 1944, 21.

74 Ein Psalm "über den Tod" : WZKM 29,1915, 49 f.

75 A.a.O. 58 f.

Psalm eine nach unserem Dafürhalten logische Abfolge zu geben.
Weisheitslieder beinhalten jedoch gerne, wie Ijob 20, 4-29 und
Ps 37 zeigen, Spruchgruppen und mit dem Zusammenhang lose
verbundene Sentenzen, um einen Themenkreis zu umkreisen und
variabel stets neu zu beleuchten, ohne daß sich deswegen eine konsequente, gedankliche Vorwärtsbewegung abzeichnet. Daher vermag der Vorschlag von Torczyner nicht zu überzeugen.

In V.6 f zeigen sich, wie die bisherige Untersuchung beweist, Anklänge an das individuelle Klagelied. Allerdings ist die Härte des
Anklangs an das individuelle Klagelied in V.6 f stark gemindert
durch das einleitende "warum soll ich mich fürchten". Der Grund
weshalb letztlich kein Grund zur Furcht vor den reichen Potenta-
ten besteht, wird in verschiedenen Schritten dargelegt.

1. Schritt (V.8-10) : Lösung aus negativer Sicht : Reichtum rettet
   nicht vor dem Tod, so daß die Reichen keinen Vorteil haben.
2. Schritt (V.11-13) : Lösung ebenfalls aus negativer Sicht : Der
   Tod macht alle Menschen gleich, so daß der Reichtum bedeutungslos wird.
3. Schritt (V.14-16) : Lösung aus positiver Sicht : Während die
   selbstsicheren Reichen unerbittlich der Macht des Todes verfallen, rettet Gott den Frommen vor der Scheol.
4. In V.17-21 ergeht eine weisheitliche Mahnrede an die Zuhörer.

VI. Zur Metrik

Bevor wir uns der genauen Übersetzung und Deutung von V.16 zuwenden können, beschäftigt uns zunächst das Problem der metri-
schen Abgrenzung von V.16. Die Frage lautet : Gehört שאול מיד
zum ersten oder zweiten Halbvers ? Die Akzentsetzung durch die
Masoreten beweist, daß für sie dieser Ausdruck noch zum ersten

Halbvers gehört, denn der Atnach steht bei dem Nomen Scheol.

Die Zuweisung dieser Wendung zum ersten bzw. zweiten Halbvers gewinnt große Bedeutung für die Übersetzung des V.16 und bedarf daher einer präzisen Klärung. J. Coppens[76] übersetzt beide Möglichkeiten :

1. "Doch God zal mijn ziel vrijkopen

Uit de hand (de greep) van de $\check{s}^{e}$'ôl,

want Hij zal mij opnemen."

2. "Doch God zal mijn ziel vrijkopen,

Uit de hand (de greep) van de $\check{s}^{e}$'ôl,

voorwaar zal Hij mij nemen."

Aus diesen beiden Versionen sieht man, welch weittragende Konsequenz die Abgrenzung von V.16 haben kann. Coppens kommt aufgrund der unterschiedlichen Abtrennung der beiden Vershälften zu abweichenden Ergebnissen. Im ersten Fall stellt der Vers nach seiner Übersetzung einen progressiven Parallelismus dar, wobei er לקח mit "opnemen" übersetzt. Im zweiten Fall wird die gleiche Basis von ihm mit "nemen" wiedergegeben, wobei der gesamte Vers als synonymer Parallelismus verstanden wird.

Nicht nur die Akzentsetzung durch die Masoreten beweist, daß man die fragliche Wendung zur ersten Vershälfte rechnete, sondern auch die alten Übersetzungen gehen hier mit dem Verständnis der Masoreten konform.

LXX : πλὴν ὁ θεὸς λυτρώσεται τὴν ψυχήν
μου ἐκ χειρὸς ᾄδου, ὅταν λαμβάνῃ με.

Psalterium Romanum :

Verumtamen Deus liberavit animam meam de manu inferi dum acceperit me.

---

76   Het Onsterfelijkheidsgeloof in het Psalmboek, Brüssel 1957,
       9.

Psalterium Gallicanum :

Verumtamen Deus redimet animam meam de manu inferi,

cum acceperit me.

Psalterium iuxta Hebraeos :

Verumtamen Deus redimet animam meam

de manu inferi, cum adsumpserit me .

Unter den Gelehrten gehen die Ansichten bezüglich der Abtrennung

der beiden Vershälften auseinander. Ein Teil rechnet מִיד שְׁאוֹל

noch zur ersten Vershälfte[77], andere dagegen teilen מִיד שְׁאוֹל der

zweiten Vershälfte zu.[78]

Zweifellos sprechen einige gewichtige Gründe dafür, מִיד שְׁאוֹל zur

zweiten Vershälfte zu ziehen, so daß V.16 dann folgendermaßen zu

übersetzen ist : "Doch (gewiß) Gott kauft mich los, aus der Gewalt

---

[77]   So A. Vaccari, I Salmi, Torino[2]1956, 184 ; J. Pedersen,
Israel its Life and its Culture I-II, Copenhagen 1926, 335 ;
F. Delitzsch, Bibl. Kommentar über die Psalmen (Bibl. Kom-
mentar über das AT 4/1) Leipzig[5] 1894, 361 f ; C. Lattey, A
Note on Psalm 49,15-16 : ExpT 63/9,1952,288 ; H. Ringgren,
The Faith of the Psalmists, Philadelphia 1963, 74 ; A.M.
Dubarle, Les Sages d'Israel (LD 1) Paris 1946, 138 ; H.H.
Rowley, The Faith of Israel, London 1956,171 ; C.R.Smith,
The Bible Doctrine of the Hereafter, London 1958, 65 ; W.E.
Barnes, The Psalms with Introduction and Notes 2(WC) Lon-
don 1931, 238 ; Weiser, Die Psalmen 249 ; Barth, Die Er-
rettung vom Tode 158 ; Burney, Israel's Hope of Immortali-
ty 41 ; H. Schmidt, Die Psalmen (HAT 1/15) Tübingen 1934, 93.

[78]   So E. F. Sutcliffe, The Old Testament and the future Life,
Westminster 1946,101 ; Baethgen, Die Psalmen 145 ; F.
Praetorius, Bemerkungen zum 49. Psalm : WZKM 30,1917/
18,336 ; Peters, Das Buch der Psalmen 117 ; Rose, Le
Sort 56 ; M. Buttenwieser, The Psalms, Chicago 1938, 645 ;
Mowinckel, The Psalms in Israel's Worship II 39 ; Lind-
blom, Die "Eschatologie" des 49. Psalms 27 Anm. 3 ;
Dahood, Psalms I 296 ; Kraus, Psalmen I 362.

der Scheol, fürwahr, nimmt er mich". Die Gründe, die uns zu
dieser Lösung veranlassen, sind folgende :

1. Als Versmaß ist der Doppeldreier für Ps 49 bestimmend :
V.2-8, V.13f und V.17-21. V.15 wollen wir hierbei wegen des
korrupten Textzustandes außer acht lassen. Wenn auch die Frage
nach dem Metrum innerhalb der Psalmforschung ein noch ungelö-
stes Problem darstellt, so erweist sich doch unverkennbar der
Doppeldreier in Ps 49 als dominierendes-metrisches Prinzip, so
daß mit gutem Grund dieses Metrum auch für V.16 angenommen
werden kann.

2. Wenn man שאול מיד zur zweiten Vershälfte zieht, dann
steht פדה ohne die Präposition מן. Zwar ist zu sagen, daß פדה
nicht selten mit der Präposition מן konstruiert wird[79], so daß
eine solche Wendung dem hebräischen Sprachempfinden gut angepaßt wäre. Aber wir konnten als stilistisches Charakteristikum
von Ps 49 das Wiederaufgreifen bestimmter Wörter nachweisen.
פדה ohne die Präposition מן ist somit im Hinblick auf V.8, wo
die gleiche Basis ebenfalls ohne מן gebraucht wird, dem Stilprinzip des Ps 49 durchaus angepaßt.[80]

3. לקח ("nehmen") wird wiederholt mit מן konstruiert, wobei
Gott das Subjekt der Handlung ist : Gen 2,22 ; Dtn 30,4 ; Jos 24,3 ;
Ri 13,23 ; Ijob 35,7 ; Ps 50,9 ; 51,13 ; Jes 51,22 ; Jer 3,14 ; Ez
36,24 ; 37,21. Auch dann, wenn sich diese Basis,mit Jahwe als

---

79   Vgl. Barth, Die Errettung vom Tode 141.143.
80   Bemerkenswert ist, daß auch die syrische Übersetzung מיד
       שאול   zur zweiten Vershälfte zieht. Dies geht eindeutig
       aus der Kopula ו hervor, die zur Präposition מן gesetzt
       wird ; s.W.E. Barnes, The Peshitta Psalter according to
       the West Syrian Text, Cambridge 1904, z. St.

Subjekt, der Bedeutung "erwählen" (Gen 24,7 ; Num 3,12 ; 18,6 ;
2 Sam 7,8 ; Ps 78,70 : Jes 66,21 ; Am 7,15) oder "entrücken"
(2 Kön 2,3.5.9 f) annähert,ist die Verbindung mit מן bezeugt. Daher ist es grammatikalisch gut möglich, daß die Präposition מן
in V.16 לקח zugehört.

Es bleibt nun noch die Frage offen, welche Faktoren für die alten
Übersetzungen und die Masoreten,entgegen unserer Entscheidung,
bestimmend waren, מיד שאול zur ersten Vershälfte zu ziehen.
Die Partikel כי , die sehr häufig im AT vorkommt, weist eine
große Nuancen- und Bedeutungsbreite auf.[81] Unter den vielen Be-
deutungsmöglichkeiten, die dieses Wort annehmen kann, gibt es
nun auch die einer emphatischen Verstärkung am Ende von Sätzen[82] :
Gen 18,20 ; 2 Sam 23,5 ; Jes 7,9 ; 10,13 ; Ps 118,10.11.12; 128,2.
Diese Bedeutung von כי als emphatische Partikel am Schluß von
Sätzen wurde erst durch das Ugaritische aufgehellt ; denn in dieser
Sprache stößt man öfter auf den Fall, daß am Schluß eines Satzes
ein Verbum durch ein proklitisches k- eine emphatische Verstärkung erfährt : UT 51 : II : 13 f ; 51 : II : 26 f ; 51 : IV : 27 ; 52 : 39;
62 : I : 14 f ; 2 Aqht : V : 15.[83] Ein solcher Fall des emphatischen

---

81 Eine detaillierte Untersuchung darüber hat J.Muilenburg, The
linguistic and rhetorical Usages of the Particle כי in the Old
Testament : HUCA 32, 1961,135-160,vorgelegt.
82 Durch dieses proklitische כי wird das verb.fin.hervorgeho-
ben ; es tritt in diesem Fall an das Satzende.
83 Zur Besprechung dieser Stellen s. C.H.Gordon, Ugaritic
Textbook, Grammar (AnOr 38) Rom 1965, § 9.17 und § 13.51.
Darüberhinaus hat R. Gordis, The asseverative Kaph in Ugaritic and Hebrew : JAOS 63, 1943,176-178, darauf verwiesen,
daß im biblischen Sprachgebrauch nicht nur die Partikel כי
als selbständiges Wort im emphatischen Sinn auftreten kann,
sondern auch das proklitische Kaph (hebr. Präfix כ) in
Analogie zum Ugaritischen. Er zählt für den letztgenannten
Fall eine Reihe von Beispielen aus dem AT auf.

כִּי liegt nun auch in V.16 vor. Es ist mit "wahrhaftig, wirklich,
gewiß" zu übersetzen. M. Dahood[84] nennt diese Stelle "the most
widely accepted and cited example of ki emphaticum". Die selt-
same Stellung des emphatischen כִּי kann sehr wohl der Grund für
das Hinzuziehen von מִיָּד שַׁאוּל zur ersten Vershälfte durch die Masoreten und alten Übersetzungen gewesen sein. Jedenfalls die
LXX zeigt, daß sie mit der Partikel כִּי in emphatischer Bedeutung nichts rechtes anzufangen wußte. So läßt sie כִּי als emphatische Partikel an folgenden Stellen einfach unübersetzt : Gen 18,
20 ; Ps 118(117), 10.11.12 ; 128 (127), 2 ; Jes 10,13. Auch die jüngeren griechischen Übersetzer bewegen sich in den gleichen Bahnen. Für Ps 118(117),10 gibt α' das emphatische כִּי ganz einfach
mit ὅτι wieder, während σ' es unübersetzt läßt. Bei Ps 128(127),
2 wählen α' und ϑ' für כִּי ὅτι, σ' hingegen übergeht auch hier
diese Partikel. Ebenso schenkt σ' in Jes 7,9 dem emphatischen
כִּי keine Beachtung. Er zeigt also deutlich, daß man כִּי in emphatischer Bedeutung schon zur Zeit der jüngeren griechischen Übersetzer nicht mehr verstand. Das dreimalige Übergehen durch ihn
ist ein deutlicher Beweis. Für σ', der um ein gutes Griechisch
bemüht war, wäre in diesen Fällen die Wiedergabe von כִּי durch
ὅτι einem Verstoß gegen griechisches Sprachempfinden gleichge-
kommen. Da ihm aber die emphatische Bedeutung nicht klar war,
ließ er diese Partikel an den genannten Stellen einfach unberücksichtigt. Auch Hieronymus eliminiert in seinem Psalterium iuxta
Hebraeos Ps 118(117),10 f jeweils כִּי .Ps 118(117),12 verwendet er
quia und Ps 128(127),2 cum als Äquivalente.Dieses Übergehen von
כִּי in Ps 118(117),10 f durch Hieronymus einerseits und die Wie-

---

84   Hebrew-Ugaritic Lexicography III : Bibl 46, 1965, 327.

dergabe durch die Konjunktion quia in Ps 118(117),12 bzw. cum
in Ps 128(127),2 zeigt, daß ebenfalls für ihn כֹּי in emphatischer
Bedeutung nicht klar war.[85] Auch bei V.16 wurde in den alten
Übersetzungen כֹּי als emphatische Partikel nicht erkannt. Die
LXX gibt כֹּי durch die temporale Konjunktion ὅταν wieder und
auch im Psalterium Romanum, Gallicanum und iuxta Hebraeos
wird jeweils die temporale Konjunktion dum bzw. cum für כֹּי gesetzt.

Als weiterer Grund dafür, daß מִיד שָׁאוּל von den Masoreten und
alten Übersetzungen zur ersten Vershälfte gezogen wurde, ist zu
bedenken, daß פָּדָה häufig mit der Präposition מִן konstruiert
wird.[86] An erster Stelle ist in diesem Zusammenhang Hos 13,14
zu nennen, wo פָּדָה wie bei V.16 in Verbindung mit מִיד שָׁאוּל steht.
Weitere Stellen zeigen פָּדָה in Verbindung mit מִן , ob nun das
Verbum für die Befreiung aus Ägypten (so Dtn 7,8; 13,6 ; 24,18 ;
2 Sam 7,23 ; 1 Chr 17,21 ; Mich 6,4) oder allgemein als Errettungsterminus (so 2 Sam 4,9 ; 1 Kön 1,29 ; Jer 15,21 ; Ps 25,22 ;
78,42 ; 119,134 ; 130,8 ; Ijob 5,20 ; 6,23 ; Sir 51,1) gebraucht
wird.

---

85   Beim Auslassen der Partikel כֹּי in Ps 118(117),10 be-
       steht allerdings die Möglichkeit, daß Hieronymus von σ'
       abhängig ist, denn bekanntlich hat er bei seiner Version
       oftmals die Hexapla, näherhin die drei jüngeren griechi-
       schen Übersetzer α'σ' ϑ',eingesehen ; vgl. J. Ziegler,
       Die jüngeren griechischen Übersetzungen als Vorlagen
       der Vulgata in den prophetischen Schriften, Braunsberg
       1943/44.
86   Vgl. Barth, Die Errettung vom Tode 141.143.

VII. Interpretation von V.16

Wir haben das Vorfeld zu dieser Frage soweit abgesteckt, daß wir
uns nun der Erklärung von V.16 zuwenden können. Zunächst gilt
es jedoch noch, die einzelnen Versglieder einer eingehenden Analyse zu unterziehen, bevor eine abschließende Aussage möglich
ist.

1. Die Bedeutung der Partikel אַךְ

Sie kann im einschränkenden Sinn "nur" (so Gen 7,23 ; 9,4 ; 18,32
usw.), im weiterführenden Sinn "dennoch" (so Lev 27,26.28 ;
Num 26,55 ; Dtn 12,22), oder im hervorhebenden Sinn "zweifellos, gewiß, fürwahr" (so Gen 29,14 ; 44,28 ; Ex 31,13 ; Dtn 16,
15 usw.) bedeuten. Auf V.16a angewendet scheidet die erste Möglichkeit ("nur") aus, während eine Entscheidung zwischen den beiden anderen Fällen schwierig ist. אַךְ kann nämlich gut in V.16
"doch" im weiterführenden Sinn heißen, wobei ein klarer Kontrast
zu V.15 hervortritt. Unerbittlich gebietet der Tod über die Reichen,
die alle zur Scheol hinabsteigen müssen, während für den Beter des
Psalms ein glücklicheres Los bestimmt ist. Anderseits ließe
sich diese Partikel auch im hervorhebenden Sinn wiedergeben und
hierbei würde sie parallel zu כִּי stehen, dessen emphatische Bedeutung bereits aufgezeigt wurde.[87]

---

[87] Zur Korrespondenz zwischen אַךְ und כִּי in V.16 s. R.
P.Joüon,Grammaire de l'Hébreu Biblique, Rom[2] 1947,
§ 164 a und b ; R. Tournay, L'Eschatologie individuelle
dans les Psaumes : RB 56,1949,494. Vgl. auch 1 Sam 8,9,
wo אַךְ כִּי im emphatischen Sinn verwendet wird. Dies
zeigt sich durch die Eröffnungspartikel וְעַתָּה , den imp.
שְׁמַע , den inf.abs. + verb.fin.הָעֵד תָּעִיד, und schließlich
durch den Tenor des gesamten Satzes.

2. Die Bedeutung von פדה

Wir können uns hierbei weitgehend auf J.J.Stamm[88] stützen, der in einer begriffsgeschichtlichen Studie diese Basis eingehend untersucht hat. Sein Ergebnis läßt sich folgendermaßen zusammenfassen :

2.1.   Der profane Gebrauch ist nur an drei Stellen bezeugt (Ex 21,8 ; Lev 19,20 ; Ijob 6,23). Hier bezieht sich פדה auf den Loskauf aus der Sklaverei.[89]

2.2.   Sodann tritt diese Basis als "Terminus für die Auslösung eines Jahwe verfallenen Wesens" auf, sei es, daß es sich um die Auslösung der menschlichen oder tierischen Erstgeburt handelt (Ex 13,13.15 ; 34,20 ; Lev 27,27 ; Num 18,15-17). Subjekt in diesen Fällen ist jeweils der Mensch. Die Stellung eines Gegenwertes wird hierbei benannt.[90]

2.3.   פדה als Terminus für die Errettung durch Gott.

2.3.1.   Errettung einzelner aus einer Notsituation : Die Gegebenheiten, aus denen Jahwe befreit,können verschiedener Art sein. Errettung vor Feinden (Jer 15,2 ; Ps 55,19 ; 78,42 ; 119,134); Errettung vor der Scheol (Hos 13,14) ; Errettung vor dem Tod (Ijob 5,20 ; Sir 51,1) ; Errettung vor der Grube (Ijob 33,28) ; Erlösung von Schuld (Ps 130,8). Die Angabe der Notsituation kann sehr allgemein gehalten sein (2 Sam 4,9 ; 1 Kön 1,29 ; Ps 25,22). Schließlich kann פדה isoliert für sich stehen, ohne daß eine nähere Konkretisierung erfolgt, worauf die Errettung zu beziehen ist (Ps 26,11 ; 31,6 ; 34,23 ; 44,27 ; 69,19 ; Jes 29,22 ; Jer 31,11 ; Hos 7,13 ; Sach 10,8). Mit Ausnahme der zuletzt zitierten Stellen

---

88   Erlösen und Vergeben im AT, Bern 1940.
89   Stamm, Erlösen 7-11.
90   Stamm, Erlösen 11-13.

handelt es sich fast stets um Errettung aus einer drohenden Todesgefahr. Sobald Jahwe und nicht ein Mensch das Subjekt darstellt,
ist niemals die Rede von einem Gegenwert der gestellt werden
muß. Dies gilt auch für Ps 49,8.16. Während in V.8f, wo der
Mensch Subjekt ist, von dem zu zahlenden Lösegeld die Rede ist,
spielt in V.16 das Lösegeld keine Rolle mehr, denn Jahwe ist ja
das Subjekt.[91]

2.3.2.   Befreiung aus Ägypten : Vor allem in Dtn ist פדה zu
einem term.techn. für die Befreiung aus Ägypten geworden (Dtn
7,8 ; 9,26 ; 13,6 ; 15,15 ; 21,8 ; 24,18). Darüberhinaus hat sich
dieser Sprachgebrauch des Deuteronomiums auch noch in weiterer
bibl. Büchern niedergeschlagen (2 Sam 7,23 ; 1 Chr 17,21 ; Neh 1,
10 ; Ps 78,42 ; Mich 6,4).[92]

2.3.3.   Befreiung aus der babylonischen Gefangenschaft :
Schließlich kann dieses Verbum auch dazu dienen, die Befreiung
des jüdischen Volkes aus dem Machtbereich Babylons zu schildern
(Jes 35,10 ; 51,11 ; Jer 31,11). Dies verwundert keineswegs, da
ja die Befreiung aus Ägypten und Babylon in der theologischen Reflexion in einem sehr engen Zusammenhang gesehen wurde. Es
besteht keine zwingende Veranlassung, diese drei Stellen auf die
"Erlösung am Ende der Zeit" zu beziehen, wie dies Stamm[93] getan
hat.

---

91   Stamm, Erlösen 13-18. V.8 f handelt davon, daß es für den
      Menschen unmöglich ist, sich vom Tod freizukaufen. V.8b
      erinnert an eine Wendung des bekannten Mythos von der
      Höllenfahrt der Göttin Ischtar. Hier gibt Ereschkigal, die
      Herrin der Unterwelt, Namtar, ihrem Boten, im Zusammen-
      hang mit der Befreiung Ischtars folgenden Befehl : "Falls
      sie" (gemeint ist Ischtar)"dir aber ihr Lösegeld nicht gibt,
      bringe sie zurück" ; R. Borger, Die Höllenfahrt der Göttin
      Ištar (Babylonisch-Assyrische Lesestücke II)Rom 1963,92
      Rev.36 (Assur-Rezension). Nachdem wir in Ps 49 zahlrei-
      che Fälle überpersönlicher Stilkräfte nachweisen konnten,
      ist es möglich, daß auch V.8b eine gemeinsemitische Wen-
      dung zugrundeliegt.
92   Vgl. Stamm, Erlösen 18-22.
93   Erlösen 22-26.

Zusammenfassung : פדה entstammt dem Rechtsbereich. "פדה
ist ein Terminus des Handelsrechtes, welcher einfach den Loskauf
durch Stellung eines Gegenwertes ausdrückt"; Stamm, Erlösen 45.
Er wurde später vor allem in die religiöse Sprache mit Jahwe als
Subjekt bezüglich der Erettung aus individueller und kollektiver
Not und Bedrängnis eingeführt. Hierbei "tritt die juristische Grundbedeutung" zurück; Stamm, Erlösen 46. Die Bedeutung im religiösen Sprachgebrauch ist "erlösen, befreien, erretten".[94]

2.4. Etymologische Entsprechungen in Keilschrifttexten

In einem Kontrakt, der von einer Entschädigung des Iwrkl spricht,
weil er für die Freilassung ugaritischer Gefangener Lösegeld be-
zahlt hat, begegnet man im Ugaritischen dem Wort pdy bezüglich
des Loskaufs von Gefangenen (UT 1006 : 2,12). Im Akkadischen
wird padû(m) auch im Sinne von "befreien, erlösen, erretten" gebraucht, wie wir dies häufig im Hebräischen feststellen konnten.
Im Weltschöpfungsepos enuma eliš VII 29 heißt es von Marduk :
"Zu ihrer Erlösung" (a-na pa-di-šu-nu - gemeint sind hiermit die
gefangenen Götter) "schuf er die Menschheit".[95] In einem Gebet
an Ischtar wird die Bitte vorgetragen : "Rette ihn (pi-di-šu) vor
(dem Schlund) der Vernichtung".[96]

---

94   Stamm, Erlösen 46.
95   R. Labat, Le Poème Babylonien de la Création, Paris
       1935.
96   W.G. Lambert, Three Literary Prayers of the Babylo-
       nians : AfO 19, 1959/60, 53 Z. 163. Beachtenswert in
       diesem Zusammenhang ist der Eigenname Ilī-ip-di-a-
       ni ("mein Gott erlöste mich") ; W.v.Soden, Akkadisches
       Handwörterbuch, Wiesbaden 1959 ff , 808.

3. נַפְשִׁי als Objekt der Basis פדה

Eine Zusammenstellung der bei פדה vorkommenden Objekte findet
sich bei van der Ploeg.[97] Dabei zählt er auch נַפְשִׁי in der Funktion eines Personalpronomens auf[98] (2 Sam 4,9 ; 1 Kön 1,29 ; Ps
49,16 ; 55,19 ; 71,23). Die Behauptung von van der Ploeg, daß
נַפְשִׁי in V.16 die Stelle eines Personalpronomens einnimmt, wird
durch die Tatsache erhärtet, daß diesem Nomen im zweiten Halbvers das Suffix נִי ("mich") entspricht.[99] נַפְשִׁי in V.16 ist also
nicht, wie V.Maag[100] meint, "als die Seele, das bewußte Ich, zu
verstehen".

4. Bedeutung der Wendung מִיַּד שְׁאוֹל [101]

4.1. מִיַּד ("aus der Hand") kann zunächst ganz wörtlich übersetzt und verstanden werden. In diesem Fall läge eine Personifika-
tion der Scheol zugrunde, die mit ihrem Arm nach dem Beter greift,
worauf dann Gott rettend einschreitet. Dahood[102] vertritt diese
Deutung. Gegen ein solches Verstehen steht jedoch der Einwand,
daß die Scheol im AT nicht anthropomorph dargestellt wird, sondern höchstens als wildes Tier, das in unersättlicher Freßgier
alles mit seinem Rachen verschlingt (vgl. Spr 1,12 ; 27,20 ; 30,
16 ; Jes 5,14 ; Hab 2,5).

---

97   Notes sur le Psaume XLIX 156 f.
98   A.a.O. 157.
99   Weitere Stellen, bei denen נֶפֶשׁ ein Personal- bzw. Re-
      flexivpronomen vertritt, liegen in Ps 16,10 ; 30,4 ; 86,
      13 ; 89,49 ; Spr 23,14 vor.
100   Tod und Jenseits nach dem AT : Schweizerische Theolo-
      gische Umschau 1/34, 1964, 27.
101   Diese Wendung liegt noch in Ps 89,49 ; Sir 51,2 ; Hos 13,
      14 vor.
102   Psalms I 301.

4.2.　Die zweite Möglichkeit der Übersetzung besteht darin,

יד metaphorisch zu verstehen : "Aus der Macht (Gewalt) der

Scheol. " [103] Tournay[104] neigt einer solchen metaphorischen Auf -

fassung für V.16 zu, wenn er schreibt : "L'expression 'mains du

Chéol' signifie évidemment pouvoir du Chéol. "

4.3.　Es gehört zu den Eigentümlichkeiten der semitischen Spra-

chen, an Stelle einfacher Präpositionen eine vollere und anschau-

lichere Ausdrucksweise zu gebrauchen, die aus Präposition plus

Substantiv gebildet wird. Das Substantiv bezeichnet dann meist

einen Körperteil. [105] Dhorme[106] ist daher beizupflichten, wenn er

ausführt, daß die Zusammensetzung von יד mit einer Präposition

in bestimmten Fällen "ne fait que renforcer le sens ordinaire de

cette préposition". Die Frage ist berechtigt, ob sich diese Über-

setzungsmöglichkeit auch auf V.16 anwenden läßt, so daß man יד

dann auch bei der Wiedergabe übergehen könnte, da ihm eine Ei-

genbedeutung fehlt. Eine sichere Entscheidung zwischen den unter

4.2. und 4.3. aufgezeigten Möglichkeiten kann nicht getroffen wer-

den. Man möchte jedoch der metaphorischen Interpretation den

103　Über den metaphorischen Gebrauch von "Hand" und "Arm"
　　　im Sinne von "Macht,Gewalt" vgl. P.Dhorme, L'Emploi
　　　métaphorique des Noms de Parties du Corps en Hébreu et
　　　en Akkadien, Paris 1923, 138-149.
104　L'Eschatologie 495.
105　Vgl. A. Schmitt,Stammt der sogenannte " ϑ' "-Text bei
　　　Daniel wirklich von Theodotion? (NAG I. Philol.-Histor.
　　　Klasse, Jahrg.1966 Nr. 8) Göttingen 1966, 69 f. Die LXX
　　　trägt dieser Tatsache Rechnung,indem sie mit Recht bis-
　　　weilen diesen volleren Ausdruck einfach nur mit einer
　　　Präposition wiedergibt ; vgl. M. Johannessohn, Der Ge-
　　　brauch der Präpositionen in der Septuaginta (MSU III)
　　　Berlin 1925, 350 f ; H.St.J.Thackeray, A Grammar of
　　　the Old Testament in Greek according to the Septuagint I,
　　　Cambridge 1909, § 4 (S.42-45).
106　L'Emploi métaphorique 149.

Vorzug geben, da מיד öfter mit einem Verbum des Rettens vorkommt, wobei die Übersetzung "aus der Gewalt" dem Kontext mehr
entspricht als nur die bloße Präposition (vgl. Gen 32,12 ; Ex 2,19 ;
3,8 ; 14,30 ; 18,9 f ; Dtn 7,8).

4.4. Bezüglich des Nomens Scheol sind einige klärende Worte
nötig. Nach altorientalischer und alttestamentlicher Vorstellung
befindet man sich bei schwerer Krankheit, Gefangenschaft und son-
stiger Not bereits in der Sphäre der Scheol (vgl. Ps 18,6 (= 2 Sam
22,6) ; Ps 88,4-7 ; Jon 2,3). Daher betonen die Beter in den Psalmen wiederholt, daß Jahwe sie aus der Scheol gerettet hat (vgl.
Ps 30,4 ; 86,13 ; 89,49). Der Machtbereich der Scheol und damit
des Todes ist also nach altorientalischem Denken viel weiter in
das Leben vorgeschoben als nach unserem Empfinden. Daher ist
es durch die Hilfe Jahwes möglich, diesem Machtbereich des Todes wieder zu entkommen. Nach ausgestandener Not kann man deshalb dankbar bekennen, daß Jahwe sich als Retter aus der Scheol
erwiesen hat. Daneben gilt aber Scheol auch als Versammlungsort
der Verstorbenen ; dort fristen sie ihre freudlose Existenz (vgl.
Gen 37,35 ; 42,38 ; 44,29.31 ; 1 Kön 2,6.9 ; Ijob 7,9 ; 17,13.16 ;
21,13 ; Prd 9,10 ; Jes 14,9.11.15 ; 38,10.18 ; Ez 32,21). In welchem Sinn ist Scheol nun in V.16 zu verstehen ? Aufgrund des häufigen Sprachgebrauchs der Psalmen wäre die Deutung als Not-
sphäre durchaus zu rechtfertigen. Doch eine solche Exegese würde
dem Kontext nicht gerecht ; sie ließe vor allem das zweimalige
konstrastierende"Scheol"in V.15 unberücksichtigt, das jeweils den
Ort bezeichnet, an dem sich die Verstorbenen befinden. Somit stellt
Scheol in V.16 den Versammlungsort der Toten dar.

5. Zur Bedeutung von לקח

Wir können hierbei auf die bereits durchgeführte Untersuchung
dieser Basis verweisen ; vgl. S. 85 - 91. Besonders wichtig ist
Ps 18,17 (= 2 Sam 22,17), wo לקח inhaltlich einem Verbum des
Errettens nahekommt. Zwei weitere Stellen aus dem Ugaritischen
bzw. Akkadischen bezeugen ebenfalls die Tatsache, daß lqh (ugari-
tisch) und leqû(m) (akkadisch), die beide etymologisch der hebräischen Basis entsprechen, bedeutungsmäßig einem Verbum des
Errettens nahekommen, ohne jedoch die Grundbedeutung "nehmen"
ganz abgestreift zu haben.

5.1.   In einem Brief des Königs von Tyros an den König von
Ugarit wird letzterem mitgeteilt, daß die Flotte, die er (der König
von Ugarit) nach Ägypten geschickt hatte, vor Tyros gesunken ist
(UT 2059). Nachdem der König von Tyros geschildert hat rb tmtt
lqh kl ḏrᶜ ("der Herr des Todes ergriff jeden Arm" ; UT 2059 :
16-17), sagt er im gleichen Brief an späterer Stelle wklhm bd rb
tmtt lqht ("und ich entriß sie alle aus der Hand (aus den Händen)
des Herrn des Todes"; UT 2059 : 21-22).

5.2.   In dem Mythos von der Höllenfahrt der Göttin Ischtar
kommt leqû(m) im Zusammenhang mit der Befreiung der Göttin
aus der Unterwelt vor. Zunächst gibt Ereschkigal, die Herrin der
Unterwelt, an Namtar, ihren Boten, folgenden Befehl : "Besprenge
Ischtar mit dem Wasser des Lebens und nimm sie von mir weg"
(li-qa-áš-ši).[107] Die Ausführung dieser Anordnung lautet dann :
"Er besprengte Ischtar mit dem Wasser des Lebens und nahm sie

---

107   Borger, Höllenfahrt 92 (Ninive-Rezension 114).

weg". (il-qa-áš-ši). [108]

Zusammenfassend kann bezüglich V.16 gesagt werden, daß es
sich wohl um einen progressiven Parallelismus handelt. Zunächst
könnte man noch an einen synonymen Parallelismus denken, denn
לקח entspricht פדה , כי und אך stehen möglicherweise in einem
korrespondierenden Verhältnis und נפשׁי steht in Relation zu dem
Suffix ני . Die Tatsache jedoch, daß מיד שׁאול keine Entsprechung
im ersten Versglied findet, deutet darauf hin, daß das zweite Versglied über das erste hinausweist und somit von einem progressiven Parallelismus gesprochen werden kann. Isoliert für sich gesehen, ließe sich V.16 als Errettungsaussage bezüglich einer akuten Not- bzw. Todessituation verstehen. Doch diese Auskunft ge-
nügt nicht. Zur Sinnerhellung müssen wir den Kontext heranziehen,
in den V.16 eingebettet ist.

VIII. Die Bedeutung von V.16 aufgrund des Kontextes

1.   Die V.8-10 sprechen davon, daß es für den Menschen kein
Loskommen vom Tod gibt. Der Mensch ist dieser unheimlichen
Macht verfallen ; den Preis für den Loskauf vermag niemand zu
zahlen. Wir konnten dies als ein Topos der Weisheitsliteratur erweisen ; vgl. S.206.

---

108   Borger, Höllenfahrt 92 (Ninive-Rezension 118). In der As-
        sur-Rezension, Rev.34 (Borger, Höllenfahrt 92) lautet der
        entsprechende Passus : "Er besprengte Ischtar mit dem
        Wasser des Lebens und nahm sie von ihr" (nämlich Eresch-
        kigal) "weg." Die Assur-Rezension, Rev.35-37, bietet
        ein überschießendes Plus gegenüber der Ninive-Rezension.
        Wahrscheinlich ist bei Rev. 35 und 37 jeweils leqû(m) zu
        ergänzen ; vgl. ANET 108 Anm. 27.

2. Ebenso treten uns in V.11 bekannte Topoi der Weisheitsliteratur entgegen, vgl. S.205 f, die die Tatsache des Sterbenmüssens und des Zurücklassens aller Güter hervorkehren.

3. V.12a wird ebenfalls vom Tod gesprochen und zwar teilweise mit feststehenden Wendungen.

3.1. V.12aα ist für קרבם mit LXX, der syrischen Version
und dem Targum קברם zu lesen, so daß die Übersetzung lautet :
"Gräber sind ihre Häuser für ewig." Diese Ausdrucksweise ist
häufig belegt, sowohl im ägyptischen[109] als auch im palästinisch-
phönikischen und syrischen Raum. Bereits im Sumerischen ist
é (?) da-rí ("Haus der Ewigkeit") als Name der Totenwelt belegt.[110]
Auf einer punischen Inschrift aus Malta (3.bis 2.Jahrhundert v.Chr.)
begegnet man der Wendung : "Das Innere des ewigen Hauses ; das
Grab"... (CIS 1/1 124 1). Aus Palmyra sind uns zahlreiche Grabinschriften erhalten geblieben, auf denen stereotyp die Bezeichnung
בת עלמא ("ewiges Haus") wiederkehrt[111] : CIS 2/3 4116 1 ; 4119 2 ;
4119 6 f ; 4119 8 ; 4 121 2 ; 4 123 1 ; 4 124 3 ; 4 130 1 ; 4 159 1 ;
4 168 3 ; 4 193 4 ; 4 199 1. Diese Inschriften sind genau datierbar ;
sie entstammen dem 1.bzw.2. Jahrhundert n.Chr. Beachtenswert
ist vor allem CIS 2/3 4116 1   קבר דנה בת עלמא   ("dieses Grab ist
ein ewiges Haus"), weil hier, mit Ausnahme des Demonstrativpronomens, die gleichen Nomina wie bei unserer Psalmstelle auftreten.

---

109   Vgl. O. Loretz, Qohelet und der Alte Orient, Freiburg
      1964, 88 Anm. 236 f.
110   K. Tallqvist, Sumerisch-akkadische Namen der Totenwelt
      (StudOr V/4) Helsinki 1934, 16.
111   R.P. Joüon, Glanes palmyréniennes : Syr 19, 1938, 99 f,
      vertritt die Ansicht, daß "ewiges Haus" in den Inschriften
      von Palmyra aufgrund einer bilinguen Inschrift nicht mehr
      wörtlich "maison d'éternité" bedeutet, sondern nur noch
      "un terme noble pour 'sepulture'" sei.

Aufgrund dieser epigraphischen Zeugen ist der Schluß berechtigt,
daß sich der Verfasser von Ps 49 in V.12aα einer im altorientalischen Raum gebräuchlichen und feststehenden Wendung bedient hat.[112]
Im AT ist die Bezeichnung "ewiges Haus" für "Grab" nur noch Prd
12,5 belegt.[113]

3.2. Parallel zu V.12aα steht in V.12aß "ihre Wohnung für
immer". מִשְׁכָּן ("Wohnung") steht für Grab im AT nur Jes 22,16.
Neuerdings ist מִשְׁכָּן als Grabbezeichnung noch in der Kupferrolle
von Qumran belegt.[114] Durch מִשְׁכָּן als Grabbezeichnung wird man
an מִשְׁכָּב ("Ruhestätte") erinnert, das häufig auf phönizischen Grabinschriften zu finden ist.[115] Es ist also nicht auszuschließen, daß
auch hinter V.12aß eine gemeinsemitische Tradition steht, denn
מִשְׁכָּן und מִשְׁכָּב liegen als Grabbezeichnungen bedeutungsmäßig eng
beieinander.

4. V.15 ist textlich in einem verwilderten Zustand. Dennoch
läßt sich aus dem Beginn mit ziemlicher Sicherheit entnehmen, daß
hier der Tod in personifizierender Weise gezeichnet wird, der die
Menschen, wie ein Hirt die Herde, zur Scheol hinabführt. Man ist

---

112 Vgl. auch F. Cumont, Die orientalischen Religionen im rö-
     mischen Heidentum, Darmstadt⁶1972, 252 f.
113 Hierbei muß auch auf Tob 3,6 verwiesen werden, wo in bei-
     den Rezensionen BA und S die Wendung τόπος αἰώνιος im
     Zusammenhang mit dem Tod gebraucht wird : "Laß zu, daß
     ich aus der Not zum ewigen Ort abscheide." Die Ursprache
     des Buches Tobit war sehr wahrscheinlich hebräisch oder
     aramäisch; vgl. Eissfeldt, Einl. 792 f. Von daher ließe sich
     denken, daß dem Ausdruck τόπος αἰώνιος im Grundtext
     בֵּית עוֹלָם entsprach, da ja בֵּית wiederholt in der LXX mit
     τόπος übersetzt wird (vgl. 1 Kön 10,25 ; 24,23 ; 3 Kön 8,
     42 ; 2 Chr 6,32 ; Ps 119,54).
114 DJD III VI : 11 (S.249).
115 KAI 9 A 1.3. B 2.3 ; 13,8 ; 14,4.5.6.7.8.10.21. Näher-
     hin ist sogar "Ruhelager für die Ewigkeit" bezeugt ; KAI
     34,5 ; 35,2.

zunächst überrascht, daß der Tod hier mit solch individuellen Zügen ausgestattet wird, da weithin im atl Schrifttum der Tod nur als schreckerregende, unpersönliche Macht auftritt. Gelegentlich wird er jedoch auch mit persönlichen Zügen ausgestattet, wenn diese auch nur verhalten anklingen. So zeigt es sich, daß hinter Texten wie Ps 18,6 ; 116,3 ; Spr 13,14 ; 14,27 ; 21,6 die Vorstellung vom Tod als einem Jäger steht, der mit Fallen und Schlingen den Menschen auflauert. Auch Ijob 18,14 wird eine unpersönliche Aussage über den Tod verlassen, wo es bezüglich des Sterbens des Frevlers heißt, daß er "zum König der Schrecken" gehen muß. Jes 28,15 wird die gleiche Tendenz erkennbar, denn es wird von einem Bund "mit dem Tod" gesprochen. Als Hirte ist jedoch der Tod im atl Schrifttum nirgends bezeugt.

Sehr konkrete, persönliche Züge des Todes sind uns aus dem Alten Orient bekannt. So gilt der Todesgott Mut in dem großen ugaritischen Mythen-Zyklus von den Göttern Baal und Anat als mächtiger Gott, der mit Baal kämpft (UT 49 : VI) und seinen Machtanspruch über Götter und Menschen anmeldet (UT 51 : VII : 47-52). Er residiert in seiner Stadt in der Unterwelt (UT 51 : VIII : 10-14) und verschlingt denjenigen, der ihm zu nahe kommt (UT 51 : VIII : 15 - 20). Auch in der akkadischen Literatur gewinnt der Tod durch die Unterweltsgötter Nergal und Ereschkigal anthropomorphe Züge.[116] Zu beachten bleibt die Tatsache, daß in V.15 der Tod in poetischer Bildersprache als unausweichliches Faktum herausgestellt wird, ohne daß dabei die Akzidentien des Wie und Wann eine detaillierte Berücksichtigung finden. "Scheol" ist als der Ort zu verstehen, an dem die Toten nach ihrem Verscheiden ihre verminderte Existenz fristen. Davon hebt sich "Scheol" in V.16 ab, wo das gleiche

---

116   Vgl. ANET 103 f ; ANES 71.

Nomen als Kontrastparallele nur ausdrücken kann, daß dem Beter
diese Stätte der Trauer und des Schreckens erspart bleibt, und
wenn nicht erspart, daß es zumindest für ihn eine Errettung aus
diesem Bereich gibt.

5.   In V.20a ist תבוא als יבוא zu korrigieren, weil איש in
V.17a das dazugehörige Subjekt darstellt. V.20a lautet dann : "Er
kommt zur Versammlung (zum Kreis) seiner Väter". Im Zusammenhang mit V.20a wird man an die bekannten Wendungen "zu den
Stammesgenossen versammelt werden"[117] bzw. "zu den Vätern
versammelt werden"[118] erinnert.[119] Vor allem aber ist die Ähnlichkeit auffallend, die zwischen Gen 15,15 und V.20a besteht, da
fast wörtliche Übereinstimmung herrscht.

Die Auslegung dieser Wendungen ist umstritten. Sie werden teils
als Euphemismen für "sterben" interpretiert, wobei man sich auf
den archäologischen Befund der alten Grabanlagen stützt, bei denen
das Grab als "Versammlungsort der Toten" gelten konnte.[120] Andererseits sieht man in diesen Ausdrücken mehr als nur das Faktum des Sterbens und Begrabenwerdens ausgesagt. Man deutet es
konkret auf das Zusammentreffen des Verstorbenen mit den Vorvä-
tern in der Scheol[121], oder allgemeiner als Anspielung auf ein

---

117   Gen 25,8.17 ; 35,29 ; 49,29.33 ; Num 20,24; 27,13 ; 31,2;
        Dtn 32,50.
118   Ri 2,10 ; 2 Kön 22,20 ; 2 Chron 34,28.
119   Bezüglich V.20a ist auch die Wendung "schlafen mit den Vä-
        tern" zu vergleichen, die in 1 und 2 Kön und 2 Chr stereotyp
        den Tod der einzelnen Könige bezeichnet ; s.B.Alfrink,
        L'Expression שכב עם אבותיו : OTS 2,1943, 106-118.
120   Vgl. L.Dürr, Die Wertung des Lebens im AT und im anti-
        ken Orient, Münster i.Westf. 1926, 30 f.
121   Vgl. J.Scheftelowitz, Der Seelen- und Unsterblichkeitsglau-
        be im AT : ARW 19, 1916-1919, 215 ; B.Alfrink, L'Expres-
        sion נאסף אל עמיו : OTS 5,1948, 118-131.

Weiterleben nach dem Tod ohne nähere Angaben.[122] Wir brauchen
uns für keine der skizzierten Thesen zu entscheiden, da für unsere
Untersuchung allein die Tatsache entscheidend ist, daß in V.20a
der Tod als solcher ins Blickfeld gerückt wird, dem niemand entgeht. Der Ausdruck דור אבות ist im AT nicht belegt.[123] Es ist
überhaupt sehr fraglich, ob דור in V.20a "Geschlecht" heißt. Aufgrund von Jes 38,12 ließe sich an die Bedeutung "Wohnung" denken.
Im Anschluß an das Ugaritische wäre es näherliegend, דור in V.
20a mit "Versammlung" oder "Kreis" zu übersetzen.[124] Daher
kam P.R.Ackroyd[125] auch bezüglich verschiedener alttestamentlicher Stellen zu der Überzeugung, daß die Bedeutung "assembly"
dem Kontext mehr entsprechend sei als "generation" ; so bei Ps
14,5 ; 24,6 ; 49,20 ; 73,15 ; 84,11 ; 112,2 ; Jer 2,13.

6.　　　V.20b lautet : "In Ewigkeit werden sie das Licht nicht
schauen." Der Gedanke, daß die Verstorbenen in der Unterwelt das
Licht entbehren müssen, ist aus der Literatur des Alten Orient hinreichend bekannt. Selbst die Formulierung "das Licht nicht schauen"
scheint eine feststehende Wendung der altorientalischen Literatur
darzustellen.

122　　Vgl. A. Heidel, The Gilgamesh Epic and Old Testament
　　　　Parallels, Chicago-London[2] 1949, 187-189.
123　　Ijob 8,8 überliefert die LXX zwar γένος πατέρων , dem
　　　　im Hebräischen דור אבות entsprechen könnte, jedoch
　　　　bleibt für diesen Fall die Frage nach der Vorlage ungewiß.
124　　UT 1 : 7 ; 2 : 17,34 ; 107 : 2-3 steht dr jeweils parallel zu
　　　　pḫr bzw. niphrt (vgl. puḫru(m) im Akkadischen), wodurch
　　　　die Bedeutung von dr "Versammlung, Kreis" erwiesen ist.
　　　　Auch im Phönizischen ist dr in der Bedeutung "Kreis, Ver-
　　　　sammlung" bezeugt ; s. KAI 26 A III 19.
125　　The Meaning of Hebrew דור considered : JSS 13, 1968,
　　　　4 f.

6.1.   Im "Gespräch des Lebensmüden mit seiner Seele" aus
dem Ägyptischen, sagt die Seele zum Mann im Hinblick auf den
Tod : "Nie wirst du nach oben steigen und das Sonnenlicht wieder-
sehen!"[126]

6.2.   Im Gilgameschepos wird die rhetorische Frage gestellt :
"Wann sollte der Tote den Glanz der Sonne schauen."[127] Die siebte
Tafel dieses Epos handelt bekanntlich von der Unterwelt. Dabei
kommt es zu folgenden Ausführungen[128]: "Zum Haus der Finsternis, dem Wohnsitz Irkallas"[129]; "zum Haus, dessen Bewohner das
Licht entbehren müssen"[130]; "man sieht das Licht nicht und sitzt
im Dunkeln".[131]

6.3.   Auch der Mythos über die Höllenfahrt der Göttin Ischtar
wird mit einer Schilderung der Unterwelt eingeleitet. Die Ninive-
Rezension bietet folgenden Text[132]:

Z.4   "Zum Haus der Finsternis, der Wohnung Irkallas."

Z.7   "Zum Haus, dessen Betreter das Licht entbehren."

Z.9   "Sie sehen kein Licht und sitzen in der Finsternis."

6.4.   Der Mythos von Nergal und Ereschkigal, der uns nun
durch die neuen Funde von Sultantepe in umfangreicherer Gestalt
gegenüber der bisher bekannten Textform von El-Amarna vorliegt,
erwähnt ebenfalls in den bekannten Wendungen die Unterwelt. Leider sind die für unseren Zusammenhang wichtigen Stellen stark
zerstört. Eine Ergänzung nach den parallelen Passagen des Gilga-

---

126   E. Otto, Der Vorwurf an Gott, Hildesheim 1951, 7.
127   R. C. Thompson, The Epic of Gilgamish. Text, Trans-
         literation and Notes, Oxford 1930, 53 Col. I Z. 15.
128   S. dazu Borger, Höllenfahrt 86 f.
129   Col. IV Z. 33.
130   Col. IV Z. 36.
131   Col. IV Z. 39.
132   Borger, Höllenfahrt 86 f.

meschepos und des Mythos von der Höllenfahrt der Göttin Ischtar
ist jedoch ohne Bedenken möglich. [133]

Der Exkurs in die altorientalische Literatur hat gezeigt, daß man es
als ein spezifisches Charakteristikum der Unterwelt ansah, des Lich-
tes beraubt zu sein. Selbst die Wendung "das Licht nicht schauen"
nimmt in der Beschreibung der Unterwelt einen festen Platz ein.
Im AT wird die Formulierung "das Licht nicht schauen", außer in
V. 20b, bei der Schilderung der Scheol nicht verwendet. [134] Der Verfasser von Ps 49 greift somit in V. 20b eine in der altorientalischen
Literatur gängige und vertraute Vorstellung und Wendung auf. Wie
schon bei der Analyse der Topoi der Weisheitsliteratur in Ps 49 und
bei der Behandlung des Ausdruckes "Haus der Ewigkeit" in V. 12a
wird auch hier erkennbar, daß der Autor unter dem Einfluß überpersönlicher Stilkräfte steht.

E. J. Kissane [135] sagt bezüglich Ps 49, daß der Tod plötzlich und ver-
früht über die Frevler kommt. Auch R. Tournay [136] spricht im Zusammenhang mit Ps 49 vom frühzeitigen Tod der gottlosen Reichen
und ihrem kurzen Glück. Doch die unter VIII behandelten Beispiele
zeigen unverkennbar, daß Ps 49 nicht das frühe, plötzliche oder
furchtbare Ende der Wohlhabenden anpeilt, sondern daß vielmehr
der Tod als das unausweichliche Endgeschick des Menschen und der
ihm folgende Zustand in den Mittelpunkt von Ps 49 gerückt werden.

---

133   Vgl. O. R. Gurney, The Sultantepe Tablets VII. The Myth
      of Nergal and Ereshkigal : Anatolian Studies 10, 1960, 114
      Col. III Z. 2 und 5.

134   Im positiven Sinn begegnet man diesem Ausdruck bei Jes
      53, 11 nach der Überlieferung der beiden Jesajarollen aus
      Qumran (1 Q Is^a und 1 Q Is^b) und der LXX, wo vom Ebed
      Jahwe gesagt wird, daß er "Licht schauen wird".

135   The Book of Psalms I, Dublin 1953, 218; vgl. auch B. D.
      Eerdmans, The Hebrew Book of Psalms : OTS 4, 1947,
      266.

136   Recensions 57, 1950, 615.

Von diesem allgemeinen Los sind auch die Reichen nicht ausgenommen. Ob der Tod früh oder spät an den Menschen herantritt, ob er
unvermutet oder erwartet den Menschen überkommt, ob die Art
des Sterbens furchtbar oder friedlich ist, all diese Akzidentien
spielen für Ps 49 keine entscheidende Rolle. Nur aufgrund dieser
Prämissen kann V.16 sachgerecht interpretiert werden. Gleich zu
Anfang muß die Übersetzung Pedersens[137] zurückgewiesen werden,
der V.16b mit "for that he taketh care of me" wiedergibt. Die Bedeutung von לקח im Sinne von "Sorge tragen für" ist nirgends im
AT bezeugt und kommt daher als Übersetzungsmöglichkeit nicht in
Frage. Ebensowenig ist der Versuch stichhaltig, V.16 dahingehend
auszulegen, daß die Persönlichkeit der Weisen nach ihrem Tod in
einer Art spirituellen Unsterblichkeit weiterleben wird, so daß das
Andenken an sie nicht untergeht.[138] Verschiedene Gelehrten wollten V.16 als Errettung aus akuter Todesgefahr[139], oder als Bewahrung vor einem plötzlichen und verfrühten[140] bzw. schlimmen
Tod[141] verstehen. Eine solche Exegese berücksichtigt jedoch zu
wenig den Kontext, in den V.16 eingebettet ist. V.16 ist von Aussagen umgeben, die, wie bereits ausgeführt, das Todeslos an sich
und den beklagenswerten Zustand beschreiben, der dem Verscheiden folgt. Aus dieser Perspektive gewinnt V.16 seine Sinnspitze
erst dann, wenn hier für den Frommen etwas konstatiert wird, das
sich von den vorausgehenden und nachfolgenden Deklarationen unterscheidet, die für die Reichen gelten, denen an Gott nichts gele-

---

137   Israel its Life and its Culture 335.
138   So Eerdmans, The Hebrew Book of Psalms 267.
139   Gunkel, Die Psalmen 210.
140   Kissane, The Book of Psalms I 217 f ; Mowinckel, The
        Psalms in Israel's Worship II 252.
141   Tournay, Recensions 615.

gen ist. Welcher Trost läge für den Frommen in V.16 beschlossen,
wenn letzten Endes doch das gleiche Schicksal über ihn verhängt
ist wie über seine Widersacher? Wir konnten bereits bei der Stilanalyse das Wiederaufnehmen und Wiederholen bestimmter Wörter und
Wortgruppen als Stilprinzip für Ps 49 nachweisen. Dieser stilistische Trend läßt sich auch für V.16 und den übrigen Teil des Psalms
nachweisen; vgl. S.197f. Wenn nun פדה in V.8 verwendet wird,
um in negativer Form darzulegen, daß der Mensch sich nicht vom
Tod loskaufen kann, so bedeutet das kontrastierende פדה in V.16
als positive Aussage mit Gott als Subjekt, daß sich für den Frommen eine hoffnungsvollere Möglichkeit eröffnet. Ebenso verhält es
sich mit dem zweimaligen Scheol in V.15 gegenüber Scheol in V.16.
Scheol in V.15 ist im eigentlichen Sinn als der Ort zu verstehen,
zu dem die Verstorbenen nach dem Tod kommen. Scheol in V.16
in Kombination mit einer Errettungsaussage bildet das Gegenstück
zu Scheol in V.15 und ist ebenfalls im eigentlichen Sinn zu verstehen. Durch diese Kontrastierung wird gleichzeitig ein Steigerungs-
faktor in V.16 eingebracht.

Nicht vom Tod weiß sich der Beter von Ps 49 verschont, sondern
von dem Geschick, das nach dem Sterben auf den Menschen zukommt. Während nämlich die Reichen und Mächtigen nach ihrem
Tod zur Scheol hinabsteigen müssen, zeichnet sich für den Frommen eine bessere Zukunft ab. Er wird durch Gottes Eingreifen dem
Machtbereich der Scheol entrissen. Die freudlose Existenz in der
Scheol nach dem Tod bleibt ihm erspart. Nicht mit Sicherheit läßt
sich die Frage beantworten, ob der Verfasser in V.16 an eine Errettung "aus" oder "vor" der Scheol denkt; d.h. mit anderen Worten, ob der Fromme nach einem kurzen Aufenthalt in der Scheol
durch Gott aus diesem Bereich befreit wird, oder ob er dank Gottes Eingreifen überhaupt nicht dahin zu kommen braucht. Der V.16,

der gattungsmäßig zum individuellen Klagelied gehört und isoliert
für sich gesehen Errettung aus einer akuten Notlage artikuliert,
wird durch den Zusammenhang, in den er in Ps 49 gestellt ist, zu
einer neuen und erregenden Aussage umfunktioniert. Die späte Zeit,
der Ps 49 entstammt[142], läßt eine solche Interpretation durchaus
zu. Nachdem wir für V. 16 als ursprünglichen Haftort das individuelle Klagelied nachweisen konnten, darf man aufgrund der Basis
לקח nicht an eine direkte Beziehung zu Gen 5, 24 denken.[143] Aus
dem gleichen Grund darf auch V. 16 nicht primär als Aktualisierung und Generalisierung von Gen 5, 24 verstanden werden, wie
dies Grelot[144] versucht.

IX. Der neue Ansatz in Ps 49

Die bisherige Untersuchung hat gezeigt, wie stark sich der Autor
von Ps 49 auf bestehende Literaturgattungen stützt, sei es nun die
Weisheitsliteratur oder das individuelle Klagelied. Bis in einzelne Wendungen hinein konnten wir diese Affinität ermitteln. Trotz
dieser engen Verquickung mit der Tradition gelingt es dem Verfasser von Ps 49 in Neuland vorzustoßen. Durch Einfügen von V. 16,
der gattungsmäßig dem individuellen Klagelied zuzurechnen ist,
in einen weisheitlichen Kontext, der in immer neuen Formulierungen von der Hinfälligkeit des Reichtums und der Bedrohung der
menschlichen Existenz durch den Tod spricht, verkündet er seine

---

142   Vgl. S. 249- 252.
143   Eine solche Relation wird von folgenden Forschern ver-
       treten : Briggs, The Book of Psalms I 411 ; R. Kittel,
       Die Psalmen (KAT XIII) Leipzig[3.4] 1922, 182 ; Pode-
       chard, Le Psautier. Traduction et Explication I 221.
144   La Légende d' Hénoch 209.

neue Lehre : Trotz allen Reichtums und Wohlergehens verfällt der
Mensch dem Tod. Auf ihn wartet dann die Scheol, das Land der
Toten, der Finsternis und der totalen Entmachtung. Wer sich aber
an Gott hält, entgeht diesem Bereich.

Die Loslösung vom Hergebrachten zeigt sich noch in weiteren Punkten. Immer wieder begegnet man in der altorientalischen und atl
Weisheitsliteratur einer breit angelegten Schilderung über die Vergänglichkeit des Menschen und seiner Werke. Auf derartige Ausführungen folgt dann häufig eine Aufforderung zum Genuß des kurzen Lebens.

Aus der ägyptischen Literatur sind hierbei vor allem die Harfner-
Lieder zu nennen.[145] Sie handeln vom Kommen und Gehen der
Menschengeschlechter ; sie erwähnen die Tatsache, daß keiner
der Verstorbenen je zur Erde zurückgekehrt ist. Weil es sich nun
einmal so verhält, ergibt sich für den Lebenden die Schlußfolgerung : Halte Sorgen von dir fern, genieße die Freuden dieses Lebens so gut du kannst.

"Wegen dieser Sache beruhige Dein Herz !

Vergeßlichkeit frommt Dir.

Folge Deinem Herzen,

solange Du lebst.

Lege Myrrhen auf Dein Haupt.

Kleide Dich in (feines) Leinen.

Salbe Dich mit den echten Wundern   der Gottesopfer.

Vermehre Dein Wohlbefinden,

damit Dein Herz nicht erschlafft.

Folge Deinem Herzen und dem, was Dir gut ist.

Erledige Deine Angelegenheiten auf Erden.

Kränke Dein Herz nicht,

---

145   Schott, Liebeslieder 54 f. 131-138 ; ANET 467.

bis jener Tag der (Toten)klage zu Dir kommt.

Der 'Herzensmüde' hört nicht ihre Rufe.

Ihre Rufe retten niemanden aus dem Grabe.

Darum feiere einen schönen Tag

und ermatte nicht dabei.

Sieh, niemand nahm seine Sachen mit sich!

Sieh, niemand kommt wieder, der fortgegangen ist!"[146]

Auch im "Gespräch des Lebensmüden mit seiner Seele" ergeht die Mahnung im Blick auf das Todeslos der Menschen :"Folge dem schönen Tag und vergiß die Sorge."[147]

Auch in der Literatur Mesopotamiens begegnet man der Schilderung des über die Menschen verhängten Todesloses mit anschliessender Aufforderung zum Lebensgenuß. So sagt die Schenkin in der altbabylonischen Fassung des Gilgameschepos zu Gilgamesch :

"Gilgamesch, wohin läufst du ?

Das Leben, das du suchst, wirst du nicht finden !

Als die Götter die Menschheit erschufen,

Teilten den Tod sie der Menschheit zu,

Nahmen das Leben für sich in die Hand.

Du, Gilgamesch - dein Bauch sei voll,

Ergötzen magst du dich Tag und Nacht !

Feiere täglich ein Freudenfest !

Tanz und spiel bei Tag und Nacht !

Deine Kleidung sei rein, gewaschen dein Haupt,

Mit Wasser sollst du gebadet sein !

Schau den Kleinen an deiner Hand,

Die Gattin freu' sich auf deinem Schoß!

Solcher Art ist das Werk der Menschen!"[148]

---

146   Schott, Liebeslieder 54 f.
147   Schott, Liebeslieder 131.
148   A. Schott - W.v.Soden, Das Gilgamesch-Epos, Stuttgart
       1966, 77 f.

Hier muß auch ein bruchstückhaft erhaltener Text aus der Bibliothek Assurbanipals erwähnt werden, dem Lambert[149] die Überschrift "Counsels of a Pessimist" gibt. Die einleitenden Verse
sind stark zerstört. Aus den Fragmenten wird noch so viel deutlich, daß es hier um das Todesgeschick der Menschen und um die
Vergänglichkeit ihrer Werke ging.
Der Text lautet [150]:

(4) " .... ist Staub,

(5) .... ist beendet.

(6) .... kehrt zum Lehm zurück.

(7) .... Feuer brennt,

(8) .... für alle Zeit,

(9) (Was immer)die Menschen schaffen, hat nicht Bestand für immer.

(10) Die Menschheit und das geschaffene Werk kommen gemeinsam zu Ende."

Anschließend wird in den Versen 11-13 der Rat zur Götterverehrung erteilt. Religiöse Pflichterfüllung wird mit Kindersegen be-
lohnt. V.14 ergeht die Aufforderung zu Viehzucht und Ackerbau.
V.15-16 werden die Kinder erwähnt. Die Verse 17-22 handeln
dann davon, daß man sich Kummer und Sorge vom Leibe halten
und fröhlich sein soll:

(17) "Ein schlimmer Schlaf soll dein Herz nicht befallen!

(18) Not und Leid verbanne von deiner Seite!

(19) Not und Leid bewirken einen Traum

(20) Der Traum ....

(21) laß dein Herz frei sein von .... entferne

(22) dein Antlitz ... soll fröhlich sein."

---

149 Babylonian Wisdom Literature 107.
150 Lambert, Babylonian Wisdom Literature 108 f.

Die atl Weisheitsliteratur bewegt sich hier in den gleichen Bahnen.
Mit eindringlicher Sprache wird die Todverfallenheit des Menschen
aufgezeigt. Wegen dieser Grundbefindlichkeit wird zum Lebensgenuß aufgerufen (Prd 9, 2-9 ; Sir 14, 11-19).[151] Aufgrund der dargelegten Beispiele aus ägyptischen, mesopotamischen und biblischen
Quellen ist es klar, daß der Schilderung über die Vergänglichkeit
des Menschen und seines Schaffens fast zwangsläufig in zahlreichen Fällen die Aufforderung zu einem unbeschwerten Lebensgenuß folgt. Daneben gibt es altorientalischer und atl Tradition zufolge noch eine weitere Antwort auf das bedrückende und bedrän-
gende Todeslos, dem alle ausgeliefert sind. Sie besteht in dem
Hinweis auf die Schaffung eines Namens, der dem Menschen zu
bleibendem Nachruhm verhilft. Bereits die altorientalische Literatur bezeugt an vielen Stellen die Sorge um einen fortlebenden Namen und damit um Ruhm über den Tod hinaus.[152] Als Musterbei-
spiel kann hierfür eine Stelle aus dem Gilgameschepos gelten :
"Gilgamesch tat den Mund auf und sprach zu Enkidu : 'Wer, mein
Freund, könnte zum Himmel aufsteigen ? Ewig thronen mit Scha-
masch nur die Götter -
Der Menschheit Tage, sie sind gezählt,
Eitel Wind ist, was immer sie wirken mag !
Du hier aber scheuest den Tod!
Was ist's mit der Kraft deines Heldensinns ? -
So will ich denn ziehen, dir voran -
Dein Mund mag dann rufen :' Geh ran! Sei nicht bang!'

---

151   In Weish 2, 1-9 sprechen die Gottlosen vom Tod, gegen den
       kein Kraut gewachsen ist und der alle ausnahmslos dahin-
       raffen wird. Als Konsequenz aus diesem Faktum ergeben
       sie sich einer schrankenlosen Genußsucht.
152   Vgl. Loretz, Qohelet und der Alte Orient 128-132.

Fiele ich selbst - meinen Namen richtet' ich auf :

'Gilgamesch hat wider den reckenhaften Chumbaba den Kampf ge-
wagt', wird es heißen.'"[153]

In diesem Textabschnitt aus dem Gilgameschepos treten zwei Komponenten altorientalischen Lebensgefühls hervor. Dem Menschen
ist im Gegensatz zu den Göttern nur eine kurze Lebensspanne zu-
gemessen, sein Tun in dieser Welt bleibt fragwürdig ("eitel Wind").
Dem außergewöhnlichen Mensch bietet sich jedoch die Möglichkeit,
die kurze Lebenszeit durch Schaffung eines bleibenden Namens zu
transzendieren. Der fortlebende Name kündet auch dann noch den
Ruhm des Menschen, wenn dieser bereits in die Unterwelt eingegangen ist.

Auch im AT wird wiederholt vom Namen, dem Gedächtnis oder dem
Ruhm gesprochen, die über das Leben des Menschen hinaus Bedeutung und Gewicht behalten (vgl. Spr 10,7 ; Sir 37,25 f ; 39,9-11 ;
41,12 f ; 44,8).

Schließlich könnte man sich vorstellen, daß der Verweis auf zahlreiche Nachkommenschaft ein Trostmotiv für altorientalisches und
atl Denken angesichts des Seins zum Tode hin darstellt, da ja der
einzelne in der Sippe fortlebt ; vgl. S.173. Siehe hierzu auch Ps 127
und 128.

Von all diesen traditionellen Lösungsmöglichkeiten wird in Ps 49
kein Gebrauch gemacht, obgleich in großer Breite die Todverfallenheit des Menschen gezeichnet wird. Die Komposition ist zwar
nachweislich auf weite Strecken durch Formelemente und Topoi
der Weisheitsliteratur und durch das individuelle Klagelied geprägt,
aber dennoch sprengt sie den herkömmlichen Rahmen, da auf eine
intensive Todeselegie keine Ermunterung zum Vergessen der Sorgen und zu unbeschwerter Lebensfreude erfolgt. Auch die Auffor-

---

153   Schott - v.Soden, Das Gilgamesch-Epos 34 f.

derung zur Schaffung eines bleibenden Namens oder den Hinweis
auf zahlreiche Nachkommenschaft sucht man vergebens. Stattdessen wendet sich der Beter angesichts der Konfrontation mit dem
Tod Jahwe in der Hoffnung zu, daß er sich für ihn als Retter im
Tod erweisen wird. Die Realität, die ihm nach dem Tod widerfährt,
ist nicht die Scheol als Ort des Dunkels, der Entmachtung und
einer freudlosen Existenz. Durch die Einflechtung von V.16 in den
Kontext als Antwort auf das unumgängliche Gesetz des Sterbenmüssens wird die neuartige Konzeption dieses Liedes transparent und
die Aufmerksamkeit der Hörer geweckt.

X. Die Datierung von Ps 49

Nachdem wir V.16 als Errettung des Frommen vor bzw. aus der
Scheol nach seinem Tod interpretiert haben, muß gefragt werden,
ob es Indizien für die Abfassungszeit von Ps 49 gibt. Diese Frage-
stellung ist deswegen relevant, weil bekanntlich erst in der Spätphase der alttestamentlichen Religion Texte nachweisbar sind, die
von einem glücklichen Fortleben der Gerechten nach dem Tod sprechen, ohne daß diese der Scheol verfallen (vgl. 2 Makk und Weish
3,1-9). Befragt man die bisherige Exegese nach der Datierung
von Ps 49, so ist das Urteil uneinheitlich. Während Burney[154]
und Nötscher[155] der Meinung sind, daß diesbezüglich keine sichere
Angabe möglich sei, sehen H. Duhm[156] und Kraus[157] diesen Psalm
als spät an. Buttenwieser[158] und van der Ploeg[159] rechnen ihn der

154   Israel's Hope of Immortality 43.
155   Altorientalischer und alttestamentlicher Auferstehungs-
       glauben 234.
156   Der Verkehr Gottes mit den Menschen im AT, Tübingen
       1926, 207.
157   Psalmen I 365.
158   The Psalms XII-XIV.
159   Notes sur le Psaume XLIX 138.

nachexlischen Epoche zu. Bei den genannten Forschern, die Ps 49
als ein spätes Erzeugnis der Psalmenliteratur betrachten, vermißt man mit Ausnahme von van der Ploeg eine nähere Begründung
ihrer Aussage und auch van der Ploeg zieht als Beweismaterial
nur inhaltliche Gesichtspunkte heran. Nun lassen sich aber für die
Abfassungszeit vor allem sprachliche Argumente anführen.

Zunächst sind die beiden Abstraktplurale חכמות und תבונות in V.4
zu beachten, die in jüngere Zeit verweisen ; vgl. S.201f.Ebenso
deutet der Gebrauch des Verbalabstraktums הגות auf eine sprachgeschichtlich späte Epoche hin.[160] Der Ausdruck "ewiges Haus"
ist sowohl in der biblischen als auch in der außerbiblischen Literatur überwiegend erst spät bezeugt ; vgl. S.234f.

Als ein wichtiges philologisches Argument für die Zeitbestimmung
eines Textes gelten die Aramaismen. Wenn auch nicht übersehen
werden darf, daß Aramaismen schon frühzeitig nachweisbar sind
(8.-7.Jahrhundert v.Chr.), so ist doch ein starkes Anwachsen in
der Zeit des Exils und danach unbestreitbar.[161] Lexikalische Aramaismen liegen vor durch חידה[162] in V.5b und durch יקר[163] in
V.13a.21a.

Auch das absolut gebrauchte אחר in V.11b verweist in jüngere Zeit
(Neh 5,5 ; Prd 7,22 ; Sir 14,4.15.18 ; Dan 11,4). Im Regelfall
kommt diese Vokabel im Hebräischen attributiv in Verbindung mit

---

160   Vgl. S.203 und Wagner, Aramaismen 127.
161   Vgl. Wagner, Aramaismen 148-153.
162   Wagner, Aramaismen 55.
163   Vgl. Wagner, Aramaismen 62 f. Das hebr. Äquivalent ist
       כבוד. יקר ("Ehre, Würde, Herrlichkeit") ist im Ara-
       mäischen reichtlich bezeugt (Dan 2,6.37 ; 4,27.33 ; 5,
       18.20 ; 7,14). Auch zahlreiche aramäische Inschriften
       verwenden dieses Nomen in der Bedeutung ("Ehre") ; vgl.
       CIS 2/3 3 919 3 ; 3 920 3 ; 3 921 2 ; 3 922 3 ; 3 927 5 ;
       3 928 4 ; 3 929 4 ; 3 932 8 ; 3 933 4 u.ö.

einem Nomen vor. Auch im Aramäischen wird das entsprechende
אחרן wiederholt absolut gebraucht (Dan 5,17 ; 7,6.20.24). Ebenso ist אחרן absolut in der außerbiblischen, aramäischen Literatur bezeugt, nämlich in den Elephantine-Papyri.[164] In gleicher
Weise läßt sich der absolute Gebrauch in nabatäischen Grabinschriften nachweisen, die der Epoche um die Zeitenwende entstammen ;
vgl. CIS 2/1 197 2 ; 198 2 ; 200 2 ; 201 3 ; 203 2.

Auffallend ist die Tatsache, daß בוא V.20a mit der Präposition
עד verbunden wird. Diese Konstruktionsart ist im AT nur selten
bezeugt (Ex 22,8 ; Jos 3,8). בוא wird sonst stets mit der Präposition אל konstruiert. F. Zorell[165] schreibt bezüglich der Präposition עד + Benennung einer Person : " עד clarius quam אל
adventum ad alqm indicat." Diese Ansicht Zorells gilt jedoch nicht
für V.20a. Näherliegend ist die Annahme, daß in dieser Wendung
eine sprachgeschichtlich späte Konstruktionsart zur Anwendung gelangt, ohne daß hierbei der Präposition עד eine spezielle Bedeutung zukommt. In den Schriften von Qumran wird beispielsweise
an drei Stellen בוא mit der Präposition עד verwendet, so 1 QH
3,8 ; 10,33 ; 1 QM 19.9.[166] Bei diesen zitierten Stellen aus Qumran kann man nicht behaupten, daß durch עד der Zielpunkt besonders hervorgehoben werden soll.

Auch der Ausdruck נצה עד V.20b ist nicht üblich und für das AT
nur noch bei Ijob 34,36 nachzuweisen. An Stelle dieser Wendung
steht gewöhnlich לנצח. Bei V.20b ließe sich nun daran denken,
daß hier bewußte Anlehnung an das im ersten Halbvers vorausgehende תבוא עד vorliegt. Diese Tendenz würde sogar gut zum Stil

---

164   A.Cowley, Aramaic Papyri of the fifth Century B.C.,
      Oxford 1923, Nr. 8 Z. 19 ; Nr. 9 Z. 7.9.
165   Lexikon Hebraicum et Aramaicum Veteris Testamenti,
      Rom 1940 ff, 571.
166   Zitiert nach E.Lohse, Die Texte aus Qumran, Darm-
      stadt 1963.

des Verfassers von Ps 49 passen, dem wir bereits bei der stilistischen Analyse einen Hang zum Wiederaufnehmen bestimmter Vokabeln nachweisen konnten. Daneben darf aber auch nicht übersehen
werden, daß möglicherweise mit נצח עד eine Konstruktionsart
vorliegt, die sprachgeschichtlich spät ist, da sie im AT nur in der
relativ jungen Ijobdichtung belegt ist. Weiterhin kommt dieser Ausdruck einmal in den Schriften von Qumran vor, und zwar 1 QH 18, 29.
Sprachliche Argumente sprechen also dafür, daß Ps 49 ein junges
literarisches Produkt darstellt und somit der Spätzeit des AT angehört. Diese Tatsache stützt indirekt unsere Exegese von V. 16, da
es für diese Periode feststeht, daß man hinsichtlich der Frommen
an eine Bewahrung vor der Scheol nach dem Tod und an ein glückliches Weiterleben bei Gott geglaubt hat.

SIEBTES KAPITEL

Psalm 73

Ebenso wie im vorausgehenden Kapitel 6, in dem Ps 49,16 im Mittelpunkt stand, muß bei einer Arbeit, die sich mit der Entrückung
im AT beschäftigt, auch Ps 73,24b einer eingehenden Untersuchung
unterzogen werden. Wie nämlich bei Ps 49,16 steht auch in Ps 73,
24b eine Wendung mit der Basis לקח im Mittelpunkt unseres In-
teresses, die von vielen Exegeten als Entrückungsaussage verstanden wird. Bevor wir uns jedoch V.24b zuwenden können, muß zunächst eine literarkritische und strukturelle Analyse vorgenommen
werden.

I. Literarkritik

1. Die Frage der Einheitlichkeit

In der bisherigen Forschung seit Gunkel wurden bei der Frage nach
der Einheitlichkeit von Ps 73 mehrfach die V.1.12.27 f als nicht
ursprünglich angesehen. Deshalb ist zu prüfen, ob die dafür vorge-
legten Argumente stichhaltig sind.
V. 1 beginnt überschriftartig mit einer Feststellung, die das Ergebnis des Psalms in gestraffter Kürze vorwegnimmt. Seit Gunkel[1]
wurde deshalb dieser Vers wiederholt als späterer Zusatz irgend-
eines Abschreibers klassifiziert. Doch eine solche Beurteilung un-
terliegt schweren Bedenken. Bereits die Wortwahl zeigt eine enge
Verklammerung und Homogenität mit dem übrigen Psalm. So wird
in V.1 das Nomen לבב gebraucht, von dem M.Buber[2] zu Recht

---

1   Die Psalmen 312.
2   Recht und Unrecht. Deutung einiger Psalmen, Basel 1952,
     45.

sagt, daß es "das beherrschende Wort dieses Psalms" sei (vgl.
V.7.13.21.26). Weiterhin steht die Partikel אך in V.1, die sowohl in V.13 und V.18 thematische Neueinschnitte markiert. Beachtung verdient auch die Tatsache, daß טוב in V.1 und V.28
verwendet wird. Anfangs- und Schlußvers des Ps 73 bedienen sich
also des gleichen Wortes. L.J.Liebreich[3] konnte nachweisen, daß
häufig ein Psalm mit dem nämlichen Wort beginnt und schließt und
sieht darin ein stilistisches Prinzip des Dichters. Er nennt dieses
Phänomen "a characteristic literary feature" und zählt hierfür
eine Reihe von Beispielen auf.[4] Doch nicht nur in der Wortwahl
zeigt sich eine enge Verflechtung mit dem übrigen Psalm, sondern auch unter inhaltlichen Aspekten. Wie bereits festgestellt,
steht V.1 überschriftartig in lehrsatzartiger, verobjektivieren-
der Aussageweise. Wenn auch die weiteren Ausführungen in V.2 f
in der Ich-Form erfolgen, so schließen sich doch im weiteren
Verlauf von Ps 73 noch weitere zusammenfassende, verobjektivie-
rende Deklarationen in den V.12.27 f an. V.1.12.27 f. stehen in
formeller und logischer Hinsicht in einem engen Konnex. Wichtig
ist die Tatsache, daß überschriftartige Zusammenfassungen in
der Weisheitsliteratur wiederholt bezeugt sind. So wird in Sir 13,
15 f nach Art einer Überschrift der Grundsatz hervorgehoben,
daß nur Gleiche sich zueinander gesellen sollen : "Jedes Lebewesen liebt seinesgleichen, und jeder Mensch den, der ihm ähnlich
ist. Seinesgleichen hat jedes Lebewesen um sich, und zu seinesgleichen geselle sich der Mensch." Die näheren Ausführungen dazu folgen dann in V.17-23. - Bei Sir 38,24 heißt es : "Die Weisheit des Schriftgelehrten mehrt die Weisheit und wer frei ist von

---

3   Psalms 34 and 145 in the Light of their Key Words :
     HUCA 27, 1956, 181-192.
4   Liebreich a.a.O. 183 Anm. 7.

schwerer Arbeit, kann sich der Weisheit widmen. " Die Begründung und Entfaltung dieses Satzes in Einzelbeispielen erfolgt sodann in Sir 38, 25-39, 11. - Sir 39, 12-35 beinhaltet das Lob des all-
weisen Schöpfers. Nach den einleitenden V. 12-15 wird vom Verfasser durch den V. 16 überschriftartig eine Zusammenfassung
der V. 17-35 vorangestellt : "Die Werke Gottes sind alle gut, und
alles Nötige gibt er reichlich zu seiner Zeit. " Gegen Ende, in V.
33, wird V. 16 nochmals wiederholt, um dieser Verherrlichung
Gottes einen feierlichen und nachdrücklichen Abschluß zu geben.
Wir werden im weiteren Verlauf dieses Kapitels noch eingehend
auf die engen verwandtschaftlichen Beziehungen von Ps 73 zur
Weisheitsliteratur zu sprechen kommen. Deshalb braucht man in
V. 1 keine spätere Hinzufügung zu sehen, vielmehr fügt sich V. 1
homogen in den Gesamtrahmen von Ps 73 ein.
V. 2 kontrastiert zu V. 1. Dies zeigt sich in der Zuwendung zu
einem neuen Themenkreis, durch das Wau adversativum beim
pron. pers. אֲנִי und durch die Redeform in der ersten Person.
Gunkel[5] ist der Meinung, daß in V. 2 ursprünglich אֲנִי allein
stand und das Wau "zur Verbindung nachträglich" erst hinzuge-
setzt wurde. Dies ist konsequent, nachdem er die Ursprünglichkeit von V. 1 in Abrede stellt. Wir kamen jedoch bezüglich V. 1 zu
dem Ergebnis, daß verschiedene Faktoren für die Ursprünglichkeit von V. 1 sprechen. Damit ist auch das Wau adversativum beim
pron. pers. in V. 2 als ursprünglich zu postulieren. וַאֲנִי fügt sich
im übrigen gut in den Gesamtrahmen ein, da es in kontrastieren-
der Weise wiederholt im Ps 73 verwendet wird (vgl. V. 23. 28).[6]

---

5   Die Psalmen 316.
6   Das hier vorliegende Wau adversativum muß zweifellos
     auf dem Hintergrund der Bitt- oder Klagepsalmen des Ein-
     zelnen gesehen werden, bei denen eine derartige syntak-
     tische Verknüpfung sehr häufig vorliegt ; vgl. C. Wester-
     mann, Das Loben Gottes in den Psalmen, Göttingen[4] 1968,
     52-56.

Diese Stelle markieren jeweils einen Kontrast zu vorausgegange-
nen Ausführungen ; so hebt sich ואני V.23 scharf von V.18-20
ab und ואני V.28 kontrastiert zu V.27.

V.12 verweist in zusammenfassender Weise zurück auf V.3-11.
Gunkel[7] sieht in diesem Vers "die Randbemerkung eines alten Le-
sers". V.12 hat seine genaue Entsprechung, nach Formgebung,
Stellung, Wortschatz und Absicht in den Sätzen der Weisheitsliteratur, die am Ende eines bestimmten Abschnittes eine zusammenfassende, rückverweisende Feststellung treffen. Die Rede des
Elifas aus Teman (Ijob 4,1-5,27) beispielsweise klingt in 5,27
mit dem resümierenden Rückverweis aus : "Siehe, das ist, was
wir erforscht haben ; so ist es! Vernimm es und lerne auch du
für dich!" In Übereinstimmung mit V.12a findet sich hier die Partikel הנה[8] und das Demonstrativpronomen.

Bei Ijob 18,21, zum Abschluß der Ausführungen über das Schicksal der Frevler, das in V.5-20 geschildert wird, heißt es :
"Fürwahr, das waren die Zelte des Ungerechten, und das die
Wohnstätte dessen, der sich um Gott nicht kümmerte." Zu beachten ist in Ijob 18,21a die Partikel אך ("fürwahr"), die ihre Entsprechung in der Partikel הנה in Ps 73,12a hat. Konformität
zwischen beiden Stellen herrscht ferner in der Verwendung des
Demonstrativpronomens, das bei Ijob 18,21 sogar zweimal vorkommt. Ijob 18,5-20 wird dreimal von dem "Zelt" der Frevler
gesprochen (V.6.14.15). Im abrundenden Rückverweis V.21 wird
zwar nicht "Zelt" wieder aufgegriffen, dafür stehen aber die Äqui-
valente משכנות und מקום . Auch in Ps 73,12a wird das in V.3b

---

7   Die Psalmen 313.
8   Bezüglich dieser Partikel vgl. L.Alonso - Schökel, Das
        AT als literarisches Kunstwerk, Köln 1971, 405 f.

bereits verwendete רשע in der Zusammenfassung wieder aufgenommen.-Ein weiteres Beispiel findet sich bei Ijob 20,29 : "Das
ist der Anteil des Frevlers von seiten Gottes und sein von Gott
ihm zugesprochenes Erbe. " Auch in den vorausgehenden V.4-28
geht es um das Geschick der Gottlosen. In dem zusammenfassenden Abschluß V.29 begegnen wir wieder dem Demonstrativpronomen und dem bereits V.5 angeführten Nomen רשע.-Ebenfalls in
Weish 2,9c wird eine Zusammenfassung des Vorausgehenden gegeben. Nachdem nämlich in V.1-5 die pessimistische Lebensauffassung der Gottlosen angeklungen ist und im Anschluß daran in
V.6-9 eine Aufforderung von seiten der Gottlosen zu schrankenlo-
ser Genußsucht erfolgte, läßt der Verfasser die Gottlosen in 2,9c
sprechen : "Denn dies ist unser Anteil und das (unser) Los. " Beachtung verdienen auch hier die beiden Demonstrativpronomina
αὕτη ... οὗτος . Interessant ist ferner, daß das dem griechischen Substantiv μερίς (Weish 2,9c) entsprechende hebräische
Äquivalent חלק auch bei Ijob 20,29 in der abschließenden Zusammenfassung vorkommt.-Selbst für das Heilsorakel Deuterojesajas
(Jes 54,17) läßt sich diese Art weisheitlicher Sprache nachweisen,
wie J.Begrich[9] richtig erkannt hat. Das Orakel schließt nämlich
mit dem Satz :"Dies ist das Los der Knechte Jahwes, und ihre Gerechtigkeit (kommt) von mir - Spruch Jahwes. " Auch hier findet
sich wieder das Demonstrativpronomen und das aus Ijob 20,29 uns
bereits bekannte Nomen נחלה. - Sogar PsSal 3,12,der der Gattung
der Weisheitslieder zuzurechnen ist, bezeugt diese Art weisheitlicher Diktion. Auf die V.9-11, die vom Gottlosen sprechen,folgt
bei der Zusammenfassung in V.12 : "Dies ist der Anteil der Frevler für immer. " Auch in diesem Fall liegt also das Demonstrativ-

---

9   Studien zu Deuterojesaja (Theologische Bücherei 20)
     München 1963, 23 f.

pronomen vor und das uns aus Weish 2,9c bekannte Substantiv
μερίς , dem das hebräische Nomen חלק in Ijob 20,29 entspricht.
Das Substantiv ἁμαρτωλός aus V.9.11 wird erneut verwendet.
Dieser zusammenfassende Rückverweis kann auch gelegentlich
seinen Platz wechseln und überschriftartig am Beginn eines Abschnittes stehen. Dies trifft für Ijob 27,13 zu : "Dieses ist der bei
Gott beschlossene Anteil des frevelhaften Menschen und das Erbe,
das die Gewalttätigen vom Allmächtigen empfangen. " Darauf
schließt sich dann in den V.14-23 eine nähere Beschreibung über
das Verhängnis der Frevler an. Auch hier finden wir das Demonstrativpronomen und die beiden aus Ijob 20,29 uns bereits bekannten Nomina חלק und נחלה.-Ebenfalls in Ps 49, der bereits im
vorausgehenden 6.Kapitel als Weisheitslied analysiert wurde, begegnet man diesem weisheitlichen Formprinzip in V.14. Allerdings
ist es nicht sicher, ob V.14 einen zusammenfassenden Rück- oder
Vorverweis darstellt. Im Falle des Rückverweises bezöge sich
V.14 auf V.6-13, im Fall des Vorverweises würde V.14 in Relation zu V.15 stehen. Relevant für uns ist die Tatsache, daß auch
hier das Demonstrativpronomen gesetzt ist.
Als Resultat läßt sich sagen, daß die zusammenfassende rück- oder
vorverweisende Konstatierung in der Weisheitsliteratur einen festen Platz einnimmt. Gemeinsam ist all den zitierten Stellen das
Demonstrativpronomen. Bisweilen ist als verstärkendes Moment
die Partikel אך (Ijob 18,21) bzw. הנה (Ijob 5,27 ; Ps 73,12) hinzugefügt. Auch die entscheidende Vokabel aus dem vorausgehenden
Abschnitt kann wiederholt werden : Ijob 20,29 (רשע aus V.5) ;
Ps 73,12 (רשעים aus V.3) ; PsSal 3,12 (ἁμαρτωλός aus V.9.11).
Wie oben bereits angedeutet, zeigt Ps 73 auch in weiteren Punkten
eine starke Beziehung zur Weisheitsliteratur. Von daher gesehen
braucht man in V.12 keineswegs eine spätere Hinzufügung zu ver-

muten, sondern aufgrund dieses weisheitlichen Formprinzips erweist sich V.12 als ein homogener und integrierender Bestandteil des gesamten Psalms.

V.22 ist wohl vor V.21 zu stellen, da in Ps 73 thematische Neueinschnitte gerne mit ואני eingeleitet werden ; vgl. V.2 und 23. Ferner fügt sich die Konjunktion כי von V.21a im Anschluß an V.22 als Begründung homogen in den Kontext ein.

V.26 ist צור לבבי als Glosse auszuscheiden. Diese Eliminierung rechtfertigt sich dadurch, weil das für Ps 73 fast durchgängig konstante Metrum (3 + 3) hier in auffallender Weise verlassen wird. Weiterhin ist im AT nirgends dieser Ausdruck bezeugt.[10] Das Wau von וחלקי ist dann adversativ zu verstehen : "Mag hinschwinden mein Leib und mein Herz - doch mein Anteil ist Jahwe für immer."

V.27 f : Mit V.26 ist ein sinnvoller und abgerundeter Schluß erreicht. V.27 f faßt das Ergebnis des Psalms zusammen, das in V.18-20 und 23-26 gewonnen wurde. Man würde keineswegs ein Glied des Psalms vermissen, wenn V.27 f nicht überliefert wäre. Von Gunkel[11] und anderen Exegeten wurde deshalb die Möglichkeit erwogen, daß V.27 f eine Hinzufügung von späterer Hand darstellt. Gerade aber in Psalmen, die von der Weisheitsliteratur beeinflußt sind, wird wiederholt das Ergebnis am Schluß zusammengefaßt. Ps 1, der in V.1-3 vom Gerechten und in V.4f vom Gottlosen spricht, gibt in V.6 eine Zusammenfassung : "Jahwe kennt eben der Gerechten Wandel ; aber der Frevler Weg führt ins Verderben." Auch Ps 34 zeigt Affinität zur Weisheitsliteratur. In ihm wird das

---

10   Bezüglich der Ausscheidung dieser Wendung vgl. F. Delitzsch, Die Lese- und Schreibfehler im AT, Berlin-Leipzig 1920, 128 (146a).

11   Die Psalmen 316.

Glück der Frommen dem Verderben der Gottlosen gegenüberge-
stellt, wenn auch das Unheil der Gottlosen nur relativ kurz in V. 17
artikuliert wird. In V. 22f wird in einem abschließenden Rückblick
nochmals das verschiedene Geschick der Bösen und Guten aufgezeigt : "Den Frevler tötet die Bosheit ; die den Gerechten hassen,
müssen es büßen. Jahwe erlöst seine Diener ; straflos bleiben,
die ihm vertrauen. " - Spr 4, 10-19 ist die Rede von den beiden Wegen ; der eine führt zum Heil, der andere zum Unheil. In echt weisheitlicher Manier erfolgt in V. 18f ein abrundender Schlußvermerk,
der nochmals die beiden für den Menschen möglichen Wege hervorhebt : "Doch der Pfad der Gerechten ist wie das Morgenlicht :
es wird immer heller bis zum vollen Tag. Der Weg der Frevler
ist wie die Finsternis : sie wissen nicht, woran sie straucheln. " -
PsSal 14 wird in V. 1-5 das Heil der Frommen und V. 6-9 das Unheil der Gottlosen beschrieben. Im direkten Anschluß an die Unheilsandrohung an die Gottlosen erfolgt retrospektiv auf V. 1-5 die
Heilsansage an die Frommen : "Die Frommen des Herrn aber erben das Leben in Freuden. " Auch dieser Psalm ist mit der Weisheitsliteratur verwandt. - Ebenso behandelt PsSal 15 Heil der
Frommen (V. 1-7) und Verderben der Frevler (V. 8-12). V. 13 wird
als Fazit des gesamten Psalms herausgestellt : "Die aber den
Herrn fürchten, finden dann Barmherzigkeit und leben in der Er-
barmung ihres Gottes ; die Sünder aber gehen ins ewige Verderben. " Auch dieser Psalm tendiert in Form und Thematik zur Weisheitsliteratur.

Die angeführten Beispiele zeigen unverkennbar, daß in weisheitlicher Poesie gerne am Schluß nochmals die Leitthematik in Kurz-
form hervorgekehrt wird. Dieser Fall liegt auch in Ps 73, 27f vor.
Die enge Verwandtschaft von Ps 73 mit der Weisheitsliteratur läßt
uns in V. 27f keineswegs einen späteren Fremdkörper, sondern

einen originären Bestandteil des gesamten Psalms erkennen. Verdacht auf eventuelle spätere Herkunft könnte lediglich V.28b erwecken, da er das für Ps 73 fast durchgängig konstante Metrum (3+3) sprengt. Allerdings erheben sich gegen eine Ausscheidung Bedenken aufgrund eines stilistischen Phänomens. Die Basis ספר von V.28b steht nämlich auch in V.15a, wobei in beiden Fällen ein recht unterschiedlicher Zusammenhang vorliegt. In V.15a klingt mit ספר ein Versuchungsmoment an, das darin besteht, daß sich der Fromme der gleichen Redeweisen bedient wie die Gottlosen und Gottes Wirkmächtigkeit in dieser Welt in Frage stellt. In V.28b hingegen besagt das gleiche Verbum, daß der Fromme die Taten Gottes in rühmender Weise erzählen will. ספר in V.15a und V.28b kontrastieren also auffällig und dieses Kontrastprinzip - Verwendung gleicher Wörter und Wendungen in gegensätzlichen Zusammenhängen - läßt sich für weitere Stellen des Psalms 73 nachweisen; vgl. S.292. Deshalb erscheint es durchaus möglich, daß auch V.28b zum ursprünglichen Bestandteil des Ps 73 gehört.

Die vorausgehende Untersuchung hat uns Ps 73 als literarische Einheit erkennen lassen, der mit Ausnahme von צור לבבי(V.26) keine späteren Zusätze aufweist. Eine Transposition wurde vorgenommen, indem V.22 vor V.21 gestellt wurde.

II.   Strukturanalyse

1.   Inhaltliche Gesichtspunkte

Zäsuren lassen sich zwischen folgenden Versen erkennen : V.1f : Nach V.1, der eine überschriftartige Funktion erfüllt, richtet sich mit V.2 abrupt der Blick auf die angefochtene Situation des Verfassers, dessen Verhältnis zu Gott durch das Glück der Gott-

losen einer schweren Belastungsprobe ausgesetzt ist. V.12 f :
Nach dem zusammenfassenden Rückverweis auf die Gottlosen und
deren Glück in V.12, wird mit V.13 die Sprache auf Not und Bedrängnis des frommen Beters gelenkt. - V.16 f : Während V.16
noch von der leidvollen Lage des Verfassers handelt, bahnt sich
mit V.17 eine Wende an ; der eigentliche Neueinsatz liegt in V.
18. - V.20-22 : V.20 spricht noch von der totalen Vernichtung
der Gottlosen, in V.22 hingegen, der vor V.21 zu stellen ist,
beleuchtet der Autor in kritischer Selbstreflexion seine eigene
Haltung während der Zeit der Anfechtung. - Ab V.23 beginnt mit
den Aussagen einer gläubigen Zuversicht ein deutlich wahrnehm-
barer thematischer Neueinschnitt. - V.26 f : Mit V.26 klingen
die Sätze aus, die von einem starken Vertrauen getragen sind.
V.27 setzt sich klar ab, da er zusammenfassend das Ergebnis
der V.18-20 wiedergibt. Ebenso resümiert V.28 die V.23-26.
Somit kristallisiert sich folgende Struktur heraus : V.1 ; 2-12 ;
13-16 ; 17-20 ; 22.21 ; 23-26 ; 27 f.

2. Formale Gesichtspunkte

Nicht für alle Abschnitte, die wir nach inhaltlichen Gesichtspunkten ermitteln konnten, lassen sich auch formale Kriterien anführen. Formale Kennzeichen sind für folgende Fälle nachweisbar :
V.1 f : Gegenüber der verobjektivierenden Aussage in V.1 wird
mit V.2 der Psalm in der Ich-Form fortgesetzt. Das abstechende
Moment in V.2a gegenüber V.1 wird ferner durch das Wau adversativum unterstrichen ; vgl. V.22.23.28.
V.12 : Dieser Vers weist sich durch die Partikel הנה , durch das
Demonstrativpronomen und durch die Wiederaufnahme von רשעים
aus V.3b als zusammenfassender Rückverweis am Ende einer the-

matischen Einheit aus.

V.13 wird der thematische Neueinschnitt durch die Partikel אך
markiert ; vgl. V.1a.18a.

Mit V.17 bahnt sich vom Inhalt her gesehen, wie bereits ausgeführt, eine Wende an. Ein formales Kriterium, das den Neueinsatz manifestiert, ist hier nicht gegeben. Der eigentliche Neueinsatz, auch thematisch gesehen, liegt in V.18, wo wir die für Ps 73
charakteristische Partikel אך antreffen, die jeweils einen the-
matischen Neueinsatz anzeigt ; vgl. V.1 und 13.

V.22, der vor V.21 zu stellen ist, ist durch das Wau adversativum als neue Einheit charakterisiert ; vgl. V.2 und 23.

V.23 ist ebenfalls durch das Wau adversativum als thematischer
Neubeginn signiert.

V.27 gibt sich durch das einleitende כי הנה als Zäsurpunkt zu
erkennen ; vgl. V.12. הנה wird in der Weisheitsliteratur unter
anderem auch dazu verwendet, einen religiösen Lehrsatz einzuführen ; vgl. Ps 33,18; s. ferner Ps 92,10 ; 121,4 ; 128,4. V.27,
der V.18-20 zusammenfaßt, erfüllt innerhalb des ganzen Psalms
eine lehrsatzartige Funktion. Das Wau adversativum zu Beginn
von V.28 ist bedingt durch die Opposition zu V.27. Dennoch besteht
eine sehr enge Verschränkung zwischen beiden Versen, da in V.28,
analog zu V.27, das Fazit aus den V.23-26 gezogen wird.

III. Die Gattung von Ps 73

1. Bisherige Gattungsbestimmungen

Ps 73 wurde wiederholt zu den Lehrpsalmen gezählt.[12] In die gleiche Richtung tendieren J. Guillet[13] und Castellino[14], die beide

---

12   So von Gunkel, Die Psalmen 312 ; Barth, Die Errettung vom
      Tode 161.
13   L'Entrée du Juste dans la Gloire : BiViChr 9, 1955, 58.
14   Libro dei Salmi 828.

Ps 73 als Weisheitspsalm klassifizieren. Peters[15] sieht in Ps 73
einen Theodizeepsalm, dessen Thematik von dem Problem der
Gerechtigkeit Gottes her bestimmt ist. Kraus[16] plädiert bezüglich
Ps 73 für eine differenziertere Betrachtungsweise als es bei den
bisher angeführten Autoren der Fall ist. Die Bestimmung von Ps
73 als "Lehrgedicht" ist nach seinem Dafürhalten nicht ausreichend. "Die in Ps 73 enthaltene Komponente der Ereignisschil-
derung bzw. des Erfahrungsberichtes" muß nach Kraus bei der
Gattungsanalyse eine stärkere Berücksichtigung finden. "Ps 73
ist in erster Linie Erzählung und erst in zweiter Linie Lehre."
Mowinckel zählt Ps 73 zu den Dankpsalmen und diese Ansicht hat
er auch konstant in den verschiedenen Phasen seines Forscherle-
bens vertreten.[17]

2. Gattungsanalyse aufgrund thematischer Einheiten

Ps 73, 2-12

Der erste Themenkomplex reicht von V. 2-12. Ausgehend von der
prekären Situation des Dichters (V. 2), wird in V. 3 in gestraffter
Kürze die Ursache dafür angegeben. Sodann folgt ab V. 4 eine nähere Ausführung über das Glück der Gottlosen und deren hochmüti-
ges Gebaren, worin ja der Grund für die Anfechtung des Dichters
liegt. Der Aufbau ab V. 4 ist kunstvoll und folgerichtig. Zunächst
wird in V. 4a und 5 das Gedeihen der Frevler in negativer Weise
abgegrenzt. Sodann folgt in V. 6f eine Aussage über deren Ver-

---

15   Das Buch der Psalmen 179.
16   Psalmen I 504.
17   Vgl. Psalmenstudien I, Kristiania 1921, 127 f ; Psalms
       and Wisdom 208. 217 ; The Psalms in Israel's Worship II
       252.

derbtheit und Bosheit. V. 8f schildert ihre Großsprecherei, die bewirkt, daß man sich willig ihnen zuwendet. Schließlich werden sie in beabsichtigter Steigerung mit V. 11 selbstredend eingeführt. In dem zusammenfassenden Rückverweis (V. 12) wird durch V. 12b nochmals auf ihr Wohlergehen zurückgeblendet.

Es ist ein Bestandteil der traditionellen Lehre des AT, daß es den Gottesfürchtigen gut und dem Sünder schlecht ergeht. Doch diese übernommene Anschauung wurde in der jüngeren Literatur nicht mehr unbesehen hingenommen. Man berief sich auf die gegenteilige Beobachtung, daß nämlich gerade auch Frevler im Leben keineswegs vom Glück ausgeschlossen sind ; vgl. Jer 12, 1 f ; Mal 3, 15. Vor allem aber in der Weisheitsliteratur wird diese Erfahrungstatsache nachdrücklich hervorgekehrt ; vgl. Ijob 12, 6 ; 21, 7-34 ; Ps 37, 7. 16. 35 ; Prd 8, 14.

Auch in der Weisheitsliteratur Mesopotamiens klingt dieses Problem an. In der babylonischen Theodizee[18] die aus einem Dialog zwischen einem vom Unglück Verfolgten und einem Schriftgelehrten[19] bzw. Freund[20] besteht, drängt sich in den Brennpunkt des Disputs die Frage, weshalb der unschuldige Gerechte so viel erleiden muß, während der Gottlose vom Glück begünstigt ist. Dabei macht der Unglückliche seinem Partner gegenüber folgendes geltend :

"Es gehen den Weg des Glücks, die sich um Gott nicht kümmern, Elend und schwach wurden, die zur Göttin beteten. In meiner Jugend suchte ich den Willen meines Gottes zu erforschen; Mit Prostration und Gebet folgte ich meiner Göttin.

---

18   Lambert, Babylonian Wisdom Literature 70-89.
19   So nach B. Landsberger, Die babylonische Theodizee : ZA 43, 1936, 39.
20   So nach Lambert, Babylonian Wisdom Literature 63.

Nutzlos ziehe ich am Joch.

Mein Gott teilte mir statt Reichtum Armut zu.

Ein Krüppel ist mein Vorgesetzter, voraus ist mir der Dummkopf.

Es kamen voran Lumpen, ich aber wurde erniedrigt. " [21]

Somit zeichnet sich in der Psalmeinheit von V. 2-12 inhaltlich gesehen eine Affinität zur Weisheitsliteratur ab.

Allerdings darf auch nicht übersehen werden, daß in der Schilderung der Frevler in V. 3-12 ein verwandtschaftlicher Zug zu den
Klageliedern des Volkes und des einzelnen durchschimmert. So
wird beispielsweise in den Klageliedern des Volkes das freche
Treiben der Feinde nachdrücklich geschildert ; vgl. Ps 74, 4-9 ;
83, 3-9 ; 94, 4-7. [22] Wiederholt läßt der Dichter hierbei auch die
Feinde analog zu Ps 73, 11 in direkter Rede auftreten ; vgl. Ps 74,
8 ; 83, 5 ; 94, 7. Ebenso nimmt bei den Klageliedern des einzelnen
die Beschreibung des arroganten und herausfordernden Gebarens
der Feinde breiten Raum ein. Vor allem wird in direkter Rede
immer wieder ihr freches Reden betont ; vgl. Ps 3, 3 ; 22, 9 ; 35,
21 ; 42, 4. 11. Bemerkenswert für Ps 73, 11, bei dem sich die Rede
der Frevler direkt gegen Gott wendet, ist Ps 10, 4b.

Die Gattungsanalyse von Ps 73, 2-12 zeigt also verwandtschaftliche
Züge zur Weisheitsliteratur und zum kollektiven bzw. individuellen
Klagelied. Es ist jedoch zu beachten, daß eine größere Nähe zur
Weisheitsdichtung als zum kollektiven und individuellen Klagelied
vorliegt. Im kollektiven und individuellen Klagelied nämlich wird
fast nie das Treiben und das Glück der Frevler generalisierend
behandelt, sondern die Frevler stehen vielmehr als bedrohende
Feinde dem Volk bzw. dem einzelnen gegenüber. Dies zeigt sich in

---

21   Lambert a.a.O. 75 f (VII 70-77).
22   Ps 94 stellt zwar in seiner Gesamtheit kein kollektives
      Klagelied dar, doch dürfte dies für die V. 1-7 zutreffen ;
      vgl. Kraus, Psalmen II 653 f.

zahlreichen Wendungen, die davon handeln, daß Feinde den Beter
bedrängen und verfolgen. Ps 73, 2-12 hingegen spricht vom Glück
und frechen Treiben der Frevler in einer gewissen Verallgemeinerung, ohne zu erwähnen, daß der Dichter selbst einer Verfolgung
von seiten dieser Bösen ausgesetzt ist. Diese abstrahierende Darstellungsweise verweist auf weisheitliche Dichtung wie wir sie für
Ijob 21, 7-34 und Ps 37 kennengelernt haben. [23]

Ps 73, 13-16

In V. 13 beteuert der fromme Beter seine Unschuld ; im Anschluß
daran schildert er seine mißliche Lage. Der Gedanke, daß der
Unschuldige leiden muß, gewinnt in der Spätzeit des AT stark an
Aktualität. Der Grund dafür liegt in einem Individualisierungspro-
zeß. Solange der einzelne im Zusammenhang mit der Gemeinschaft
gesehen wurde, war unschuldiges Leiden leicht durch Verfehlung
vorausgehender Generationen zu erklären. Ebenso konnte eine Strafe, die bei Frevlern ausblieb, in späterer Zeit auf ihre Nachkommen hereinbrechen. Somit war jederzeit die Gerechtigkeit Gottes
erklärbar. Sobald sich aber der Blick vornehmlich auf das Indivi-
duum richtete, waren diese Auskünfte nicht mehr hinreichend.
Die Frage nach einer gerechten Vergeltung wird bereits bei Jer
12, 1-6 aufgeworfen. Das gleiche Problem klingt bei Ez 18, 2 an.
In voller Breite und Dringlichkeit stellt sich diese Thematik dann
bei Ijob. [24] Wie bereits erwähnt, liegt in Ps 73, 13-16 eine Kombination von Beteuerung der Unschuld und Schilderung des Leidens
vor. Die gleiche Themenverquickung läßt sich für Ijob nachweisen. So ist im Zusammenhang mit dem Hinweis auf Ijobs Unschuld
in 6, 29 f anschließend in 7, 3-21 die Rede von Not und Bedrängnis,

---

23   Vgl. S. 215.265.
24   Ijob 6, 29 f ; 13, 15 f; 16, 17 ; 23, 7.10-12 ; 27, 5 f ; 31 ;
      vgl. ferner Prd 7, 15 ; 8, 14.

die er durchstehen muß. Ebenso unterstreicht Ijob 16,17-21 die
Tadellosigkeit des Lebenswandels, während der Kontext sich in
bitterer Klage ergeht (Ijob 16,7-16 ; 17,1-16).

Auch in der weisheitlichen Keilschriftliteratur spielt das Leiden
des Unschuldigen eine nicht unwesentliche Rolle. Hier ist vor allem das Werk Ludlul bēl nēmeqi ("Ich will preisen den Herrn der
Weisheit!") zu nennen.[25] Diese Komposition wird mit einem Lob-
preis auf den "Herrn der Weisheit", den Gott Marduk, eröffnet.[26]
Der Sprecher ist Schubschi-meschrê-Schakkan, der von seinem
Schicksal erzählt. Nachdem er auf der ersten Tafel das Unheil be-
richtet hat, das ihn getroffen hat, kommt er im Verlauf der zwei-
ten Tafel auf seine Lauterkeit und Frömmigkeit zu sprechen :
"Ich selbst hatte acht auf Flehen und Gebet,
Gebet war mein Trachten, Opfer meine Regel.
Der Tag der Gottesverehrung war eine Freude für mein Herz ;
Der Prozessionstag der Göttin war mir Gewinn und Reichtum.
Das Gebet für den König war meine Freude,
Musik für ihn, auch dies war eine Lust für mich.
Ich hielt mein Land an, die Riten des Gottes zu achten,
Ich wies meine Leute an, den Namen der Göttin hochzuschätzen.
Die Verehrung des Königs machte ich gleich der eines Gottes,
Und lehrte das Volk Ehrfurcht vor dem Palast."[27]

In diesem Abschnitt kommt klar zum Ausdruck, daß der Verfasser
trotz seines Unglücks von seiner Gerechtigkeit überzeugt ist. Das
Faktum, daß ein Unschuldiger von Bedrängnis heimgesucht wird,
bildet somit eine wichtige Komponente des gesamten Werkes.

---

25   Lambert, Babylonian Wisdom Literature 32-62.
26   Lambert a.a.O. 343 (I 1-13).
27   Lambert a.a.O. 39f (II 23-32).

Auch in der babylonischen Theodizee[28] stellt das unverdiente Leid
des Gerechten und das Glück der Gottlosen das Zentralproblem
dar.[29] So wird in den Dialogen I 7-11 ; III 27-33 die Notsituation
geschildert. Die Dialoge V 54-55 ; VII 72-73 ; XXIII 251 erwähnen,
daß der vom Unglück Betroffene jederzeit im Leben gottesfürchtig
war. Die Ungerechtigkeit im menschlichen Leben wird aufgezeigt,
indem auf das Glück der Gottlosen und Skrupellosen verwiesen
wird ; so VII 70.76-77 ; XXV 267.269.271.273.

Trotz dieser engen Berührung bezüglich des Inhalts von Ps 73,13-
16 mit der Weisheitsliteratur, darf die Tatsache nicht übergan-
gen werden, daß auch Berührungspunkte mit dem individuellen Klagelied vorliegen. Auffallend ist die wörtliche Übereinstimmung
von Ps 73,13b und Ps 26,6a. Weiterhin wird wiederholt in den individuellen Klageliedern die fromme Gesinnung des Beters akzen-
tuiert, um seine Unschuld hervorzukehren ; s. Ps 17,3-5 ; 35,7.19 ;
59,4 ; 86,2.

Ps 73,17-20

In dieser Psalmeinheit wird das schlimme Geschick dargestellt,
das über die Gottlosen hereinbricht. Eine furchtbare Katastrophe
ist ihnen bestimmt ; sie werden hinweggefegt und ausgelöscht.
Diese Überlegung, daß die Frevler wegen ihrer Bosheit zunichte
werden, ist in der Weisheitsliteratur weit verbreitet ; Ijob 5,2-5 ;
15,20-35 ; 18,5-21 ; 20,5-29 ; 27,13-23 ; Ps 1,4 f ; 37,2.9a.10.
17a.38 ; 112,10 ; 119,118 f ; Spr 1,22-32 ; Weish 4,18 f.
Vor allem ist hierbei auf Übereinstimmung im Wortfeld zu achten.
Ijob 18,11.14 ; 27,20 wird jeweils im Zusammenhang mit der
Schilderung des Verderbens der Frevler der im AT relativ seltene

---

28   Lambert, a.a.O. 70-89.
29   Vgl. S. 265 f.

Abstraktplural בלהות gebraucht, der auch Ps 73,19b vorliegt.
Ijob 20,5 heißt es, daß "die Freude des Frevlers nur einen Augenblick (רגע) dauert". רגע wird auch Ps 73,19a verwendet, wo
über die Gottlosen gesagt wird, daß sie "in einem Augenblick zum
Entsetzen" werden. Auch der Vergleich des Ausgelöschtwerdens
der Frevler mit einem sich verflüchtigenden Traumbild ist sowohl
für Ijob 20,8 als auch für Ps 73,20 bezeugt.
Man sieht also, daß sich der Verfasser betreffs Ps 73,17-20 nicht
nur thematisch in vorgeprägten Bahnen bewegt, sondern daß er sogar spezifische Termini und Metaphern mit dem Buch Ijob teilt.

Ps 73,21 f

In V.22 sind Elemente der Weisheitsdichtung nachweisbar. בער als
Nomen kommt speziell in weisheitlicher Sprache vor ; so Ps 49,11 ;
92,7 ; Spr 12,1 ; 30,2.[30] Ferner ist der Vergleich des unvernünf-
tigen Menschen mit dem Vieh der Weisheitsliteratur nicht fremd ;
vgl. Ps 49,13.21. Beide Psalmen bedienen sich des Nomens בהמה.

Ps 73,23-26

Kraus[31] stellt als spezifische Themen der individuellen Vertrauenslieder heraus :"Die Freude in Jahwe, die Führung durch Gott und
das beständige Bleiben in der Gottesnähe." Hier sind die von Kraus
genannten Punkte der Vertrauenslieder mühelos nachzuweisen. So
unterstreicht jeder einzelne Vers die persönliche Verbundenheit
des Beters mit Gott. Dieser Gedanke erfährt eine solche Steigerung, daß daneben irdisches Wohlergehen relativiert wird. Der
Autor ist sich dessen sicher, daß er unter der Führung Gottes steht.
Ebenso ist der Text von einer tiefempfundenen Freude durchwirkt.

---

30   Vgl. S. 204.
31   Psalmen I XLVIII.

V. 23a

Bei dem NS in V. 23a kommt aufgrund des Kontextes nur der Beter als Subjekt in Betracht. Diese Wendung als Zusicherung des
Beistandes kommt häufig im AT vor, wobei allerdings jeweils
Jahwe und nicht ein Mensch das dazugehörige Subjekt darstellt.[32]
Bedingt dürfte dieser ungewöhnliche Ausdruck bezüglich des Subjekts dadurch sein, daß עמך als Aussage des Psalmisten wiederholt verwendet wird ; vgl. V. 22b. 25b. Ferner zeigt die Gesamt-
anlage von Ps 73, daß mehrfach das Ich des Verfassers in adversa-
tiv-kontrastierender Weise vom vorausgehenden Text abgehoben
wird ; vgl. V. 2a. 22a. 28. Analog dazu kontrastiert das Ich des Autors in V. 23a einerseits zum Leben und Ende der Gottlosen (V. 18-
20), andererseits zu seiner eigenen Fehlhaltung, die in V. 21 f
angesprochen wird. Die Existenz des frommen Beters zeichnet
sich durch eine enge Bezogenheit auf Gott hin aus. Die Wendung,
die ursprünglich Gottes Beistand an den Menschen deklarierte,
wird hier herangezogen, um die Verbundenheit des Menschen mit
Gott darzulegen. Eine solche Exegese wird dem Kontext des
Psalms gerechter als der Versuch von E. Würthwein[33], diesen
Halbvers durch "ich dagegen habe stets deinen Beistand" wiederzugeben und somit das aktive Moment des Menschen an dieser
Stelle abzuschwächen. Er führt bezüglich V. 23a aus : "Diese Ausdrucksweise ist vielleicht von einer prälogischen Denkweise aus
zu verstehen, die nicht auf das kausale Verhältnis reflektiert, sondern auf die reine Tatsächlichkeit. Für dieses Denken ist es gleich,
ob X bei Y oder Y bei X ist."[34] Die Übersetzung "ich bleibe stets

---

32 Vgl. Richter, Die sog. vorprophetischen Berufungsberichte
    146-151.
33 Erwägungen zu Ps 73, in : Festschrift f. A. Bertholet, Tü-
    bingen 1950, 540.
34 Würthwein, Erwägungen 540 Anm. 5.

an dir" schreibt nach seinem Dafürhalten "dem Menschen eine Ak-
tivität" zu, "die dem Text fremd ist und durch den zweiten Halbvers geradezu ausgeschlossen wird. "
Dagegen bleibt zu sagen, daß die Zuhilfenahme "einer prälogischen
Denkweise" für die Erklärung von V.23a nicht notwendig ist. Der
Übergang von der Person des Beters als Subjekt im ersten Halbvers, zu Gott als Subjekt im zweiten Halbvers, ist ungewöhnlich,
aber nicht unmöglich.

V.23b

V.23b lautet : "Du hast meine rechte Hand erfaßt. " Die Wendung
"die Rechte erfassen" kommt im AT relativ selten vor (Jes 41,13 ;
42,6 ; 45,1 ; 51,18 ; Jer 31,32). Mit Ausnahme von Jes 51,18 ist
jeweils Jahwe Subjekt der Handlung. Auffällig ist, daß Deuterojesaja mit Vorliebe sich dieser Wendung bedient. Jes 41,13a steht
sie am Ende einer Heilszusage und bedeutet aufgrund des Kontextes
soviel wie "helfen, stützen, beistehen", denn das parallele Verbum lautet "helfen". [35]
In die gleiche Bedeutungsrichtung tendiert Jes 51,18, wo sich mit
dem Ausdruck vom Erfassen der Hand der Gedanke der Hilfe und
des Beistandes verbindet. Jer 31,32 klingt mit der Formulierung
"als ich ihre Hand erfaßte, um sie aus dem Land Ägypten herauszu-
führen" der Gedanke des Schutzes, der Führung und Leitung durch
Jahwe an. Auch im Akkadischen wird mit der Wendung "die Hand
ergreifen" häufig artikuliert, daß eine Gottheit einem Menschen
Hilfe und Beistand in einer Notsituation gewähren möge, oder tat-
sächlich gewährt. [36]

---

[35] Ebenso findet sich das Verbum "helfen" bei Jes 41,10b,
worauf Jes 41,13 zurückgreift ; vgl. C.Westermann, Das
Buch Jesjaja.Kap.40-66 (ATD 19) Göttingen 1966, 62.
[36] A. Falkenstein-W.v.Soden, Sumerische und akkadische
Hymnen und Gebete, Zürich-Stuttgart 1953,217.263 f.

Neben dieser Bedeutungsnähe von "die Hand ergreifen" zu "helfen,
beistehen", die sich aus den behandelten Bibelzitaten und akkadischen Texten ergibt, heben sich klar andere Stellen ab, die etwas
ganz anderes umschreiben. H. Greßmann[37] hat herausgestellt, daß
die Wendung "die Hand ergreifen" auf ein altorientalisches Königsritual zurückgeht. Die Gottheit ergriff die Hand des Königs, wodurch Berufung und Legitimation des Herrschers einen sichtbaren
Ausdruck fanden.[38] Innerhalb des Königsorakels Jes 45,1-4 bedeutet das Ergreifen der rechten Hand des Kyros die Einsetzung und
Bestätigung als König.[39] Auch Jes 42,6, wo wahrscheinlich von
der Berufung Israels und nicht von der Berufung eines einzelnen die
Rede ist[40], muß die Wendung "ich fasse dich bei der Hand", genauso wie bei Jes 45,1, im Zusammenhang mit dem Königsritual gesehen
werden. Die Legitimation die der zu Berufende empfängt liegt hierin beschlossen. Das Ziel der Berufung wird Jes 42,7 umrissen.
Treffend hat Kraus[41] diesbezüglich folgendes ausgeführt : "Seit
Deuterojesaja aber ist diese Symbolvorstellung" (gemeint ist das
Ergreifen der Hand des Königs durch die Gottheit) "aus der Sphäre
der königlichen Prärogative zum Ausdruck der Ehrenstellung und
unmittelbaren Heilsgemeinschaft zwischen Jahwe und dem ' Gottesknecht' geworden. "
Nach diesen Ausführungen bieten sich für Ps 73,23b zwei Interpre-
tationsmöglichkeiten an. Im Hinblick auf die Schilderung der Not in
Ps 73,14 ließe sich Ps 73,23b zwanglos als ein helfender Akt Jahwes

---

37   Der Messias (FRLANT 43) Göttingen 1929, 61, Anm. 1.
38   Auf dem berühmten Kyroszylinder, einer Inschrift um 538
      v.Chr., wird das Ergreifen der Hände des Kyros durch Mar-
      duk erwähnt ; vgl. F.H.Weissbach, Die Keilinschriften der
      Achämeniden (VAB 3) Leipzig 1911, 3. Dies weist auf den
      Inthronisationsritus und die mit ihm verbundene Königsora-
      kel hin.
39   Vgl. Westermann, Das Buch Jesaja 128 f.
40   Vgl. Westermann, Das Buch Jesaja 83.
41   Psalmen I 509.

verstehen. Daneben ist aber auch mit der Möglichkeit zu rechnen,
daß V.23b eine Vorstellung aus dem Bereich der Königsliturgie in
spiritualisierender Weise auf den einzelnen Frommen überträgt.
Dadurch würde dann, wie in Jes 42,6, die Tatsache der unmittelbaren Heilsgemeinschaft zwischen Jahwe und dem Beter unterstrichen. Für welchen der beiden Lösungswege man sich auch entscheiden mag, eine enge Verbundenheit des Beters mit Gott ist
auf jeden Fall in V.23b angesprochen und hierin liegt ein Bezie-
hungspunkt zu den Vertrauensliedern.

V.24a

In V.24a wird ein weiteres Thema der Vertrauenslieder aufgegriffen, nämlich die Führung und Leitung durch Gott. Hierbei erinnert
man sich an das Vertrauenslied Ps 23, bei dem die Führung durch
Jahwe unter dem Bild des Hirten dargestellt wird. Sogar die Basis נחה wird sowohl Ps 23,3 als auch V.24a verwendet. Während
allerdings dieses Verbum in der Bildsprache von Ps 23 ganz konkret verstanden wird, liegt V.24a bereits eine spirituelle Tendenz
zugrunde, denn die Führung erfolgt nach dem "Rat" Gottes. In dem
Vertrauenslied Ps 16,7 wird Jahwe gepriesen, weil er den Beter
"beraten hat".

V.25f

V.25f betont nachdrücklich die enge Verbundenheit des Psalmisten
mit Jahwe. Diese Relation wird so stark hervorgehoben, daß deswegen das Leben in dieser Welt seine sonst im AT hochgeschätzte
Bedeutung verliert. Eine starke Relativierung immanenter Güter
ist auch im Vertrauenslied Ps 4,8 zu beobachten. Die Anrede an
Jahwe "mein Teil" (V. 26b) liegt ebenfalls in einem Vertrauenslied, nämlich Ps 16,5a, vor.

3. Die Gattung von Ps 73 in seiner Gesamtheit

Die bisherige Untersuchung hat gezeigt, daß Ps 73 einen klaren
logischen Aufbau besitzt ; und zwar werden die einzelnen Themen
in kunstvoller Weise als Kontrastbilder dargeboten. So folgt auf
die Schilderung des Glückes und frechen Gebarens der Frevler
(V.2-12) der Hinweis auf die Notsituation des frommen Beters
(V.13-16). In V.18-20 reiht sich als Gegenbild zu V.2-12 die Aussage über die totale Vernichtung der Frevler an. Schließlich wird
mit V.23-26 ein Höhepunkt durch den Hinweis auf die ständige Verbundenheit des Beters mit Jahwe erzielt. Dieser letzte Teil (V.
23-26) bildet einen Kontrast zur Notsituation des Beters (V. 13-
16) einerseits und zur Vernichtung der Frevler (V.18-20) andererseits. Zeigt sich bereits in der logischen Abfolge der einzelnen
Themen und in der Kontrastzeichnung kompositorisches Können,
so verstärkt sich dieser Eindruck noch durch die Tatsache, daß
es sich in V.2-12.13-16.17-20 um Themen handelt, die zwar se-
parat im alttestamentlichen Schrifttum mehrfach vorkommen, jedoch selten als Glieder einer einzigen Komposition. Hier zeichnet
sich ein Schema ab, das für die Spätphase des AT charakteristisch
ist. So sind beispielsweise bei Mal 3,14-21 die gleichen Themen in
einer Komposition verbunden. Mal 3,14 wird als Rede des Volkes
zitiert, daß Frömmigkeit nutzlos sei (vgl. Ps 73,13-16). Mal 3,15
nimmt bezug auf die "Übeltäter", die vom Glück begünstigt sind
(vgl. Ps 73,4-12). Mal 3,18 f kündigt ein hartes Gericht an, das die
Übeltäter vernichten wird (vgl. Ps 73,18-20) ; Mal 3,20 hingegen
verspricht den Frommen das Heil (vgl. Ps 73,23-26). - Das nämliche Schema wird bei Weish 1,16-5,23 transparent. Zunächst erfolgt eine Schilderung der Gottlosen, die einer frivolen Lebensauffassung huldigen und das Leben in vollen Zügen genießen (Weish 1,

16-2,9). Der Gerechte hingegen ist harter Verfolgung von seiten
der Gottlosen ausgesetzt (Weish 2,10-20). Der Umschlag in das
Gegenteil zur jetzigen Situation kommt jedoch mit Sicherheit. Die
Rollen werden dann vertauscht sein. Der einstmals bedrängte Gerechte empfängt seinen Lohn von Gott (Weish 3,1-9 ; 5,1.5.15 f),
während die zu früherer Zeit mächtigen und vom Glück begünstig-
ten Gottlosen dem Gericht Gottes verfallen (Weish 3,10-12 ; 4,16 -
5,14). - In gleicher Weise liegt dieses Schema auch Bar (syr) 13-
15 und Hen(aeth) 92-105 zugrunde.

Aufgrund traditioneller, weisheitlicher Reflexionen hätten sich für
die in Ps 73 angesprochenen Probleme folgende Lösungen ergeben :
Wie bereits gezeigt, wird in der Weisheitsliteratur gerne auf die
quälende Frage nach dem Wohlergehen der Frevler mit dem Hinweis geantwortet, daß ihnen ein schlimmes Ende droht. Diese Überzeugung bedeutet gleichzeitig einen Trost für den Frommen in seiner Not. Doch mit dieser vordergründigen Lösung, die zwar für
V.18-20 herangezogen wird, gibt sich der Autor nicht zufrieden.
Ferner wird häufig in der Vergeltungslehre der Weisheitsliteratur
bekräftigt, daß dem Frommen in diesem Leben Glück und Wohl-
stand beschieden sind ; vgl. Ps 1,1-3 ; 37.6.9.11.18 f.21f.23f.
29.30f. 39 ; 91,3-13 ; 112 ; 128 ; Sir 1,13.16-21. Auch für Ps 73
wäre diese traditionelle Lehre anwendbar gewesen, wenn nämlich
der Dichter die in V.13-16 geschilderte Not und Anfechtung in ihr
Gegenteil hätte umschlagen lassen und den Abschluß als "happy
end" gestaltet hätte, das dem Frommen irdisches Glück und Wohl-
stand zuerkennt.

Auf die in V.13-16 geschilderte Not wäre als Antwort aus weisheitlicher Sicht auch der Hinweis auf Gottes Tun möglich gewesen, das
für den Menschen undurchschaubar bleibt ; vgl. Ijob 38-42,6. Noch
schärfer tritt der Gedanke des für den Menschen unverstehbaren

Handelns Gottes bezüglich des Lohnes bzw. der Strafe für Gerechte und Sünder in Prd 8,10-17 hervor. Nachdem in V.12 f die traditionelle Lehre zitiert wird, daß es nämlich den Frommen gut und
den Frevlern schlecht ergeht, wird in V.14 darauf verwiesen, daß
das Leben auch gegenteilig verfahren kann : "Gerechte gibt es,
denen ergeht es, wie es Frevlern gebührt, und Frevler gibt es,
denen ergeht es, wie es Gerechten gebührt." Aus dieser Erfahrungstatsache wird in V.17 die Schlußfolgerung gezogen, daß der
Mensch das Tun Gottes nicht ergründen kann : "Da sah ich an allem Werk Gottes, daß der Mensch das Geschehen nicht ergründen
kann, das sich vollzieht unter der Sonne. Soviel sich der Mensch
auch abmüht mit Forschen, er wird es nicht ergründen. Vermeint
auch der Weise, es zu wissen, er kann es nicht ergründen."
Die von der traditionellen Weisheitslehre angebotenen Lösungsversuche für das Problem des Wohlergehens der Sünder bzw. des
Unglücks der Frommen greift also der Dichter von Ps 73 nicht auf,
stattdessen proklamiert er in den V.23-26 seine enge Verbundenheit mit Jahwe, wobei irdische Glücksgüter ihre sonst im AT nachweisbar zentrale Stellung verlieren. Wenn er sich hierbei auch
eines spätjüdischen Schemas in der Abfolge der Problemkreise bedient, so wird zweifellos mit V.23-26 der Gipfel des Psalms erreicht. Erst hier entwirren sich die Fäden, erst in diesem Abschnitt erfolgt eine stichhaltige Antwort auf die in den vorausgehenden Teilen aufgeworfenen Fragen.
Die hier anklingenden Gedanken, die die Verbundenheit des Beters
mit Jahwe, die Führung durch Jahwe und die daraus resultierende
Freude unterstreichen, sind, wie bereits dargelegt, spezifisch
für das Vertrauenslied. Von hier aus gesehen ist es naheliegend,
Ps 73 als individuelles, weisheitliches Vertrauenslied zu klassifizieren. Zwar macht der Autor bei der Rahmung (V.1.12.27 f), bei

bestimmten Vokabeln und Wendungen (V.21 f) und in der Thematik der einzelnen Abschnitte (V.2-12.13-16.17-20) unverkennbar
Anleihe bei der Weisheitsliteratur, Ziel- und Höhepunkt liegen jedoch in V.23-26 vor und von hier aus muß deshalb auch die Gat-
tungsbestimmung des gesamten Psalms erfolgen. Ps 73 ist also
ein individuelles Vertrauenslied, das formmäßig und thematisch
von der Weisheitsliteratur geprägt ist. Die Lösung, die in V.23-
26 gefunden wird, ist progressiv orientiert und hebt sich klar von
den Lösungen ab, die die herkömmliche Weisheitsliteratur anzu-
bieten hat.

4. Der "Sitz im Leben"

Es muß nun auch´gefragt werden, ob sich ein Ort ermitteln läßt,
an dem dieses Lied rezitiert wurde. Wenn man an die Geschlossen-
heit und Folgerichtigkeit denkt, mit der die einzelnen Themenkrei-
se abgehandelt werden, so möchte man daraus schließen, daß es
sich lediglich um eine kunstvolle Komposition handelt, die nie
einen solch konkreten Bezug zum Leben besessen hat. Denn auch
für Ps 73 bleibt zu beachten, was bereits bei Ps 49 ausgesprochen
wurde, daß nicht unbedingt alle Psalmen einen kultischen Sitz im
Leben haben müssen ; vgl. S.216 f. Es ist jedoch zu prüfen, ob nicht
vielleicht V.17 gegen eine solch abstrahierende Deutung spricht,
wo ein Kommen zum Heiligtum Els erwähnt wird. Nun ist allerdings gerade V.17 in seiner Interpretation sehr umstritten, und
in der Tat stellen sich hierbei jeder Exegese beträchtliche Schwierigkeiten in den Weg. E.Baumann[42] sucht durch Konjekturen den
Sinn von V.17 aufzuhellen. Aufgrund von לאחריתם in V.17b kon-

---

42   Struktur-Untersuchungen im Psalter II : ZAW 62, 1950,
        130 f.

jiziert er für אל מקדשי אל die Lesart אל עמקי שאול bzw.
אל מגרשי אל ,wobei er letztgenannter Emendation den Vorzug gibt.
Dann wäre V.17 zu übersetzen : "Bis ich kam zu den Gottverstos-
senen, acht hatte auf ihr Endgeschick. " Damit würde V.17 im
Zusammenhang mit den V.18-20 gut verständlich. Aber die Un-
sicherheit der Konjektur bleibt bestehen, zumal bedacht werden
muß, daß weder die Wendung מגרשי אל noch überhaupt das Partizip מגרש im AT belegt sind. Ferner steht diesem Verbesserungs-
vorschlag entgegen, daß er durch keine der alten Übersetzungen
bestätigt wird, vielmehr setzen sie den Konsonantenbestand des
MT voraus.-Erhebliche Schwierigkeiten in V.17a bereitet der Plural von מקדש und weiterhin die Wendung מקדשי אל . Von der Pluralbildung ausgehend meint Eerdmans[43] , daß hiermit nicht der
Tempel in Jerusalem gemeint sei, sondern Orte, an denen religiöse Probleme diskutiert und religiöse Gedanken verlesen wurden.
Dem ist allerdings entgegenzuhalten, daß מקדש immerhin an einigen Stellen im Plural gebraucht wird, wobei sich dieses Nomen
auf den Tempel bezieht (Ps 68, 36 ; Jer 51,51 ; Ez 21, 7). Vielleicht ist in diesen Fällen, einschließlich Ps 73,17a,der Plural
amplikativ zu verstehen, so daß damit die verschiedenen Bereiche
des Heiligtums ins Auge gefaßt werden.[44] Ferner ist nicht auszuschließen, daß der Autor von Ps 73 deswegen zu dieser seltenen
Plurabildung greift, weil er überhaupt eine gewisse Vorliebe für
Pluralbildungen zeigt ; vgl. S.308 . Somit kann sich מקדשי אל
V.17a durchaus auf den Tempel beziehen. Bei diesem Verständnis
bleibt allerdings unsicher, womit die Pluralsuffixe in V.17b-20
in Relation zu setzen sind. Grammatikalisch ist zunächst mit der

---

43   The Hebrew Book of the Psalms 349 f.
44   Vgl. Kraus, Psalmen I 502.507.

Möglichkeit zu rechnen, daß sie sich auf den Plural von V.17a beziehen. H.Birkeland[45], der in den "Heiligtümern Els" von V.17a
"illegitimate places of worship" nach ihrer Zerstörung sieht, bezieht V.17b-20 auf diese Heiligtümer und nicht auf die Gottlosen,
die seit V.12 nicht mehr genannt werden. Birkelands These schei-
tert daran, daß אחרית ("Ende des Lebens, Zukunft, Überrest")
nur im Zusammenhang mit Personen, niemals aber mit Sachen
verwendet wird.[46] Das von Birkeland vorgeschlagene Verständnis
von V.17-20 wird auch durch inhaltliche Argumente widerlegt.
Vom Gesamtaufbau des Psalms 73 ist eigentlich nur der Bezug von
V.17b-20 auf die Frevler von V.3-12 sinnvoll. Die inhaltliche
Symmetrie des Ps 73 verlangt danach, daß das in V.2-12 aufge-
worfene Problem eine Lösung findet, genauso wie auf die in V.13-
16 gestellten Fragen in V.23-26 eine Antwort erfolgt. Auch der zusammenfassende Rückverweis in V.27 zeigt an, daß in Ps 73 bereits
vom Untergang der Frevler die Rede war ; denn V.27 kann nur auf
eine bestimmte Personengruppe und nicht auf unpersönliche Dinge
hinzielen.-Nicht annehmbar ist die Ansicht von P.Torge[47], der
unter אל מקדשי "die dem natürlichen Auge verborgenen Pläne
und Geheimnisse der göttlichen Weltregierung" versteht, weil
מקדשי nirgends die Bedeutung "Plan" annimmt. Ebensowenig kann
man H.Duhm[48] beipflichten, der in אל מקדשי irgendwelche eso-
terische Geheimlehren nach Art der griechischen, ägyptischen und

---

45   The chief Problems of Ps 73,17 ff : ZAW 67, 1955, 100.
46   Im übrigen hebt sich diese Erwähnung des ehrlosen En-
       des der Gottlosen (V.17b-20) eindrucksvoll vom ehren-
       vollen Lebensausgang des Frommen ab (V.24b). Es wird
       im Verlauf dieser Untersuchung noch aufgezeigt werden,
       daß sich der Verfasser gerne kontrastreicher Operationen
       bedient.
47   Seelenglaube und Unsterblichkeitshoffnung im AT, Leip-
       zig 1909, 229 f.
48   Der Verkehr Gottes mit den Menschen im AT, Tübingen
       1926, 208.

asiatischen Mysterien sehen möchte.[49] - Die letztgenannten Erklärungen sind aus folgenden Gründen abzulehnen :

a.   מקדש bedeutet immer ein konkretes Heiligtum und niemals "Geheimnis" oder "Geheimlehre". Der hellenistischer Vorstellung entspringende Ausdruck μυστήρια θεοῦ (Weish 2,22) kann nicht als Argument herangezogen werden.[50]

b.   Die gesamte Wendung des V.17a widerspricht ebenfalls einer solchen Übersetzung, denn בוא אל מקדש ("kommen zum Heiligtum") wird ausschließlich als Bezeichnung für das Hinzutreten zum konkreten Heiligtum Gottes gebraucht ; vgl. Lev 12,4 ; 2 Chr 30,8 ; Jes 16,12 ; Ez 23,39 ; 44,9.16. Man hat bei der Konstruktion מקדשי אל (V.17a) bisweilen den Gottesnamen"El"als seltsam empfunden.[51] Dazu ist zu sagen, daß hier zwar die einzige Stelle vorliegt, bei der El im Zusammenhang mit מקדש nachzuweisen ist, während jedoch מקדש + anderer Gottesname wiederholt bezeugt ist : Lev 21,12 (Elohim) ; Num 19,20 (Jahwe) ; Jos 24,26 (Jahwe) ; 1 Chr 22,19 (Jahwe Elohim) ; Klgl 2,20 (Adonai) ; Ez 48,10 (Jahwe). Wahrscheinlich muß El V.17a in Zusammenhang mit V.11a gesehen werden. In V.11a fragen die Frevler in spöttischer Weise "wie sollte El es wissen". In V.17 erfährt der Beter im Heiligtum dieses El den kommenden Sturz und die Vernichtung dieser frechen Herausforderer und gerade dadurch wird das Wissen Els nachdrücklich demonstriert.[52] Von diesem Prinzip der Gegen-

---

49   Auch J.Guillet, L'Entrée du Juste dans la Gloire 64, bewegt sich in diesen Spuren, denn er übersetzt V.17a :"Jusqu au jour où je pénétrai dans le mystère de Dieu." Als Erklärung fügt er zu dieser Übersetzung hinzu : "Ce mystère, le psalmiste le nomme le sanctuaire de Dieu."

50   Vgl.R.Kittel, Die hellenistische Mysterienreligion und das AT (BWANT 7)Berlin-Stuttgart-Leipzig 1924,95.

51   Vgl.Baumann, Struktur-Untersuchungen 130.

52   Diese Deutung erfährt eine nachhaltige Stützung durch das in Ps73 wirksame Kontrastprinzip ; vgl. S. 292.

überstellung her gesehen verwundert es deshalb nicht, daß man in
V.17a dem Ausdruck אֵל מִקְדְּשֵׁי begegnet. - Man kann also mit
Kraus[53] V.17 folgendermaßen übersetzen : "Bis ich kam zum Hei-
ligtum Gottes. Erkennen will ich (dort) ihr Ende."
Es wurde bereits in dieser Untersuchung davon gesprochen, daß
V.17 eine zu V.18-20 überleitende Funktion besitzt, ohne daß er
sich diesem folgenden Themenkomplex voll zuordnen läßt ; vgl.
S.262 f. V.17 bildet also das wichtige Bindeglied zwischen der
Schilderung der angefochtenen und bedrängten Situation des Beters
(V.13-16) und einer Antwort auf die bohrende Frage nach dem Glück
der Gottlosen (V.18-20). Dem Dichter wurde im "Heiligtum Gottes"
eine Lösung für die ihn bestürmenden Fragen gegeben. Ob dem Verfasser die Lösung durch eine besondere Offenbarung Jahwes oder
durch priesterlichen Zuspruch zukam, ist nicht sicher auszuma-
chen. Würthwein[54] glaubt, daß sich der Beter in V.17-24 auf ein
Kultorakel bezieht, das ihm im Tempel mitgeteilt wurde. Es umfaßt nach seinem Dafürhalten Unheilsandrohung an die Feinde (V.
18-20) und Zuspruch an den Beter (V.23 f).-Wir konnten bei der
Gattungsanalyse Ps 73 als einen Vertrauenspsalm bestimmen, der
auf weite Strecken hin sowohl in der Form als auch in der Thematik weisheitlichen Einfluß verrät. Man kann mit gutem Grund annehmen, daß dieses weisheitliche Vertrauenslied nicht nur ein in-
dividualistisches, literarisches Kunstprodukt blieb, sondern auch
dazu verwendet wurde, anderen auf ungelöste und brennende Le-
bensfragen eine aufrichtende und tröstliche Antwort zu erteilen.
Von daher ist es gut möglich, daß Ps 73 im Tempel rezitiert wurde. Vor allem V.17.28a[55] dürften diesem Lied den Weg ins Heiligtum geebnet haben.

---

53   Psalmen I 501.
54   Erwägungen 548.
55   Bezüglich dieses Halbverses s.S. 305-308.

IV. Interpretation von V. 24 b

Wir haben durch die bisherige Untersuchung die Voraussetzung
dafür geschaffen, daß wir uns nun speziell V. 24 b zuwenden können.

1. V. 24 b in der bisherigen Forschung

1.1. Konjekturen

Die Exegese von V. 24b hat von jeher große Schwierigkeiten bereitet. Um den Problemen zu entgehen, die der MT bietet, wurden
verschiedene Konjekturen vorgenommen : "Du nimmst mich an
der Hand hinter dir her"[56]; "einen ehrenvollen Weg läßt du mir
gelingen, lehrst du mich, tust du mir kund"[57]; "und auf dem Weg
machst du mich stark in der Leber"[58]. Den geringsten Eingriff
in den MT stellt gegenüber den bisherigen Emendationen der Vorschlag von Baumann[59] und Kraus[60] dar, die beide zu כבוד die
Präposition כְּ setzen.

Wenn man diese Konjekturen überblickt, so ist festzustellen, daß
man durch sie, mit Ausnahme der zuletzt angeführten, einen synonymen Parallelismus für V. 24 zu erreichen sucht. Es bleibt
allerdings zu fragen, ob ein synonymer Parallelismus für V. 24 zu
postulieren ist. Das Argument, daß Ps 73 fast durchgehend einen

---

56   So K. Budde, Zum Text der Psalmen : ZAW 35, 1915, 189;
       E. Balla, Das Problem des Leides in der israelitisch-jü-
       dischen Religion (FRLANT 36/1) Göttingen 1923, 253 Anm.
       2 ; Schmidt, Die Psalmen 138.
57   So G. Beer, Ψ 73, 24 : ZAW 21, 1901, 77 f.
58   So Gunkel, Die Psalmen 319.
59   Struktur-Untersuchungen 128 Anm. 22.
60   Psalmen I 503.

synonymen Parallelismus aufweist und deshalb dieser auch für V.
24 erforderlich sei, überzeugt nicht, da ein innerhalb eines
Psalms häufig auftretender synonymer Parallelismus sehr wohl
von einer anderen Art des Parallelismus unterbrochen werden
kann. Die Konjektur "du nimmst mich an der Hand hinter dir her"
ist nicht haltbar, da sie eine Tautologie zu V.23b darstellt. Wie
problematisch und unsicher die weiteren Konjekturen sind, geht
aus der Tatsache hervor, daß schon die alten Übersetzungen den
MT voraussetzen. Deshalb ist es angebracht, für den weiteren Verlauf dieser Untersuchung von Konjekturen abzusehen und vom MT
auszugehen.

1.2. Interpretationen

Die Mehrzahl der Exegeten ist sich darin einig, daß V.24b auf ein
jenseitiges Leben bezug nimmt. Nach ihrer Ansicht wird die enge
Verbindung, die zwischen dem Beter und Jahwe schon in diesem
Leben besteht, mit dem Tod nicht abgebrochen, sondern dauert
fort.[61] Neben diesen Exegeten, die in V.24b einen Hinweis auf die
Fortdauer des Lebens nach dem Tod bei Gott sehen, gibt es eine

---

[61] Vgl. Rowley, The Faith of Israel 173 ; Baethgen, Die
Psalmen 231 ; B. Duhm, Die Psalmen (KHC XIV) Tübin-
gen[2] 1922, 283 ; A.M.Gierlich, Der Lichtgedanke in den
Psalmen (FreibThSt 56) Freiburg 1940,31 ; H.Lampar-
ter, Das Buch der Psalmen II (Die Botschaft des AT 15)
Stuttgart 1958, 21 ; R.Kittel, Die Psalmen (KAT XIII)
Leipzig[3.4] 1922, 247f ; Maag, Tod und Jenseits nach dem
AT 27 ; F. Nötscher, Das Buch der Psalmen (Echter-B
IV) Würzburg 1959, 160 Anm. 24 ; Peters, Das Buch der
Psalmen 181 ; Podechard, Le Psautier. Notes critiques I
292 ; Staerk, Psalmen[3] 229 ; J.J.Stamm, Das Leiden des
Unschuldigen in Babylon und Israel, Zürich 1946, 48 ;
Terrien, The Psalms and their Meaning 259 ; Torge,
Seelenglaube 230 ; Weiser, Die Psalmen 337.

Reihe von Forschern, die V.24b in Relation zu der Entrückung
des Henoch setzen. Sie vertreten also genauso wie die bereits zi-
tierten Exegeten die Meinung, daß in V.24b ein Hinweis auf ein
Leben nach dem Tod bei Gott vorliegt, nur begnügen sie sich nicht
mit dieser allgemeinen Aussage, sondern ziehen aufgrund der
Basis לקח eine Verbindungslinie zur Entrückung des Henoch in
Gen 5,24.[62] In direktem Gegensatz zu den bis jetzt angeführten
Meinungen sehen verschiedene Exegeten in V.24b keinen Hinweis
auf ein Leben nach dem Tod bei Gott oder auf eine Entrückung nach
Art des Henoch. Sie deuten V.24b vielmehr als Verheißung für den
Frommen auf Glück und Erfolg in diesem Leben.[63] Jellicoe[64] erklärt V.24b, wie bereits ausgeführt, aufgrund der Basis לקח als
ein Hingenommenwerden des Psalmisten zu Jahwe am Ende seines
Lebens, wie es bei Henoch der Fall war. Er unterscheidet sich aber
von herkömmlichen Deutungen insoferne, daß er אחר כבוד in Anlehnung an Sach 2,12 und zahlreiche Berufungs- und Theophaniebe-
richte so versteht, daß dieser Aufnahme zu Jahwe eine Theophanie

---

62   Vgl. E.König, Die Psalmen, Gütersloh 1927,609 ; Bur-
        ney, Israel's Hope 47 ; Buber, Recht und Unrecht 55;
        Briggs, The Book of Psalms II 147 ; Kraus, Psalmen I 509;
        E. Pannier, Les Psaumes (Pirot & Clamer V) Paris 1937,
        289 ; O. Schilling, Leidensfrage und Gottesgemeinschaft :
        Bibel und Leben 2/1, 1961,32 ; G.v.Rad, Theologie des AT
        I, München[4] 1962, 417 f ; S.Jellicoe, The Interpretation of
        Ps 73,24 : ExpT 67, 1955/56, 210.
63   Vgl. H.Schultz, Alttestamentliche Theologie, Göttingen[5]
        1896, 599 f ; E.J. Kissane, The Book of Psalms II, Dublin
        1953,8 ; Schmidt, Die Psalmen 140 ; Smith, The Bible
        Doctrine of the Hereafter 62 ; Mowinckel, The Psalms in
        Israel's Worship II 128.252 ; ders., Traditionalism and
        Personality in the Psalms : HUCA 23/1, 1950/51, 209 ;
        Eerdmans, The Hebrew Book of the Psalms 350 ; Sutcliffe,
        The Old Testament and the future Life 107 ; R.Tournay,
        Les Psaumes (Pirot & Clamer) Paris 1950,266 ; ders., Recen-
        sions : RB 57,1950, 615 f ; Gunkel, Die Psalmen 315.
64   The Interpretation 210.

vorausgeht. Nach ihm wäre V.24b aufgrund von Sach 2,12 para-
phrasierend etwa zu übersetzen : "Nach einer Vision, in der du
(nämlich Jahwe) mir erscheinst, wirst du mich entrücken." C.B.
Hansen[65] analysiert V.24b als einen term.techn. für das ekstatische Erlebnis, wobei Kabod nicht als abstrakter Begriff, sondern
ganz konkret als der Lichtglanz zu verstehen ist, zu dem man hin-
gerückt wird und in dem sich Jahwe offenbart. H.Ringgren[66] ist
nicht ganz von der Deutung Hansens überzeugt. Für ihn hängt V.
24b "irgendwie mit der kultischen Erscheinung des כבוד im
Neujahrsfest" zusammen, "obgleich die Einzelheiten ein wenig
unklar bleiben".

2. V.24b in den alten Übersetzungen

Nachdem aus den vielfältigen und teilweise gegensätzlichen Erklärungsversuchen von V.24b in der bisherigen Forschung die
Schwierigkeit der Exegese dieser Stelle abzulesen ist, müssen
für eine Klärung auch die alten Versionen herangezogen werden.

LXX : καὶ μετὰ δόξης προσελάβου με.
Symmachus : καὶ ὕστερον τιμῇ διεδέξατό με.
Psalterium Romanum : et cum gloria adsumpsitsi me.
Psalterium Gallicanum : et cum gloria suscepisti me.
Psalterium iuxta Hebraeos : et postea in gloria suscipies me.

2.1. Wenn man diese Übersetzungen vergleicht, so stellt man
fest, daß sie, mit Ausnahme des Psalteriums iuxta Hebraeos, V.
24b nicht von einer Aufnahme zu Gott beim Tod und somit von einem

---

65   Bagefter herlighet : Dansk Teologisk Tidsskrift 13,1950,
      84 f.
66   Einige Bemerkungen zum 73.Psalm : VT 3, 1953, 270 f.

Weiterleben nach dem Tod verstehen. Dies zeigt sich vor allem
am Tempus, das jeweils der Vergangenheit angehört und somit
nicht auf ein für den Beter des Psalms künftiges Ereignis hinweist.
Daneben ist zu beachten, daß auch das Verbum προσλαμβάνειν
in der LXX nie als Terminus für Entrückung gebraucht wird, wie
etwa μετατιθέναι (Gen 5,24 ; Weish 4,10; Sir 44,16) und ἀναλαμβάνειν   (2 Kön 2,9-11 ; 1 Makk 2,58 ; Sir 49,14) oder die in der
griechischen Literatur weitverbreiteten Verben des Entrückens.[67]
Vielmehr wird προσλαμβάνειν ganz im wörtlichen Sinn als "annehmen, aufnehmen" (2 Makk 8,1 ; 10,15) für den zwischenmensch-
lichen Bereich verwendet. Weiterhin artikuliert dieses Verbum
die Tatsache der barmherzigen Aufnahme, die der Mensch bei
Jahwe findet (Ps 27,10). In Ps 18,16 rückt es in die Nähe von "erretten", ohne jedoch die Grundbedeutung "annehmen" ganz abgestreift zu haben. Auch προσλαμβάνειν deutet also darauf hin, daß
V.24b vom Übersetzer der LXX nicht als Entrückungsaussage verstanden wurde. - Noch klarer liegt der Fall bei σ', denn für ihn
ist nicht Jahwe das Subjekt von V.24 b, sondern כבוד . Daraus
geht hervor, daß V.24b für σ' als Hinweis auf "Ansehen" und
"Ehre" gilt, die dem Beter in diesem Leben zuteil werden. Das
Ps Romanum stellt in V.24b die wörtlich genaue Wiedergabe der
LXX dar, das Ps. Gallicanum unterscheidet sich von dem Ps.Ro-
manum nur durch die Vokabelvariante suscipere anstelle von assu-
mere. Aus den Versionen beider Psalterien läßt sich nicht schlußfolgern, daß die Übersetzer Entrückung bzw. Leben nach dem Tod
im Auge hatten. - Das Ps. iuxta Hebraeos des Hieronymus hingegen kann sich in V.24b sehr wohl auf eine Aufnahme zu Gott nach
dem Tod beziehen. Dies geht daraus hervor, daß אחר als tempo-

---

67   Vgl. Lohfink, Himmelfahrt 41 f.

rales Adverb verstanden wird und das Verbum im Futur steht.

2.2. Die LXX übersetzt אַחַר durch die Präposition μετά ("mit") + Genitiv.[68] Diese Übersetzungsart ist in der LXX wiederholt bezeugt (vgl. Gen 24,8.39 ; Num 16,25 ; 1 Sam 14,13.[69]).
Auch σ' bedient sich dieser Wiedergabe ; vgl. Jer 25,26 (32,12).
Ferner geht aus anderen Stellen hervor, daß die LXX um die Bedeutung אַחַר ("mit") wußte, wenn auch nicht die Wiedergabe μετά + Genitiv vorliegt : Gen 41,23 (ἐχόμενοι)˙; Ps 49,18 (οὐδὲ συγκαταβήσεται αὐτῷ) ; Ps 94,15 (ἐχόμενοι). Mit LXX gehen Ps. Romanum und Ps. Gallicanum konform, indem sie ebenfalls אַחַר als Präposition auffassen, während σ' und Ps.iuxta Hebraeos אַחַר als temporales Adverb verstehen.

3. Übersetzung und Interpretation von V. 24 b

3.1. "Du nimmst mich hinter Herrlichkeit." Diese Version setzt voraus, daß man אַחַר als lokale Präposition "hinter" versteht. Lexikographisch ist dies möglich.[70] Bei dieser Übersetzungsweise und Deutung ist כָּבוֹד als eine real erfahrbare Erscheinung Jahwes zu verstehen, hinter die man genommen werden kann. Als Zeugen dafür, daß man sich den כָּבוֹד Jahwes nicht als abstrakten Begriff, sondern als sichtbare und erfahrbare Realität, die sich

---

68 Dies ist gegenüber König, Die Psalmen 609 Anm. 2, zu betonen, der die Ansicht vertritt, daß אַחַר hier unübersetzt blieb.

69 Die Anmerkung von BHS zu Ps 73,24b : "l frt כִּי cf G" ist daher irreführend, denn durch diese Notiz entsteht der Eindruck, daß μετά + Gen. die Präposition בְּ in der hebr. Vorlage voraussetzt.

70 L. Koehler - W.Baumgartner, Hebr. und aram. Lexikon zum AT, Leiden³ 1967, 34 f.

als Lichtglanz und strahlende Feuersubstanz manifestiert, gedacht
hat, gelten vor allem P und Ezechiel (vgl. Ex 24,17 ; Ez 1,26-28 ;
10,4 ; 43,2). Auch wenn nicht eigens das Phänomen des Lichtglan-
zes hervorgehoben wird, so signiert dennoch dieses Nomen eine
sichtbare und erfahrbare Realität, die sich an einem bestimmten
Ort mehreren oder einem einzelnen kundtut (vgl. Ex 16,10 ; 40,
34 f ; Lev 9,6.23 ; Num 14,10 ; 17,7 ; 20,6 ; Ez 3,12 ; 9,3 ; 10,
18f ; 11,22 f ; 43,4 ; 44,4). Aufgrund der כבוד-Vorstellung bei
P und Ez ließe sich Ps 73,24b so verstehen, daß der Beter hinter
den כבוד (Jahwes) genommen zu werden wünscht, wobei besagte
Vokabel als real erfahrbare und räumlich sich manifestierende
Größe zu verstehen ist. In diese Richtung tendieren auch die Deutungen von Hansen und Ringgren.[71] Allerdings stellt sich bei dieser Interpretation sofort die Frage, warum כבוד ohne das Suffix
der 2. pers.sing.mask. bzw. die Näherbestimmung Jahwe, Elohim
oder El verwendet wird.[72] Weiterhin ist es fraglich, ob aus der
kurzen Wendung von V.24b ein "Genommenwerden hinter die Herrlichkeit Jahwes" im Sinne eines ekstatischen Erlebnisses oder
kultischen Vorgangs gefolgert werden kann, wie es Hansen und
Ringgren tun, da hierfür entsprechende Belege im AT fehlen. Auffallend ist, daß sich weder Hansen noch Ringgren für die Stützung
ihrer Thesen auf Ex 33,18-33 berufen, denn gerade diese Stelle
könnte für ihre Erklärung noch am ehesten herangezogen werden.
Hier wird nämlich davon gesprochen, daß Mose den כבוד Jahwes
zu schauen wünscht (V.18). Diesem Wunsch des Mose wird von
Jahwe mit der Einschränkung entsprochen, daß er nur die "Rück-

---

71 Vgl. S. 286.
72 כבוד ist nämlich fast durchwegs mit dem Suffix oder mit
    den zitierten Näherbestimmungen versehen, sobald er sich
    auf Gott bezieht. Ausnahmen liegen nur in Ps 85,10 ; Jes
    4,5 ; Jer 17,12 vor.

seite" (V. 23), nicht jedoch das "Angesicht" Jahwes schauen darf,
denn sonst müßte er sterben (V. 20). Beim Vorüberziehen des
יהוה כבוד stellt Jahwe den Mose in eine Felsennische und deckt
die Hand über ihn (V. 22).

Der sprachliche Befund weist folgende Gemeinsamkeiten zwischen
Ex 33, 18-23 und Ps 73, 24b auf : כבוד Ex 33, 18.22 und Ps 73, 24b;
אחור Ex 33, 23 - אחר Ps 73, 24b. Die Basis לקח (Ps 73, 24b)
kommt zwar in Ex 33, 18-23 nicht vor, dafür aber שׂים (Ex 33, 22),
das bedeutungsmäßig לקח nahesteht. Für beide Basen ist Jahwe
das handelnde Subjekt.

Sowohl von philologischen als auch von inhaltlichen Aspekten her
wäre es somit denkbar, daß Ps 73, 24b die Erfahrung der Nähe Jahwes aufgrund von Ex 33, 18 artikuliert. Wie später jedoch noch
dargestellt werden soll, gibt es für Ps 73, 24b noch eine weitere
Lösungsmöglichkeit, die sich homogener in den Kontext einfügt
und deshalb vorzuziehen ist.

3.2.   B. Stein[73] möchte אחר (Ps 73, 24b) als lokale Präposition
im Sinne von "zu, hin, nach" verstehen. Im Falle eines Anschlus-
ses an diesen Exegeten entsteht die Hauptschwierigkeit durch כבוד
Dieses Nomen muß nämlich notwendigerweise dann als "Herrlichkeit" (des künftigen Lebens) verstanden werden und dies ist nirgends im AT bezeugt, auch nicht in den deuterokanonischen (apokryphen) Büchern bezüglich des Substantivs δόξα. Daher scheidet
der Vorschlag von Stein als echte Alternative aus.

---

[73]   Der Begriff K^e bod Jahwe und seine Bedeutung für die alttestamentliche Gotteserkenntnis, Emsdetten 1939, 219
Anm. 144. Hierbei stützt er sich auf המדבר אחר von Ex 3,
1, das er "zur Wüste hin" und nicht, wie es meist geschieht, "hinter die Wüste" übersetzt.

3.3. אחר kann auch als temporale Präposition "nach" verwendet werden (vgl. Gen 9,28 ; 15,1). Damit ist aber noch nicht entschieden, ob der kurze Präpositionalausdruck in Ps 73,24b auch
ein solch temporales Verständnis zuläßt. Jellicoe plädiert für
eine Exegese in diesem Sinne, indem er sich vor allem auf Sach
2,12 stützt.[74] Trotzdem bleibt es mehr als fraglich, ob hier auf
eine Vision bezug genommen wird, die der Entrückung vorausgeht.
Wenn es dem Autor um einen solchen Sachverhalt gegangen wäre,
dann hätte er dies wohl deutlicher als in einem derartigen Steno-
grammstil formuliert.

3.4. אחר findet auch als Adverb im Sinne von "danach" Verwendung (vgl. Gen 18,5 ; Ex 5,1 ; Num 12,16).[75] Ein solches Verständnis würde sich gut in den Gesamtrahmen von Ps 73 einpassen
aufgrund folgender Gesichtspunkte :
In Ps 73,23f zeichnet sich grammatikalisch und inhaltlich eine
Klimax ab. Grammatikalisch zeigt sich dies in den temporalen
Aspekten : Der NS in V.23a ist zeitlich neutral. Ihm folgt in V.23b
die Afformativkonjugation in der Funktion als Stativ. V.24 zeichnet
sich mit der zweimaligen Präformativkonjugation eine zur Zukunft
hin sich ausweitende Linie ab. Inhaltlich richtet der Beter in V.
23a zunächst den Blick auf sich selbst. In V.23b spricht der Psalmist Jahwe an, zu dem er in einem besonders nahen Verhältnis
steht. Dieser enge Kontakt zu Jahwe wird sich im Laufe des Lebens
dadurch manifestieren, daß Jahwe den Frommen leitet (V.24a). Bei
dieser Abfolge ließe sich אחר ("danach") passend auf das Ende

---

74   Vgl. S. 285 f.
75   Auch die LXX trägt dieser Tatsache Rechnung, indem sie
        wiederholt אחר durch μετὰ τοῦτο(Gen 10,18 ; 18,5), μετὰ
        ταῦτα (Gen 24,55 ; Hos 3,5) oder ἔσχατον(Num 31,2 ;
        Neh 5,15) übersetzt.

des Lebens beziehen. לקח wäre dann als Terminus für die Aufnahme zu Jahwe zu klassifizieren.

אחר als Adverb "danach" (im Sinne von "am Ende des Lebens")
ließe sich ausgezeichnet als Kontrastwort zu אחרית in V.17b bestimmen.[76] Dieses Prinzip des kontrastierenden Gegenüberstel-
lens bestimmter Wörter findet sich nämlich an verschiedenen Stellen des Ps 73 :

אך טוב V. 1a - אך ריק V.13a.

עמל V. 5a - V. 16b.

נגע V. 5b - V. 14a.

משכיות לבב V. 7b - לבב V.13a.

ושלוי עולם V. 12b-וחלקי אלהים לעולם V.26b.

ספר V.15 a - V.28b.

עמך V. 23a. 25b - ממך V.27b

So gut sich auch אחר als Adverb "danach" in den Gesamtrahmen
des Ps 73 einfügen läßt, man kann deswegen doch nicht die Schwierigkeit übersehen, die sich in diesem Fall bezüglich des Nomens
כבוד ergibt. Sobald nämlich אחר nicht mehr als Präposition verstanden wird, steht כבוד ohne irgendeine nähere Bestimmung.
Viele Exegeten, die אחר als Adverb "danach" bestimmen, haben
darauf hingewiesen, daß in diesem Fall כבוד einen Akkusativ des
Ortes oder der Art und Weise darstellt.[77]
Grammatikalisch gesehen wäre eine solche Lösung nicht auszuschließen.[78] Hierbei ist jedoch das gleiche zu sagen, das be-

---

76   Vgl. Kraus, Psalmen I 509.
77   Vgl. Castellino, Libro dei Salmi 833 ; Duhm, Die Psalmen
     283 ; Delitzsch, Bibl. Kommentar über die Psalmen 494 ;
     Schilling, Leidensfrage 32 ; Sellin, Die atl Hoffnung auf
     Auferstehung und ewiges Leben 286 Anm. 2 ; W.S.Mc
     Cullough, The Book of Psalms (IB IV) New York 1955, 391.
78   Vgl. Gesenius-Kautzsch-Bergsträsser, Hebr. Grammatik
     § 118 2 f und 5 m-r.

reits weiter oben ausgeführt wurde : Der Zusammenhang würde dann erfordern, daß כבוד als himmlische Herrlichkeit
zu verstehen ist. Dieser Fall ist nicht im AT bezeugt und kann
deshalb nicht verifiziert werden. Auch bei der sprachlichen Möglichkeit, daß nämlich כבוד einen Akkusativ der Art und Weise
darstellt, wird man eine gewisse Skepsis nicht los. Es fehlt nämlich für כבוד als Akkusativ der Art und Weise ohne jede Determi-
nation ein Beleg aus der alttestamentlichen Literatur. Vielmehr
wird in einem solchen Fall zum Nomen die Präposition בְּ gesetzt
(vgl. Ps 112,9 ; Jes 14,18). Somit ergibt auch die unter 3.4. angepeilte Lösung für Ps 73,24b keine letztlich befriedigende Antwort.

3.5.   Zur Wendung אחר כבוד שלחני (Sach 2,12aß)
Für eine Exegese von Ps 73,24b muß unbedingt auch Sach 2,12
herangezogen werden, denn nur dort begegnet noch der Ausdruck
אחר כבוד . Er steht innerhalb der Nachtgesichte, die der Prophet Sacharja schaut und die sich auf die Wiederherstellung Jerusalems und Judas beziehen (Sach 1,7-6,15) ; Sach 2,12 selbst steht
bei dem dritten Nachtgesicht (Sach 2,5-17). Zunächst tritt ein
Mann mit einer Meßschnur auf, mit der er Jerusalem vermißt
(Sach 2,5-7). Sodann ergeht in Sach 2,8f durch einen Engel ein
Heilswort an Jerusalem. Weitere tröstliche Verheißungen, die
sich auf die Heimkehr des Volkes aus Babel (Sach 2,10-13) und
auf die herausragende Stellung Jerusalems beziehen (Sach 2,14-
17),schließen sich an.
Wie schon bei Ps 73,24b, so nehmen auch hier verschiedene Exegeten zu einer Konjektur ihre Zuflucht. Einige setzen für אחר
das Relativpronomen אשר.[79]

---

79   Vgl. F. Nötscher, Sacharja (Echter-B III) Würzburg 1958,
      813 ; D.W.Thomas, The Book of Zechariah (IB VI) New

G.R. Driver[80] schlägt die Konjektur "ein beschwerlicher Weg" vor,
wobei er diesen Ausdruck auf die Mühsal und Last bezieht, die der
Prophet von seiner Berufung an auf sich nehmen mußte.

Wie problematisch und unsicher derartige Konjekturen sind, zeigt
sich bereits an der LXX, in deren Vorlage sicher die durch den MT
bezeugte Lesart schon gestanden hat, denn sie übersetzt wörtlich
genau : ὀπίσω δόξης ἀπέσταλκέ με.

Ein anderer Versuch, mehr Klarheit ohne Konjektur zu gewinnen,
besteht darin, den rätselhaften Ausdruck als Glosse zu betrachten.
Th.C. Vriezen[81] hat diesen Weg beschritten, indem er besagten
Ausdruck als Glosse eines Glossators oder Schreibers wertet, der
überzeugt war, daß der Vers nicht am richtigen Platz steht. Nach
Meinung Vriezens wollte der Glossator angeben, daß V.12, vom
Wort שלחני an, nach V.9 zu stellen ist, wo ebenfalls das Nomen
כבוד vorkommt. Auf die beiden letzten Worte von V.9 konnte er
nicht anspielen, da אהיה zweimal in V.9 vorkommt und בתוכה
auch das letzte Wort von V.8 darstellt. Nach Vriezen ist folgende
Reihenfolge als ursprünglich anzusehen : V.8.9.12aßb.10.11.12aα.
13. Nach wie vor stehen gegen diesen Versuch folgende Bedenken,
die bereits D.Deden[82] geäußert hat : V.12aßb paßt keineswegs so
ausgezeichnet,wie Vriezen meint, nach V.9, denn der Übergang
von dem "Spruch Jahwes" in V.9, der eine Verheißung für Jerusalem darstellt, zur Notiz über die Sendung des Engels bzw.des Prophe-

---

York-Nashville 1956, 1066 ; A. Gelin,Aggée Zacharie Malachie (Jerusalem-B) Paris² 1953, 29 ; B. Duhm, Anmerkungen zu den Zwölf Propheten : ZAW 31, 1911, 166.
80   Linguistic and textual Problems. Minor Prophets III :
JThS 39, 1938, 403.
81   Two old Cruces : OTS 5, 1948, 89.
82   De Kleine Profeten (BOuT XII)Roermond 1953, 328.

ten zu den "Völkern" kommt unvermittelt und wirkt abrupt. V.9 f
hingegen zeigt eine enge Verklammerung durch das dreimalige
"Spruch Jahwes". Weiterhin ist diese Textumstellung durch keine
der alten Übersetzungen bezeugt. Ferner ist zu bedenken, daß
man durch die Umstellung von V.12 aßb nach V.9 den V.13 eines
notwendigen, vorausgehenden Gliedes beraubt. עליהם (V.13a)
verweist zurück auf הגוים (V.12aß) und שלל (V.13a) ist im Zusammenhang mit השללים (V.12aß) zu sehen. Schließlich ist zu bedenken, daß die Transposition von Vriezen die Zugehörigkeit der
Präposition אל zu שלח bedingt, was neue Schwierigkeiten hervor-
ruft ; vgl. S.299. Auch Deden[83] sieht in "achter glorie heeft hij
mij gezonden" eine Glosse, die er aber, im Gegensatz zu Vriezen,
an der jetzigen Stelle beläßt. אחר bestimmt er als temporale Präposition im Sinne von "nach der Vision hat er mich gesandt." Hier
geht er in seiner Exegese konform mit Jellicoe, der zum nämlichen Urteil kommt.[84] Die Bedenken, die gegen letztgenannte Deutung sprechen, wurden bereits dargelegt.[85]
Nun gibt es noch eine Reihe von Forschern, die, ohne daß sie eine
Konjektur bieten oder die fragliche Wendung als Glosse einstufen,
eine Erklärung versuchen. H. Junker[86] sieht in Sach 2,12aß die
Tatsache ausgesprochen, daß Jahwes Herrlichkeit dem Engel vorausgeht. Mit dieser Deutung ist allerdings die Frage nicht ausge-
räumt, wieso man sich einer so seltsamen und ausgefallenen Wendung bedient. Nach Stein[87] hat der viel besprochene Ausdruck in

---

83   De Kleine Profeten 327 f.
84   Vgl. S. 285 f.
85   Vgl. S. 291.
86   Die zwölf kleinen Propheten (HS VIII 3/2) Bonn 1938,
       128.
87   Der Begriff K^{e}bod Jahwe 260 .

Sach 2,12aß den Sinn, daß die Sendung des Engels zu den Völkern

כבוד bezweckt. אחר wird hierbei von ihm als lokale Präposition

"zu, hin" wie bei Ps 73,24b verstanden.Für Ps 73,24b ist es aber gerade

fraglich, ob אחר in diesem Sinn interpretiert werden kann.[88]

L. G.Rignell[89] plädiert dafür, daß sich אחר כבוד (Sach 2,12aß)

auf אמר (Sach 2,12aα) in dem Sinne bezieht, daß der Prophet das

Jahwewort, das sich anschließt, bereits früher empfangen hatte,

nämlich nach seiner Aussendung als Prophet.כבוד stellt nach sei-

nem Dafürhalten das Subjekt im Nebensatz dar und ist identisch

mit Jahwe. אל הגוים gehört nicht zu שלחני, sondern zu אמר.

אחר כבוד שלחני ist nach Rignell ein parenthetischer Nebensatz :

"Denn so sagte der Herr Zebaoth - nachdem die Ehre mich gesandt

hatte - betreffs der Heiden" ... Bereits aber die Übersetzung von

אחר als temporale Konjunktion "nachdem" ist zweifelhaft. Zwar

zitiert Rignell zur Stützung seiner These Gen 18,5 ; 22,13 ; Ex

18,2, ohne jedoch bei sämtlichen Stellen voll überzeugen zu kön-

nen. Auch כבוד ohne Suffix oder sonstige entsprechende Näher-

bestimmung als Umschreibung für Jahwe ist äußerst selten.[90]

Bei כבוד im Hebräischen und dem griechischen Äquivalent δόξα

in den deuterokanonischen (apokryphen) Büchern des AT ist nämlich

keineswegs schon allgemein der Fall eingetreten, daß diese Voka-

bel im absoluten Gebrauch für eine Umschreibung Gottes herange-

zogen wird, wie beispielsweise οὐρανός als Umschreibung für

Gott im ersten Makkabäerbuch bezeugt ist (vgl. 1 Makk 3,19.50;

4,10.40.55 ; 9,46 ; 12,15 ; 16,3). Selbst das späte Buch Tobit,das

mit dem Substantiv δόξα den Gottesnamen umschreibt, gebraucht

δόξα nicht absolut, sondern mit einer entsprechenden Beifügung ;

---

88   Vgl. S. 290.
89   Die Nachtgesichte des Sacharja, Lund 1950, 87 f.
90   Vgl. S.289.

vgl. Tob 3,16 (BA) ; 12,12 (S) ; 12,15 (BA). - Nicht sehr aufschluß-
reich ist die Auskunft, die D.Baron[91] bezüglich der umstrittenen
Wendung gibt ; er meint nämlich, daß damit die Mission umschrieben wird, die das göttliche Wesen auszuführen hat. Die inhaltliche
Bedeutung liegt nach seiner Ansicht in der Verteidigung und Entfaltung der "glory of God". Man erwartet von ihm eigentlich einen
präziseren Aufschluß über die ausgefallene Konstruktion אחר כבוד ,
aber diese Antwort bleibt er schuldig. M. Bič[92] übersetzt "(der)
mich gesandt hat nach Ehre zu den Heiden" ... Er begründet diese
seine Version mit der Bemerkung, daß der Herr Zebaot auch Ehre
von den Heiden verlangt.[93] Weiterhin führt er aus, daß in besagter Wendung ein Eingriff alter Schriftgelehrten festzustellen sei.[94]
Der heutige Text erwecke zwar den Eindruck als spräche der Prophet selbst, aber ursprünglich lag nach seiner Meinung hier ein
Wort des Herrn in der ersten Person vor. Für diese Behauptung
beruft er sich auf rabbinische Zeugnisse. Bei Bič vermißt man
ebenso wie bei Baron eine eingehende Analyse der Wendung selbst.

Die vielen Lösungsversuche der verschiedenen Forscher bezüglich der problematischen Wendung in Sach 2,12aß zeigen nachdrücklich, daß eine sachgerechte Deutung großen Schwierigkeiten begegnet. Bevor man sich dem Ausdruck im Detail zuwenden kann, ist
zu fragen, wer denn eigentlich spricht. Sach 2,12 steht innerhalb
des dritten Nachtgesichts (Sach 2,5-2,17). In diesem dritten Nachtgesicht treten folgende Personen auf : Der Prophet selbst (Sach 2,5f),
der Mann mit der Meßschnur, der Jerusalem vermessen soll (Sach

---

91   The Visions and Prophecies of Zechariah, London⁵1962,73.
92   Die Nachtgesichte des Sacharja (Biblische Studien 42)
     Neukirchen 1964, 19.
93   Die Nachtgesichte 26.
94   Die Nachtgesichte 27.

2,5f), zwei Engel (Sach 2,7). Während es für Sach 2,8f klar ist,
daß hier einer der beiden Engel spricht, ist es für Sach 2,10-17
nicht mehr eindeutig angebbar, ob an dieser Stelle der Engel oder
der Prophet den "Spruch Jahwes" vermeldet. Die Basis שלח ("senden") in V.12.13.15 kann sich sowohl auf den Engel als auch auf
den Propheten beziehen.[95] Nach Klärung dieser Vorfrage kann nun
die Wendung שלחני אחר כבוד einer eingehenden Analyse unterzogen
werden:

Bereits aus der LXX geht hervor, daß אחר von den griechischen
Übersetzern durch μετά + Gen. im Sinne von "mit" wiedergegeben wurde.[96] Auch die Untersuchungen von R.B.Y.Scott[97] demonstrieren dies eindeutig. Gerade im Zusammenhang mit den Verben
הלך - עלה - ירד - היה ist אחר vielfach durch "mit" zu übersetzen
(vgl. 1 Sam 21,10 ; 1 Kön 20,15 ; 2 Chr 11,16 ; Neh 12,38 ; Jer
25,26 ; Sach 1,8).[98] Lexikographisch ist also die Möglichkeit gegeben, Sach 2,12aß folgendermaßen zu übersetzen : "Mit Ehre (ehrenvoll) hat er (nämlich Jahwe Zebaot) mich gesandt." Bei dieser

---

95 Auch bei Sach 4,9 ;6,15 ist es nicht sicher, ob "senden"
    dem Engel oder dem Propheten gilt.
96 Vgl. S.288.
97 Secondary Meanings of אחר , after,behind : JThS 50,1949,
    178 f.
98 Diese Beobachtungen an alttestamentlichen Texten werden
    durch das Ugaritische gestützt : "Mit Nikkal ist mein Hei-
    raten, mit Nikkal wird Yarich in die Hochzeitskammer ein-
    treten" (UT 77 : 32-33) ; zu dieser Übersetzung vgl. M.Da-
    hood, Psalms II (The Anchor Bible 17) New York 1968,302.
    In diesem Fall erhält aḫr ("mit") durch das parallele ᶜmn
    ("mit") eine starke Stütze. Dahood, Hebrew-Ugaritic Lexi-
    cography I : Bibl 44,1963,292f gibt aus dem Epos von Ku-
    riti und Churaja eine weitere Stelle an, bei der nach sei-
    ner Meinung aḫr möglicherweise ebenfalls "mit" bedeu-
    tet : "Mit der Sonne am vierten (Tag)" (Krt 209). Ob jedoch
    hier aḫr wirklich durch "mit" zu übersetzen ist, bleibt
    aufgrund des Kontextes fraglich.

Version ist die Wendung als Parenthese zu verstehen ; vgl. dazu
die Parenthese in Sach 2,10b "in die vier Himmelsrichtungen hatte
ich euch ja zerstreut", die zwischen die parallelen Glieder Sach
2,10a und 2,11 eingeschoben ist. הגוים אל ist nicht zu שלח , sondern zu אמר zu ziehen, wie dies schon Rignell erkannt hat. [99] Es
wurde nämlich bereits ausgeführt, daß es nicht sicher zu entscheiden ist, ob in V.12 der Engel oder der Prophet spricht und für den
Fall, daß der Prophet der Sprechende ist, kann שלח nicht zu אל
הגוים gehören, da nirgends davon die Rede ist, daß der Prophet zu
den Völkern gesandt wird ; vgl. Sach 2,13b . 15b ; 4,9b ; 6,15a.
Somit ist Sach 2,12a folgendermaßen wiederzugeben : "Denn so
spricht / hat gesprochen Jahwe Zebaot - ehrenvoll hat er mich gesandt - über die Völker, die euch plünderten. " Der Gedanke, daß
der Engel bzw. der Prophet Würde und Ansehen durch seine Sendung von Jahwe empfängt, ist dem Kontext gar nicht so fremd.
Jahwe selbst, der die Sendung veranlaßt, wird beispielsweise der
Stadt Jerusalem zum Ruhm gereichen (Sach 2,9b). Auch die zwei
Erweisformeln "damit ihr erkennt, daß Jahwe Zebaot mich gesandt
hat" (Sach 2,13b) ; "und du wirst erkennen, daß Jahwe Zebaot mich
zu dir gesandt hat" (Sach 2,15b), beide Stellen mit der Basis שלח,
weisen in die gleiche Richtung. Sach 2,10f ergeht die Aufforderung
zur Heimkehr an die Zerstreuten in allen Ländern, besonders an die
in Babel. Sach 2,13 kündigt den Sturz der Völker an, die Juda be-
drängt und geknechtet hatten. Beim Eintreten dieser Ereignisse
wird sich die wahre Sendung des Engels bzw. Propheten durch Jahwe manifestieren und dadurch kommt ihm Achtung und Ehre zu.
Sach 2,14f ist davon die Rede, daß Jerusalem wieder Jahwes Stadt
sein wird und daß "viele Nationen" sich Jahwe zuwenden und in Jerusalem wohnen. Wenn dies geschieht, erweist sich die Sendung

---

99   Vgl. S. 296.

des Engels bzw. Propheten durch Jahwe als wahr und aus diesem
Faktum resultiert, daß dem Engel bzw. Propheten eine spezielle
Würde eigen ist. Daher läßt sich sagen, daß die von uns vorgeschlagene Übersetzung und Exegese von Sach 2,12aß grammatikalisch möglich ist und sich auch zwanglos in den Kontext einfügt.

3.6.   Übersetzung und Exegese von Ps 73,24b
Ps 73,24b ist folgendermaßen zu übersetzen : "Mit Ehre (ehrenvoll)
wirst du mich hinnehmen (entrücken)." Es wurde bereits bei der
Analyse von Sach 2,12aß herausgestellt, daß אחר die Bedeutung
"mit" haben kann. Die Wiedergabe des Präpositionalausdruckes
in Ps 73,24b durch "mit Ehre" besagt, daß die Hinwegnahme des
Frommen durch Gott im Tod "ehrenvoll" für den Frommen sein
wird. Hiermit zeichnet sich ein Kontrast zum Ende der Gottlosen
ab, deren Lebensausgang nicht ehrenvoll sein wird (V.17b-20).
Eine derartige Gegenüberstellung unter umgekehrten Vorzeichen
ist ein Leitprinzip des gesamten Psalms. Eine indirekte Stütze
erfährt diese unsere Übersetzung und Auslegung durch die Tatsache, daß an zwei Stellen des AT von der "Ehre" gesprochen wird,
die bestimmten Toten widerfuhr (vgl. 2 Chr 32,33 ; Jes 14,18).
2 Chr 32,33 heißt es bezüglich des Todes des Hiskija : "Und die
Bewohner Jerusalems erwiesen ihm Ehre." Jes 14,18 liest man :
"Alle Könige der Völker ruhen in Ehren, ein jeder in seiner Gruft."
Aus beiden Zitaten geht hervor, daß es für den biblischen Autor
bedeutsam ist, ob im Tod einem Menschen Ehre zuteil wird oder
nicht. Von daher gesehen wirkt es nicht befremdend, daß bei Ps
73,24b der ehrenvolle Weggang des Frommen aus dieser Welt hervorgekehrt wird.
Vielleicht muß Ps 73,24b auch im Zusammenhang mit Ps 49,18b
gesehen werden, denn dort heißt es, daß der Kabod des gottlosen
Reichen nicht mit ihm in das Totenreich hinabsteigen wird. Im

Gegensatz dazu verliert der Fromme im Todesgeschehen seinen

Kabod nicht.-Auch die LXX hat den Präpositionalausdruck in Ps

73,24b in dem von uns dargelegten Sinn verstanden, denn sie über-

setzt ihn mit μετὰ δόξης.[100] Diese Wendung wird wiederholt

in der LXX gebraucht, wenn es sich um einen für bestimmte Men-

schen ehrenvollen Akt handelt ; vgl. Bar 4,24 ; 5,6 ; 2 Makk 5,20 ;

3 Makk 6,28. - Die Basis לקח , die ihre Grundbedeutung "nehmen"

nie völlig abgestreift hat, kommt in bestimmten Fällen der Bedeu-

tung "erwählen, hinwegraffen, erretten" nahe.[101] Daneben nähert

sie sich aber auch mitunter der speziellen Bedeutung "entrücken"

(vgl. Gen 5,24 ; 2 Kön 2,3.5.9.10). Wir entscheiden uns für "hin-

nehmen" in Ps 73,24b, wobei sich לקח der Bedeutung "entrücken"

stark annähert. Für diese Entscheidung können folgende Gründe

geltend gemacht werden :

Ps 73,23f läßt sich eine Klimax konstatieren. Die Steigerung wird

sowohl durch Subjektswechsel als auch durch wechselnde temporale

Aspekte erzielt. Während im NS V.23a der Psalmist noch Sub-

jekt ist, wird in V.23b Jahwe als neues Subjekt eingeführt. Der NS

V.23a beschreibt einen dauernden Zustand und ist extratemporal.

V.23b hingegen verwendet die Afformativkonjugation in konstativer

Funktion, die Vergangenheit und Gegenwart einschließt. Mit der

zweimaligen Präformativkonjugation in V.24 wird sodann der Aus-

blick auf die Zukunft eröffnet. Aus dieser Sicht läßt sich "hinneh-

men" zwanglos auf ein Faktum am Ende des Lebens beziehen.

Sowohl die Wendung "du hast meine Rechte erfaßt" (V.23b) als auch

"mein Teil ist Jahwe für immer" (V.26b) stehen ursprünglich in

Relation zu einer bestimmten Person bzw. zu einem bestimmten

Personenkreis. So klingt mit V.23b die ehemals königliche Präro-

---

100   Vgl. S. 288.
101   Vgl. S. 85-91.

gative[102] und mit V.26b die einstmalige Levitenprärogative[103] an.
Diese Begrenzung wird jetzt gesprengt, so daß nun diese königliche
Prärogative und die Levitenprärogative in einer akutalisierenden
und spiritualisierenden Weise auf den Beter des Psalms übertragen werden. Die gleiche aktualisierende und spiritualisiernde Tendenz kann sich daher auch in V.24b auswirken. Die große Auszeichnung, die einst Henoch und Elia widerfuhr, soll auch für den Psalmisten Wirklichkeit werden (vgl. die Basis לקח). Selbstverständlich besteht seine Entrückung nicht in einer Hinwegnahme von der
Erde ohne vorausgehenden Tod, sondern er gelangt vielmehr nach
dem Tod zu Gott und verfällt nicht der Scheol.

In der Psalmeinheit V.23-26 liegt der Schwerpunkt auf dem Gedanken der Verbundenheit des Beters mit Jahwe. Dies kommt vor
allem durch das zweimalige "mit dir" (V.23a.25b) zum Ausdruck.[104]
Wenn nun dieser Gedanke der Verbundenheit mit Jahwe über den
Tod hinaus hier auftritt, so wirkt dies keineswegs wie ein Fremdkörper, sondern fügt sich harmonisch in den Kontext ein.[105]

V. Die Datierung von Ps 73

Die überwiegende Zahl der Exegeten ist sich darüber einig, daß
Ps 73 aus später, nachexilischer Zeit stammt.[106] Nur vereinzelt

---

102   Vgl. S. 273 f.
103   Vgl. Kraus, Psalmen I 122 f.
104   Vgl. auch das kontrastierende "von dir weg" (V.27b).
105   Bezüglich der Einwirkung von Ps 73,24b auf das NT s.1
        Tim 3,16;vgl.ferner Lohfink, Himmelfahrt 87-89.95.
106   Vgl. Kittel, Die hellenistische Mysterienreligion und das AT
        95 ; Gunkel, Die Psalmen 316 ; G.v.Rad, "Gerechtigkeit"
        und "Leben" in der Kultsprache der Psalmen, in : Fest-
        schrift f.A.Bertholet, Tübingen 1950, 435 ; Kraus, Psal-
        men I 504 ; Mowinckel, The Psalms in Israel's Worship
        II 36 Anm. 13.

werden Stimmen laut, daß Ps 73 der vorexilischen Zeit zuzurechnen sei. Die Befürworter der Spätdatierung ziehen für die Begründung ihrer These inhaltliche und formale Gesichtspunkte heran. Leider werden diese Argumente zu pauschal und zu wenig dif-
ferenziert abgegeben.

1. Thematische Aspekte

Wir konnten bereits bei der Gattungsanalyse von Ps 73 für die
Komplexe V. 2-12, 13-16, 18-20, eine sehr enge Berührung mit
spezifisch weisheitlichen Themenkreisen nachweisen, die sich vor
allem in Büchern des AT finden, die einer späteren Zeit angehören. Ps 73, 2-16 behandelt die Problematik, die sich aus dem Wi-
derstreit von Vergeltungstheorie und Wirklichkeit für den gläubigen Frommen ergibt. Soweit wir aus der alttestamentlichen Literatur noch entnehmen können, hat dieses Problem erst in nachexilischer Zeit seine volle Schärfe gewonnen. Ps 73, 18-20 wird für
diese bedrängenden Fragen eine Antwort gegeben, die ebenfalls in
der späteren Weisheitsliteratur häufig zur Anwendung kommt. Die
Behandlung dieser Themen in logischer Abfolge auf gedrängtem
Raum weist auf eine spätere Zeit hin. Kraus[107] nennt als Kriterien
für einen späten Psalm die "weitausholenden, reflektierenden Themen" der Weisheitsdichtung, die sich in dieser Phase immer stärker durchsetzen. Von daher besteht durchaus die Möglichkeit,
Ps 73 aufgrund inhaltlicher Gesichtspunkte einer späteren Zeit zuzurechnen.

---

107   Psalmen I LX f.

2. Sprachliche Aspekte

Es wurde bereits darauf hingewiesen, daß Aramaismen an sich
noch kein zuverlässiges Argument für eine Spätdatierung darstellen.[108] Allerdings bleibt zu beachten, daß eine gewisse Häufung
von Aramaismen zu den Charakteristika der späten Literatur
zählt.

2.1. Lexikalische Aramaismen

אנוש ("Mensch") V.5a. Dieses Wort ist bereits vorexilisch bezeugt, sein Anwendungsbereich weitet sich aber in der exilisch-
nachexilischen Zeit stark aus.[109] Diese Vokabel wird fast nur in
poetischen Texten verwendet. Auch im biblischen und außerbiblischen Aramäisch ist אֱנָשׁ häufig bezeugt. Wagner[110] nimmt an, daß
das aramäische אנש , das das Äquivalent zu dem hebräischen אדם
darstellt, "unter Hebraisierung des Vokalismus in das He. übernommen worden ist".

מרק (hif.)("höhnen") V.8a. Wagner S.73 weist darauf hin, daß es
sich, wenn diese Basis hier wirklich vorliegt, um einen Aramaismus handelt, denn diese Basis ist sonst nur noch im Jüdisch-Ara-
mäischen und Syrischen bezeugt.

V.10b lautet nach MT : "Und Wasser des Vollen wird von ihnen ge-
schlürft." Die Konjektur, "man schlürft ihre Worte", paßt ausgezeichnet in den Kontext.[111] In diesem Fall erhalten wir die Vokabel מלה ("Wort"), die im vorexilischen Schrifttum nur schwach bezeugt ist, während sie in späterer Zeit häufig in Gebrauch kommt.

---

108   Vgl. S. 250.
109   Vgl. Wagner, Aramaismen 26 f.
110   Aramaismen 27.
111   So Kraus, Psalmen I 502.

Wagner[112] sieht in dieser Vokabel "wohl aram. Erbgut, ... das von
den sehr häufigen Synn. אָמַר und דבר , bzw. דָּבָר verdrängt worden und anscheinend erst in späterer, exil./nachexil. Zeit durch
aram. Beeinflussung vermehrt in Gebrauch gekommen ist". מלה
ist ein häufiges Nomen des biblischen und außerbiblischen Aramäisch.

שגה (hif. "groß machen") V.12b. Die Basis שגא / שגה ("wachsen")
kommt mit Ausnahme von Ps 73,12b und Ps 92,13 nur noch bei
Ijob vor : 8,7.11 ; 12,23 ; 36,24. Auch das Derivat שׂגיא ("erhaben") findet sich nur bei Ijob : 36,26 ; 37,23. שגא ist vielfach im
biblischen und außerbiblischen Aramäisch anzutreffen.

2.2. Weitere sprachliche Indizien, die auf eine späte Abfassungszeit schließen lassen

Besondere Beachtung verdient die Wendung קרבת אלהים in V.28a.
Diejenigen Exegeten, die die Wendung in ihrer im MT vorliegenden
Textgestalt belassen, übersetzen gewöhnlich "Nähe Gottes".[113]
Andere Forscher konjizieren קרבתך an Stelle von קרבת אלהים .[114]
Gunkel und Kraus stützen sich bei ihrer Konjektur auf metrische
Gesichtspunkte, da mit V.28 auf den fast durchgängig konstanten
Doppeldreier in Ps 73, das Metrum 3 + 3 + 3 folgt. Wenn man קרבת
אלהים beläßt, so ist zunächst zu sagen, daß קרבת als Derivat der
Basis קרב in der Punktation der Masoreten den stat. constr. einer
nicht belegten Nominalbildung קִרְבָה ("das Nähertreten, das Kom-
men vor jemand, Annäherung, Nähe") darstellt. Besagter Ausdruck
ist im AT nur noch bei Jes 58,2 bezeugt. Im Blick auf die Basis

---

112   Aramaismen 78.
113   Vgl. Nötscher, Das Buch der Psalmen 160 ; Dahood,
       Psalms II 196.
114   So Gunkel, Die Psalmen 320 ; Kraus, Psalmen I 503 ;
       BHS 11.

קרב , die häufig mit der Präposition אל konstruiert wird, würde
man dies eigentlich auch bei V.28a erwarten. Es wäre denkbar,
daß ursprünglich sogar diese Präposition stand, die dann nach der
elohistischen Redaktion durch Haplographie wegfiel. In einem solchen Fall wäre dann der stat.abs. des Nomens קרבה in den stat.
constr. umgeändert worden. Doch diese These ist unwahrscheinlich, da sich dann der gleiche Vorgang bei Jes 58,2 abgespielt
haben müßte.

Für den Ausdruck קרבת אלהים in V.28a sind zwei aramäische Inschriften relevant, die beide aus Ägypten stammen.[115] Bei Nr.267
handelt es sich um eine Grabinschrift aus Saqqāra vom Jahr 482
v.Chr.[116] Der für unseren Zusammenhang wichtige Text lautet :
"Das Eintreten vor (קרבתא קדם) den Gott Osiris."[117] Zu קרבתא
wird folgende Anmerkung gemacht : "Substant. קרבה oder nomen
abstractum קרבת mit der Endung - ūt im stat.determin.sg. 'das
Nähertreten, Kommen vor jm'."[118] Dabei erfolgt auch ein Hinweis auf Ps 73,28a und Jes 58,2. Zwischen Ps 73,28a und der
aram. Grabinschrift besteht also eine auffallende Parallele aufgrund der Nominalbildung קרבה bzw. קרבתא . Verschieden ist
allerdings die Konstruktionsart, denn besagte Nominalbildung wird
auf der Inschrift mit der lokalen Präposition קדם verbunden, während sich bei V.28a keine Präposition findet. Beachtung verdient,
daß das Nomen קרבתא als term.techn. für das Erscheinen vor
dem Gott Osiris, dem Richter der Toten, verwendet wird. Jeder
Verstorbene muß sich ja nach ägyptischem Glauben im Totenge-
richt dem Gott Osiris stellen. Bei Nr. 268 handelt es sich um eine
aramäische Votivinschrift aus Memphis, die dem 5.-4. Jahrhun-

---

115   KAI I Nr. 267 und Nr. 268.
116   Vgl. KAI II 315.
117   Nr. 267 A (1f).
118   KAI II 316 f.

dert v. Chr. entstammt. Der entscheidende Passus lautet :

"Die Opfergabe für den Eintritt (לקרבת) des BNT zu Osiris."[119]

Wie schon bei der bereits behandelten aramäischen Grabinschrift
wird auch hier das Nomen קרבה im Gegensatz zu Ps 73,28a mit
einer Präposition konstruiert, und zwar mit לְ . Konform sind
beide Inschriften bezüglich des Nomens קרבה/קרבת für das Hinzutreten des Verstorbenen vor den Totenrichter Osiris.

Nachdem nun in beiden aramäischen Inschriften dieses Nomen im
speziellen Sinn für das Eintreten des Verstorbenen in das Toten-
gericht herangezogen wird, bleibt zu fragen, ob sich die Wendung
in V.28a eventuell auch auf das Kommen des Frommen zu Gott
nach dem Tod beziehen kann. Dahood[120] ist fast der einzige, der
V.28a mit einem künftigen Leben im Jenseits in Zusammenhang
bringt. Aufgrund der in dieser Arbeit dargelegten Erklärung von
V.24b als spiritualisierende und aktualisierende Entrückungsaussage für den frommen Psalmbeter könnte man mit einer solchen
Möglichkeit rechnen. Jedoch in Anbetracht von V.17a läßt sich
V.28a auch als Ausdruck gottesdienstlicher und kultischer Sprache
verstehen. Eine Deutung im letztgenannten Sinn wird dem V.28 in
seiner Gesamtheit gerechter, da ja V.28aßb durchaus nicht auf
ein jenseitiges Leben verweist. Vor allem aber erfährt die zuletzt herangezogene Interpretation eine große Stütze durch Jes
58,2. Hier zielt קרבת אלהים zweifellos auf einen gottesdienstlichen
Vorgang, wie der Kontext ausweist.[121]

Zusammenfassend läßt sich also sagen, daß V.28a nicht den Blick
auf das Jenseits lenkt, sondern im Zusammenhang mit dem Gottes-
dienst zu sehen ist. Der sprachliche Befund verweist in eine späte

---

119   Nr. 268 (1).
120   Psalms II 196.
121   Vgl. C. Westermann, Das Buch Jesaja (ATD 19) Göttin-
       gen 1966, 266 f.

Zeit, da die Nominalbildung קִרְבַת /קִרְבָה im Hebräischen und Aramäischen nur für die jüngere Epoche bezeugt ist. Es ist sogar
nicht ganz ausgeschlossen, daß in der Nominalbildung von V.28a
ein Aramaismus vorliegt, wie dies bereits mehrfach für Ps 73
bei dieser Untersuchung nachgewiesen wurde.

Bereits bei der Behandlung von Ps 49 wurde darauf hingewiesen,
daß die Zunahme an Abstraktpluralen für die jüngere Sprache des
AT charakteristisch ist.[122] Auch in Ps 73 finden sich verschiedene
Pluralbildungen, die relativ selten im AT vorkommen und überwiegend späten Büchern angehören :

חַרְצֻבּוֹת V.4a. Dieses Nomen ist nur noch Jes 58,6 belegt, und
zwar ebenfalls im Plural[123]

שְׁלוּ וְשַׁלְוֵי עוֹלָם V.12b. im AT : 1 Chr 4,40 ; Ijob 16,12 ; 20,20 ;
21,23 ; Jer 49,31 ; Ez 23,42 ; Sach 7,7. Die Pluralbildung als stat.
constr. ist nur für V.12b belegt. Zu beachten ist diese Basis im
Aramäischen : Dan 4,1.24.

לַבְּקָרִים V.14b. Der Plural von בֹּקֶר ("Morgen") ist, gemessen am
Gesamtvorkommen dieses Nomens, sehr selten : Ijob 7,18 ; Ps
101,8 ; Jes 33,2 ; Klgl 3,23. Mit Ausnahme von Ps 101,8 tritt der
Plural von בֹּקֶר nur in jüngerer Literatur auf, denn Jes 33 gehört
der nachexilischen Zeit an.[124]

חֲלָקוֹת V.18a. חֲלָקוֹת im AT : Ps 12,3f ; Jes 30,10 ; Dan 11,32.

מַשּׁוּאוֹת V.18b. מַשּׁוּאוֹת kommt nur noch Ps 74,3 vor. Von Ps 74
läßt sich mit ziemlicher Sicherheit sagen, daß er nachexilisch ist.[125]

בַּלָּהוֹת V.19b. בַּלָּהוֹת im AT : Ijob 18,11.14 ; 24,17 ; 27,20 ; 30,
15 ; Ez 26,21 ; 27,36 ; 28,19.

---

122   Vgl. S. 202.
123   Vgl. dazu die ebenfalls nur zwischen Ps 73,28a und Jes 58,2
        bestehende Übereinstimmung bezüglich קִרְבַת אֱלֹהִים.
124   Eissfeldt, Einl. 440.
125   Vgl. Kraus, Psalmen I 514 f.

Die angeführten Plurale sind zwar kein zwingendes Beweismittel
für eine Spätdatierung von Ps 73, aber sie zeigen doch, daß diese
Pluralbildungen in der Mehrzahl der Fälle in späten Büchern des
AT anzutreffen sind. Somit ergibt sich auch daraus ein verhaltenes
Indiz, daß Ps 73 der Spätphase der alttestamentlichen Literatur
zuzurechnen ist.

Wenn man alle Argumente überschaut, seien sie nun inhaltlicher
oder sprachlicher Natur, die bei der Datierungsfrage ins Feld geführt werden, so kann man sagen, daß es verschiedene, gutbegrün-
dete Anzeichen dafür gibt, in Ps 73 ein relativ spätes Produkt der
alttestamentlichen Literatur zu sehen. Somit erfährt die Exegese,
die wir von V.24b gegeben haben, eine indirekte Stützung durch das
Resultat unserer Datierungsuntersuchung. Bekanntlich sind ja erst
in der Spätphase der alttestamentlichen Religion Hinweise erkennbar, die von einem Fortleben der Gerechten nach dem Tod sprechen, ohne daß diese der Scheol verfallen ; vgl. 2 Makk ; Weish 3,
1-9.

B. ENTRÜCKUNG ALS VORÜBERGEHENDES EREIGNIS IM AT

Wir unterschieden bereits für den Kulturkreis des Alten Orients
zwischen einer endgültigen Entrückung ohne vorausgehenden Tod
und einer zeitlich begrenzten Entrückung. Die zeitlich begrenzte
Entrückung im Alten Orient besagt, daß ein Mensch vorübergehend
in den Himmel zu den Göttern, in die Versammlung der Götter,
oder im Traum in die Unterwelt entrückt wird. In den vorausgehenden Kapiteln 4 - 7 des zweiten Teils ging es jeweils um Entrückung als irreversiblen Akt. Der Fall einer vorübergehenden
Entrückung zu Gott läßt sich im AT nicht nachweisen ; dies ist bedingt durch den großen Abstand, der zwischen Gott und Mensch besteht. Dafür aber stößt man in den biblischen Texten auf eine Entrückung, die sich als Versetzung von einem Ort dieser Erde zu
einem anderen manifestiert.

ACHTES KAPITEL
Behandlung der einzelnen Stellen

I. Die Entrückung Adams in den Garten Eden
(Gen 2, 15)

Bereits in Gen 2, 8b ist davon die Rede, daß Jahwe den Menschen
in den Garten versetzte. Mit V. 9-14 folgt sodann eine nähere Beschreibung des Gartens. V. 15 blendet auf V. 8b zurück, indem
nochmals erwähnt wird, daß die Versetzung des ersten Menschen
in den Garten erfolgte. Während die Versetzung in V. 8b durch ‏שׂים‎
umschrieben wird, findet sich bei V. 15 für die Darstellung des
gleichen Tatbestandes die Wortfolge ‏וינחהו‎ ... ‏ויקח‎ . V. 15 steht

wegen der Verwendung der Basis לקח, die in der Entrückungsterminologie eine wichtige Rolle spielt, im Mittelpunkt der folgenden
Ausführungen.[1]

Die meisten Exegeten sagen bei der Behandlung von V.15 nichts
von einer Entrückung Adams in den Garten Eden. Nur vereinzelt
findet man diesbezügliche Angaben. So verweist F.Boettcher[2] im
Zusammenhang mit Gen 5,24 auf 2 Kön 2,3.5.9.10 und Gen 2,15.
F. Delitzsch[3] bemerkt zu Gen 2,15, daß Gott den Mensch nicht sofort in das Paradies hineinschuf, sondern daß er erst später
hineinversetzt wurde. R. Tournay[4] führt aus, daß Gott einen Menschen "nehmen" kann, ohne ihn zum Himmel aufzunehmen, wie es
bei Jer 15,15 und Gen 2,15 der Fall ist.

Boettcher unterläßt allerdings bei seinem Verweis eine notwendige
Differenzierung, denn zwischen לקח in Gen 2,15 einerseits und
der gleichen Basis in Gen 5,24 und 2 Kön 2,3.5.9.10 andererseits
besteht ein sachlicher und grammatikalischer Unterschied. Die
sachliche Abweichung besteht darin, daß mit לקח in Gen 5,24 und
2 Kön 2,3.5.9.10 die Entrückung des Henoch bzw. der Tod des
Elija als endgültiges und unwiderrufliches Faktum deklariert werden, während es sich bei Gen 2,15 um eine befristete Versetzung
an einen bestimmten Ort innerhalb dieser Erde handelt. Die grammatikalische Differenz gründet sich darauf, daß לקח in Gen 5,24
und 2 Kön 2,3.5.9.10 jeweils absolut verwendet wird, während man
dieses Verbum in Gen 2,15 in Verbindung mit dem hi. von נוח
vorfindet.[5] Somit ist es aus grammatikalischer Perspektive nicht

---

1   Vgl. S. 85-91.
2   De inferis rebusque post mortem futuris ex Hebraeorum
     et Graecorum opinionibus libri duo, Dresden 1846, 121.
3   Neuer Commentar über die Genesis, Leipzig 1887, 89.
4   L'Eschatologie individuelle dans les Psaumes : RB 56,
     1949, 495.
5   Vgl. Ez 37,1 ; 40,2.

korrekt, לקח für sich in Gen 2,15 als Entrückungsterminus zu de-
finieren. Die Entrückungsaussage in Gen 2,15 basiert nicht auf
לקח allein, sondern auf der Kombination ריקח ... ריינחהו . Schon
die Beobachtung, daß man לקח in Kombination mit einem weiteren Verbum häufig antrifft, wobei לקח formelhaft erstarrt ist,
verbietet es, לקח für sich allein in Gen 2,15 als Entrückungsvo-
kabel einzustufen ; vgl. Gen 27,14f ; 39,20 ; Ex 24,7; 40,20 ;
Num 27,22 ; Dtn 9,21 ; 1 Sam 6,8 ; 25,11 u.ö. - Auch die Zitation
von Jer 15,15 und Gen 2,15 durch Tournay ohne Erwähnung der be-
stehenden Divergenzen darf nicht unbesehen hingenommen werden.
Jer 15,15 wird mit לקח ein Hinwegraffen artikuliert, wobei ein
feindlicher und negativer Akzent vorherrscht[6], während sich mit
der Versetzung Adams in den Garten Eden die fürsorgende Liebe
Jahwes zum ersten Menschen manifestiert.

Eine interessante grammatikalische und sachliche Parallele zu
Gen 2,15 findet sich im Gilgameschepos XI 196. Zunächst besteht
eine etymologische Verwandtschaft zwischen leqû(m) ("nehmen")
im Akkadischen und לקח . Ferner wird konform zu Gen 2,15 auch
im Gilgameschepos XI 196 leqû(m) nicht absolut gebraucht, sondern in Kombination mit dem Kausativstamm von wašābu(m) : il-
qu-in-ni-ma ... uš-te-ši-bu-in-ni ("sie nahmen mich ... und lies-
sen mich wohnen"). Die Sachparallele zwischen Gen 2,15 und Gilgameschepos XI 196 gründet auf der Tatsache, daß es in beiden
Fällen um Entrückung geht, wenn auch die Art der Entrückung verschieden ist. Im Gilgameschepos geht es nämlich um eine endgültige Entrückung unter Umgehung des Todes, während es sich bei
Gen 2,15 um eine befristete Entrückung handelt, die den Tod als
mögliche Realität bestehen läßt. Aus den oben gemachten Ausführungen bezüglich der grammatikalischen Affinität zwischen Gen 2,15

---

6   Vgl. S. 85.

und Gilgameschepos XI 196 geht hervor, daß die Parallelisierung von לקח (Gen 5, 24) mit leqû(m) im Gilgameschepos XI 196,
wie es immer wieder versucht wurde[7], grammatikalisch gesehen
nicht korrekt ist. לקח Gen 5, 24 wird absolut gebraucht und stellt
für sich genommen einen Entrückungsterminus dar. leqû(m) im
Gilgameschepos hingegen für sich genommen kann nicht als Entrückungsterminus gewertet werden. Vielmehr beruht die Entrük-
kungsaussage auf der Kombination der beiden Verba il-qu-in-ni-
ma.... uš-te-ši-bu-in-ni. Zu Recht führt deshalb W.v.Soden[8]
im Gegensatz zu C.Bezold[9] bei leqû(m) nicht die Bedeutung "entrücken" an.

Theologisch wird mit der Entrückung des Stammvaters in den
Garten der Heilszustand umschrieben, der dem ersten Menschen
geschenkt war. Obgleich nämlich Adam sich in einer unfrucht-
baren und lebensfeindlichen Wüste befindet und er aufgrund seiner
Herkunft zur Hinfälligkeit und Vergänglichkeit tendiert (Gen 2, 4b-
7), umfängt ihn dennoch die Fürsorge Jahwes, der ihn sogleich in
seinen eigenen Garten versetzt (Gen 2, 8-15), in dem er selbst um-
herzugehen pflegte (Gen 3, 8). "Der Mensch wurde somit nicht nur
in einen Segenszustand [umschrieben durch den fruchtbaren Garten],
sondern auch in die Gottesnähe gebracht."[10] Hier klingt bereits
die Grundthematik des J an, den Ruppert[11] treffend als "Künder der
Heilsgeschichte" charakterisiert. - Nicht auszuschließen ist auch
der Gedanke, daß J mit der Versetzung des ersten Menschen aus der

---

7 Vgl.H.Gunkel, Genesis (HK I/1) Göttingen[6] 1964, 135 ;
Grelot, La Légende d'Hénoch 190.
8 Akkadisches Handwörterbuch I, Wiesbaden 1965, 544-546.
9 Babylonisch-Assyrisches Glossar, Heidelberg 1926,161 f.
10 L. Ruppert, Der Jahwist - Künder der Heilsgeschichte,
in : Wort und Botschaft des AT, Würzburg[2]1969, 115.
11 Der Jahwist 101.

Wüste in den Garten ein Gegenmodell zu der Hineinführung des
Volkes Israel in das verheißene Land Kanaan schaffen wollte, nachdem Jahwe dieses Volk aus Ägypten befreit und durch die Wüste
geleitet hatte, Diese Konzeption ist deswegen möglich, weil gerade die Landnahme einen Zielpunkt des jahwistischen Geschichtswerkes darstellt.

II. Zeitlich befristete Entrückungen des Elija
(1 Kön 18,12 ; 2 Kön 2,16)

Im Gespräch zwischen Obadja und Elija (1 Kön 18,12) wird von
Obadja die Befürchtung geäußert, Elija werde möglicherweise vom
Geist Jahwes an einen unbekannten Ort getragen. Ebenso vermuten
die Prophetensöhne (2 Kön 2,16), daß der Geist Jahwes Elija auf
den Berg oder in ein Tal entrückt habe. Über den sprachlichen Befund der beiden Stellen und ihre formale und inhaltliche Verwandtschaft mit verschiedenen Stellen bei Ezechiel wurde bereits gesprochen.[12] Die Schwierigkeit, mit der wir bei der Erklärung beider Stellen konfrontiert werden, besteht darin, daß יהוה רוח, das
Subjekt in beiden Fällen, in seiner Bedeutung zwischen "Geist" und
"Wind" schwankt. רוח יהוה / אלהים bezeichnet gelegentlich nur
den Wind (Gen 1,2 ; Hos 13,15). Daneben aber bedeutet der gleiche
Ausdruck eine geistige Mächtigkeit, die Jahwe einem Menschen ver-
leiht (Ri 3,10 ; 6,34 ; 14,6 ; 1 Sam 11,6f), bzw. eine ekstatische
Kraft, die bestimmte Personen befällt (1 Sam 10,6 ; 19,20-24).

Zweifellos muß bei רוח יהוה 1 Kön 18,12 ; 2 Kön 2,16) zunächst
ganz konkret an einen Sturm als Träger des Entrückungsvorganges
gedacht werden. Dies geht klar aus dem Kontext hervor. Obadja
befürchtet (1 Kön 18,12), daß er Elija nicht mehr vorfindet. Auch

---

12 Vgl. S. 124 f.

das 1 Kön 18,12 verwendete Verbum נשׂא ("emporheben") weist
in die gleiche Richtung. Noch deutlicher wird die Konkretheit und
Materialisierung von רוח יהוה durch den Kontext von 2 Kön 2,16
herausgestellt. נשׂא wird durch עלך ("werfen") präzisiert und
als mögliche Entrückungsorte werden "einer der Berge oder
eines der Täler" genannt. Mit dieser realistischen und plastischen Ausdrucksweise bezüglich befristeter Entrückungen des
Elija werden ekstatische Phänomene im Leben des Elija umschrieben, die sich vor allem in geistigen Entrückungen äußern konnten.[13]
Dies schließt nicht aus, daß man in prophetischen Kreisen tatsäch-
lich mit der Möglichkeit solch massiver Entrückungen rechnete.
Ekstatische Phänomene sind uns sowohl von Elija (1 Kön 18,46)
als auch von Elischa (2 Kön 3,15) überliefert. Nicht übersehen werden darf, daß diese zeitlich befristeten Entrückungen in Korrelation zur endgültigen Entrückung des Elija stehen, durch die der
Tod des Elija umschrieben wird. Bereits im Leben des Elija rechnete man mit der Möglichkeit befristeter Entrückungen, der Tod
brachte dann die endgültige Entrückung.

III. Die Entrückungen Ezechiels

Entrückungsaussagen bei Ezechiel finden sich an folgenden Stellen :
Ez 3,12.14 ; 8,3 ; 11,1.24 ; 37,1 ; 40,1f ; 43,5. Obgleich diese
Stellen alle von einer vorübergehenden Entrückung sprechen, so weisen sie doch in der Darstellung große Unterschiede auf. Während
der Entrückungsvorgang bei Ez 37,1 sehr verhalten angesprochen
wird, geht eine Steigerungslinie über Ez 3,12.14 ; 40,1f bis hin
zur deutlichsten Formulierung in Ez 8,3. Entsprechend dieser

---

13 Vgl.J.Pedersen, Israel its Life and Culture III-IV, Copenhagen 1940, 132 ; Fohrer, Elia 12 Anm. 13 ; J.Lindblom,
   Prophecy in Ancient Israel, Oxford 1963, 57.

Steigerungslinie soll in der folgenden Analyse vorgegangen werden.

1.   Ez 37,1 : Der Visionsbericht von der "Ebene", die mit
Knochen bedeckt ist, wird mit dem Satz eingeleitet : "Es kam über
mich die Hand Jahwes, und er führte mich im Geist Jahwes hinaus
und setzte mich mitten in der Ebene nieder. "[14]

Zunächst ist die Wendung " es kam über mich die Hand Jahwes"
zu beachten. Dem Bildwort von der "Hand Jahwes" begegnet man Ez
1,3 ; 3,14.22 ; 8,1 ; 33,22 ; 37,1 ; 40,1. Fünfmal wird " Hand
Jahwes" mit היה konstruiert und die Präposition על angeschlossen ; so bei Ez 1,3 ; 3,22 ; 33,22 ; 37,1 ; 40,1.[15] Schließlich
trifft man in Ez 8,1 auf "die Hand des Herrn Jahwe" in Verbindung
mit der Basis נפל. Die Aussage von der über den Propheten kommenden "Hand Jahwes" findet sich in der Einleitung zu den vier gros-
sen Visionsberichten des Buches Ezechiel (1,3 ; 8,1 ; 37,1 ; 40,1).
Mit Ausnahme von Ez 1,3 wird in der Einleitung zu den großen
Visionsberichten neben dem Kommen der "Hand Jahwes" eigens noch
die Entrückung erwähnt. Sehr bedeutsam ist nun, daß die Wendung
vom Kommen "der Hand Jahwes" über einen Propheten auch im
Elija- und Elischazyklus (1 Kön 18,46 ; 2 Kön 3,15)[16] belegt ist,

---

14   Dieser Visionsbericht hat seine Parallele in Ez 1,1-3,15 ;
        8,1-11,25; 40-48. Bei Ez 8,3 und 40,1f werden die Visions-
        berichte mit einer Entrückung eingeleitet. Nur zu Beginn
        des Visionsberichtes in Ez 1,1-3,15 vermißt man einen
        derartigen Vermerk. Stattdessen findet sich in Ez 1,3 nur
        der Satz : "Und es kam dort über mich die Hand Jahwes. "
        Allerdings wird am Schluß dieses Visionsberichtes (Ez 3,
        12.14f) von einer Entrückung vom Ort des Visionsgesche-
        hens zu den Verbannten berichtet.

15   Ez 3,14 wird das schwere Lasten der "Hand Jahwes" hervor-
        gehoben (vgl. Jes 8,11).

16   1 Kön 18,46 soll mit dem Kommen "der Hand Jahwes" über
        Elija wohl der Beginn eines ekstatischen Zustandes ausge-
        drückt werden, der mit dem Laufen des Propheten vor dem
        Wagen des Achab seinen sichtbaren Ausdruck findet. 2 Kön

und zwar in wörtlicher Übereinstimmung mit Ez 1,3 ; 3,22 ; 33, 22 ; 37,1 ; 40,1.[17] Fohrer[18] vermutet, daß der Ausdruck vom Kommen der"Hand Jahwes"(1 Kön 18,46 ; 2 Kön 3,15 f)"von der genau entsprechenden Formel des Ezechielbuches abhängig" sei "und im Anschluß an sie zur deuteronomistischen Bearbeitung der Elia-Erzählung" gehöre. Möglicherweise handelt es sich aber um den umgekehrten Vorgang, daß nämlich Ezechiel die Formel vom Kommen der"Hand Jahwes"aus der Elija-Elischa-Tradition übernommen hat.[19] - Wie ist nun das Kommen "der Hand Jahwes" über Ezechiel zu interpretieren? W. Zimmerli[20] sieht darin einen "Zustand der Verfallenheit". Vor allem muß die Beziehung dieser Formel zum Bereich des Visionären berücksichtigt werden, denn wie wir sahen, werden Visionen damit eingeleitet. Diese Formel besagt, daß den Prophet eine ekstatisch-visionäre Phase überkommt, bei der er dem Bereich des Alltäglichen und Gewöhnlichen entrissen wird. Ein Geschehen setzt ein, das einer ganz anderen Dimension angehört.

Die Entrückungsaussage lautet : "Und er führte mich im Geiste Jahwes hinaus und setzte mich mitten in der Ebene nieder. "

3,15 ist davon die Rede, daß Elischa durch "die Hand Jahwes" zum Gottesspruch befähigt und ermächtigt wird. Die Erwähnung eines Musikinstrumentes erinnert an die Ekstase der frühen Königszeit (vgl. 1 Sam 10,5-12 ; 19, 18-24).

17   Sowohl im Elija- und Elischazyklus als auch bei Ezechiel wird also היה י׳ יד יהוה mit היה + על konstruiert. Hierbei handelt es sich um eine Formel.

18   Elia 55.

19   Eine weitere Übernahme aus der Elija-Elischa-Tradition durch Ezechiel liegt auch wahrscheinlich in den Wendungen רוח יהוה und רוח נשא vor.

20   Ezechiel (BK XIII) Neukirchen 1969, 885.

"Geist Jahwes" stellt das Medium dar, durch das der Prophet in
die Ebene entrückt wird. Auch Ez 11,24 spricht im Zusammenhang mit der Entrückung von Jerusalem zurück zu den Verbannten
vom "Geist Jahwes". Diese Wendung steht in Relation zu 1 Kön 18,
12 ; 2 Kön 2, 16.[21]

2.   Ez 3, 12. 14 : Am Schluß des ersten großen Visionsberichtes (Ez 1, 1-3. 15) wird die Rückversetzung zu den Verbannten
geschildert.[22] Ez 3, 12 heißt es zunächst "da hob mich der Geisthauch empor" und Ez 3, 14 wird die gleiche Wendung als Inversion
wiederholt und mit לקח abgeschlossen : "Und der Geisthauch hob
mich auf und entrückte mich. " רוח in Verbindung mit נשא + Personalsuffix ist uns bereits aus dem Elija- und Elischazyklus bekannt (1 Kön 18, 12 ; 2 Kön 2, 16).[23] Als Differenz bleibt anzumerken, daß 1 Kön 18, 12 ; 2 Kön 2, 16 jeweils רוח יהוה steht, während in Ez 3, 12. 14 רוח allein sich findet.[24] Ez 3, 14 wird mit
נשא eine vertikale und mit לקח eine horizontale Bewegungsrichtung bezeichnet.

3.   Ez 40, 1-3; 43, 5 : Während die Entrückung Ez 3, 12. 14
vom Ort der Vision zum Wohnort der Verbannten, nämlich vom
Fluß Kebar nach Tel-Abib, sich auf eine relativ kurze Strecke bezieht, geht es bei Ez 40, 1-3 um eine größere Distanz. Hierbei
handelt es sich nämlich um die Entfernung von Mesopotamien zu
einem Berg im Lande Israel. Diese Versetzung muß als Kontrast-
bild zu dem Komplex Ez 8, 1-11, 24 gesehen werden. Ez 8, 1-3 erfolgt die Entrückung nach Jerusalem zur visionären Schau der Zer-

---

21   Bezüglich des hi. von נוח bei einer Entrückung vgl. Gen
     2, 15.
22   Vgl. die Rückversetzung zu den Verbannten (Ez 11, 24) am
     Ende des Visionsberichtes Ez 8, 1-11, 24.
23   Vgl. S. 124 f.
24   Lindblom, Prophecy 177, warnt vor einer Identifizierung
     beider Ausdrücke. Er sagt von רוח ohne die Näherbestim-
     mung יהוה : "Spirit has here a more general significance. "

störung des Tempels. Ez 40,1-3 hingegen ermöglicht dem Propheten die Schau des neuen Tempels (Ez 40,5-48,35). Von רוח ist
nicht die Rede und ebenso fehlen die Verba נשא und לקח im Gegensatz zu Ez 3,12.14. Stattdessen steht Ez 40,1.2.3 jeweils das hi.
von בוא, das sich auch in Ez 8,3 ; 11,24 ; 43,5 findet. Ez 40,2
folgt das Hiphil von נוח , das uns von Gen 2,15 ; Ez 37,1 her bekannt ist. Der Entrückungsort wird genau angegeben : "Ins Land
Israel ... auf einen sehr hohen Berg" (Ez 40,2). Sicher ist mit
diesem Berg der Zion gemeint. Die besondere Hervorhebung der
Höhe resultiert aus der im Alten Orient wie auch in Israel gängigen
Anschauung, daß der Gottesberg der höchste aller Berge ist (vgl.
Jes 2,2 ; Ps 48,3 ; Sach 14,10).
Innerhalb des Visionsberichtes Ez 40,1-48,35 wird bei 43,5 nochmals von einer Entrückung gesprochen, bei der der Prophet zum
inneren Tempelhof versetzt wird, wo er die Stimme Gottes ver-
nimmt. Hierbei begegnet man der bereits aus Ez 3,12.14 bekannten Basis נשא + Personalsuffix und dem Nomen רוח.

4.   Ez 8,3 ; 11,1.24 : Die detaillierteste Entrückungsaussage
findet sich Ez 8,3. 8,2 wird zunächst ausgeführt, daß ein Mann erschien.[25] 8,3 folgt sodann : "Und er streckte etwas wie eine Hand
aus und faßte mich bei meinem Haarschopf[26], und (der) Geisthauch

---

25   Hier ist an Stelle von   אש("Feuer") mit LXX איש ("Mann")
        zu lesen. Die Richtigkeit dieser Konjektur erweist sich
        durch den Kontext, der bei der Personenbeschreibung zwei-
        mal die "Hüften" erwähnt.
26   Zum Ausdruck "und faßte mich bei meinem Haarschopf" be-
        sitzen wir eine erwähnenswerte Parallele aus einem Keil-
        schrifttext, der die Unterweltsvision eines assyrischen
        Kronprinzen schildert : " [an] meiner Stirnlocke faßte er
        mich und zog mich [heran] zu sich" ; v. Soden, Unterwelts-
        vision 23 Z.53 ; vgl. S. 31 . Derjenige, der den assyri-
        schen Kronprinzen am Haar ergreift und zu sich heran-
        bringt, ist Nergal, der Beherrscher der Unterwelt. Es muß
        allerdings vermerkt werden, daß im assyrischen Text dadurch
        nicht von einer Entrückung die Rede ist, denn der Kronprinz
        befindet sich bereits in der Unterwelt.

hob mich empor zwischen Himmel und Erde und brachte mich
nach Jerusalem in Gottesgesichten zum Eingang des Tores."[27]
Diese Stelle hebt sich schon auf den ersten Blick von den bereits
besprochenen Entrückungsaussagen bei Ezechiel durch die Einführung eines himmlischen Mittelwesens ab. לקח ist an dieser Stelle
fast synonym mit אחז. Darauf folgt "und Geisthauch hob mich
empor". נשא wird präzisiert durch die Ortsangabe "zwischen Himmel und Erde"; vgl. 1 Chr 21,16 ; Sach 5,9. Schließlich erfährt
die Entrückungsangabe ihre Vervollständigung durch "und brachte
mich nach Jerusalem in Gottesgesichten[28] zum Eingang des Tores" (zum hi. von בוא vgl. Ez 40,1.2.3; 43,5). Zimmerli[29] hebt
zu Recht hervor, daß die verschiedenen Subjekte "Mann" und
"Geist" literarkritisch nicht aufgespalten werden dürfen. Es ist
nicht einsichtig, weshalb H.G. May[30] bei Ez 3,14 f ; 8,3 von einer
"actual physical journey" spricht, während er Ez 37,1 ; 40,2 als
"more clearly literary forms" bezeichnet und deshalb auch eine
verschiedene Interpretation fordert. Dazu ist zu sagen, daß die
Entrückungsaussagen bei Ez 3,12.14 ; 8,3 ; 11,24 ; 37,1 ; 40,2
der gleichen Kategorie angehören und infolgedessen auch gleichartig zu interpretieren sind, wenn auch die Entrückungsterminologie
variiert und gelegentlich plastischer ausgestaltet ist.

---

27   Zur Wortfolge לקח... שלח vgl. Gen 8,9 ; 2 Kön 6,7 ;
     Ps 18,17, s.S. 87 f.
28   Die Wendung "in Gottesgesichten" stellt wohl eine redak-
     tionelle Hinzufügung dar, bei der eine spiritualisierende
     Tendenz durchschimmert. Die unmittelbar vorausgehen-
     den sehr konkreten Angaben sollen dadurch modifiziert
     werden.
29   Ezechiel 210.
30   The Book of Ezekiel (IB VI) New York - Nashville 1956,
     106.

Wie auf Ez 40, 1-3 nochmals eine Entrückung innerhalb der gleichen Vision in Ez 43, 5 erfolgt, so schließt sich Ez 8, 3 durch Ez
11, 1 noch eine weitere Entrückung innerhalb des Tempelbezirkes
an. W. Eichrodt[31] wendet sich bezüglich Ez 11, 1 gegen Bertholet
und Horst, die beide hier eine redaktionelle Einfügung des Ent-
rückungsmotives annehmen möchten. Er sieht vielmehr in Ez 11, 1
"die Reduktion einer ursprünglich reicheren Visionsschilderung"
und vermutet, daß hier "von einer zweiten Entrückung des Propheten nach Jerusalem" die Rede war, "durch die er zum unsichtba-
ren Teilnehmer an der Ratsversammlung von 25 Männern im
Raum des östlichen Tempeltores wurde". Wahrscheinlicher ist jedoch, daß Ez 11, 1 nicht zum Grundbestand des Buches zählt, sondern einer Nachbearbeitung durch die Schule Ezechiels entstammt.[32]

Ez 11, 24 bildet den Abschluß der großen Vision, die mit 8, 1-3 eingeleitet wurde. Dabei wird die Rückversetzung von Jerusalem zu
den Verbannten geschildert (vgl. Ez 3, 12. 14).
In der Zusammenschau bezüglich der Entrückungen Ezechiels ergibt
sich folgendes Resümee :
1.   Die behandelten Stellen zeigen terminologisch auf weite
Strecken Übereinstimmung. So findet sich häufig die Wendung
רוח נשא in der Form yiqtol-x bzw. x-qatal (Ez 3, 12. 14 ; 8, 3 ;
11, 1. 24 ; 43, 5). Das dazugehörige Objekt, das sich auf den Spre-
chenden bezieht, wird als Suffix entweder an die Verbalform oder
an die nota accusativi angefügt. Der Wendung נשא רוח, die eine
vertikale Richtungsangabe darstellt, folgt wiederholt ein weiteres
Verbum, das die Bewegungsrichtung im horizontalen Sinn weiterführt und mit Ausnahme von Ez 3, 14 den Zielpunkt angibt : Ez 3, 14

---

31   Der Prophet Hesekiel (ATD 22/1-2) Göttingen 1959-1966,
        68.
32   Vgl. Zimmerli, Ezechiel 237.

(לקח) ; 8,3 (בוא hi.) ; 11,1 (בוא hi.) ; 11,24 (בוא hi.) 43,5
(בוא hi.). Auch das hi. von נוח , das uns bereits von Gen 2,15
her bekannt ist, findet sich zweimal (Ez 37,1 ; 40,2). Im Zusammenhang mit den Entrückungen wird auch oftmals das Bildwort von
der "Hand Jahwes" verwendet (Ez 3,14 ; 8,1 ; 37,1 ; 40,1).

2.   Trotz der auf weite Strecken hin feststellbaren termino-
logischen Konformität, ist dennoch eine gewisse Variationsbreite
festzustellen. Ferner wechseln die Entrückungsaussagen von gros-
ser Zurückhaltung (Ez 37,1) bis hin zu eindringlicher Konkretheit
(Ez 8,3).

3.   Mit hoher Wahrscheinlichkeit beruhen die Entrückungs-
schilderungen bei Ezechiel auf einer Tradition, die in die Zeit des
Elija und Elischa zurückreicht. Dies zeigt sich durch formale und
inhaltliche Kriterien. So trifft man im Elija-Elischazyklus und
bei Ezechiel auf die Wendung vom "Kommen der Hand Jahwes".
Ferner sind die Wendungen רוח יהוה und נשא רוח für beide Werke
bezeugt. Auch die Abfolge נשא רוח + Verbum, das die Bewegungsrichtung weiterführt + Zielangabe liegt wiederholt bei Ezechiel
und auch bei 2 Kön 2,16 vor. Andererseits bestehen auch inhaltliche Übereinstimmungen. Bereits im Elija- und Elischazyklus
wird mit der Möglichkeit einer örtlichen Entrückung gerechnet
(1 Kön 18,12 ; 2 Kön 2,16). Speziell im Elischazyklus wird auf
eine besondere Art von Entrückung bezug genommen. Elischa er-
lebt aus der Ferne mit, wie sein Diener Gehasi sich Geschenke
von Naaman geben läßt (2 Kön 5,26). Ebenso hört Elischa die furchtbare Drohung, die der König auf der Stadtmauer gegen ihn ausspricht (2 Kön 6,31), während er bei den Ältesten in seinem Hause
sitzt (2 Kön 6,32 f). Eichrodt[33] hat sicher Recht mit seiner Bemerkung, daß bei den Entrückungsberichten des Ezechiel "eine psychi-

---

33   Hesekiel 57.

sche Erlebnisfähigkeit wieder durchbricht, die im alten Prophetentum ganz geläufig war, bei den Schriftpropheten aber weitgehend ausgeschaltet wurde".

4. Die Entrückungsaussagen bei Ezechiel lassen sich nicht durch psychologische Phänomene aufgrund der Phasen von Stummheit und angeblicher neurotischer Paralyse erklären.[34] Auch der Hinweis auf eine spezifische literarische Darstellungsweise ohne aufhellbaren realen Hintergrund wäre nicht ausreichend. Vielmehr stehen hinter den Entrückungsaussagen bei Ezechiel, wie J.Schreiner[35] formuliert, "ekstatische Erlebnisse, die dem Propheten widerfahren". Diese ekstatischen Erfahrungen "vermitteln eine geistige Schau, die er auszusagen vermag".

IV. Die Entrückung des Propheten Habakuk (Bel et Draco 36.39)

Wenn auch die Abfassungszeit von Bel et Draco nicht genau angegeben werden kann, so gehört doch sicher dieser Zusatz zum Buch Daniel einer späten Phase des alttestamentlichen Schrifttums an.[36] Hier wird nun auch von einer zeitlich befristeten Entrückung gesprochen, und zwar handelt es sich um die Entrückung des Propheten Habakuk nach Babylon zu Daniel in die Löwengrube. Sofort fällt die starke Ähnlichkeit zwischen Bel et Dr 36 und Ez 8,3 auf. In Bel et Dr 36 nimmt nach "ϑ'" und c'der "Engel des Herrn" die Entrückung vor und auch Ez 8,2f ist von einem mannähnlichen Mittelwesen die Rede, das bei der Entrückung des Propheten beteiligt ist.

---

34   Vgl. Lindblom, Prophecy 198 f.
35   Wort-Geist-Vision. Ezechiels prophetische Tätigkeit, in :
      Wort und Botschaft des AT, Würzburg[2] 1969, 234.
36   Vgl. W.Davies, Bel and the Dragon, in : Charles AP I,
      Oxford 1913,656 f.

Eine weitere Übereinstimmung besteht darin, daß in beiden Fällen
der himmlische Bote die Haare des zu Entrückenden ergreift. Die
Aufeinanderfolge der Verba bei Bel et Dr 36 geschieht in der auch
aus anderen Entrückungsberichten bekannten Anordnung : καὶ ἐπε-
λάβετο ... καὶ βαστάσας ... ἔθηκεν αὐτόν ... " ϑ' " bzw.
καὶ ἐπιλαβόμενος ... ἔθηκεν αὐτόν ... ο' (zu dieser Abfolge
der Verba vgl. Ez 8, 3 ; 11, 1. 24).[37] Eigens wird Bel et Dr 36
im " ϑ'"-Text die Schnelligkeit des Entrückungsvorganges hervorgehoben : "In einem Atemzug." Bel et Dr 39 erwähnt die Rückversetzung des Habakuk an den ursprünglichen Ort (vgl. Ez 3, 12. 14 ;
11, 24).

Zweifellos muß Bel et Dr 36. 39 in einer Traditionslinie mit den
Entrückungsvorstellungen bei Ezechiel gesehen werden. Speziell
Ez 8, 3 hat auf die literarische Gestaltung von Bel et Dr 36 einge-
wirkt.

Theologisch geht es hierbei um die Tatsache, daß Jahwe seinen
Propheten nicht verläßt, sondern ihm eine unerwartete, rasche
Hilfe zukommen läßt, die von Menschen nicht geleistet werden
könnte. Dieses Faktum wird mittels eines Entrückungsvorganges
umschrieben. Jahwe tritt gemäß der späteren theologischen Konzeption im AT nicht mehr selbst auf, sondern ein Bote vollzieht
seinen Auftrag (vgl. Dan und Sach).

---

37   τιθέναι erinnert an Gen 2, 15 ; Ez 37, 1 ; 40, 2, wo je-
      weils das hi. von נוח in der LXX mit τιθέναι wiederge-
      geben wird.

C. HIMMELFAHRT UND HERABSTIEG IM AT

Im zweiten Teil dieser Untersuchung wurden bisher Entrückungsberichte behandelt, die teils als endgültige teils als befristete Ereignisse zu verstehen sind. Um das Thema "Entrückung" abzurunden müssen nun noch eigens die Himmelfahrtstexte des AT, die
von Jahwe/Elohim und seinen Boten überliefert sind, analysiert
werden. "Himmelfahrt" läßt sich nämlich nach der auf S. 2 gege-
benen Definition nicht unter "Entrückung" subsumieren, obgleich
eine enge Verwandtschaft beider Vorstellungsbereiche vorliegt.
Auch das korrespondierende Gegenstück zur Himmelfahrt, nämlich
Herabstieg zur Erde, erfordert bei dieser Gelegenheit eine geson-
derte Behandlung.

NEUNTES KAPITEL

Behandlung der einzelnen Stellen

I. "Himmelfahrt" Elohims (Gen 17, 22; 35, 13)

In zwei kurzen Anmerkungen spricht P von der Himmelfahrt Elohims (Gen 17,22 ; 35,13). Hierbei wird jede Detaillierung vermieden, nur עלה mit der Doppelpräposition מעל findet Verwendung.
Man erwartet nach dem Sprachgebrauch des AT bei "hinaufsteigen"
(zum Himmel) die Zielangabe השמים / השמימה.[1]
Eine konkrete Angabe über den Ort, von dem aus die Himmelfahrt
erfolgt, fehlt ebenfalls. So heißt es Gen 17,22 ohne jede nähere Bestimmung : "Und Elohim stieg hinauf von Abraham." Die gleiche

---

1   Vgl. S. 96 . Auch im Akkadischen ist elû(m) "hinaufsteigen"
     (zum Himmel) jeweils mit der Zielangabe ana šame-e bzw.
     šama-i versehen ; vgl. S. 97 f.

Unbestimmtheit herrscht auch bei Gen 35,13 vor : "Und Elohim
stieg von ihm hinauf an dem Ort, wo er mit ihm gesprochen hatte. "
Ein Medium der Himmelfahrt bleibt im Gegensatz zu Ri 13,20[2]
und 2 Kön 2,1.11[3] unerwähnt. Entsprechend dieser Verhaltenheit
bezüglich der Himmelfahrt wird zu Beginn dieser Einheiten jeweils
der wenig detaillierte Ausdruck "und Jahwe erschien dem Abraham"
(Gen 17,1) bzw. "und Elohim erschien dem Jakob" (Gen 35,9) gesetzt. An Stelle dieser allgemeinen Wendung erwartet man eigentlich in Korrelation zu עלה("hinaufsteigen") das konträre Verbum
ירד ("herabsteigen"). Auch Gen 17,1 ; 35,9 wird entsprechend zu
Gen 17,22 ; 35,13 eine genaue Ortsbezeichnung vermieden. Gunkel[4] bemerkt zu Recht, daß "die Gotteserscheinungen des P eigen-
tümlich inkonkret sind". Weiterhin sagt er : "Deutlich ist, daß
sich so eine religiöse Scheu des P ausspricht, den überirdischen
Gott in die Dinge der Welt zu verflechten ; es ist, als ob er den
heidnischen Ursprung dieser Theophanie witterte... "
(השמימה) השמים עלה stellt eine mythische Ausdrucksweise dar,
die von P umgangen wurde.[5] In der Knappheit der Diktion von Gen
17,22 ; 35,13 gibt sich die gleiche Tendenz von P zu erkennen, die
bereits bei der Entrückung des Henoch in Gen 5,24 festzustellen
war.[6] Daraus geht hervor, daß P nur dem Inhalt der Offenbarungen
Elohims entscheidendes Gewicht beimißt, während die Akzidentien
des Offenbarungsvorganges für ihn von untergeordneter Bedeutung
sind. P fügt diese Kontaktnahme Elohims mit Menschen (Gen 17,
1-22 ; 35,9-13) in das Schema des Herabstiegs zur Erde und des
Hinaufstiegs zum Himmel ein.[7] Dabei hat er dieses Schema modi-

---

2   Vgl. S. 336 f.
3   Vgl. S. 107.
4   Genesis XCV.
5   Vgl. S. 109 f.
6   Vgl. S. 166.
7   Vgl. S. 339-343.

fiziert. Das erste Glied dieses Schemas wird eliminiert und an
seine Stelle das viel inkonkretere "er zeigte sich" gesetzt. Das
zweite Glied wird verkürzt, so daß nur "er stieg hinauf" ohne die
bekannte Zielangabe "zum Himmel" stehenbleibt. In beiden Fällen
bildet die Himmelfahrtsnotiz den Abschluß einer Erscheinung.

II. "Himmelfahrt" Jahwes (Ps 47,6 ; 68,19)

1. Ps 47,6

Ps 47,6 lautet : "Jahwe stieg hinauf mit Jubelschall, Jahwe beim
Schall der Posaune."[8] Die Frage, die sich bei diesem Psalmvers
im Rahmen dieser Untersuchung aufdrängt, lautet : Bezieht sich
diese Aussage auf eine Himmelfahrt oder ist eine andere Auslegung erforderlich?
Einige Exegeten sehen in Ps 47,6 einen Hinweis auf eine Himmelfahrt.[9] Die Mehrzahl der Forscher stimmt dem jedoch nicht zu,
sondern setzt "hinaufsteigen" in Beziehung zu einem prozessiona-
len Hinaufzug zum Zion.[10] Auch Dahood[11] nähert sich in seinem
Verständnis von Ps 47,6 den letztgenannten Autoren an, denn er
bemerkt zu עלה "i.e. has ascended his throne on Mount Zion".
Ps 47 gehört eindeutig zur Gattung der Hymnen, deren spezifische
Charakteristika er aufweist.[12] Näherhin ist dieser Psalm wegen

---

8   In V.6a stellt Jahwe an Stelle von Elohim die ursprüngliche
      Lesart dar, da Ps 47 dem elohistisch redigierten Teil des
      Psalters angehört.

9   So R.Kittel, Die Psalmen (KAT XII) Leipzig-Erlangen⁴1922,
      175 ; E.J.Kissane, The Book of Psalms I, Dublin 1953,206.

10   Vgl. Mowinckel, Psalmenstudien II 3 f. 128 ; L. Dürr,
      Die Ascensio Domini in der alttestamentlichen Liturgie :
      Liturgisches Leben 2, 1935, 131 f ; Nötscher, Das Buch
      der Psalmen 107 ; Kraus, Psalmen I 351.

11   Psalms I 285.

12   Vgl. K.Koch, Was ist Formgeschichte?, Neukirchen 1964,
      181-187.

seiner besonderen Thematik unter die "Jahwe-Königs-Hymnen"
einzustufen. [13]

Aufgrund sprachlicher und sachlicher Gemeinsamkeiten wäre es
denkbar, daß Ps 47 mit dem historischen Ereignis der Überfüh-
rung der Bundeslade in den Tempel durch Salomo (1 Kön 8,1-9)
in Verbindung zu setzen ist. So wird 1 Kön 8,1.4(2x) und auch
Ps 47,6 jeweils עלה gebraucht. [14] Ps 47,9 erwähnt Jahwes Thron
und auch 1 Kön 8,6 f wird auf diesen Tatbestand bezug genommen
(vgl. dazu auch 1 Kön 6,23-28). Schließlich ist 1 Kön 8,1-9 und
Ps 47 gemeinsam, daß in beiden Texten zahlreiche bedeutsame
Teilnehmer beim Festakt aufgezählt werden : "Die Ältesten Israels,
alle Häupter der Stämme, die Fürsten der israelitischen Geschlech-
ter" (1 Kön 8,1) ; "die Priester und die Leviten" (1 Kön 8,4). Bei
Ps 47 wird bei der Aufzählung der Festteilnehmer sogar der natio-
nale Rahmen gesprengt : "Ihr Völker alle,klatscht in die Hände"
(Ps 47,2) ; "die Edlen der Völker sind versammelt" (Ps 47,10).

Es bleibt jedoch fraglich, ob der Verweis auf 1 Kön 8,1-9 die notwendige Aufhellung von Ps 47 gibt. Weitere Gesichtspunkte müssen
hierbei bedacht werden. Auffallend ist die Tatsache, daß bemerkens-
werte sprachliche und sachliche Übereinstimmungen zwischen den
Vorgängen bei der Erwählung, Proklamation und Inthronisation
eines Königs und Ps 47 bestehen. Bei der Erwählung eines Königs
bricht das Volk in lautes, begeistertes Rufen aus (1 Sam 10,24 ;
1 Kön 1,40). 1 Sam 10,24 steht konform zu Ps 47,2 רוע ("in lautes Geschrei ausbrechen") ; vgl. auch תרועה Ps 47,6. Auch das
Händeklatschen wird bei der Königskrönung erwähnt (2 Kön 11,12) ;

---

13   Kraus, Psalmen I 348 f.
14   Ergänzend ist hierzu zu bemerken, daß 1 Kön 8,1.4 Jah-
      we durch die Bundeslade repräsentiert wird, so daß letzt-
      lich 1 Kön 8,1.4 dasselbe aussagt wie Ps 47,6.

vgl. hierzu Ps 47,2.[15]

Schließlich ist im Zusammenhang mit der Erhebung zum König
vom Posaunenblasen die Rede (2 Sam 15,10 ; 1 Kön 1,34.39 ; 2
Kön 9,13) ; vgl. dazu Ps 47,6. Vor allem fällt die Verwendung bestimmter Wendungen ins Auge : "Absalom ist König geworden"
(2 Sam 15,10) ; "Jehu ist König geworden" (2 Kön 9,13). Der gleiche Ausdruck findet sich in Ps 47,9 : "Jahwe ist König geworden."[16]
Bei der Thronbesteigung eines neuen Königs wird das Sitzen auf
dem Thron eigens hervorgehoben (1 Kön 1,35.36 ; 2 Kön 11,19) ;
vgl. dazu Ps 47,9. Zur Königswahl und zum Krönungsfest strömt
alles Volk zusammen (vgl. 1 Sam 10,17-25 ; 11,15 ; 2 Sam 2,4 ;
5,1.3 ; 1 Kön 12,1.20). Selbst die hohen Persönlichkeiten des Volkes finden sich zu dieser Gelegenheit ein (vgl. Dtn 33,5 ; 2 Sam
5,3). Von zahlreichem Volk und Honoratioren spricht auch Ps 47,
2.10.

Aus diesen Darlegungen geht hervor, daß Ps 47 unverkennbar starke Beziehungen zur Proklamation und Inthronisation eines Königs
aufweist. Die kongruenten Punkte zwischen den behandelten Texten
und Ps 47 sind bei weitem gravierender als die aufgezeigte Relation
zwischen 1 Kön 8,1-9 und Ps 47. Daher kann man sagen, daß die

---

15 Auch Baals Thronbesteigung ist von zustimmendem Jubel
    begleitet :
    "Baal setzte sich auf den Stuhl [seines Königtums],
    Der Sohn Dagons auf den Thron [seiner Herrschaft]
    Unter tausend Zurufen ...
    Unter .... Stimmen [des Jubels ?]."
    UT 76: III : 14-17 ; Übersetzung nach J. Aistleitner, Die
    mythologischen und kultischen Texte aus Ras Schamra,
    Budapest[2] 1964, 54.
16 Zur Übersetzung dieses Ausdrucks s. Kraus, Psalmen I
    202 f. Daneben begegnet man auch der Wendung : "Es
    lebe der König" (1 Sam 10,24 ; 2 Kön 11,12).

Thronbesteigung eines irdischen Königs das Modell darstellt, nach dem die Hoheitsaussagen in differenzierter Entfaltung über Jahwe in Ps 47 vorgebracht werden. Er ist der König katexochen, der über Israel und die gesamte Welt gebietet.[17] Zustimmung in der Frage nach dem "Sitz im Leben" von Ps 47 verdient Kraus[18], der sich dafür ausspricht, daß die "Jahwe-Königs-Hymnen" aufgrund von Ps 95,6 ; 96,9 ; 99,5 ; 100,4 im Heiligtum von Jerusalem angestimmt wurden.

Nach diesen grundsätzlichen Erwägungen zu Ps 47 können wir uns der für diese Untersuchung entscheidenden Frage zuwenden, in welcher Weise עלה in V.6a zu interpretieren ist. Bereits oben wurden die Meinungen verschiedener Forscher hierzu notiert. Von uns konnte nachgewiesen werden, daß Erwählung, Proklamation und Inthronisation eines irdischen Königs das Modell für die Hoheitsaussagen Jahwes in Ps 47 abgeben. Bei der Inthronisation eines Königs wird eigens der Weg angegeben, auf dem der neue Herrscher zu seinem Thronsitz geleitet wird. In 1 Kön 1,35.40.45 wird dieser feierliche Aufzug zur Königsburg durch עלה umschrieben, wobei עלה aus örtlichen Gegebenheiten resultiert.[19] Im Anschluß an diese

---

17   Alle weiteren Hypothesen, die im Zusammenhang mit Ps 47 aufgestellt wurden, bleiben fragwürdig. So bezweifelt man heute in der Forschung immer mehr, ob es je in Israel ein eigenes Thronbesteigungsfest Jahwes gegeben hat, mit dem man Ps 47 zu verknüpfen suchte; vgl. Kraus, Psalmen I 201-205. Auch die früher so beliebte Theorie bezüglich babylonischer Einflüsse auf die Idee einer Inthronisation Jahwes im jüdischen Kult hat viel von ihrer Anziehungskraft eingebüßt. In jüngster Zeit hat man Ps 47 mit Deuterojesaja (Jes 52,7) in Beziehung zu setzen versucht, vgl. Westermann, Das Loben Gottes in den Psalmen 111 f, doch auch hier ist ein überzeugender Beweis nicht gelungen. Als nicht gesichert ist ferner die Ansicht zu werten, daß in Ps 47 eschatologische Perspektiven erkennbar werden ; vgl. Gunkel, Die Psalmen 201 ; Westermann, Das Loben Gottes in den Psalmen 112.

18   Psalmen I 349.

19   Vgl. Gunkel, Die Psalmen 202.

feierliche Prozession wird 1 Kön 1,35.46 das Sitzen auf dem Kö-
nigsthron erwähnt. Auch 2 Kön 11,19 berichtet von dem Weg, den
der neuernannte König unter der Anteilnahme des Volkes zum Palast zurücklegt. Aufgrund der örtlichen Gegebenheiten steht hier
nicht עלה , sondern das konträre ירד , denn der neue König steigt
vom "Tempel Jahwes" zu seinem Palast hinunter. In Übereinstimmung mit 1 Kön 1,35.46 wird auch 2 Kön 11,19 das Sitzen auf dem
Thron hervorgehoben. In Analogie zu diesem Krönungszeremoniell
eines irdischen Regenten spricht auch V.6a vom Weg Jahwes zu seinem Thronsitz. Jahwes Königssitz befindet sich nach atl Vorstellung sowohl auf dem Zion[20] als auch im Himmel (vgl. Ps 11,4 ;
103,19), so daß in beiden Fällen die Basis עלה verwendet werden
kann. Aufgrund dieser Ambivalenz ist eine sichere Entscheidung
darüber, ob hier nun ein Zug zum Zion oder ein Aufstieg zum Himmel gemeint ist, nicht möglich.[21] Dennoch besitzt die Deutung auf
eine Himmelfahrt einen höheren Wahrscheinlichkeitsgrad aufgrund
folgender Überlegungen : מלך und עליון , die beiden Epitheta
Jahwes, besitzen eine dominierende Funktion innerhalb des Hymnus (V.3.8 f). Bezüglich dieser Vokabeln sagt Kraus[22] : "Der
göttliche מלך und עליון ist 'König des Himmels' (vgl. zu Ps 29,
9 f) ; vor ihm tun sich nicht nur die Pforten des Heiligtums, sondern auch die 'Tore des Himmels' auf (vgl. zu Ps 24, 7 ff)." Mit
עליון verbindet sich die Vorstellung, daß Jahwe auf Wolkenhö-
hen thront (Jes 14,14) und über alle Götter erhaben ist (Ps 97,9).

---

20   Vgl. hierzu J. Schreiner, Sion-Jerusalem Jahwes Königs-
      sitz, München 1963.
21   Vgl. Schreiner, Sion-Jerusalem 192 ; Kraus, Psalmen I
      351. Beachtenswert ist, daß das Sitzen Jahwes auf dem
      Thron in Übereinstimmung mit 1 Kön 1,35.45 f ; 2 Kön 11,
      19 erst nach Durchlaufen der Wegstrecke, auf der ihm Hul-
      digung und Akklamation zuteil wird, erfolgt (V. 6-9).
22   Psalmen I 351.

Vom Himmel herab läßt Jahwe als עליון seine Stimme erschal-
len (Ps 18,14). עליון ("der Obere, der Höchste") ist von der
Basis עלה abzuleiten.[23] Diese etymologische Realität macht sich
der Verfasser von Ps 47 zunutze, indem er nämlich עליון (V. 3a)-
עלה (V. 6a) - נעלה (V. 10b) leitwortartig in Beziehung setzt und
durch diese Repetition relevante Aussagen macht. Wegen der Ausführungen bezüglich עליון, das in Relation zu עלה steht, gewinnt
die Deutung für V.6a als Hinaufstieg zum Himmel an Wahrscheinlichkeit.

2. Ps 68,19

V.19a handelt von einem Hinaufstieg zur Höhe. Auch hier muß,
wie bei Ps 47,6, gefragt werden, ob sich עלה auf eine Himmelfahrt
oder auf einen sonstigen Aufstieg zu einem höheren Ort dieser Er-
de bezieht.
Vereinzelt wurde die Auffassung vertreten, daß V.19a von einer
Himmelfahrt spricht.[25] Der Großteil der Forscher aber deutete
diese Stelle als einen Hinaufzug zum Zion.[26] Dahood[27] bringt
V.19a wohl im Hinblick auf den vorausgehenden V.18 mit einem
Hinaufstieg zum Berg Sinai in Verbindung.
Ps 68 stellt jeden Ausleger vor große Schwierigkeiten. So ist die
Frage nach der Gattung des Ps 68 nicht eindeutig zu beantworten.
Um der Lösung des Problems näherzukommen, ist es notwendig,

---

23   W.Schmidt, Königtum Gottes in Ugarit und Israel (BZAW
      80) Berlin 1961, 7 Anm. 24.
24   Vgl. J.Muilenburg, Psalm 47 : JBL 63,1944, 244.
25   Vgl. Baethgen, Die Psalmen 207 ; Kraus, Psalmen I 474 f.
26   Vgl. Peters, Psalmen 162 Anm. 29 ; E.Podechard, Psau-
      me 68 : RB 54,1947, 509 ; Nötscher, Das Buch der Psal-
      men 145 f ; Gunkel, Die Psalmen 290.
27   Psalms II 143.

daß man mit Kraus[28] "von den dominierenden Elementen der For-
mensprache" ausgeht. Hierbei kann er verschiedenartige Elemente nachweisen : "Hymnus, Visionsschilderung, Gottessprüche,
Schilderungen geschehener Heilstaten und bestimmter Kultvorgänge, Bitten und Wünsche." Disparate Gattungselemente sind also in
Ps 68 vorhanden, so daß Ps 68 als Gattungseinheit nicht erfaßbar
ist. Auch die Frage nach dem "Sitz im Leben" ist nicht eindeutig
zu beantworten. Kraus[29] formuliert diesbezüglich sehr vorsichtig :
"So liegt also die Vermutung sehr nahe, daß Ps 68 Kultvorgänge und
Kulttraditionen des altisraelitischen Heiligtums auf dem Tabor ent-
hält." Er hat darauf aufmerksam gemacht, daß bei der Erklärung
von Ps 68 sich immer wieder zwei konträre Richtungen ausgewirkt
haben.[30] Aufgrund der nicht zu übersehenden Disparität der einzelnen Psalmteile versuchte man den Ps 68 "zu atomisieren". Als
Repräsentant letztgenannter Richtung kann W. F. Albrigth[31] gelten.
Im Gegensatz zu diesen Bestrebungen fehlte es nie an Gelehrten,
die trotz der Verschiedenheit der Einzelteile die Einheit von Ps 68
retten wollten. Ein Vertreter dieser Tendenz ist S. Mowinckel.[32]
Speziell zur Deutung von V. 19 ist zu sagen, daß dieser Vers trotz
der vielfachen Disparität in Ps 68 nicht isoliert und zusammenhang-
los wie ein erratischer Block steht, sondern eine Beziehung zu den
vorausgehenden V. 16-18 aufweist. V. 16 f besingt den Gottesberg,
auf dem Jahwe seinen Wohnsitz genommen hat. Hier liegen mythische Anklänge an den Götterberg vor, der die übrigen Berge an

---

28   Psalmen I 469.
29   Psalmen I 471.
30   Psalmen I 468.
31   A Catalogue of early Hebrew Lyric Poems - Ps 68 :
        HUCA 23/1, 1950/51, 1-39.
32   Der achtundsechzigste Psalm (ANVAO II. Hist. Filos. Kl.)
        Oslo 1953, No. 1.

Höhe übertrifft.[33] V.18 schildert einen glanzvollen und beein-
druckenden Heereszug Jahwes zu seiner Residenz : "Wagen Gottes
Zehntausend, tausend Bogenschützen. Der Herr kam vom Sinai in
das Heiligtum."[34] Im Zusammenhang mit V.18 sind auch die V.5
und 34 zu beachten. In V.5 wird ebenfalls von einem Fahren Jahwes gesprochen, und zwar erhält Jahwe hier das Epitheton "Wolkenfahrer". Dieser Beiname ist in den ugaritischen Texten häufig
für Aliyan Baal, den kanaanäischen Fruchtbarkeits- und Wetter-
gott,bezeugt.[35] Mit dem Attribut "Wolkenfahrer" in V.5 wird also ein Titel Baals auf Jahwe übertragen.[36] V.34 steht hierzu in
Relation, denn er nimmt bezug auf den, "der am Himmel dahin-
fährt".[37]

33   Vgl. Kraus, Psalmen I 343.
34   Zur Übersetzung "Bogenschützen" s.Dahood, Psalms II
        142 f. V.18b lautet wörtlich : "Der Herr unter ihnen - der
        Sinai im Heiligtum." Dies ergibt keinen brauchbaren Sinn ;
        hier liegt Textverderbnis vor. Die vorgenommene Konjek-
        tur bietet sich als die wahrscheinlichste an ; vgl. BHS z.
        St. Hier liegt die Vorstellung zugrunde, daß Jahwe selbst
        auf einem Wagen einherfährt, wobei er von seinem himm-
        lischen Heer umgeben ist (vgl. 2 Kön 6,17 ; Jes 66,15 ;
        Hab 3,8 ; Ps 77,19). Weiterhin sind für diesen Vorstel-
        lungskomplex noch Dtn 33,2 f ; Sach 14,5 zu berücksichti-
        gen. An den genannten Stellen wird jeweils das Kommen
        Jahwes inmitten der himmlischen Heerscharen beschrie-
        ben. Es ist nicht verwunderlich, daß man sich das Kommen
        Jahwes in dieser Weise gedacht hat, da ja auch nach gängi-
        ger Vorstellung Jahwe im Himmel von einem Hofstaat um-
        geben ist (1 Kön 22,19-22 ; Jes 6,1-4) ; s. dazu A. Alt,
        Gedanken über das Königtum Jahwes, in : Kleine Schriften
        zur Geschichte des Volkes Israel I, München 1953, 351-
        355.
35   UT 51 : III : 11.18 ; 51 : V : 122 ; 67 : II : 7 ; 68,8.29 u.ö.
        rkb ʿrpt ist nicht mit "Wolkenreiter", sondern mit "Wolken-
        fahrer" zu übersetzen,da unter den Wolken nicht ein Pferd,
        sondern der von mythischen Wolkentieren gezogene Wagen
        zu verstehen ist ; s.H.Bauer, Die Gottheiten von Ras Scham-
        ra : ZAW 51, 1933, 88.
36   Vgl. Schmidt, Königtum Gottes 68 f.
37   Vgl. auch Dtn 33,26 ; Ps 104,3 ; Jes 19,1.

Relevant für diese Untersuchung bleibt V.19a : "Du bist emporgestiegen zur Höhe, hast Gefangene gemacht, hast Gaben von Menschen empfangen." V.19b bleibt unklar und ist wohl als Glosse
auszuscheiden.[38] Die Wendung "du bist emporgestiegen" erinnert
an die ugaritische Literatur, bei der der Aufstieg der Götter zum
Götterberg Zaphon wiederholt geschildert wird : "Daraufhin geht
ᶜAṭṭar, der Furchterregende, hinauf auf die Höhen des Zaphon."[39]
Ebenso steigt auch ᶜAnat, die Schwester des Baal, zum Götterberg
Zaphon hinauf : "Sie geht hinauf zum Berg Mslmt, zum Berg Tliyt.
Und sie geht weinend hinauf zum Arr, zum Arr und zum Zaphon."[40]
Selbst der tote Baal wird durch seine Schwester ᶜAnat noch zum
Zaphon hinaufgebracht.[41] Bezüglich der angeführten Stellen muß
gesagt werden, daß jeweils in Übereinstimmung mit V.19 die Basis
ᶜly (= hebr. עלה) verwendet wird, nicht jedoch mrym (=hebr.
מרום). Dafür ist aber wiederholt in anderem Zusammenhang die
Wendung mrym ṣpn ("die Höhe des Zaphon") überliefert.[42]
Nach diesem kurzen Exkurs in ugaritische Texte kann gesagt werden, daß mit V.19a die Verbindungslinie zu V.16f wieder aufgenommen wird. "Du bist emporgestiegen zur Höhe" (V.19) bezieht
sich auf den Hinaufstieg Jahwes zu dem in V.16f geschilderten Gottesberg, "der mit dem himmlischen Sitz identisch ist".[43] Mit dem
Ausdruck "zur Höhe" läßt sich aufgrund der Parallelstellen nicht

---

38   Vgl. Nötscher, Das Buch der Psalmen 145 ; Kraus, Psal-
       men I 467.

39   UT 49 : I : 29. Auch der fragmentarische Satz : "Baal geht
       hinauf zum [Berg]",UT 76 : III : 12, bezieht sich wohl auf
       den Hinaufstieg zum Zaphon. Vgl. ferner : "Und Baal zieht
       zu den Höhen des Zaphon",UT 51 : IV : 19.

40   UT 76 : III : 28-30.

41   UT 62 : 15f.

42   UT 51 : IV:19 ; 51 : V : 85 ; 67 : I : 11; ᶜnt : IV : 82.

43   Kraus, Psalmen I 474.

argumentieren, da er ambivalent ist. Innerhalb des AT bezieht sich לַמָּרוֹם ("zur Höhe") sowohl auf den Zion (Jer 17,12 ; 31,12) als auch auf den Himmel (Ps 93,4 ; Jes 33,5 ; 57,15 ; 58,4). In V.19a werden altkanaanäische Traditionen verarbeitet, wie dies auch für Ps 68,5.34 der Fall ist. Mit dem glanzvollen Aufstieg zur Bergeshöhe wird Jahwe eine Hoheitsaussage zuerkannt, die ursprünglich Baal gegolten hat. Baal herrscht als König auf seinem Berg, dem Zaphon, nach Besiegung seiner Feinde, "dort ist sein Heiligtum, sein Palast oder Tempel, mit seinem Thron".[44] Nach dem Tod des Baal steigt, wie oben zitiert, ʿAṭtar zum Zaphon empor, um die Nachfolge des Baal in der Königsherrschaft anzutreten. Wenn auch dieser Versuch mißlingt, so demonstriert doch der Akt des Hinaufstiegs zum Zaphon durch ʿAṭtar und das Sitzen auf dem Thron die beabsichtigte Übernahme der Königsherrschaft. Mit der Erwählung des Berges Basan als Wohnsitz und des Hinaufstiegs und der Inbesitznahme dieses Gottesberges wird Jahwes machtvolles Königtum nachdrücklich unterstrichen (V.16-19). Hierdurch wird das Untersuchungsergebnis von Albright bestätigt, der die enge Verflechtung des Ps 68 mit altkanaanäischen Traditionen herausgearbeitet hat, wenn er auch in seiner Tendenz zur Archaisierung und Historisierung bisweilen zu weit ging.[45]

III. "Himmelfahrt" des Engels Jahwes (Ri 13,20 ; Tob 12,20)

1. Ri 13,20 wird die Himmelfahrt des "Engels Jahwes" beschrieben. Die eigenständige Funktion dieses Abschnittes wird durch

---

44 Schmidt, Königtum Gottes 24.
45 Bezüglich des Einflusses von Ps 68 auf das NT vgl. Lohfink, Himmelfahrt 87.

das einleitende וַיְהִי demonstriert.[46] Im Gegensatz zu Gen 17,22 ;
35,13 wird zusammen mit עלה auch das Medium genannt, mit dem
der "Engel Jahwes" hinauffährt : "Es fuhr der Engel Jahwes in der
Altarflamme hinauf."[47] Man vermißt bei Ri 13,20 im Zusammenhang mit עלה zunächst die Zielangabe."zum Himmel", wie sie vergleichsweise bei 2 Kön 2,1.11 vorliegt. Doch dazu ist zu sagen,daß
eine diesbezügliche Angabe durch den Anfang des Verses vorweg-
genommen ist und somit nicht wiederholt wird : "Als aber die Flamme vom Altar zum Himmel emporstieg..." Ri 13,20 beinhaltet also eine archaische und mythische Himmelfahrtsaussage, die mit der
von 2 Kön 2,1.11 verwandt ist. Das Schauen der Auffahrt gibt Manoach und seiner Frau Gewißheit darüber, wer ihr Gesprächspartner
gewesen ist (Ri 13,20-23).-Hier ist ebenfalls die Kommunikation
zwischen dem "Engel Jahwes" und bestimmten Menschen wie bei
Gen 17,1-22 ; 35,9-13 in das Schema des Herabstiegs zur Erde
und des Hinaufstiegs zum Himmel eingespannt (Ri 13,3.9.20). Allerdings substituiert auch dieser Bericht das Faktum des Herabstiegs
durch die Ausdrücke "er zeigte sich" (V.3) und "er kam" (V.9). Die
Himmelfahrtsnotiz bildet konform zu Gen 17,22 ; 35,13 den Abschluß
einer Erscheinung.

2.   Tob 12,20 ist ebenfalls von der Himmelfahrt des "Engels
Jahwes" die Rede, wenn auch nur in kurzer Form. Während die
Rezension BA nur überliefert : διότι ἀναβαίνω πρὸς τὸν ἀποστείλαντά με , fügt die Rezension S noch verdeutlichend hinzu καὶ
ἀνέβη.[48] ἀναβαίνειν steht in der LXX bei den Himmelfahrten
für עלה : Gen 17,22 ; 35,13 ; Ri 13,20 (A und B). Die LXX schließt

---

46   Vgl. Meyer, Hebr. Grammatik III 45.
47   Bezüglich des Mediums des Hinauffahrens vgl. 2 Kön 2,1.
11. Dort stellt der "Sturmwind" dieses Medium dar ; s.
S. 107.
48   Hierbei handelt es sich um eine sekundäre Erweiterung.

sich in Tob 12,20 dieser Tradition an, denn der griechische Text
des Buches Tobit stellt wahrscheinlich die Übersetzung eines hebräischen bzw. aramäischen Originals dar.[49] Mit der Angabe
πρὸς τὸν ἀποστείλαντά με wird in verhaltener Weise der Zielpunkt der Himmelfahrt genannt. Diese Umschreibung resultiert aus
spätjüdischem Denken, das den Gebrauch des Gottesnamens bewußt
vermeidet. Tob 12,21 nimmt das bekannte Motiv des Nichtmehr-
sehens nach Abschluß himmlischer Erscheinungen auf : "Da erhoben sie sich, aber sie sahen ihn nicht mehr" ; vgl. S. 117 f. Auch
hier bildet die Auffahrt den Schlußpunkt eines Erscheinungsge-
schehens. Mit der Himmelfahrt weist sich Rafael den Beteiligten
gegenüber als Bote Jahwes aus.

Zusammenfassung : Bei Gen 17,1-22 ; 35,9-13 ; Ri 13,3-23 ;
Tob 12,6-22 ist die Kommunikation zwischen Gott bzw. seinem Boten und bestimmten Menschen in das Modell des Herabstiegs vom
Himmel und der Auffahrt dahin zurück eingebunden. Herabstieg
und Himmelfahrt bilden die Eckpfeiler des Geschehens. Dabei kann
die Erwähnung des Herabstiegs substituiert oder sogar, wie bei
Tob, eliminiert sein, um ein Spannungsmoment in die Erzählung
einzubringen. Wenn es sich um den Boten Jahwes handelt, dann
legitimiert ihn die Auffahrt als Gottgesandten. Dieses Modell des
Herabstiegs vom Himmel und der Rückkehr dorthin entstammt dem
altorientalischen Raum ; vgl. S. 97 f und 342 f.

---

49   Vgl. Eissfeldt, Einleitung 792 f. Im Gegensatz dazu ist
      die Übersetzung von עלה mit ἀναλαμβάνεσθαι in 2 Kön 2,
      11 zu beachten, wodurch eine genaue Differenzierung hin-
      sichtlich Himmelfahrt und Entrückung von seiten der LXX
      erfolgt, s. S. 53 f .

V. "Herabstieg" Jahwes und seines Engels vom Himmel zur Erde

Um das Thema über die Himmelfahrt Jahwes und seines Engels
im AT abzurunden, muß in diese Untersuchung auch das Gegenstück
zur Himmelfahrt, nämlich der Herabstieg zur Erde, miteinbezogen werden. Noch häufiger als von Himmelfahrt liest man im AT
vom Herabstieg Jahwes zur Erde. Herabstieg zur Erde und Himmelfahrt stehen zueinander in Korrelation, gehören notwendigerweise zusammen, wenn auch diese beiden Vorgänge in einem Text
nicht eigens erwähnt werden. Die Wohnung Jahwes und seiner Boten befindet sich nach dem Weltbild des AT, das sich mit dem Weltbild des Alten Orients deckt, oben im Himmel und daher müssen
sie herabsteigen, wenn sie mit Menschen in Verbindung treten wollen. Nach Beendigung ihres vorübergehenden Aufenthaltes auf der
Erde steigen sie wieder zum Himmel hinauf. Die hierbei gebrauchten Verba sind עלה und ירד .[50] Beide Basen kennzeichnen ein
Denken, das Unterwelt, Erde und Himmel als stockwerkartigen
Aufbau betrachtet.

1.   Gen 11, 5. 7 berichtet J im Zusammenhang mit dem Turm-
bau von einem Herabstieg Jahwes. Nichts wird benannt, womit
Jahwe herabfährt. Durch ירד kann ein Anthropomorphismus anklingen, dem man auch sonst bei J begegnet.[51] Wahrscheinlich
schwingt aber in diesem Ausdruck die Überlegenheit Jahwes selbst
über ein gigantisches menschliches Werk mit. Jahwe überragt diese menschliche Tat in solch hohem Maß, daß er sogar "herabstei-

---

50   Analog dazu kommt das gleiche Denkschema in bezug auf
      Erde und Unterwelt zur Anwendung, so "zur Scheol hinab-
      steigen" (Gen 37, 35 ; Num 16, 30. 33 ; 1 Kön 2, 6 ; Ijob 7, 9 ;
      Ps 55, 16 ; Ez 31, 15. 17 ; 32, 17) und "aus der Scheol her-
      aufsteigen" (1 Sam 2, 6 ; Ps 30, 4).

51   Vgl. v. Rad, Das erste Buch Mose 17.

gen" muß, um Stadt und Turm zu besichtigen.

2.   In der Sinaitradition findet sich wiederholt die Aussage
vom Herabstieg Jahwes (Ex 19,11.18.20). Hierbei wird jeweils
als Ort des Herabstiegs der Berg Sinai genannt. Ex 19,18 berichtet, daß Jahwe "im Feuer" auf den Berg Sinai herabstieg. Der Begriff "Feuer" konnte bereits als wichtige Komponente bei Theophanieschilderungen nachgewiesen werden ; vgl. S. 93 .

3.   Wiederholt wird ferner im Pentateuch berichtet, daß Jahwe "herabsteigt" um mit Mose zu sprechen und in der Leitung des
Volkes tätig zu sein (Ex 3,8 ; 34,5 ; Num 11,17.25 ; 12,5). Die
"Wolke" bzw. "Wolkensäule" hat hier eine doppelte Funktion : Medium, das verbirgt, und Gefährt, dessen sich Jahwe bedient. In
dieser Untersuchung konnte bereits für den Bereich des Alten Orient
die Vorstellung nachgewiesen werden, daß Baal die Wolken als Gefährt benutzt ; s.S. 334. Ebenso bedient sich Jahwe der Wolke als
Fahrzeug ; s. S. 334 Anm. 37 . Im Zusammenhang mit der Vorstellung von der Wolke als Gefährt muß auch auf Dan 7,13 verwiesen werden. Von dem Menschensohnähnlichen wird gesagt, daß er
"mit (auf) den Wolken des Himmels" kam. Umstritten ist vor allem
die Bedeutung der Präposition עם. J.A. Montgomery[52] vertritt die
Ansicht, daß schon der Autor von Dan 7,13 bewußt die Präposition
על vermieden hat, weil das Fahren auf der Wolke Gott vorbehalten
ist. Er stuft עם als " עם of accompaniment" ein. G. Dalman[53] vermutet aus dem gleichen Grund, daß עם die ursprüngliche Präposition על verdrängt hat, weil das Einherfahren auf der Wolke ein
Privileg Gottes darstellt. Demgegenüber stellt R.B.Y.Scott[54] fest,
daß man aufgrund der verschiedenen Wiedergaben von עם in der

---

52   The Book of Daniel (ICC) Edinburgh[3]1959, 303 f.
53   Die Worte Jesu I, Darmstadt[3]1965, 198.
54   Behold he cometh with Clouds : NTS 5, 1958/59, 128.

LXX, der gleichen Bedeutung der Präpositionen עם und בְּ im
aramäischen Teil des Buches Daniel und der Untersuchung der
vergleichbaren Stellen im AT die Präposition עם in Dan 7,13
eher mit "on or in" als durch "with" übersetzen kann. Damit
würden die Distinktionen von Dalman und Montgomery hinsichtlich
עם und על hinfällig. Die Argumente von Scott sind gut fundiert
und verdienen Zustimmung. Der sprachliche Befund läßt es also
zu, daß man in den "Wolken des Himmels" (Dan 7,13) das Gefährt
sieht, mit dem der Menschensohnähnliche zum "Hochbetagten" gebracht wird.[55]

4.   Auch in den poetischen Schilderungen der Psalmen und
Propheten wird mehrfach das Herabsteigen Jahwes beschrieben.
So liest man im Rahmen der gewaltigen Theophanieschilderung von
Ps 18,8-16 in V.10 : "Er neigte den Himmel und fuhr herab."
Hierbei kann man an tief hängende Gewitterwolken denken, auf denen Jahwe herabfährt.[56] Diese Deutung steht nicht im Widerspruch
mit der Tatsache, daß die Wolken auch eine verhüllende Funktion
haben (Ps 18,12).-Ps 144,5 wird eine Theophanie erbeten : "Jahwe,
neige deinen Himmel und steige herab." Die Wendung gleicht der
von Ps 18,10.-Jes 31,4 erfolgt eine Darstellung der Hilfe Jahwes
für sein Volk unter dem Bild des herniedersteigenden und auf dem
Zion kämpfenden Gottes.-Innerhalb des großen Klagepsalms Jes
63,15-64,11 ergeht der Flehruf um eine Theophanie (Jes 63,19).
Bei dieser Gelegenheit begegnet man wiederum der Basis ירד. Zum
Ausdruck "ach, daß du den Himmel zerrissest" (Jes 63,19) vgl.
die Wendung "den Himmel neigen" (Ps 18,10 ; 144,5).-Die Theophanieschilderung Mich 1,3 führt auch ירד an.

---

55   Vgl. J.Coppens, Le Fils d'Homme Daniélique et les Relec-
       tures de Dn 7,13 dans les Apocryphes et les Écrits du Nou-
       veau Testament : EThL 37,1961,10.
56   Vgl.Nötscher, Das Buch der Psalmen 43 ; Gunkel, Die
       Psalmen 63.

5. Nicht nur von einem Herabstieg Jahwes zur Erde, sondern auch von einem Herabkommen eines himmlischen Boten weiß das AT in Dan 4, 10 zu berichten. Hierbei findet sich die volle Wendung "vom Himmel herabsteigen".

Zusammenfassung : Die Stellen, die von einem Herabstieg Jahwes oder seines Boten berichten, zeigen formmäßig keine durchgehende Übereinstimmung. Nur das Verbum ירד ist allen Stellen gemeinsam mit Ausnahme von Dan 4, 10, wo das aramäische נחת ("herabsteigen") steht. Eine Präzisierung der Basis ירד durch den terminus a quo "vom Himmel" ist mit Ausnahme von Dan 4, 10 nicht gegeben. Der terminus ad quem findet sich an drei Stellen in der Sinaitradition. Gelegentlich wird als Medium des Herabstiegs die "Wolke" bzw. die "Wolkensäule" eigens erwähnt. Von inhaltlichen Gesichtspunkten her bleibt festzustellen, daß der Herabstieg Jahwes in den Theophanieschilderungen einen festen Platz einnimmt. [57]
Bei dem Wort "herabsteigen" handelt es sich um eine mythische Ausdrucksweise, die sich auch für den Bereich des Alten Orient nachweisen läßt. So trifft im Gilgameschepos bei der Götterunterredung Schamasch der Vorwurf Enlils, weil er vertrauten Umgang mit Gilgamesch und dessen Freund Enkidu gepflogen hat:
"Aber Enlil erzürnte sich gegen den himmlischen Schamasch :
'Weil du täglich zu ihnen wie ihresgleichen hinabgingst!' "[58]
Eine Stele Nabonids, des letzten Königs des neubabylonischen Weltreiches (555-539 v. Chr.),spricht davon, daß Sin, der Mondgott, zu Nabonid vom Himmel kam :

---

57   Vgl. Jeremias, Theophanie 12.15.36.106.
58   Übersetzung nach Schott-v. Soden, Das Gilgamesch-Epos
      60 Col. I Z. 14-16. Leider ist diese Stelle nicht in akka-
      discher Sprache erhalten, sondern nur in einer hethiti-
      schen Version.

"Sin, Gebieter der Götter und Göttinnen, die im Himmel wohnen,
du bist vom Himmel zu (mir) Nabonid, König von Babylon, gekommen. "[59] Auch das ugaritische Epos von Krt erzählt, daß Il, der
höchste Gott des ugaritischen Pantheons, zu Krt hinabsteigt :
"Und in seinem Traume
Il steigt herab, in seiner Vision
    der Vater der Menschen. Und er nähert sich
indem er Kuriti fragte : 'Was ist...' "[60]
Die zitierten altorientalischen Texte und die entsprechenden atl
Stellen stimmen darin überein, daß das Inverbindungtreten bestimmter Götter bzw. Jahwes mit Menschen in den Geschehensvorgang des
Herabstiegs vom Himmel eingekleidet ist. Die biblischen Autoren
bedienen sich dieser mythischen Sprechweise, um die Tatsache der
Kommunikation zwischen Gott und Mensch mit einer im Alten Orient
geläufigen Vorstellungsform auszusprechen. Der Schwerpunkt liegt
nicht im Vorgang des Herabstiegs, sondern in dem mit dem Herabstieg einsetzenden Geschehen.

---

59   C.J. Gadd, The Harran Inscriptions of Nabonidus : Ana-
      tolian Studies 8, 1958, 56 Col. I Z. 5-7.
60   UT Krt 35-38. Übersetzung nach Jirku, Kanaanäische
      Mythen 86.

SCHLUSSWORT

Die vorliegende Untersuchung zeigt, in welch breiter Variations-
form Entrückung, Aufnahme und Himmelfahrt für das AT und den
ihn umgebenden altorientalischen Raum bezeugt sind. Vor allem
fällt auf, daß Entrückung als endgültiges Ereignis unter Umgehung
des Todes, angefangen von der sumerischen Zeit bis herunter zu
Henoch, sowohl als Thema der altorientalischen als auch der alttestamentlichen Literatur auftritt. Zweifellos liegt hier eine dem
Alten Orient gemeinsame Tradition zugrunde, an der auch das AT
partizipiert. Sobald jedoch ein Vergleich zwischen den außerbiblischen und alttestamentlichen Entrückungsberichten durchgeführt
wird, erkennt man, in welch hohem Maß das AT eine eigene Verar-
beitung, Entmythologisierung und theologische Durchdringung an
diesem gemeinsemitischen literarischen Stoff durchgeführt hat.
Nicht zu übersehen ist, daß die beiden alttestamentlichen Entrückungsberichte über Elija und Henoch sehr verschiedenartig
sind. Während der Entrückungsbericht über Elija, mit dem dessen
Tod umschrieben wird, ein buntes und detailliertes Kolorit aufweist, wird die Entrückung des Henoch kurz und mit verhaltenen
Worten umrissen. Die Ursache für diese Verschiedenartigkeit liegt
in der unterschiedlichen Herkunft beider Entrückungsberichte. Im
Fall des Elija handelt es sich um prophetische Kreise, die ein leb-
haftes Interesse an wunderbaren Begebenheiten zeigen und bestrebt
sind, das Lebensende des Elija, mit dem sie sich verbunden wissen, in einem besonderen Licht aufscheinen zu lassen. Bei Henoch
hingegen treten uns priesterliche Kreise entgegen, die in einer
strengen theologischen und dogmatischen Tradition stehen. Beide
Entrückungsberichte stellen einen wichtigen Markstein innerhalb
des Jahweglaubens dar, weil hier der Gedanke anklingt, daß heraus-

ragende Menschen nicht der Scheol verfallen. Bei Elija geht es
zwar primär um die Tatsache seines Todes, aber insofern sein
Tod mit einem Entrückungsgeschehen umschrieben wird, ist zugleich ein Denkanstoß zu einer neuen Dimension gegeben. Bei Henoch liegt eine klare Bezugnahme zum altorientalischen Urmensch-
mythos vor, der besagt, daß in grauer Vorzeit ein Mensch lebte,
der die besondere Gunst der Götter genoß. Aufgrund dieser engen
Bindung an die Götter wurde er unter Umgehung des Todes durch
Götter in einen neuen Lebensraum entrückt und mit ewigem Leben
beschenkt. Es bleibt das Verdienst von P diesen Gedanken, nach
sorgfältiger Losschälung von seinen mythischen Elementen, dem
Jahweglauben einverleibt zu haben.

In der Spätphase des AT erfährt der Entrückungsgedanke durch
Ps 49,16 und 73,24 eine Aktualisierung und Konkretisierung : Der
Fromme, der unbeirrbar im Leben zu Jahwe gestanden hat, muß
nach seinem Tod nicht in die Scheol hinabsteigen, sondern ihm
bleibt die tröstliche Hoffnung, daß er auch nach dem Tod der Gott-
verbundenheit gewiß sein darf. Jahwe wird ihn zu sich aufnehmen.

Entrückungen in zeitlich befristeter Form sind sowohl für den Alten
Orient als auch für das AT bezeugt. Bei den altorientalischen Entrückungen in zeitlich begrenzter Form handelt es sich um Himmels-
bzw. Unterweltsreisen, die nichts zur Erhellung der zeitlich begrenzten Entrückungen im AT beitragen können. Von solchen Him-
mels- bzw. Unterweltsreisen erfährt man nichts aus den kanonischen und deuterokanonischen (apokryphen) Büchern des AT. Solche
Himmels- und Unterweltsreisen spielen erst im apokryphen (pseudepigraphischen) spätjüdischen Schrifttum eine beachtliche Rolle. Entrückungen vorübergehender Art werden im AT vor allem zur Darstellung ekstatischer und visionärer Widerfahrnisse der Propheten
verwendet. Hierbei reicht eine Traditionslinie von Ezechiel zurück

zum Elija- und Elischazyklus ; ja vielleicht ist der Anfang dieser
Vorstellung bereits in der Richter- und frühen Königszeit zu suchen.

Die Himmelfahrtsaussagen des AT und deren konträres Korrelat,
der Herabstieg vom Himmel, basieren primär auf dem altorientalischen Weltbild, das als stockwerkartige Konstruktion gesehen
wurde. Herabstieg und Auffahrt stellen ein gemeinsemitisches
Schema für die Kommunikation zwischen dem göttlichen Bereich
und der Welt dar. Damit ein Kontakt zwischen diesen Räumen stattfinden kann, erfolgt im Herabstieg die Bewegungsrichtung zum
Menschen hin. Nach Abschluß des Inverbindungtretens verläuft der
Kurs in umgekehrter Richtung. Herabstieg und Hinaufstieg bilden
die beiden Eckpfeiler, in die ein Offenbarungsgeschehen eingebettet
ist. Hierbei kann eine dieser Wegangaben eliminiert oder substituiert sein. Daneben schwingt in diesen Bezeichnungen auch ein ho-
heitsvolles und fürsorgliches Moment mit. In Herabstieg Jahwes
zur Erde und in seinem Hinaufstieg zum Himmel zeigt sich Jahwes
Überlegenheit gegenüber der Welt. Er ist hocherhaben über die
Erde und ihre Bewohner, seine Wohnung ist der Himmel. Um dem
Menschen nahezukommen, muß er "herabsteigen". Handelt es sich
um einen Boten Jahwes, dann kann gerade der Vorgang der Auffahrt
ihn als himmlischen Gesandten ausweisen und beim menschlichen
Partner Reaktionen der Furcht und des Dankes auslösen. Die Fürsorge Gottes manifestiert sich insofern, daß er dem Menschen im
Herabstieg entgegenkommt und ihn mit seiner Freundschaft und
seinem Heil umfängt.
Entrückung, Aufnahme und Himmelfahrt im AT demonstrieren deutlich, daß mit diesem Vorstellungsbereich die Grundlagen für die
neutestamentlichen Himmelfahrts- und Erhöhungstexte gegeben
sind.

ANHANG

ABKÜRZUNGEN

Die biblischen Bücher und Eigennamen werden nach den Loccumer Richtlinien zitiert.

Die Abkürzung der AT-Kommentare erfolgt nach O. Eissfeldt, Einleitung in das AT, Tübingen³ 1964, 1114 f. Im übrigen werden neben den im Lexikon für Theologie und Kirche (LThK²) gebräuchlichen Abkürzungen noch folgende verwendet :

AHw	= Akkadisches Handwörterbuch, hrsg. v. W. v. Soden, Wiesbaden 1959 ff.
ANES	= The Ancient Near East. Supplementary Texts and Pictures relating to the Old Testament, ed. by J. B. Pritchard, Princeton 1969.
ANVAO	= Avhandlinger utgitt av det Norske Videnskaps-Akademi i Oslo, Oslo.
AOT	= Altorientalische Texte zum AT, hrsg. v. H. Greßmann, Berlin-Leipzig² 1926.
AS	= Assyriological Studies, Chicago.
BHH	= Biblisch-Historisches Handwörterbuch, hrsg. v. Bo Reicke und L. Rost, bisher ersch.: I - III, Göttingen 1962-66.
BHK	= Biblia Hebraica, hrsg. v. R. Kittel, Stuttgart ¹⁰ o.
BHS	= Biblia Hebraica Stuttgartensia, hrsg. v. K. Elliger und W. Rudolph, Stuttgart 1968 ff.
BiViChr	= Bible et Vie Chrétienne, Maredsous.
BZAW	= Beihefte zur Zeitschrift für die alttestamentliche Wissenschaft, (Gießen) Berlin.
CB	= Corpus Berolinense = Die griechischen christlichen Schriftsteller der ersten (drei) Jahrhunderte, Leipzig 1897 ff.

ÉTRel = Études Theologiques et Religieuses, Montpellier.

fzb = Forschung zur Bibel, hrsg. v. R. Schnackenburg und J. Schreiner, Würzburg 1972 ff.

GerTheolTijdschr = Gereformeerd Theologisch Tijdschrift, Kampen.

JSS = Journal of Semitic Studies, Manchester.

Jud = Judaica, Zürich.

KAI = Kanaanäische und aramäische Inschriften, hrsg.v. H.Donner und W. Röllig, I Wiesbaden^2 1966, II^2 1968.

MSU = Mitteilungen des Septuaginta-Unternehmens, Berlin 1909 ff.

PW = Real-Encyclopädie der klassischen Altertumswissenschaft, begründet von A. Pauly, neue Bearbeitung von G. Wissowa und W. Kroll, Stuttgart 1893 ff.

UMPBS = University Museum, University of Pennsylvania, Publications of the Babylonian Section, Philadelphia 1911 ff.

UT = Ugaritic Textbook (AnOr 38), hrsg.v. C.H. Gordon, Rom 1965.

VTS = Supplements to Vetus Testamentum, Leiden.

WMANT = Wissenschaftliche Monographien zum Alten und Neuen Testament, Neukirchen.

LITERATURVERZEICHNIS

1. Quellen (Grundtexte und Übersetzungen)

Aistleitner J., Die mythologischen und kultischen Texte aus Ras
Schamra (Bibliotheca Orientalis Hungarica 7)
Budapest^2 1964.

Bardtke H., Liber Psalmorum (BHS 11) Stuttgart 1969.

Barnes W.E., The Peshitta Psalter according to the West Syrian
Text, Cambridge 1904.

Borger R., Babylonisch-Assyrische Lesestücke, Heft I-III, Rom
1963.

Breastedt J.H., Ancient Records of Egypt II, New York^2 1962.

Brooke A.E. - Mc Lean M., Genesis (The Old Testament in Greek
I/I) Cambridge 1906.

Civil M., The Sumerian Flood Story, in : Atra-Ḫasīs. The Babylonian Story of the Flood, Oxford 1969, 138-145.

Cohn L. - Wendland P., Philonis Alexandrini opera quae supersunt I - VI, Berlin 1896-1915.

Corpus Inscriptionum Semiticarum, Paris 1881 ff.

Cowley A., Aramaic Papyri of the fifth Century B.C., Oxford
1923.

Deimel A., Die altbabylonische Königsliste und ihre Bedeutung
für die Chronologie (Sacra Scriptura Antiquitatibus
Orientalibus Illustrata 6) Rom 1935.

Dhorme E., Choix de Textes Religieux Assyro-Babyloniens,
Paris 1907.

Dindorf W., Georgius Syncellus et Nicephorus CP I (Corpus Scrip-
torum Historiae Byzantinae) Bonn 1829.

Discoveries in the Judaean Desert, Oxford 1955 ff.

Donner H. - Röllig W., Kanaanäische und aramäische Inschriften I-II, Wiesbaden[2] 1966-1968.

Ebeling E., Die Sintflut. Ein sumerischer Bericht von der Sintflut, in : AOT, Berlin-Leipzig[2] 1926, 198 f.

-, Tod und Leben nach den Vorstellungen der Babylonier, I. Teil : Texte, Berlin-Leipzig 1931.

-, Kritische Beiträge zu neueren assyriologischen Veröffentlichungen : MAOG X 2, Leipzig 1937,1-20.

-, Ein mittelassyrisches Bruchstück des Etana-Mythus : AfO 14, 1941-1944, 298-303.

Eissfeldt O., Liber Genesis (BHS 1) Stuttgart 1969.

Elliger K., Liber XII Prophetarum (BHS 10) Stuttgart 1970.

Erman A., Die Literatur der Ägypter, Leipzig 1923.

Falkenstein A. - v. Soden W., Sumerische und akkadische Hymnen und Gebete, Zürich-Stuttgart 1953.

Field F., Origenis Hexaplorum quae supersunt I und II, Oxford 1875.

Fischer B., Genesis (Vetus Latina 2) Freiburg 1951.

Fischer J.A., Der Klemens-Brief (Die Apostolischen Väter) München 1956, 1-107.

Frank C., Studien zur Babylonischen Religion I, Straßburg 1911.

Freedman H., Genesis (Midrash Rabbah I) London 1951.

Früchtel L., Clemens Alexandrinus II. Stromata Buch I-VI (CB 52) Berlin[3] 1960.

Gadd C.J., The Harran Inscriptions of Nabonidus : Anatolian Studies 8, 1958, 35-92.

Gössmann P.F., Das Era-Epos, Würzburg o.J.

Gordon C.H., Ugaritic Textbook (AnOr 38) Rom 1965 [UT].

Gurney O.R., The Sultantepe Tablets VII. The Myth of Nergal and Ereshkigal : Anatolian Studies 10, 1960, 105-131.

Heidel A., A Sumerian Deluge Version from Nippur, in : The Gilgamesh Epic and Old Testament Parallels, Chicago-London^2 1949, 102-105.

-, The Adapa Legend, in : The Babylonian Genesis, Chicago 1951, 147-153.

Jacobsen Th., The Sumerian King List (AS 11) Chicago 1939.

Kappler W., Maccabaeorum liber I (Septuaginta IX/1) Göttingen 1936.

Karst J., Eusebius Werke 5. Die Chronik (CB 20) Leipzig 1911 .

Kittel R., Biblia Hebraica, Stuttgart^{10} o.J. [BHK] .

Knudtzon J.A., Adapa und der Südwind, in : Die El-Amarna-Tafeln I (VAB 2) Leipzig 1915, 964-969.

Kramer S.N., The Deluge, in : ANET, Princeton^2 1955, 42-44.

Kraus F.R., Ein Sittenkanon in Omenform : ZA 43, 1936, 77-113.

Labat R., Le Poème Babylonien de la Création, Paris 1935.

Lambert W.G., Three Literary Prayers of the Babylonians : AfO 19, 1959/60, 47-66.

-, Babylonian Wisdom Literature, Oxford^2 1967.

- Millard A.R. - Civil M., Atra-Ḫasīs. The babylonian Story of the Flood, Oxford 1969.

Langdon S., Die neubabylonischen Königsinschriften (VAB 4) Leipzig 1912.

-, Historical Inscriptions containing principally the chronological Prism, W-B 444 (Oxford Edition of Cuneiform Texts II) Oxford 1923.

-, The chaldean Kings before the Flood : JRAS, 1923, 251-259.

Langdon S., Babylonian Penitential Psalms (Oxford Editions of
        Cuneiform Texts VI) Paris 1927.

-,   The Legend of Etana and the Eagle or the epical
        Poem "The City they hated" : Babyloniaca 12,
        1931, 1-53, Plates I-XIV.

Lévi J., The Hebrew Text of the Book of Ecclesiasticus (Semitic
        Study Series III) Leiden[2] 1951.

Lohse E., Die Texte aus Qumran, Darmstadt 1963.

Sainte Marie H. de, Sancti Hieronymi Psalterium iuxta Hebraeos
        (Collectanea Biblica Latina XI) Rom 1954.

Mercer S.A.B., The Pyramid Texts I-IV, New York-London-
        Toronto 1952.

Mras K., Eusebius Werke VIII. Die Praeparatio Evangelica (CB
        43,1) Berlin 1954.

Nestle E., Novum Testamentum Graece, Stuttgart[20] 1950.

Niese B., Flavii Josephi opera I und II, Berlin[2] 1955.

Peek W., Griechische Grabgedichte (Schriften und Quellen der Al-
        ten Welt 7) Berlin 1960.

Plutarch, Παραμυθητικος προς Απολλωνιον.
        Plutarch's Moralia II, London[2] 1956.

Poebel A., A New Creation and Deluge Text (Historical Texts
        UMPBS IV/1) Philadelphia 1914, 9-70.

Pritchard J.B., ANET, Princeton[2] 1955.

-,   ANES, Princeton 1969.

Liber Psalmorum (Biblia Sacra iuxta Latinam Vulgatam Versionem
        ad Codicum Fidem X) Rom 1953.

Quentin D.H., Genesis (Biblia Sacra iuxta Latinam Vulgatam Versio-
        nem ad Codicum Fidem I) Rom 1926.

Rahlfs A., Septuaginta I und II, Stuttgart[6] o.J.

-,   Psalmi cum Odis (Septuaginta X) Göttingen[2] 1967.

Ranke H., Die Erwählung Thutmosis III. durch Amon, in : AOT
   99 f.

Roeder G., Kulte und Orakel im Alten Ägypten (Die ägyptische Religion in Texten und Bildern III) Zürich-Stuttgart
   1960.

Sapientia Salomonis. Liber Hiesu Filii Sirach (Biblia Sacra iuxta
   Latinam Vulgatam Versionem ad Codicum Fidem
   XII) Rom 1964.

Schott A. - Soden W.von, Das Gilgamesch-Epos, Stuttgart 1966.

Schott S., Altägyptische Liebeslieder, Zürich^2 1950.

Segal M. Z., Das vollständige Buch Ben Sira, Jerusalem^2 1958.

Sethe K., Urkunden der 18. Dynastie bearbeitet und übersetzt
   (Urkunden des ägyptischen Altertums IV/1)
   Leipzig 1914.

-,   Übersetzung und Kommentar zu den Altägyptischen
   Pyramidentexten I-IV, Glückstadt o.J., V-VI,
   Glückstadt 1962.

Soden W. von, Die Unterweltsvision eines assyrischen Kronprinzen : ZA 43, 1936, 1-31.

-,   Der Anfang des Etana-Mythus : WZKM 55, 1959,
   59-61.

Speiser E.A., A Vision of the Nether World, in : ANET 109 f.

Speleers L., Traduction, Index et Vocabulaire des Textes des Pyramides Égyptiennes, Brüssel o.J.

Sperber A., The Bible in Aramaic II, Leiden 1959.

Streck M., Assurbanipal (VAB 7/II) Leipzig 1916.

Thomas D.W., Liber Jesaiae (BHS 7) Stuttgart 1968.

Thompson R.C., The Epic of Gilgamish. Text, Transliteration and
   Notes, Oxford 1930.

Weber R., Le Psautier Romain et les autres anciens Psautiers
　　　　　Latins (Collectanea Biblica Latina X) Rom 1953.

Weissbach F.H., Die Keilinschriften der Achämeniden (VAB 3)
　　　　　Leipzig 1911.

Wilson J.A., The divine Nomination of Thut-Mose III, in : ANET
　　　　　446 f.

Yadin Y., The Ben Sira Scroll from Masada, Jerusalem 1965.

Ziegler J., Isaias (Septuaginta XIV) Göttingen 1939.

-,　　　　　Duodecim Prophetae (Septuaginta XIII) Göttingen
　　　　　1943.

-,　　　　　Ezechiel (Septuaginta XVI/1) Göttingen 1951.

-,　　　　　Susanna · Daniel · Bel et Draco (Septuaginta XVI/2)
　　　　　Göttingen 1954.

-,　　　　　Jeremias (Septuaginta XV) Göttingen 1957.

-,　　　　　Sapientia Salomonis (Septuaginta XII/1) Göttingen
　　　　　1962.

-,　　　　　Sapientia Jesu Filii Sirach (Septuaginta XII/2)
　　　　　Göttingen 1965.

Zimmern H., Beiträge zur Kenntnis der babylonischen Religion
　　　　　(Assyriologische Bibliothek XII) Leipzig 1901.

2.　Kommentare

Abel P.F.M., Les Livres des Maccabees, Paris 1949.

Baethgen F., Die Psalmen (HK II/2) Göttingen[3] 1904.

Barnes W.E., The Psalms with Introduction and Notes 2 (WC)
　　　　　London 1931.

Bauermeister J.Ph., Commentarius in Sapientiam Salomonis,
　　　　　Göttingen 1828.

Born A. van den, Koningen (BOuT IV) Roermond 1958.

Box G.H. - Oesterley W.O.E., The Book of Sirach, in : Charles I, Oxford 1913, 268-517.

Briggs Ch.A., The Book of Psalms I-II (ICC) Edinburgh 1907.

Buttenwieser M., The Psalms, Chicago 1938.

Cassuto U., A Commentary on the Book of Genesis I, Jerusalem 1961.

Castellino G., Libro dei Salmi (SB) Torino-Roma 1955.

Chaine J., Le Livre de la Genèse (LD 3) Paris 1948.

Clamer A., La Genèse (Pirot & Clamer I/1) Paris 1953.

Cornely R., Commentarius in Sapientiam Salomonis (CSS II/V ed. F. Zorell) Paris 1910.

McCullough W.S., The Book of Psalms (IB IV) New York 1955.

Dahood M., Psalms I-II (The Anchor Bible 16/17) New York 1965/1968.

Davies W., Bel and the Dragon, in : Charles I, Oxford 1913, 652-664.

Deane W.J., ΣΟΦΙΑ ΣΑΛΩΜΩΝ . The Book of Wisdom, Oxford 1881.

Deden D., De Kleine Profeten (BOuT XII) Roermond 1953.

Delitzsch F., Neuer Commentar über die Genesis, Leipzig 1887.

-, Biblischer Kommentar über die Psalmen (Biblischer Kommentar über das AT 4/1) Leipzig[5] 1894.

Dillmann A., Die Genesis, Leipzig[5] 1886.

Drijvers P., Les Psaumes. Genres littéraires et Thèmes doctrinaux (LD 21) Paris 1958.

Drubbel A., Wijsheid (BOuT VIII/IV) Roermond 1957.

Duesberg H. - Auvray P., Le Livre de l'Ecclésiastique (Pirot & Clamer) Paris 1953.

Duhm B., Die Psalmen (KHC XIV) Tübingen[2] 1922.

-, Das Buch Jesaja (HK III/1) Göttingen[4] 1922.

Eberharter A., Das Buch Jesus Sirach oder Ecclesiasticus (HS VI/5) Bonn 1925.

Eerdmans B.D., Die Komposition der Genesis (Alttestamentliche Studien) Gießen 1908.

-, The Hebrew Book of the Psalms (OTS 4) Leiden 1947.

Eichrodt W., Der Prophet Hesekiel (ATD 22/1-2) Göttingen 1959-1966.

Farrer F.W., The Wisdom of Solomon, in : The Holy Bible. Apocrypha I ed. H. Wace, London 1888, 403-543.

Feldmann F., Das Buch der Weisheit (HS VI/4) Bonn 1927.

Fichtner J., Weisheit Salomos (HAT II/6) Tübingen 1938.

Fischer J., Das Buch der Weisheit, in : Echter-B IV, Würzburg 1959, 719-772.

Fohrer G., Das Buch Hiob (KAT XVI) Gütersloh 1963.

Gelin A., Aggée Zacharie Malachie (Jerusalem-B) Paris^2 1953.

Goodrick A.T.S., The Book of Wisdom, Rivingtons 1913.

Gray J., I & II Kings (The Old Testament Library) London^2 1970.

Grimm C.L.W., Das Buch der Weisheit (Fritzsche-Grimm 6. Lieferung) Leipzig 1860.

Gunkel H., Die Psalmen (HK II/2) Göttingen^{4}1929.

-, Genesis (HK I/1) Göttingen^{6}1964.

Gutberlet C., Das Buch der Weisheit übersetzt und erklärt, Münster 1874.

Hamp V., Das Buch Sirach oder Ecclesiasticus, in : Echter-B IV, Würzburg 1959, 569-717.

Heinisch P., Das Buch der Weisheit (EH 24) Münster 1912.

-, Das Buch der Genesis (HS I/1) Bonn 1930.

Holmes S., The Wisdom of Solomon, in : Charles I, Oxford 1913, 518-568.

Holzinger H. , Genesis (KHC) Tübingen 1898.

Horst F. , Hiob (BK XVI/1) Neukirchen 1968.

Junker H. , Die zwölf kleinen Propheten (HS VIII 3/2) Bonn 1938.
-,   Das Buch Genesis, in : Echter-B I, Würzburg$^{2.3}$
              1955, 19-160.

Keil C.F. , Biblischer Commentar über die Bücher Mose's,
              1. Genesis und Exodus (Biblischer Kommentar
              über das AT) Leipzig^3 1878.

Kissane E.J. , The Book of Psalms I-II , Dublin 1953.

Kittel R. , Die Psalmen (KAT XIII) Leipzig$^{3.4}$1922.

König E. , Die Psalmen, Gütersloh 1927.

Kraus H.J. , Psalmen I-II (BK XV/1-2) Neukirchen^{2}1961.

Lamparter H. , Das Buch der Psalmen II (Die Botschaft des AT 15)
              Stuttgart 1958.

May H.G. , The Book of Ezekiel (IB VI) New York-Nashville 1956.

Michaeli F. , Le Livre de la Genèse, chap. 1-11 (La Bible ouverte)
              Neuchâtel 1957.

Montgomery J.A. - Gehman H.S. , A Critical and Exegetical Com-
              mentary on the Books of Kings (ICC) Edinburgh 1951.

Montgomery J.A. , The Book of Daniel (ICC) Edinburgh^{3}1959.

Muilenburg J. , The Book of Isaiah, chapters 40-66 (IB V) New York-
              Nashville 1956.

Nötscher F. , Sacharja, in : Echter-B III, Würzburg 1958, 809-851.
-,   Das Buch der Psalmen, in : Echter-B IV,Würzburg
              1959, 10-312.

Pannier E. , Les Psaumes (Pirot & Clamer V) Paris 1937.

Peters N. , Das Buch Jesus Sirach oder Ecclesiasticus (EH 25)
              Münster i.W. 1913.
-,   Das Buch der Psalmen, Paderborn 1930.

Podechard E. , Le Psautier (Bibliothèque de la Faculte Catholique
              de Théologie de Lyon III-VI) Lyon 1949-1954.

Procksch O., Die Genesis (KAT I) Leipzig 1913.

Rad G. von, Das erste Buch Mose (ATD 2/4) Göttingen[7] 1964.

Ryssel V., Die Sprüche Jesus', des Sohnes Sirachs, in: Kautzsch I,
Tübingen 1900, 230-475.

Šanda A., Die Bücher der Könige (EH IX/2) Münster 1912.

Schilling O., Das Buch Jesus Sirach (Herder-B VII/2) Freiburg
1956.

Schmidt H., Die Psalmen (HAT 1/15) Tübingen 1934.

Schötz D.. Das erste Buch der Makkabäer, in: Echter-B II, Würzburg
1956, 591-654.

Siegfried K., Die Weisheit Salomos, in: Kautzsch I, Tübingen
1900, 476-507.

Simon U.E., A Theology of Salvation. A Commentary on Isaiah
40-55, London[2] 1961.

Skinner J., Genesis (ICC) Edinburgh 1910.

Smend R., Die Weisheit des Jesus Sirach, Berlin 1906.

Speiser E.A., Genesis (The Anchor Bible) New York 1964.

Staerk W., Psalmen (KAT 3/1) Göttingen([2]1920) [3]1950.

Thomas D.W., The Book of Zechariah (IB VI) New York-Nashville
1956.

Tournay R., Les Psaumes (Pirot & Clamer) Paris 1950.

Vaccari A., I Salmi, Torino[2] 1956.

Vaux R. de, Les Livres des Rois (Jerusalem-B) Paris[2]1958.

-,   La Genèse (Jerusalem-B) Paris 1961.

Weber J., Le Livre de la Sagesse (Pirot & Clamer VI) Paris 1951.

Weiser A., Die Psalmen I-II (ATD 14/1.15) Göttingen[3]1950.

Westermann C., Das Buch Jesaja. Kap.40-66 (ATD 19) Göttingen
1966.

-,   Genesis (BK I) Neukirchen 1966 ff.

Ziegler J., Das Buch Isaias, in: EB III, Würzburg 1958, 9-209.

Zimmerli W., 1. Mose 1-11 (ZBK) Zürich[3]1967.

-,   Ezechiel (BK XIII) Neukirchen 1969.

3.   Monographien, Artikel, Wörterbücher und
     Hilfsmittel

Ackroyd P.R., The Meaning of Hebrew דוד considered : JSS 13,
       1968, 3-10.

Albrigth W.F., The Mouth of the Rivers : AJSL 35,1919, 161-195.

-,   A Catalogue of Early Hebrew Lyric Poems - Ps 68 :
       HUCA 23/1, 1950/51, 1-39.

Alcaina Canosa C., Panorama critico del Ciclo de Eliseo : EstB
       23, 1964, 217-234.

Alfrink B., L'Expression אבותיו עם שכב : OTS 2, 1943, 106-118.

-,   L'Expression עמיו אל נאסף: OTS 5, 1948, 118-
       131.

Alonso-Schökel L., Das Alte Testament als literarisches Kunst-
       werk, Köln 1971.

Alt A., Die literarische Herkunft von I Reg 19,19-21 : ZAW 32,
       1912, 123-125.

-,   Gedanken über das Königtum Jahwes, in : Kleine
       Schriften zur Geschichte des Volkes Israel I,
       München 1953, 345-357.

Balla E., Das Problem des Leides in der israelitisch-jüdischen
       Religion, in : Εὐχαριστήριον (FRLANT 36/1)
       Göttingen 1923, 214-260.

Baron D., The Visions and Prophecies of Zechariah, London[5]1962.

Barth Ch., Die Errettung vom Tode in den individuellen Klage- und
       Dankliedern des AT, Zollikon 1947.

Bauer H., Die Gottheiten von Ras Schamra : ZAW 51, 1933, 81-101.

Bauer H. - Leander P., Historische Grammatik der hebräischen
    Sprache des AT, Halle 1922.

Bauer W., Griechisch-Deutsches Wörterbuch zu den Schriften des
    Neuen Testamentes und der übrigen urchristlichen
    Literatur, Berlin[5]1958.

Baumann E., Struktur-Untersuchungen im Psalter II : ZAW 62,
    1950, 115-152.

Beek M.A., Bildatlas der assyrisch-babylonischen Kultur, Güters-
    loh 1961.

Beer G., Ψ 73,24 : ראחר כבוד תקחני : ZAW 21, 1901, 77 f.

Begrich J., Das priesterliche Heilsorakel : ZAW 52, 1934,81-92.

-,   Studien zu Deuterojesaja (Theologische Bücherei 20)
    München 1963.

Bezold C., Babylonisch-Assyrisches Glossar, Heidelberg 1926.

Bič M., Die Nachtgesichte des Sacharja (Biblische Studien 42)
    Neukirchen 1964.

Birkeland H., The chief Problems of Ps 73,17 ff : ZAW 67, 1955,
    99-103.

Blass F. - Debrunner A., Grammatik des neutestamentlichen
    Griechisch, Göttingen[11]1961.

Boettcher F., De inferis rebusque post mortem futuris ex Hebrae-
    orum et Graecorum opinionibus libri duo, Dresden
    1846.

Bonnet H., Reallexikon der ägyptischen Religionsgeschichte, Ber-
    lin 1952.

Bonkamp B., Die Bibel im Lichte der Keilschriftforschung, Reck-
    linghausen 1939.

Brockelmann C., Grundriß der vergleichenden Grammatik der
    semitischen Sprachen. II Syntax, Berlin 1913.

Bronner L., The Stories of Elijah and Elisha (Pretoria Oriental
    Series VI) Leiden 1968.

Buber M., Recht und Unrecht. Deutung einiger Psalmen, Basel 1952.

Budde K., Zum Text der Psalmen : ZAW 35, 1915, 175-195.

Buren E.D.van, Akkadian Sidelights on a fragmentary Epic : Or 19, 1950, 161 f.

Burney C.F., Israel's Hope of Immortality, Oxford 1909.

Carroll R.P., The Elijah-Elisha Sagas : Some Remarks on Prophetic Succession in Ancient Israel : VT 19, 1969, 400-415.

Clark W.M., The Flood and the Structure of the Pre-patriarchal History : ZAW 83, 1971, 184-211.

Coppens J., Het Onsterfelijkheidsgeloof in het Psalmboek, Brüssel 1957.

-,   Le Fils d'Homme Daniélique et les Relectures de Dn 7,13 dans les Apocryphes et les Écrits du Nouveau Testament : EThL 37, 1961, 5-42.

Cornwall P.B., On the Location of Dilmun : BASOR 103, 1946, 3-11.

Dahood M., Hebrew-Ugaritic Lexicography I : Bibl 44, 1963, 289-303.

-,   Hebrew-Ugaritic Lexicography III : Bibl 46, 1965, 311-332.

Dalman G., Die Worte Jesu I, Darmstadt [3]1965.

Daniélou J., L'Ascension d'Hénoch : Irénikon 28, 1955,257-267.

Delitzsch F., Die Lese- und Schreibfehler im AT, Berlin-Leipzig 1920.

Dhorme E., L'Emploi métaphorique des Noms de Parties du Corps en Hébreu et en Akkadien, Paris 1923.

-,   L'Aurore de l'Histoire Babylonienne, in : Recueil Edouard Dhorme, Paris 1951, 3-79.

Driver G.R., Linguistic and textual Problems : Minor Prophets
III : JThSt 39, 1938, 393-405.

Dubarle A.M., Les Sages d'Israel (LD 1) Paris 1946.

Dürr L., Ezechiels Vision von der Erscheinung Gottes im Lichte
der vorderasiatischen Altertumskunde, Münster
1917.

-, Die Wertung des Lebens im AT und im antiken
Orient, Münster 1926.

-, Die Ascensio Domini in der alttestamentlichen Liturgie : Liturgisches Leben 2, 1935, 128-134.

Duhm B., Anmerkungen zu den Zwölf Propheten : ZAW 31, 1911,
161-204.

Duhm H., Der Verkehr Gottes mit den Menschen im AT, Tübingen
1926.

Eising H., Die theologische Geschichtsbetrachtung im Weisheitsbuche, in : Festschrift f. M. Meinertz. NTA I.
Ergänzungsband, Münster 1951, 28-40.

Eissfeldt O., Biblos geneseos, in : Gott und die Götter. Festgabe
für E. Fascher, Berlin 1958, 31-40.

-, Einleitung in das AT, Tübingen[3] 1964.

-, Die Komposition von I Reg 16,29 - II Reg 13,25,
in : BZAW 105, Berlin 1967, 49-58.

Elliger K., Sinn und Ursprung der priesterlichen Geschichtserzählung : ZThK 49, 1952, 121-143.

Fichtner J., Der AT-Text der Sapientia Salomonis : ZAW 57, 1939,
155-192.

Fohrer G., Elia (AThANT 53) Zürich[2] 1968.

Frankfort H., Cylinder Seals, London 1939.

-, Kingship and the Gods, Chicago 1948.

Gärtner E., Komposition und Wortwahl des Buches der Weisheit
　　　　(Schriften der Lehranstalt für die Wissenschaft
　　　　des Judentums II/2-4) Berlin 1912.

Galling K., Der Ehrenname Elisas und die Entrückung Elias :
　　　　ZThK 53, 1956, 129-146.

Gesenius W. - Kautzsch E. - Bergsträsser G., Hebräische Gram-
　　　　matik, Hildesheim[29] 1962.

Gierlich A. M., Der Lichtgedanke in den Psalmen (FreibThSt 56)
　　　　Freiburg 1940.

Gordis R., The Asseverative Kaph in Ugaritic and Hebrew : JAOS
　　　　63, 1943, 176-178.

Grelot P., La Légende d'Hénoch dans les Apocryphes et dans la
　　　　Bible : RSR 46, 1958, 5-26.181-210.

Greßmann H., Der Messias (FRLANT 43) Göttingen 1929.

Grether O., Hebräische Grammatik für den akademischen Unter-
　　　　richt, München 1951.

Guillet J., L'Entrée du Juste dans la Gloire : BiViChr 9, 1955,
　　　　58-70.

Gulkowitsch L., Die Bildung von Abstraktbegriffen in der hebräi-
　　　　schen Sprachgeschichte, Leipzig 1931.

Gunkel H., Geschichten von Elisa (Meisterwerke hebräischer Er-
　　　　zählungskunst I) Berlin o.J.

-,　　　　Jes 33, eine prophetische Liturgie : ZAW 42, 1924,
　　　　177-208.

-　　　　Begrich J., Einleitung in die Psalmen, Göttingen[2]
　　　　1966.

Gunn G.S., God in the Psalms, Edinburgh 1956.

Haag E., Die Himmelfahrt des Elias nach 2 Kön 2, 1-15 : TThZ 78,
　　　　1969, 18-32.

Hansen C.B., Bagefter herlighet : Dansk Teologisk Tidsskrift 13,
        1950, 77-87.

Haufe G., Entrückung und eschatologische Funktion im Spätjuden-
        tum : ZRGG 13,1961,105-113.

Hehn J., Siebenzahl und Sabbat bei den Babyloniern und im AT
        (Leipziger Semitistische Studien II/5) Leipzig 1907.

Heidel A., The Gilgamesh Epic and Old Testament Parallels,
        Chicago-London[2]1949.

Humbert P., Die literarische Zweiheit des Priester-Codex in der
        Genesis : ZAW 58, 1940/41, 30-57.

Jacob E., La Tradition Historique en Israel : ETRel 21, 1946, 1-
        208.

Jellicoe S., The Interpretation of Ps 73,24 : ExpT 67, 1955/56,
        209 f.

Jeremias J., Theophanie (WMANT X) Neukirchen 1965.

Jirku A., Altorientalischer Kommentar zum AT, Leipzig 1923.

Johannessohn M., Der Gebrauch der Präpositionen in der Septua-
        ginta, in : MSU III, Berlin 1925, 165-388.

Johansson N., Parakletoi, Lund 1940.

Joüon R.P., Glanes Palmyréniennes : Syr 19, 1938, 99 f.

-,   Grammaire de l'Hébreu Biblique, Rom[2]1947.

Kees H., Totenglauben und Jenseitsvorstellungen der Alten Ägypter,
        Leipzig 1926.

Kilian R., Die Priesterschrift. Hoffnung auf Heimkehr, in : Wort
        und Botschaft des AT, hrsg.v. J. Schreiner,
        Würzburg[2]1969, 243-260.

Kittel R., Die hellenistischen Mysterienreligionen und das AT
        (BWA(N)T NF 7) Berlin-Stuttgart-Leipzig 1924, 1-
        100.

Koch K., Was ist Formgeschichte?, Neukirchen 1964.

Koch R., Entrückung, in : Bibeltheologisches Wörterbuch I, hrsg.
v.J.B.Bauer, Graz[2]1962, 249-253.

Koehler L. - Baumgartner W., Lexicon in Veteris Testamenti
Libros, Leiden[2]1958.

Baumgartner W., Hebr. und aram. Lexikon zum AT, Leiden[3]1967.

Kramer S.N., Dilmun, the Land of the Living : BASOR 96, 1944,
18-28.

-,   The Epic of Gilgameš and its Sumerian Sources :
JAOS 64, 1944, 7-23.

Krause M., Ägypten, in : BHH I, hrsg.v. Bo Reicke und L.Rost,
Göttingen 1962, Sp. 31-47.

Kroll J., Gott und Hölle, Darmstadt[2]1963.

Kühner R. - Gerth B., Ausführliche Grammatik der griechischen
Sprache. 2. Teil : Satzlehre I, Hannover-Leipzig[3]
1898.

Landsberger B., Die babylonische Theodizee (akrostichisches Zwie-
gespräch ; sog. "Kohelet") : ZA 43, 1936,44-72.

Larcher C., Études sur le Livre de la Sagesse (ÉtB) Paris 1969.

Lattey C., A Note on Psalm 49,15-16 : ExpT 63/9, 1952, 288.

Liddell H.G. - Scott R. - Jones H.S., A Greek-English Lexikon,
Oxford[9]1940.

Liebreich L.J., Psalms 34 and 145 in the Light of their Key Words :
HUCA 27, 1956, 181-192.

Lindblom J., Die "Eschatologie" des 49.Psalms : Horae Soederblomianae I/1, Stockholm 1944, 21-27.

-,   Prophecy in Ancient Israel, Oxford 1963.

Löhr M., Psalmenstudien (BWA(N)T NF 3) Berlin 1922.

Lohfink G., Die Himmelfahrt Jesu. Untersuchungen zu den Himmel-
fahrts- und Erhöhungstexten bei Lukas (Studien zum
Alten und Neuen Testament XXVI) München 1971.

Loretz O., Qohelet und der Alte Orient, Freiburg 1964.

Maag V., Tod und Jenseits nach dem AT : Schweizerische Theologische Umschau 34/1, 1964, 17-37.

Meissner B., Babylonien and Assyrien II (Kulturgeschichtliche Bibliothek 4) Heidelberg 1925.

Meyer R., Hebräische Grammatik I-IV, Berlin 1966-1972.

Michaux W., Les Cycles d'Élie et d'Élisee : BiViChr 2, 1953, 76-99.

Molin G., Elijahu. Der Prophet und sein Weiterleben in den Hoffnungen des Judentums und der Christenheit : Judaica 8, 1952, 65-94.

Morenz S., Ägyptische Religion (Die Religionen der Menschheit 8) Stuttgart 1960.

Mowinckel S., Psalmenstudien I und II, Kristiania 1921/1922.

-, Traditionalism and Personality in the Psalms : HUCA 23/1, 1950/51, 205-231.

-, Der achtundsechzigste Psalm (ANVAO II. Hist. Filos. Kl.) Oslo 1953, No. 1.

-, Psalms and Wisdom : VTS III, Leiden 1955, 205-224.

-, The Psalms in Israel's Worship I und II, Oxford 1962.

-, Drive and/or ride : VT 12, 1962, 278-299.

Muilenburg J., Psalm 47 : JBL 63, 1944, 235-256.

-, A Study in Hebrew Rhetoric Repetition and Style : VTS 1, 1953, 97-111.

-, The linguistic and rhetorical Usages of the Particle כי in the Old Testament : HUCA 32, 1961, 135-160.

Munch P.A., Das Problem des Reichtums in den Pss 37.49.73 : ZAW 55, 1937, 36-46.

Nötscher F., Altorientalischer und alttestamentlicher Auferstehungsglauben, Würzburg 1926.

Noth M., Die fünf syrisch überlieferten apokryphen Psalmen :
ZAW 48, 1930, 1-23.

-, Überlieferungsgeschichtliche Studien, Halle a.d.
Saale 1943.

-, Überlieferungsgeschichte des Pentateuch, Stuttgart 1948.

Odeberg H., Ἐνώχ, in : ThWNT II, Stuttgart²1960, 553-557.

Olmo Lete G. del, La vocación de Eliseo : EstB 26, 1967,287-293.

Oppenheim A.L., The seafaring Merchants of Ur : JAOS 74, 1954,
6-17.

Otto E., Der Vorwurf an Gott, Hildesheim 1951.

Papadopulos N.M.,Ο ΘΑΝΑΤΟΣ ΚΑΙ ΑΙ ΜΕΤΑΘΑΝΑΤΙΟΙ ΠΑΡΑΣΤΑΣΕΙΣ
ΚΑΤΑ ΤΑ ΙΣΤΟΡΙΚΑ ΒΙΒΛΙΑ ΤΗΣ ΠΑΛ. ΔΙΑΘΗΚΗΣ

ΜΕΧΡΙ ΤΗΣ ΒΑΒΥΛΩΝΕΙΟΥ ΑΙΧΜΑΛΩΣΙΑΣ, Athen 1965.

Pedersen J., Israel its Life and Culture I-II, Copenhagen 1926,
III-IV, Copenhagen 1940.

Peters N., Henochs zweimalige Erwähnung im "Preis der Väter"
des Jesus Sirach : ThGl 2, 1910, 319 f.

Ploeg J. van der, Notes sur le Psaume XLIX : OTS XIII, Leiden
1963, 137-172.

Podechard E., Psaume 68 : RB 54, 1947, 502-520.

Praetorius F., Bemerkungen zum 49. Psalm : WZKM 30,1917/18,
331-337.

Press R., Der Gottesknecht im AT : ZAW 67, 1955, 67-99.

Rad G. von, Die Priesterschrift im Hexateuch (BWA(N)T 4/13)
Stuttgart-Berlin 1934.

-, "Gerechtigkeit" und "Leben" in der Kultsprache der
Psalmen, in : Festschrift f.A.Bertholet, Tübingen
1950, 418-437.

-, Theologie des AT I, München⁴ 1962, II, München⁴ 196

Rahlfs A., Septuaginta-Studien I-III, Göttingen[2]1965.

Renger J., Untersuchungen zum Priestertum der altbabylonischen
　　　　Zeit, 2.Teil : ZA 59, 1969, 104-230.

Richter W., Die sogenannten vorprophetischen Berufungsberichte
　　　　(FRLANT 101) Göttingen 1970.

-, 　　　　Exegese als Literaturwissenschaft, Göttingen 1971.

Ridderbos N.H., The Psalms. Style-Figures and Structure : OTS
　　　　XIII, Leiden 1963, 43-76.

Rignell L.G., Die Nachtgesichte des Sacharja, Lund 1950.

Ringgren H., Einige Bemerkungen zum 73. Psalm : VT 3, 1953,
　　　　265-272.

-, 　　　　The Faith of the Psalmists, Philadelphia 1963.

Rocco B., Currus Israel et auriga eius : Bibbia e Oriente 9, 1967,
　　　　51 f.

Rohde E., Psyche. Seelencult und Unsterblichkeitsglaube der Grie-
　　　　chen I-II, Darmstadt[2]1961.

Rose A., Le Sort du Riche et du Pauvre : BiViChr 37, 1961,53-61.

Rosengarten Y., Trois Aspects de la Pensée Religieuse Sumérienne.
　　　　L'Origine de Dilmun, Paris 1971, 7-38.

Rowley H.H., The Faith of Israel, London 1956.

Ruppert L., Der Jahwist-Künder der Heilsgeschichte, in : Wort
　　　　und Botschaft des AT, Würzburg[2]1969, 101-120.

Sander-Hansen C.E., Der Begriff des Todes bei den Ägyptern
　　　　(Det Kgl.Danske Videnskabernes Selskab Historisk -
　　　　Filologisk Meddelelser XXIX/2) Kopenhagen 1942.

Scheftelowitz J., Der Seelen- und Unsterblichkeitsglaube im AT :
　　　　ARW 19, 1916-1919, 210-232.

Schilling O., Leidensfrage und Gottesgemeinschaft. Auslegung von
　　　　Psalm 73 : Bibel und Leben 2/1, 1961, 25-39.

Schmidt W., Königtum Gottes in Ugarit und Israel : BZAW 80,
　　　　Berlin 1961.

Schmitt A., Stammt der sogenannte " ϑ ' "-Text bei Daniel wirklich von Theodotion? (NAG I. Philologisch-Histo-
   rische Klasse, Jg. 1966 Nr. 8) Göttingen 1966.
-, Die Angaben über Henoch Gen 5,21-24 in der LXX,
   in : Wort, Lied und Gottesspruch. Ziegler-Festschrift, fzb 1, Würzburg 1972, 61-69.
Schmitt H.-Ch., Elisa, Gütersloh 1972.
Schnabel P., Berossos und die babylonisch-hellenistische Litera-
   tur, Leipzig-Berlin 1923.
Schreiner J., Sion-Jerusalem Jahwes Königssitz, München 1963.
-, Wort-Geist-Vision. Ezechiels prophetische Tätig-
   keit, in : Wort und Botschaft des AT, Würzburg[2]1969,
   226-242.
Schulz A., Die Quellen zur Geschichte des Elias, in : Vorlesungs-
   verzeichnis zu Braunsberg Sommersemester 1906,
   Braunsberg 1906, 3-19.
-, Der Sinn des Todes im AT, in : Vorlesungsverzeich-
   nis zu Braunsberg im Sommer-Halbjahr 1919,
   Braunsberg 1919, 7-41.
Schulz H., Alttestamentliche Theologie, Göttingen[5]1896.
Scott R.B.Y., Behold he cometh with Clouds : NTS 5, 1958/59,
   127-132.
Sellers O.R., Israelite Belief in Immortality : BA 8, 1945, 1-16.
Sellin E., Das Rätsel des deuterojesajanischen Buches, Leipzig 1908.
-, Die alttestamentliche Hoffnung auf Auferstehung
   und ewiges Leben : NKZ 30, 1919, 232-289.
Sellin E. - Fohrer G., Einleitung in das AT, Heidelberg[10]1965.
Smith C.R., The Bible Doctrine of the Hereafter, London 1958.
Snaith N.H., The Servant of the Lord in Deutero-Isaiah (Studies in
   Old-Testament Prophecy) Edinburgh 1950.

Soden W. von, Status-Rectus-Formen vor dem Genitiv im Akkadischen und die sogenannte uneigentliche Annexion im Arabischen : JNES 19,1960, 163-171.

-, AHw I, Wiesbaden 1965.

Speiser E.A., The Durative Hithpa^{c}el : JAOS 75, 1955, 118-121.

Stamm J.J., Erlösen und Vergeben im AT, Bern 1940.

-, Das Leiden des Unschuldigen in Babylon und Israel, Zürich 1946.

-, Die akkadische Namengebung, Darmstadt^{2}1968.

Steck O.H., Überlieferung und Zeitgeschichte in den Elia-Erzählungen (WMANT 26) Neukirchen 1968.

Stein B., Der Begriff K^{e}bod Jahwe und seine Bedeutung für die alttestamentliche Gotteserkenntnis, Emsdetten 1939.

Steinmann J., La Geste d' Élie dans l' Ancien Testament, in : Élie le Prophète I, Paris-Brügge 1956, 93-115.

Suggs M.J., Wisdom of Solomon 2,10-5. A Homily based on the fourth Servant Song : JBL 76, 1957, 26-33.

Sutcliffe E.F., The Old Testament and the future Life, Westminster 1946.

Tallqvist K., Sumerisch-akkadische Namen der Totenwelt (StudOr V/4) Helsinki 1934.

Taylor C. - Hart J.H.A., Two Notes on Enoch in Sir 44,16 : JThSt 4,1903, 589-591.

Terrien S., The Psalms and their Meaning for today, Indianapolis-New York 1952.

Thackeray H.St.J., A Grammar of the Old Testament in Greek I, Cambridge 1909.

Tom, Ds.W. "Kaalkop, ga op! af : vaar op!" ? GerTheolTijdschr 59, 1959, 149-151.

Torczyner H., Ein Psalm "über den Tod" : WZKM 29, 1915,48-59.

Torge P. , Seelenglaube und Unsterblichkeitshoffnung im AT, Leipzig 1909.

Tournay R.J. , L'Eschatologie individuelle dans les Psaumes : RB 56, 1949, 481-506.

-, Recensions : RB 57, 1950, 611-616.

Ungnad A. - Greßmann H. , Das Gilgamesch-Epos (FRLANT 14) Göttingen 1911.

Vaccari A. , Antica e nuova Interpretazione del Salmo 16 (Volg.15): Bibl 14, 1933, 408-434.

Vaux R. de, Das AT und seine Lebensordnungen II, Freiburg 1962.

Vriezen Th. C. , Two old Cruces : OTS 5, 1948, 80-91.

Wagner M. , Die lexikalischen und grammatikalischen Aramaismen im alttestamentlichen Hebräisch (BZAW 96) Berlin 1966.

Wallace R.S. , Elijah and Elisha. Expositions from the Book of Kings, Edinburgh-London 1957.

Weidner E. , Baḥrein : AfO 15, 1945-1951, 169 f.

Westermann C. , Das Loben Gottes in den Psalmen, Göttingen[4]1968.

Wevers J.W. , Principles of Interpretation guiding the fourth Translator of the Book of the Kingdoms (3 K.22 : 1-4 K. 25 : 30) : CBQ 14, 1952, 40-56.

Williams J.G. , The Prophetic "Father". A brief Explanation of the Term "Sons of the Prophets" : JBL 85, 1966, 344-348.

Wright A.G. , The Structure of the Book of Wisdom : Bibl 48, 1967, 165-184.

Würthwein E. , Erwägungen zu Ps 73, in : Festschrift für A. Bertholet, Tübingen 1950, 532-549.

Young E. , Isaiah fifty-three. A Devotional and Expository Study, Michigan[3] 1957.

Zenger E., Ein Beispiel exegetischer Methoden aus dem AT, in :
        Einführung in die Methoden der biblischen Exe-
        gese, Würzburg 1971, 97-148.

Ziegler J., Die jüngeren griechischen Übersetzungen als Vorlagen
        der Vulgata in den prophetischen Schriften, Brauns-
        berg 1943/44.

-,   Chokma-Sophia-Sapientia (Würzburger Universi-
        tätsreden 32) Würzburg 1961.

Zimmermann F., The Book of Wisdom. Its Language and Character :
        JQR 57,1966, 1-27.101-135.

Zorell F., Lexikon Hebraicum et Aramaicum Veteris Testamenti,
        Rom 1940 ff.

STELLENREGISTER (in Auswahl)